CBAC
TGAU Gwyddoniaeth a
TGAU Gwyddoniaeth Ychwanegol

Philip Barratt, Morton Jenkins, George Snape
Golygydd: Morton Jenkins

Cyhoeddwyd dan nawdd
Cynllun Adnoddau Addysgu a Dysgu CBAC

Hodder Murray
www.hoddereducation.co.uk

CBAC
TGAU Gwyddoniaeth a Gwyddoniaeth Ychwanegol
Addasiad Cymraeg o
WJEC GCSE Science and Additional Science a gyhoeddwyd gan Hodder Murray.

Noddwyd gan Lywodraeth Cynulliad Cymru

Cyhoeddwyd dan nawdd
Cynllun Adnoddau Addysgu a Dysgu CBAC

Cydnabyddiaeth

Hoffai'r Cyhoeddwyr ddiolch i'r canlynol am ganiatâd i atgynhyrchu deunydd sydd dan hawlfraint:

t. 3 *t* Mary Evans Picture Library, *g* trwy garedigrwydd BFI; **t. 4** *t* NHPA / John Shaw, *cch* NHPA / T Kitchin & V Hurst, *cch* Corbis / Alan & Sandy Carey / zefa, *cd* NHPA / Manfred Danegger, *gch* FLPA / Nigel Cattlin; **t. 5** *t* NHPA / Mike Lane, *c* Alamy / Danita Delimont, *g* Corbis / George D. Lepp, *gch* FLPA / Nigel Cattlin, *gd* NHPA / Martin Harvey; **t. 6** *t* FLPA / Nigel Cattlin, *c* NHPA / Daniel Heuclin; **t. 10** Becca Law; **t. 12** *t* Science Photo Library / Dr Jeremy Burgess, *c* Empics / PA; **t. 13** National Library of Medicine / Science Photo Library; **t. 14** Science Photo Library / George Bernard; **t. 16** *c* Science Photo Library / Alfred Pasieka, *g* Ria Novosti / Science Photo Library; **t. 17** *tch* Science Photo Library / Peter Menzel, *cch* Science Photo Library / CNRI, *gch* Science Photo Library / Yr Athro P Motta, Deparment of Anatomy, University La Sapienza; **t. 18** *popeth* Science Photo Library / Dr Bernard Lunard; **t. 19** Biophoto Associates; **t. 23** Science Photo Library; **t. 26** Science Photo Library / Hattie Young; **t. 28** Science Photo Library / Yr Athro K Sneddon & Dr T Evans; **t. 29** Science Photo Library / A Barrington Brown; **t. 38** Biophoto Associates / Science Photo Library; **t. 39** Science Photo Library / Astrid & Hanns-Frieder Michler; **t. 40** Science Photo Library / Manfred Kage; **t. 53** NHPA / George Bernard; **t. 54** Science Photo Library / Eye of Science; **t. 58** Science Photo Library / Will McIntyre; **t. 64** *t* Life File Photographic Library Ltd / Emma Lee, *c* Science Photo Library / Sheila Terry, *g* Life File Photographic Library Ltd / Emma Lee; **t. 72** Primrose Peacock / Holt Studios / FLPA; **t. 88** Science Photo Library / Simon Fraser; **t. 91** *t* Science Photo Library / Vanessa Vick, *g* Life File Photographic Library Ltd / Barry Mayes; **t. 92** *t* Life File Photographic Library Ltd / Jan Suttle, *g* Life File Photographic Library Ltd / Jeremy Hoare; **t. 93** *t* NHPA / Mark Bowler, *c* NHPA / John Shaw; **t. 94** *t* NHPA / Bill Coster, *c* NHPA / Manfred Danegger, *g* FLPA / D P Wilson; **t. 95** Still Pictures / Martin Wendler; **t. 97** Mary Evans Picture Library; **t. 98** Science Photo Library / NASA / ESA / STScI; **t. 99** Empics / Deutsche Press-Agentura / DPA; **t. 102** Getty Images / Rischgitz / Hulton; **t. 107** *t* Science Photo Library / Andrew Lambert, *g* Science Photo Library / Charles D Winters; **t. 108** Science Photo Library / Andrew Lambert; **t. 109** *t* Science Photo Library / Andrew Lambert, *c* Alamy / The Photolibrary Wales; **t. 117** Science Photo Library / David Leah; **t. 127** Harald Finster; **t. 128** Alamy / Jeff Morgan; **t. 132** *ch* Still Pictures / Ray Pfortner, *d* Science Photo Library / Simon Fraser; **t. 133** Getty Images / John Lamb; **t. 134** *cch* Empics / AP, *gch* Empics / AP; **t. 139** Rex Features / AGB Photo Library; **t. 146** Alamy Robert Harding Picture Library; **t. 150** Arnold Fisher / Science Photo Library; **t. 153** John Jaszczak; **t. 158** Science Photo Library / Biophoto Associates; **t. 159** Northwest Railway Museum, www.trainmuseum.org; **t. 160** Alamy / Jeff Morgan; **t. 162** Alamy / Jeff Morgan; **t. 163** *t* trwy garedigrwydd Audi, *g* Alamy / Jeff Morgan; **t. 164** Getty Images / Hulton Archive; **t. 166** *t* trwy garedigrwydd Comalco, *g* Science Photo Library / Astrid & Hanns-Frieder Michler; **t. 167** Amgueddfeydd ac Orielau Cenedlaethol Cymru; **t. 168** *t* Alamy / South West Images Scotland, *c* atgynhyrchwyd y llun trwy garedigrwydd © Synthes GmbH 1006, Y Swistir, *g* Corbis / Peter Johnson; **t. 169** *c* Alamy / Warren Kovach, *g* Getty Images / Chris Graythen; **t. 174** *t* Science Photo Library / Jeremy Hoare; **t. 175** Science Photo Library / Sheila Terry; **t. 176** *t* Alamy / John Smaller, *c* Lorna Ainger; **t. 179** Science Photo Library; **t. 180** *t* FLPA / Nigel Cattlin, *g* llun trwy garedigrwydd Kellogg Brown & Root LLC a Caribbean Nitrogen Company Limited; **t. 183** *t* Science Photo Library / Martin Bond, *g* Aklamy / Jeff Morgan; **t. 185** *t* trwy garedigrwydd Swish Building Products, *g* Science Photo Library / Charles D Winters; **t. 186** *t* Corbis / Alen MacWeeney, *g* Science & Society Picture Library / Science Museum; **t. 187** NHPA / Andy Rouse; **t. 191** Data o ffigur 10.2: United National Statistics Division; data o ffigur 10.3: National Resources Defense Council; **t. 195** *gch* North Hoyle, North Wales© onEdition2004, *gd* trwy garedigrwydd Lego; **t. 196** Data o ffigur 10.12: The British Wind Energy Association; **t. 202** Lorna Ainger; **t. 205** Alamy / D Hurst; **t. 206** *t* Alamy / Jeff Morgan, *c* trwy garedigrwydd Honda; **t. 207** Renewable Devices Ltd; **t. 213** Getty Images / Marco Di Lauro; **t. 233** llun Llynges yr UD gan Fêt Ffotograffydd 2ail Ddosbarth Floyd Grimm, *g* Alamy / Ashley Cooper; **t. 224** *t* Science Photo Library / Dr P Marazzi, *c* Science Photo Library / Maximilian Stock Ltd, *g* Glamy / PCL; **t. 228** Science Photo Library / Steve Horrell; **t. 230** *t* Science Photo Library / Tom Van Sant / Geosphere Project, Santa Monica, *g* Alamy / Roberts Haines; **t. 233** *t* trwy garedigrwydd Carphone Warehouse, *g* Rex Features; **t. 238** NASA Jet Propulsion Laboratory; **t. 239** NASA; **t. 240** *t* Lowell Observatory Archives, *c* Science Photo Library / Dan Schechter, *gd* NASA; **t. 241** NASA, *tc* Photodisc; **t. 244** *t* NASA, *g* Science Photo Library / NOAO; **t. 245** NASA ill dau; **t. 246** NASA; **t. 247** NASA; **t. 248** Anglo-Australian Observatory **t. 249** *c* Science Photo Library / David A Hardy, *g* Science Photo Library / Tony Hallas; **t. 260** Science Photo Library / Blair Seitz; **t. 263** Science Photo Library / CC Studio; **t. 267** Science Photo Library / CC Studio; **t. 272** Science Photo Library / Andrew Lambert; **t. 274** Science Photo Library / Andrew Lambert; **t. 276** George Snape; **t. 279** George Snape; **t. 280** *t* Corbis, *c* trwy garedigrwydd www.screwfix.com, *g* Science Photo Library / Sheila Terry; **t. 285** George Snape; **t. 297** Getty Images / Joe McBride; **t. 299** Science Photo Library / Takeshi Takahara.

Gwnaethpwyd pob ymdrech i olrhain deiliaid hawlfreintiau. Os oes rhai nas cydnabuwyd yma trwy amryfusedd, bydd y Cyhoeddwyr yn falch o wneud y trefniadau priodol ar y cyfle cyntaf.

Ymdrechwyd i sicrhau bod cyfeiriadau gwefannau'n gywir adeg mynd i'r wasg, ond ni ellid dal Hodder Murray yn gyfrifol am gynnwys unrhyw wefan a grybwyllir yn y llyfr hwn. Gall fod yn bosibl dod o hyd i dudalen we a adleolwyd trwy deipio cyfeiriad tudalen gartref gwefan yn ffenestr LlAU (*URL*) eich porwr.

Asesiad risg
Fel gwasanaeth i ddefnyddwyr, mae CLEAPSS wedi cynnal asesiad risg o'r testun hwn; gellir gofyn i'r cyhoeddwyr am gopi ohono. Serch hynny, nid yw'r cyhoeddwyr yn derbyn cyfrifoldeb cyfreithiol am unrhyw fater a all godi o'r asesiad risg hwn: er y gwnaethpwyd pob ymdrech i wirio'r cyfarwyddiadau ar gyfer y gwaith ymarferol yn y llyfr hwn, mae'n parhau'n ddyletswydd a rhwymedigaeth gyfreithiol ar ysgolion i gynnal eu hasesiadau risg eu hunain.

Polisi Hodder Headline yw defnyddio papurau sydd yn gynhyrchion naturiol, adnewyddadwy ac ailgylchadwy o goed a dyfwyd mewn coedwigoedd cynaliadwy. Disgwylir i'r prosesau torri coed a'u gweithgynhyrchu gydymffurfio â rheoliadau amgylcheddol y wlad y mae'r cynnyrch yn tarddu ohoni.

Archebion: cysyllter â Bookpoint Ltd, 130 Milton Park, Abingdon, Oxon OX14 4SB.
Ffôn: (44) 01235 827720. Ffacs: (44) 01235 400454. Mae'r llinellau ar agor 9.00–5.00, dydd Llun i dydd Sadwrn, ac mae gwasanaeth ateb negeseuon 24-awr. Ewch i'n gwefan www.hoddereducation.co.uk.

| Rhif yr argraffiad | 10 9 8 7 6 5 4 3 2 |
| Blwyddyn | 2011 2010 2009 2008 2007 |

Addasiad Cymraeg gan Siân Gruffudd, Ruth Dennis-Jones a Sian Owen

Lluniau'r clawr: ymennydd, Sovereign, ISM / Science Photo Library; twrbin gwynt, The Photolibrary Wales / Alamy; cnocell y coed, © Niall Benvie / Corbis
Darluniau gan Barking Dog Art

Cysodwyd yn 10/12 pt TimesTen gan Pantek Arts Ltd, Maidstone, Kent.
Argraffwyd yn yr Eidal

Mae cofnod catalog ar gael gan y Llyfrgell Brydeinig.
ISBN: 978 0340 927038

Cynnwys

BIOLEG

CEMEG

FFISEG

Pam mae gwyddoniaeth yn wahanol?

Mae dull gwyddonol yn ffordd drefnus, resymegol o geisio datrys problem. Y drefn a'r rhesymeg hyn sy'n gwneud dulliau gwyddonol yn wahanol i ddulliau hap a damwain cyffredin.

Cofiwch, er hynny, nad hud yw dulliau gwyddonol. Gall hyd yn oed yr ymchwiliadau sydd wedi'u cynllunio orau fethu â chynhyrchu data ystyrlon. Ar y llaw arall, mae methu'n gallu arwain at lwyddo yn y pen draw. Trwy astudio pob canlyniad yn ofalus, mae'n bosibl y bydd y gwyddonydd yn dod o hyd i gyfeiriad newydd y gall ei gymryd. Yn aml mae'r cyfeiriad newydd hwn yn arwain at ddarganfyddiad mwy pwysig hyd yn oed na'r un oedd i'w ddisgwyl yn y lle cyntaf.

Mae gwyddoniaeth yn defnyddio sawl dull, yn dibynnu ar natur y broblem. Yr un pwysicaf efallai yw'r dull ymchwiliol. Trwy ymchwilio y mae ennill gwybodaeth newydd a datblygu cysyniadau newydd.

Fe gewch chi lawer o gyfleoedd i ymchwilio wrth i chi astudio gwyddoniaeth. Mae'r camau yn y dull ymchwiliol hwn yn rhesymegol ac yn drefnus.

Dewis pwnc i ymchwilio iddo

Ni fyddwch chi'n deall pam mae rhywbeth yn digwydd heb arsylwi arno yn y lle cyntaf. Mae gwyddoniaeth yn gofyn am y math o feddwl sy'n gwneud arsylwadau ac yn gofyn cwestiynau amdanynt. Er enghraifft, pam rydych chi'n anadlu'n gyflymach wrth i chi redeg? Pam mae rhai metelau'n ymdoddi ar dymheredd is na metelau eraill? Pam mae enfys yn cael ei chreu?

Mae ymchwiliadau sydd wedi'u cynllunio'n dda yn gallu ateb pob un o'r cwestiynau hyn. Fodd bynnag, mewn gwyddoniaeth, mae pob ateb yn codi cwestiynau newydd. Mae ymchwil llwyddiannus yn arwain at ymchwil newydd a gwybodaeth newydd sydd weithiau'n datrys problemau.

Casglu gwybodaeth

Rhaid i wyddonwyr adeiladu ar waith gwyddonwyr eraill. Fel arall, ni fyddai'n bosibl i wyddoniaeth fynd ymhellach na'r hyn y gallai un person ei ddysgu yn ystod ei oes. Cyn dechrau ymchwiliad, mae angen i'r gwyddonydd astudio'r holl wybodaeth bwysig sy'n ymwneud â'r arsylwadau.

Yn aml, bydd rhywun wedi ateb rhai o'r cwestiynau eisoes. Am y rheswm hwn, mae cael defnyddio llyfrgell o lyfrau a chyfnodolion gwyddonol yn rhan bwysig o unrhyw ymchwiliad. Fel math arbennig o lyfrgell, mae'r rhyngrwyd o gymorth hefyd, fel y mae CD-ROMau a phecynnau meddalwedd. A bydd y gwerslyfr hwn yn cynorthwyo gyda'ch darllen cefndir.

Rhagfynegi

Mae'n bosibl na fydd yr wybodaeth sydd eisoes ar gael yn egluro arsylwadau'r gwyddonydd yn llawn. Os felly, rhaid i'r gwyddonydd ddechrau ymchwilio. Yr adeg honno, mae angen rhagdybiaeth. Mae'r rhagdybiaeth yn fath o eglurhad gweithio neu ragfynegiad. Er enghraifft, efallai y byddwch chi'n rhagfynegi y bydd cyfradd adwaith cemegol yn cynyddu wrth i'r tymheredd godi.

Mae hyn yn rhoi i'r ymchwilydd bwynt i anelu ato. Fodd bynnag, does dim ots pa mor rhesymol mae'r rhagdybiaeth yn ymddangos, ni ellir ei derbyn cyn iddi gael ei chefnogi gan nifer mawr o brofion. Rhaid i ymchwilwyr fod yn ddigon diduedd i newid neu ollwng y rhagdybiaeth wreiddiol os nad yw'r dystiolaeth yn ei chefnogi.

Profi'r rhagdybiaeth

Rhaid i'r gwyddonydd gynllunio ymchwiliad a fydd naill ai'n cefnogi'r rhagdybiaeth neu'n ei gwrthbrofi. Er mwyn gwneud hyn, rhaid i'r ymchwiliad brofi dim ond y syniad neu'r amod sydd yn rhan o'r rhagdybiaeth. Rhaid cael gwared â'r holl ffactorau eraill neu eu hystyried mewn ffordd arall. Yr enw ar y ffactor sydd i'w brofi yw'r unig newidyn.

Yr enw ar ail ymchwiliad yn aml yw arbrawf cymharu, sy'n cael ei gynnal yr un pryd â'r un cyntaf. Yn yr arbrawf cymharu, mae pob ffactor ar wahân i'r un sy'n cael ei brofi yn union yr un peth ag yn yr ymchwiliad cyntaf. Yn y ffordd hon, mae'r arbrawf cymharu yn dangos pwysigrwydd y newidyn sydd ar goll.

Arsylwi a chofnodi data o'r ymchwiliad

Dylai popeth gael ei gofnodi'n fanwl gywir. Rhaid defnyddio'r unedau safonol rhyngwladol cywir. Gall y cofnod o'r arsylwadau gynnwys nodiadau, lluniadau, graffiau a thablau. O bryd i'w gilydd, mae synwyryddion (dyfeisiau sy'n cael eu plygio i mewn i gyfrifiadur) yn gallu bod o gymorth wrth wneud mesuriadau mewn ymchwiliadau.

Y term am arsylwadau a mesuriadau yw data. Yn y dyddiau hyn, bydd ymchwilwyr heddiw fel arfer yn defnyddio technoleg gwybodaeth i brosesu data. Er enghraifft, gall taenlenni cyfrifiadurol helpu'r ymchwilydd i lunio graffiau a dadansoddi data. Gall prosesydd geiriau helpu gwyddonydd i baratoi adroddiadau arbrofion.

Tynnu casgliadau a gwerthuso

Nid oes ystyr i ddata oni bai i gasgliadau dilys gael eu tynnu ohonynt, ac ni ellir asesu dilysrwydd heb werthuso'r ymchwiliad yn feirniadol. Rhaid i gasgliadau a gwerthusiadau o'r fath gael eu seilio yn llwyr ar arsylwadau a gafodd eu gwneud yn yr ymchwiliad. Os bydd ymchwiliadau eraill yn parhau i gefnogi'r rhagdybiaeth, gall y rhagdybiaeth droi'n ddamcaniaeth.

Gwella eich gradd

RHEOLAU POB DYDD

RHAID chwilio am eich gwendidau.

PEIDIWCH ag anwybyddu eich gwendidau.

Mae rhai pobl yn poeni am arholiadau a phrofion. Mae eraill yn gallu ymlacio'n fwy. Rydym ni'n gobeithio y bydd y cyngor hwn o gymorth i bawb. Yn sicr, nid oes rhaid i arholiadau fod yn storïau arswyd, cyhyd â'ch bod chi (a) *eisiau* gwneud yn dda, a (b) *wedi paratoi'n* dda.

Y peth cyntaf i'w wneud os ydych chi eisiau gwella eich gradd yw cydnabod os a phryd rydych chi'n mynd o'i le. Mae myfyrwyr yn aml yn dangos diddordeb yn y marciau neu'r graddau sy'n cael eu rhoi am eu gwaith. Y perygl yw cofio'r marciau neu'r graddau ond anghofio'r camgymeriadau.

Dilynwch y camau isod i'ch helpu i wneud yn well wrth ateb cwestiynau prawf ac arholiad yn y dyfodol.

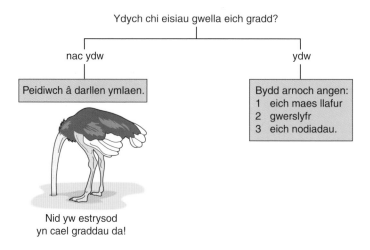

Ydych chi eisiau gwella eich gradd?

nac ydw — Peidiwch â darllen ymlaen.

ydw — Bydd arnoch angen:
1 eich maes llafur
2 gwerslyfr
3 eich nodiadau.

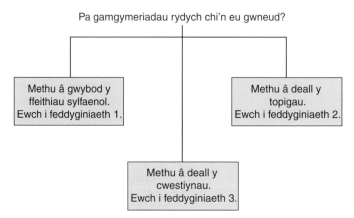

Nid yw estrysod yn cael graddau da!

Pa gamgymeriadau rydych chi'n eu gwneud?

Methu â gwybod y ffeithiau sylfaenol. Ewch i feddyginiaeth 1.

Methu â deall y topigau. Ewch i feddyginiaeth 2.

Methu â deall y cwestiynau. Ewch i feddyginiaeth 3.

Meddyginiaeth 1

Dysgu ffeithiau yw'r dasg sy'n cymryd yr amser mwyaf. Nid ydych chi'n gwybod ffaith nes ei bod yn fwy anodd ei hanghofio nag ei chofio. Rhowch gynnig ar y rhain.

- Darllenwch set o nodiadau cryno dro ar ôl tro. Os ydych chi'n meddwl bod hyn yn ddiflas, mae graddau isel yn ddiflas hefyd.
- Lluniadwch ddiagramau llif syml, gan ddefnyddio geiriau allweddol.
- Crynhowch dopigau, gan ddefnyddio geiriau allweddol fel penawdau ac isbenawdau.
- Rhannwch eich amser dysgu yn gyfnodau 30 munud gydag egwyliau 10 munud rhyngddynt.

RHEOLAU POB DYDD

RHAID treulio digon o amser yn dysgu ffeithiau.

PEIDIWCH â gadael dysgu ffeithiau tan y funud olaf.

E=mc²

RHEOLAU POB DYDD

RHAID gofyn i'ch athro/ athrawes am gymorth.

PEIDIWCH â dysgu fel parot os nad ydych chi'n deall yr hyn rydych chi'n ei ddysgu.

RHEOLAU POB DYDD

RHAID darllen y cwestiwn yn ofalus.

PEIDIWCH ag ysgrifennu atebion sy'n amherthnasol.

Meddyginiaeth 2

- Gofynnwch am *eglurhad* o dopigau. Os cewch eich gwahodd i ofyn cwestiynau, yna gofynnwch gwestiynau. Peidiwch â bod yn swil.
- Os nad ydych chi'n deall topig, peidiwch â cheisio ei ddysgu fel parot. Ewch yn ôl i ddechrau'r topig, a datblygwch eich dealltwriaeth gam wrth gam, neu hyd yn oed yn well, gofynnwch i rywun arall ei egluro i chi.
- Defnyddiwch hen gwestiynau ac atebion arholiad. Fe allwch chi ddod o hyd i'r rhain mewn gwerslyfrau, cymhorthion astudio, a meddalwedd cyfrifiadurol. Astudiwch y topig yn gyntaf, ac yna edrychwch ar y mathau o gwestiynau sy'n cael eu gosod am y topig. Ceisiwch ateb y cwestiynau *cyn* edrych ar yr atebion.

Meddyginiaeth 3

Weithiau mae termau sy'n cyflwyno cwestiynau'n cael eu camddeall. Fe allwch chi golli marciau oherwydd hyn, gan fod cynllun marcio caeth gan arholwyr ar gyfer pob cwestiwn. Hyd yn oed os ydych chi wedi ysgrifennu llawer o wybodaeth gywir, ni fyddwch chi'n ennill marciau os nad yw'n ffitio'r union gwestiwn rydych chi'n ei ateb. Cymerwch ofal gyda chwestiynau sy'n dechrau gyda'r geiriau cyffredin canlynol:

- Mae '**Nodwch**' yn golygu cyflwyno ar ffurf gosodiad *cryno*.
- Mae '**Eglurwch/Esboniwch**' yn golygu rhoi gwybodaeth yn fanwl ac yn ddealladwy. Mae egluro yn cymryd mwy o amser a gofod na gosodiadau. Maen nhw'n werth mwy o farciau.
- Mae '**Disgrifiwch**' yn golygu egluro, mewn geiriau neu gyda chymorth diagramau, ffurf neu swyddogaeth rhywbeth. Hefyd mae'n gallu golygu egluro sut mae proses yn gweithio neu sut rydych chi wedi cynnal arbrawf.
- Mae '**Crynhowch**' yn golygu rhoi gosodiad byr o ...
- Mae '**Rhestrwch**' yn golygu ysgrifennu, un ar ôl y llall, yn null catalog.
- Mae '**Gwahaniaethwch rhwng**' yn golygu nodi nodweddion hanfodol sy'n gwneud rhywbeth yn wahanol i rywbeth arall.

Dyma sut i'w wneud!

Cwestiwn: Nodwch ystyr y term 'resbiradu'.
Ateb: Resbiradu yw'r ffordd y mae pethau byw yn rhyddhau egni o glwcos neu sylweddau eraill.

Cwestiwn: Eglurwch yn glir y term 'resbiradu'.
Ateb: Resbiradu yw'r ffordd y mae pethau byw yn rhyddhau'r egni cemegol mewn cyfansoddion carbon cymhleth ar gyfer ei ddefnyddio yn eu gweithgareddau. Fel rheol maen nhw'n defnyddio ocsigen, ac yn cynhyrchu carbon deuocsid a dŵr. Mae resbiradu'n digwydd ym mitocondria pob cell.

Cwestiwn: Disgrifiwch broses resbiradu'n fyr.
Ateb: Mae resbiradu'n cynnwys torri i lawr gyfansoddion carbon cymhleth, megis glwcos, a rhyddhau egni. Fel rheol mae ocsigen yn cael ei ddefnyddio yn y broses hon, sy'n cynnwys cyfres gymhleth o adweithiau. Carbon deuocsid a dŵr fel rheol yw cynhyrchion cemegol resbiradu.

Diogelwch yn y labordy

Cwestiynau

1 Chwiliwch am ystyron y geiriau canlynol:
   a cyrydol
   b peth llidus
   c fflamadwy
   ch ffrwydrol
   d gwenwynig.

2 Eglurwch ystyr **pob un** o'r symbolau canlynol:

a	b
c	ch
d	dd

- Rhaid i chi beidio â mynd i mewn i labordy oni bai bod athro/athrawes yn dweud wrthych am wneud felly.

- Rhaid i chi beidio â gwneud unrhyw beth â chyfarpar neu ddefnyddiau oni bai bod athro/athrawes yn dweud wrthych am wneud felly. Dilynwch bob cyfarwyddyd yn fanwl gywir.

- Rhaid gwisgo rhywbeth i ddiogelu'ch llygaid pan ddywedir wrthych am wneud hynny, a'i gadw amdanoch nes i chi gael caniatâd i'w dynnu unwaith bod yr holl waith ymarferol, gan gynnwys clirio i ffwrdd, wedi gorffen.

- Pan gewch chi gyfarwyddyd i ddefnyddio llosgydd Bunsen, gwnewch yn sicr fod gwallt, sgarffiau, teis, a.y.b. wedi'u clymu'n ôl neu eu gwthio o'r neilltu i'w cadw yn ddigon pell o'r fflam.

- Wrth weithio â hylifau, fel arfer dylech chi sefyll; yna mae'n bosibl i chi symud allan o'r ffordd yn gyflym os caiff rhywbeth ei ollwng.

- Peidiwch byth â blasu unrhyw beth neu roi unrhyw beth yn eich ceg pan ydych chi yn y labordy oni bai bod athro/athrawes yn dweud wrthych am wneud felly. Mae hyn yn cynnwys losin, bysedd a phensiliau, a all fod wedi codi cemegion peryglus oddi ar y fainc.

- Os cewch chi ychydig o gemegion neu feithriniadau microbiolegol ar eich dwylo neu unrhyw ran arall o'ch corff, golchwch nhw i ffwrdd. Golchwch eich dwylo ar ôl gweithio â chemegion neu â defnydd anifeilaidd neu lysieuol.

- Rhowch wybod i'r athro/athrawes am unrhyw ddamwain. Mae hyn yn cynnwys llosgiadau, archollion neu gemegion yn y geg a'r llygaid neu ar y croen.

- Cadwch eich mainc yn lân ac yn daclus, a rhowch fagiau mewn man lle na fydd pobl yn baglu drostynt. Glanhewch sblashis bach â lliain llaith, a rhowch wybod i'r athro/athrawes am rai mwy. Rhowch solidau gwastraff yn y bin cywir, byth yn y sinc.

- Byddwch yn ymwybodol o fyfyrwyr eraill yn gweithio o'ch cwmpas.

- Darllenwch y labeli ar boteli'n ofalus bob amser. Dylai cemegion gael eu labelu â'r symbolau perygl priodol. Mae pob cemegyn yn gallu bod yn beryglus. Mae hyd yn oed dŵr yn gallu bod yn berygl.

Ymbelydrol

Bioberygl

Niweidiol

Cyrydol

Ocsidio

Peth llidus

Gwenwynig

Ffrwydrol

Fflamadwy

Rhai labeli rhybuddio rhag perygl

Pennod 1 Genynnau ac amrywiaeth

Erbyn diwedd y bennod hon, dylech:

- ddeall sut a pham mae organebau'n cael eu dosbarthu;
- gwybod y gellir egluro lle mae organebau i'w cael mewn cynefin a'u niferoedd yno, yn nhermau ymaddasiad, cystadleuaeth, ysglyfaethu a llygredd;
- gwybod bod atgenhedlu rhywiol yn arwain at amrywiad genetig, a bod atgynhyrchu anrhywiol yn cynhyrchu clonau;
- gwybod y gall mwtaniad fod yn niweidiol neu'n fanteisiol, ac yn ffynhonnell amrywiad genetig;
- deall y gall sawl ffactor achosi mwtaniadau;
- gwybod bod amrywiad a detholiad yn arwain at esblygiad neu ddifodiant;
- gwybod bod cofnod ffosiliau sy'n rhoi tystiolaeth o esblygiad;
- gwybod bod cromosomau yng nghnewyllyn pob cell, a'u bod yn cynnwys genynnau;
- gwybod mai darn o DNA yw genyn;
- deall bod celloedd yn ymrannu trwy fitosis er mwyn i organeb dyfu, a bod celloedd yn ymrannu trwy feiosis er mwyn cynhyrchu gametau;
- gwybod bod etifeddiad monocroesryw yn digwydd pan fydd alelau trechol ac enciliol yn bresennol;
- gwybod bod rhai clefydau'n cael eu hetifeddu;
- deall sut mae cromosomau rhyw yn pennu rhyw bodau dynol;
- deall egwyddorion sylfaenol peirianneg genetig;
- deall y manteision posibl a'r problemau moesegol sy'n deillio o ddatblygiadau mewn clonio a pheirianneg genetig.

Ymaddasiad a chystadleuaeth

Amrywiaeth

Wrth astudio unrhyw ddarn bychan o dir, byddwch chi'n dod o hyd i lawer o fathau gwahanol o bethau byw. Er enghraifft, mewn gardd, efallai y gwelwch chi fwydod, gwlithod, malwod, nadroedd cantroed, pryfed, corynnod, adar, a hyd yn oed gwahaddod/tyrchod daear a llygod y maes. Mae gwahaniaethau amlwg iawn rhwng y creaduriaid hyn, ac mae biolegwyr yn defnyddio'r gwahaniaethau hyn i ddosbarthu anifeiliaid yn grwpiau. Bydd rhai nodweddion penodol yn gyffredin gan aelodau o'r un grŵp. Mae'r un peth yn wir am blanhigion. Er enghraifft, efallai fod eich gardd yn gartref i fwsoglau, rhedyn a phlanhigion blodeuol.

Mae gwyddonwyr eisoes yn gwybod am filiynau o fathau o bethau byw, ac mae llawer o rai ychwanegol yn cael eu darganfod bob blwyddyn. Mewn gwirionedd, mae yna'r fath nifer enfawr fel y byddai'n amhosibl i un person astudio pob un ohonynt yn ystod ei oes.

Mae biolegwyr yn gosod pethau byw mewn grwpiau. Ym mhob grŵp bydd organebau sy'n debyg i'w gilydd mewn amryw ffyrdd. Efallai fod y pethau sy'n debyg yn nodweddion y gallwch chi eu gweld yn hawdd yn yr organeb. Er hynny, fel arfer y dyddiau hyn bydd gwyddonwyr yn defnyddio adeiledd **DNA** (asid deocsiriboniwclëig) yr organeb er mwyn penderfynu a yw hi'n perthyn yn agos i organeb arall.

Mae grŵp neu deyrnas yr *anifeiliaid*, er enghraifft, yn cynnwys creaduriaid mor wahanol i'w gilydd â chlêr ac eliffantod. Sut maen nhw'n debyg? Un tebygrwydd yw eu bod nhw'n symud er mwyn chwilio am eu bwyd, fel pob anifail arall ar ryw adeg yn ystod ei fywyd. Mae grŵp neu deyrnas y *planhigion* yn cynnwys organebau fel mwsoglau a choed pinwydd. Ym mha ffordd y maen nhw'n debyg? Un tebygrwydd yw eu bod nhw'n gallu gwneud eu bwyd eu hunain trwy broses ffotosynthesis (gw. Pennod 3). Dyma sylfaen y drefn resymegol o ddosbarthu organebau. Er bod 'dosbarthu' a 'dosbarthiad' yn swnio'n ddiflas ac yn gymhleth, mae dosbarthiad yn hollbwysig er mwyn inni allu deall amrywiaeth bywyd ar y Ddaear.

Egwyddor dosbarthiad

Mae Ffigur 1.1 yn dangos y system sy'n sail i'r drefn hon o ddosbarthu pethau byw. Dyma'r man cychwyn ar gyfer dosbarthu anifeiliaid.

Byddwn ni'n astudio'r carlwm er mwyn arddangos prif egwyddor y system resymegol hon o ddosbarthu. Fe welwch chi fod y carlwm ar ben pellaf pob un o'r bwâu yn Ffigur 1.1.

Mae pob creadur byw yn rhan o deyrnas yr anifeiliaid, ac felly yn y bwa uchaf mae enghreifftiau o sawl gwahanol fath o anifail (sef, bioamrywiaeth). Ar ochr chwith y bwa mae math o anifail sydd ag un gell yn unig, ond mae'r deyrnas hefyd yn cynnwys mwydod, molwsgiaid a phryfed.

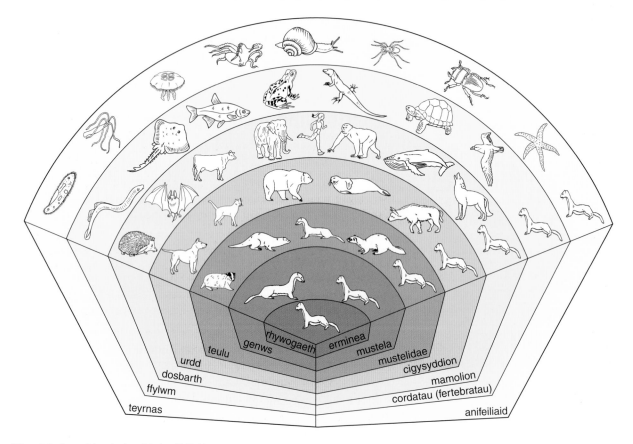

Ffigur 1.1   Egwyddor dosbarthiad anifeiliaid

Y **cordatau** yw enw'r rhaniad cyntaf y mae'r carlwm yn perthyn iddo yn holl deyrnas yr anifeiliaid. Mae'r cordatau'n cynnwys pob anifail sydd ag asgwrn cefn (**fertebratau**). Wedyn, mae'r **ffylwm** (neu'r rhaniad) hwn yn cael ei rannu ymhellach yn **ddosbarthiadau**. Mae'r carlwm yn perthyn i ddosbarth y **mamolion**. Mamolion eraill yw draenogod, gwartheg, dolffiniaid, ystlumod a phobl.

Beth sy'n gyffredin i'r rhain i gyd? Mae pob dosbarth yn cael ei rannu yn **urddau**. Mae'r carlwm yn perthyn i urdd y **cigysyddion**. Yn eu tro mae urddau'n cael eu rhannu yn **deuluoedd**, ac mae'r carlwm yn perthyn i deulu o'r enw **Mustelidae**, sy'n aml yn cael ei alw yn deulu'r wenci. Mae'r teulu hwn yn cynnwys y ffwlbart a'r mochyn daear. Sylwch fod aelodau o'r un teulu'n llawer mwy tebyg i'w gilydd nag aelodau o'r un dosbarth.

Mae teulu'n cael ei rannu yn **genera** (lluosog genws), ac mae'r carlwm yn perthyn i genws *Mustela*. Genera eraill yn yr un teulu yw *Meles*, y mochyn daear, a *Lutra*, y dyfrgi.

Wedi dilyn y trywydd hwn i'r pen, fe welwn ni fod y carlwm yn cael ei ystyried yn **rhywogaeth** ar ei phen ei hun. Wrth enwi pob organeb fyw, mae gwyddonwyr yn rhoi dau enw iddi: genws a rhywogaeth. System finomaidd yw'r term am hyn, ac mae'n cael ei defnyddio ym mhob gwlad drwy'r byd. Mae'r carlwm yn perthyn i genws *Mustela* ac i rywogaeth *erminea*, felly enw'r carlwm yw *Mustela erminea*. Bydd biolegwyr yn China, yr Aifft a Chymru i gyd yn defnyddio'r un enw gwyddonol ar y carlwm.

Beth sydd mewn enw?

Mae'n bwysig iawn defnyddio enw gwyddonol cywir organeb wrth drafod materion yn rhyngwladol. Mae hyn oherwydd bod gan bob iaith ei gair ei hun (yr enw cyffredin) am unrhyw organeb benodol. Fel arfer mae enwau gwyddonol organebau'n dod o'r Lladin neu o Hen Roeg.

Pam y cafodd yr ieithoedd hyn eu dewis? Carl von Linne (1707–78) a ddechreuodd hyn i gyd (gw. Ffigur 1.2). Gwnaeth gyfraniad enfawr i wyddoniaeth trwy enwi a dosbarthu organebau byw yn y dull rhesymegol sydd wedi ei ddisgrifio uchod. Roedd mor hoff o'r iaith Ladin fel ei fod wedi newid ei enw ei hun i'r ffurf Ladin, sef Carolus Linnaeus. Yn y dyddiau hynny, Lladin a Hen Roeg oedd yr ieithoedd oedd yn cael eu defnyddio mewn prifysgolion i ddysgu gwyddoniaeth i fyfyrwyr. Fe welwn ni olion o'r arferiad hwn yn y geiriau Lladin a Hen Roeg sy'n cael eu defnyddio o hyd ar gyfer organebau a llawer o rannau'r corff.

Mae pobl ledled y byd wedi gweld y ffilm *Jaws*, ac mae'r trac sain wedi cael ei gyfieithu i lawer iawn o ieithoedd (gw. Ffigur 1.3). Yn Gymraeg, siarc mawr gwyn yw'r anifail sy'n cael ei alw'n *Jaws*, ond mae ganddo enw gwahanol ym mhob iaith. Oherwydd y ffilm, mae pobl drwy'r byd yn gwybod mwy am y siarc mawr gwyn na llawer o anifeiliaid eraill. Eto, mae ganddo enwau cyffredin gwahanol iawn i'w gilydd mewn sawl iaith Ewropeaidd. Petai rhywun yn siarad amdano yn un o'r ieithoedd hyn, ni fyddai siaradwyr ieithoedd eraill yn adnabod yr enw. Er enghraifft, ei enw yn Almaeneg yw *Weisshai*, yn Sbaeneg, *jaquetón*, yn Ffrangeg, *requin blanc*, yn Eidaleg, *squalo bianco*, yn iaith Malta, *kelb il-bahar abjad*, mewn Serbo-Croateg, *pas ljudozder*, a *great white shark* yn Saesneg.

Fel y gwelwch chi, gallai fod yn ddryslyd iawn petai gwyddonwyr o bob un o'r gwledydd hyn yn ceisio trafod y rhywogaeth hon gan ddefnyddio ei henw yn eu hiaith eu hunain. Diolch i Linnaeus, maen nhw i gyd yn defnyddio'r un enw gwyddonol am y siarc mawr gwyn, sef *Carcharodon carcharias*. Defnyddiodd Linnaeus yr enw hwn am y tro cyntaf yn y ddeunawfed ganrif.

Ffigur 1.2   Carolus Linnaeus, sefydlwr y drefn ddosbarthu

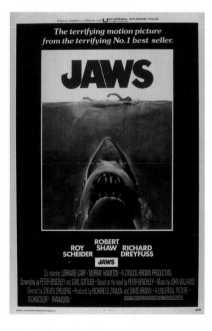

Ffigur 1.3   Y siarc mawr gwyn – y ddelwedd sydd gan filiynau o bobl

Ffigur 1.4 Llwynog y diffeithdir

Ffigur 1.5 Llwynog yr Arctig

Ffigur 1.8 Mae'r cactws hwn wedi ymaddasu er mwyn gallu goroesi o dan amodau'r diffeithdir.

Bob tro y mae math newydd o organeb yn cael ei darganfod, mae'n derbyn dau enw gwyddonol (genws a rhywogaeth) sy'n cael eu deall ledled y byd. Sefydliad rhyngwladol o'r enw *International Commission on Zoological Nomenclature* (*ICZN*) sy'n penderfynu beth fydd enwau anifeiliaid sydd newydd eu darganfod.

Ymaddasiad

Mae pob organeb sy'n byw heddiw wedi **ymaddasu** i'w hamgylchedd mewn sawl ffordd arbenigol. Mae gan bob rhan o'r Ddaear ei hanifeiliaid a'i phlanhigion arbennig.

Er enghraifft, mae llwynog yr Arctig (Ffigur 1.5) yn perthyn yn agos i lwynog y diffeithdir (Ffigur 1.4), ond y mae'r ddau ohonynt wedi datblygu addasiadau i'w helpu i oroesi. Mae clustiau mawr llwynog y diffeithdir yn ei helpu i belydru gwres o'i gorff. Yn gwbl wahanol i hynny, mae clustiau bychain iawn llwynog yr Arctig yn ei alluogi i gadw cymaint o wres ag sy'n bosibl. Y llwynog coch sy'n byw yng Nghymru a gwledydd eraill Ewrop. Nid yw ei glustiau'n arbennig o fawr na bach gan nad oes rhaid iddo fyw mewn tymheredd eithafol.

Mae gan ysgyfarnog yr Arctig (Ffigur 1.6) got wen yn y gaeaf, ond cot lwydfrown sydd gan ysgyfarnog Ewrop (Ffigur 1.7), felly mae'n anodd ei weld yn erbyn y cefndir. Mae braster corff a chot ffwr mamolion yr Arctig, sy'n ynysu eu cyrff, yn fwy trwchus na braster a chotiau mamolion sy'n byw yn y diffeithdir.

Ffigur 1.6 Ysgyfarnog yr Arctig   Ffigur 1.7 Ysgyfarnog Ewrop

Gallwn weld bod planhigion hefyd yn ymaddasu i'w hamgylchedd mewn sawl ffordd. Mae gallu planhigyn i oroesi mewn amodau sych yn dibynnu ar ba mor llwyddiannus mae'r planhigyn yn cadw dŵr. Er enghraifft, mae gan y cactws ddrain yn lle dail, coesynnau suddlon, **cwtiglau** trwchus a dim **stomata**, er mwyn arbed dŵr (gw. Ffigur 1.8). Haen gwyraidd allanol deilen yw cwtigl, ac mae'n rhwystro dŵr rhag gadael y planhigyn. Tyllau mân iawn yn arwyneb dail a choesynnau yw stomata, sy'n caniatáu colli dŵr trwy anweddiad.

Ffigur 1.9 Mae'r hyddod ceirw coch (gwrywod) hyn yn dangos enghraifft o gystadleuaeth oddi mewn i'r rhywogaeth.

Ffigur 1.10 Yma mae bleiddiaid a phiod yn cystadlu am yr un bwyd.

Ffigur 1.11 Mae rhai pryfed yn dodwy cannoedd o wyau.

Cystadleuaeth

Cystadleuaeth yw'r berthynas sydd rhwng organebau a'i gilydd os ydyn nhw'n byw mewn amgylchedd naturiol ac yn rhannu adnoddau cyfyngedig. Gall y gystadleuaeth fod rhwng nifer fawr o aelodau o'r un rhywogaeth (gw. Ffigur 1.9), neu rhwng aelodau o wahanol rywogaethau (Ffigur 1.10). Mae anifeiliaid yn ymladd â'i gilydd pan fydd gormod o gegau i'w bwydo, a rhy ychydig o fwyd. Ym myd y planhigion, mae planhigyn yn marw'n araf oherwydd bod ei gymydog yn dalach ac yn 'dwyn' golau haul oddi arno yn enghraifft o gystadleuaeth.

Aelodau o'r un rhywogaeth

Mae cystadleuaeth yn digwydd rhwng aelodau o'r un rhywogaeth pan fydd llawer mwy o epil yn cael eu cynhyrchu ym mhob cenhedlaeth nag a fydd yn gallu goroesi. Ar y llaw arall, os gall rhywogaeth gynhyrchu nifer fawr o epil sy'n amrywio ychydig, mae yna siawns dda y bydd rhai ohonynt yn gallu ymaddasu i newidiadau naturiol yn yr amgylchedd.

Os bydd rhywogaeth yn cynhyrchu niferoedd mawr o epil sydd yn wasgaredig dros ardal eang, yna mae'r siawns y bydd y genhedlaeth nesaf yn goroesi yn well o lawer. Felly er bod cael niferoedd mawr o epil yn arwain at gystadleuaeth, weithiau bydd hyn o fantais i'r rhywogaeth. Er enghraifft, mae rhai pryfed yn dodwy cannoedd o wyau (gw. Ffigur 1.11), ac mae rhai planhigion yn cynhyrchu mwy o hadau nag y byddai'r rhan fwyaf ohonom ni am eu cyfrif (Ffigur 1.12)

Yn gyffredinol, mae organebau'n cynhyrchu niferoedd mawr iawn o epil, ac fe welwch chi enghreifftiau o'ch amgylch ym mhobman. Mae mamolion (yn arbennig, pobl) ac adar yn eithriadau. Mae'r rhieni yn fwy gofalus o'u hepil, ac nid oes cymaint o gystadleuaeth rhwng unigolion ag sydd mewn grwpiau eraill (gw. Ffigur 1.13).

Aelodau o rywogaethau eraill

Mae math gwahanol o gystadleuaeth yn codi pan fydd amryw o rywogaethau'n dibynnu ar yr un ffynonellau bwyd. Beth sy'n digwydd pan fyddwch chi'n taflu dyrnaid o friwsion i'r ardd ar fore rhewllyd? Bydd adar fel y titw tomos las, adar y to, drudwyod, mwyalchod ac ambell robin goch efallai yn cystadlu am y bwyd. Bydd yr adar mwyaf yn ymlid y rhai bach oddi yno ond, rywsut, trwy fod yn gyfrwys a digywilydd, mae'r adar bach yn llwyddo i gael eu cyfran hefyd.

Ffigur 1.12 'Cloc' dant y llew yn gwasgaru ei hadau

Ffigur 1.13 Mae'r rhiant tsimpansî hwn yn gofalu am yr un bach.

Ffigur 1.14 Mae'r coed a'r planhigion yn y goedwig hon yn cystadlu am oleuni (*yr egni a ddaw o'r golau*), mwynau a dŵr.

Ffigur 1.15 Mae'r pryfyn dail hwn yn gweddu'n berffaith i'w gefndir.

Mae cystadlu am adnoddau'n digwydd ym myd y planhigion hefyd. Er enghraifft, pan fydd mesen yn syrthio i'r ddaear ac yn dechrau tyfu, rhaid iddi gystadlu â phlanhigion eraill, rhai'n fwy a rhai'n llai. Er mwyn goroesi bydd rhaid i'r fesen fod yn drech na nhw. Gall fod gorchudd trwchus o weiriau a pherlysiau amrywiol ar lawr y goedwig. Wrth i lasbren y dderwen dyfu trwy'r rhain i gyd, rhaid iddo gystadlu'n llwyddiannus am le a goleuni. Wedi gwneud hyn, efallai y bydd rhaid iddo wynebu cystadleuaeth gan goed ifanc eraill, neu gan blanhigion fel mwyar duon. Pan fydd coeden sydd wedi cyrraedd ei llawn dwf yn syrthio yn y goedwig, ac yn agor bwlch yn y canopi coed, nid yw'n anarferol gweld 50–100 o goed ifanc i gyd yn ymestyn tuag at y golau.

Mae'n gyffredin gweld derw, ynn, bedw, sycamorwydd a rhywogaethau eraill yn cystadlu am le'r goeden sydd wedi syrthio, nes bod un ohonynt yn goruchafu'r lleill. Mae'r gystadleuaeth yn ffyrnig, gydag amryw goed unigol yn gwthio eu gwreiddiau i lawr tuag at yr un ffynonellau o ddŵr a mwynau, neu'n ymestyn tuag at yr un llygedyn o olau (Ffigur 1.14). Bydd gan y planhigyn sy'n gallu tyfu'n uwch ac yn gryfach na'i gymydog fantais werthfawr. Ni fydd yr anifail cyntaf i gyrraedd y man bwydo yn llwgu.

Ysglyfaethwyr, ysglyfaethau a maint poblogaethau

Nid presenoldeb neu ddiffyg adnoddau yw'r unig beth sy'n dylanwadu ar faint poblogaeth. Mae niferoedd yr **ysglyfaethwyr** a'r **ysglyfaethau** yn effeithio ar ei gilydd. Os bydd poblogaeth rhywogaeth yn cynyddu, bydd rhagor o fwyd ar gyfer yr ysglyfaethwyr, felly bydd niferoedd yr ysglyfaethwyr yn cynyddu. Mae hynny'n golygu bod mwy o'r ysglyfaeth yn cael ei fwyta, felly mae niferoedd yr ysglyfaeth yn gostwng – felly mae niferoedd yr ysglyfaethwyr a'r ysglyfaethau'n dilyn patrwm ei gilydd.

Gall anifeiliaid amddiffyn eu hunain mewn sawl ffordd pan fydd anifail arall yn bygwth ymosod arnynt. Mae rhai'n ymladd yn ôl, a gall eraill ymguddio gan fod ganddynt guddliw sy'n gweddu i'r cefndir (gw. Ffigur 1.15).

Rhywogaethau fel dangosyddion llygredd

Mae'r mathau o newidiadau mewn poblogaethau sydd wedi eu disgrifio hyd yma yn digwydd mewn amgylcheddau naturiol. Maen nhw'n creu amodau sefydlog er mwyn i bethau byw ac anfyw ryngweithio (ymwneud â'i gilydd), ac i ddefnyddiau gael eu hailgylchu. Mewn geiriau eraill, mae cydbwysedd naturiol rhwng gwahanol organebau. Fodd bynnag, gall cyflwyno defnyddiau niweidiol i'r amgylchedd ddifetha'r cydbwysedd hwn ac arwain at lygredd. Mae'n bosibl cymharu organebau sy'n byw mewn ardaloedd lle mae pobl yn amau bod llygredd wedi digwydd â'r math o organebau sy'n byw mewn ardaloedd heb eu llygru, er mwyn gweld faint o niwed sydd wedi ei wneud. Er enghraifft, gallwch chi ddarganfod faint o lygredd sydd mewn dŵr croyw trwy gymryd samplau o'r dŵr a'u dadansoddi.

Gwaith ymarferol

Defnyddio rhywogaethau fel dangosyddion i fesur llygredd mewn afon

Mae planhigion ac anifeiliaid sy'n byw yn barhaol mewn afon yn 'samplu' y dŵr drwy gydol eu bywydau. Felly mae'n bosibl amcangyfrif faint o lygredd sydd mewn afon trwy gofnodi a yw rhywogaethau penodol (y **dangosyddion**) yn bresennol yn y dŵr ai peidio. Mae Ffigur 1.16 yn dangos y prif grwpiau o rywogaethau sy'n ddangosyddion mewn dŵr croyw, ond mae'n bur debyg y byddwch chi'n dod o hyd i anifeiliaid eraill sydd heb eu darlunio yn y llyfr hwn. Gofynnwch i'ch athrawon eich helpu a defnyddiwch ganllawiau adnabod. Fel arfer does dim angen enwi rhywogaethau unigol; mae enwi'r prif grwpiau o anifeiliaid yn ddigonol.

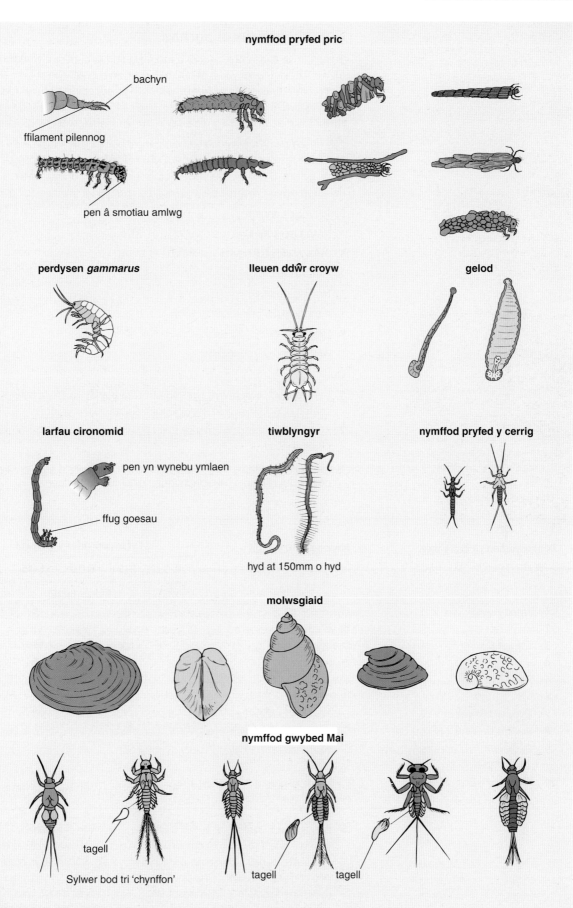

nymffod pryfed pric

bachyn

ffilament pilennog

pen â smotiau amlwg

perdysen *gammarus*

lleuen ddŵr croyw

gelod

larfau cironomid

pen yn wynebu ymlaen

ffug goesau

tiwblyngyr

hyd at 150mm o hyd

nymffod pryfed y cerrig

molwsgiaid

nymffod gwybed Mai

tagell

Sylwer bod tri 'chynffon'

tagell

tagell

Ffigur 1.16   Rhai rhywogaethau dangosol sy'n byw mewn dŵr croyw

Gwaith ymarferol *parhad*

Yn aml, mae angen dull safonol o fesur llygredd ar bobl sy'n ymddiddori mewn rheolaeth afonydd a phurdeb dŵr, ac un o'r rhai symlaf yw'r *Trent Biotic Index* (Indecs Biotig Trent). Mae hwn yn seiliedig ar y ffaith fod anifeiliaid wedi ymaddasu i wrthsefyll gwahanol raddau o lygredd. Yn Nhabl 1.1 mae rhestr o'r grwpiau sy'n ffurfio unedau sylfaenol yr Indecs.

Cyn ichi barhau â'r gweithgaredd hwn, *rhaid* bod eich athrawon wedi asesu'r lleoliad ac ystyried ei fod yn ddiogel. Dylai'r afon fod yn fas ac ni ddylai fod yn llifo'n gyflym. Dylai athro/athrawes fod yn eich arolygu *drwy'r amser*, a bydd ef neu hi yn dweud wrthych ble y gallwch chi gymryd samplau *yn ddiogel*.

Bydd arnoch angen:

- rhwyd pysgota pwll
- cynwysyddion ar gyfer y samplau
- hambyrddau didoli
- tiwbiau sbesimen
- mesurydd pH neu bapurau profi
- thermomedr
- llawlyfr neu siart adnabod.

Dull

1 Defnyddiwch eich rhwyd i gasglu samplau o anifeiliaid sy'n byw ar waelod yr afon o leoliadau sydd ar wahanol bellterau i lawr yr afon.

2 Mesurwch a chofnodwch y dyddiad a'r amser, tymheredd y dŵr a'r pH ym mhob lleoliad.

3 Pan fyddwch chi yn ôl yn yr ysgol, ceisiwch adnabod yr anifeiliaid, gan ddefnyddio Ffigur 1.16 ac adnoddau eraill os bydd angen.

Tabl 1.1 Data Indecs Biotig Trent

1	2	3	4	5	6	7
Dangosyddion yn bresennol	**Rhywogaethau eraill**	**Cyfanswm nifer y grwpiau**				
		0–1	2–5	6–10	11–15	16+
		Indecs Biotig				
1 Pryfed y cerrig	Mwy nag un	–	VII	VIII	IX	X
2	Un yn unig	–	VI	VII	VII	IX
3 Gwybed Mai	Mwy nag un	–	VI	VII	VIII	IX
4	Un yn unig	–	V	VI	VII	VIII
5 Pryfed pric	Mwy nag un	–	V	VI	VII	VIII
6	Un yn unig	IV	IV	V	VI	VII
7 Perdysen *Gammarus*	Grwpiau uchod yn absennol	III	IV	V	VI	VII
8 Lleuen ddŵr croyw	Grwpiau uchod yn absennol	II	III	IV	V	VI
9 Tiwblyngyr a/neu larfau coch gwybed (cironomidau)	Grwpiau uchod yn absennol	I	II	III	IV	–
10 Grwpiau uchod yn absennol	Efallai fod rhai grwpiau'n bresennol nad ydyn nhw angen ocsigen	0	I	II	–	–

4 Defnyddiwch Dabl 1.1 ac Indecs Biotig Trent i roi trefn ar yr anifeiliaid. Y dull o gyfrifo'r indecs yw dilyn colofn 1 i lawr hyd nes ichi gyrraedd y llinell gywir. Er enghraifft, os nad oes unrhyw bryfed y cerrig na gwybed Mai yn bresennol, ond bod yna bryfed pric mae llinell 5 neu linell 6 yn gywir, yn dibynnu ar y dewis yng ngholofn 2. Mae Indecs Biotig Trent i'w gael wedyn yng ngholofnau 3–7, yn dibynnu ar nifer y grwpiau o anifeiliaid sy'n bresennol.

Ychydig o lygredd mae'r grwpiau ar frig colofn 1 yn gallu ei wrthsefyll; a'r rhai ar waelod y golofn sy'n gallu gwrthsefyll y mwyaf o lygredd. Mae Tabl 1.2 yn egluro beth y mae Indecs Biotig Trent yn ei ddangos am yr afon.

Tabl 1.2 Dadansoddiad Indecs Biotig Trent

Indecs	Cyflwr	Anifeiliaid nodweddiadol
XI–X	Glân iawn	Brithyll, eogiaid, pryfed cerrig, gwybed Mai, pryfed pric, perdys dŵr croyw
VII–X	Glân	Pysgod amrywiol yn ogystal â'r arthropodau uchod
VI–VIII	Glân	Llai o rywogaethau o blith y grwpiau uchod
V–VI	Eithaf glân	Ychydig o bysgod, llau dŵr croyw, gelod a molwsgiaid
III–V	Amheus	Llai o rywogaethau o blith yr uchod
II–IV	Amheus	Fel uchod, ond dim pysgod
I–III	Gwael	Larfau gwybed a llyngyr yn unig
0–I	Gwael	Organebau anaerobig yn unig

5 Plotiwch eich data ar graff, i ddangos y gydberthynas rhwng Indecs Biotig Trent ar gyfer eich gwahanol leoliadau ac (a) y pH, a (b) y tymheredd.

Cwestiynau

• Trafodwch gyflwr yr afon hon o safbwynt llygredd.

• Sut gallai newidiadau naturiol yn yr afon gymhlethu eich ymchwiliad i lygredd? Rhestrwch unrhyw ffactorau a allai wneud eich canlyniadau'n wallus.

• Rhestrwch y ffactorau a allai effeithio ar faint poblogaeth mewn amgylchedd naturiol.

Dangosyddion llygredd eraill

Mae presenoldeb llawer o diwblyngyr neu larfau gwybed mewn afon yn dynodi bod lefel yr ocsigen yn isel. Mae'r organebau hyn wedi ymaddasu i fyw mewn lefelau ocsigen isel. Maen nhw'n goch oherwydd bod digonedd o haemoglobin yn eu cyrff, sy'n eu galluogi i godi ocsigen o ddŵr heb fawr o ocsigen ynddo. Mae'n bosibl mesur newidiadau yn lefelau'r ocsigen neu'r pH yn uniongyrchol, er enghraifft trwy ddefnyddio cofnodydd data. Gallai'r rhain hefyd fod yn arwyddion o lygredd.

Gallwn ddefnyddio cennau'n ddangosyddion i fesur llygredd aer. Mae gwahanol rywogaethau o gen yn sensitif i wahanol raddau i sylffwr deuocsid. Mae rhai ohonynt mor sensitif fel y bydd y mymryn lleiaf o'r nwy yn yr aer yn eu lladd. Felly, gallwn astudio'r cennau sy'n dal i dyfu a'u defnyddio fel dangosyddion o lefelau llygredd sylffwr deuocsid yn yr aer.

Amrywiad

Beth sy'n ein gwneud ni'n wahanol?

Nid oes yr un dau beth byw sy'n hollol unfath, hyd yn oed pan fydd yr un genynnau ganddynt. Er enghraifft, petaech chi'n edrych yn gyflym ar grŵp o'r un rhywogaeth o bengwiniaid, gallech feddwl eu bod yn unfath. Fodd bynnag, mae unrhyw un sy'n gofalu am anifeiliaid yn dysgu gwahaniaethu rhyngddynt mewn byr o dro. Mae planhigion hefyd yn amrywio llawn cymaint ag anifeiliaid.

Bydd bachgen yn dueddol o fod yn debycach o ran pryd a gwedd i'w frawd neu'i dad nag i berthnasau pell, a bydd yn debycach i'w berthnasau nag i'w ffrindiau, sydd heb fod yn perthyn iddo. Etifeddiad yw'r prif reswm dros y tebygrwydd. Yr amgylchedd sy'n rhannol gyfrifol am y gwahaniaethau sy'n ei gwneud hi'n bosibl inni adnabod pa efell unfath yw pa un.

Gwaith ymarferol

Arsylwi ar amrywiad sy'n ganlyniad i etifeddiad

Gallwch chi arsylwi ar **amrywiad** sy'n ganlyniad i etifeddiad trwy gofnodi rhai o nodweddion y disgyblion yn eich ysgol. Yn y cyd-destun hwn, byddwn ni'n canolbwyntio ar y nodweddion unigol y gallwn eu gweld mewn person, fel lliw gwallt neu liw llygaid. Amrywiad yw dosbarthiad y nodweddion hyn trwy'r grŵp. Po fwyaf y grŵp, mwyaf dilys y bydd eich casgliadau. Dim ond trwy gasglu'r holl ganlyniadau ar gyfer yr holl grŵp y cewch chi ddarlun cyflawn o amrywiad. Gall amrywiad fod naill ai yn **amharhaus** (mae'r nodwedd gan bob aelod o'r grŵp neu dydy hi ddim) neu'n **barhaus** (mae'r nodwedd gan bawb ond mae'n amrywio ym mhob aelod).

Bydd eich athrawon yn egluro bod mwy nag un genyn yn rheoli lliw gwallt neu lygaid baban. Er enghraifft, gall plant rhieni â llygaid brown fod â llygaid glas. Bydd ffactorau eraill yn aml yn cymhlethu rheolau etifeddeg syml.

Llabedi rhydd a llabedi ynghlwm (amrywiad amharhaus)

1 Ewch ati i ddarganfod pa ganran o'ch dosbarth sydd â llabedi clustiau rhydd (gw. Ffigur 1.17(a)).

2 Plotiwch histogram sy'n dangos y canran o'r disgyblion sydd â llabedi rhydd yn erbyn y rhai sydd â llabedi ynghlwm.

3 Edrychwch ar yr adran am waith Gregor Mendel (gw. tudalen 23). Wedyn eglurwch eich arsylwadau trwy gyfeirio at alelau trechol ac enciliol.

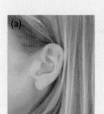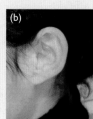

Ffigur 1.17 Clustiau â llabedi rhydd (a) a llabedi ynghlwm (b).

Lliw'r llygaid (amrywiad parhaus)

1 Gweithiwch mewn parau. Edrychwch ar lygaid eich partner mewn golau da.

2 Cofnodwch liw llygaid eich partner fel glas neu frown, os dyna'r lliw pendant. Os nad yw mor bendant, disgrifiwch y lliw mor fanwl ag y gallwch.

3 Casglwch y data am lygaid glas a brown ar gyfer yr holl ddosbarth.

4 Yna penderfynwch sut i ddisgrifio'r lliwiau eraill. Allwch chi grwpio rhai o'r lliwiau hyn gyda'i gilydd? Os nad yw hyn yn bosibl, oes graddiad lliw llygaid parhaus ymhlith y disgyblion fel nad oes modd rhoi'r lliwiau mewn grwpiau? Oes rhywun yn eich dosbarth sydd ag un llygad o un lliw a'r llygad arall o liw arall? Sut eglurwch chi hyn?

Ansawdd a lliw gwallt (amrywiad parhaus)

1 Gweithiwch mewn parau. Penderfynwch a yw gwallt eich partner yn syth neu'n gyrliog.

2 Ewch ati i ddarganfod beth yw'r canrannau ar gyfer gwallt syth neu wallt cyrliog yn y dosbarth. Oes gwahaniaeth clir rhwng y grwpiau, neu oes graddiad?

3 Nid yw'n hawdd disgrifio lliw gwallt. Gall fod yn ddu, yn frown tywyll, brown canolig, brown golau, pryd golau, cringoch, ac ati. Edrychwch ar liwiau gwallt aelodau o'ch dosbarth a'u dosbarthu yn ôl lliw gwallt.

4 Cofnodwch nifer y myfyrwyr sydd ym mhob un o'ch grwpiau lliw gwallt.

5 Ydy'r gwahaniaethau oddi mewn i'r grwpiau lliw gymaint â'r gwahaniaethau rhwng grwpiau? Os ydyn nhw, beth y mae hyn yn ei ddysgu i chi am yr amrywiad mewn lliw gwallt yn eich dosbarth o'i gymharu â'r amrywiad yn y llabedi clustiau?

Ffactorau amgylcheddol yn achosi amrywiad

Yr enw ar olwg allanol organeb yw ei **ffenoteip.** Mae hyn yn dibynnu ar enynnau'r organeb a'i hamgylchedd.

Meddyliwch am dorllwyth o gŵn defaid bach Almaenig er enghraifft. Mae gan bob un ohonynt enynnau (unedau etifeddiad) gan yr un rhieni. Petaem ni'n cymharu twf y cŵn bach hyn, efallai y byddem ni'n sylwi bod un o'r dorllwyth yn tyfu'n wannach ac yn llai na'r lleill. Efallai fod hyn oherwydd nad oedd yn cael digon o faeth ac ymarfer corff. Yn yr achos hwn, byddai effeithiau'r amgylchedd wedi dylanwadu ar ei ffenoteip. Ar y llaw arall, bydd torllwyth o gorgwn Sir Benfro yn tyfu i fod yn gŵn bychain, faint bynnag o fwyd y byddan nhw'n ei gael. Os bydd grŵp o anifeiliaid yn rhannu'r un amgylchedd, eu **genynnau** fydd yn pennu eu ffenoteipiau. Mae'n amhosibl newid genynnau oni bai bod hynny'n digwydd o ganlyniad i **fwtaniad**.

Amrywiad genetig

Bydd epil yn wahanol yn enetig i'w rhieni o ganlyniad i **atgenhedliad rhywiol**, lle bydd **wy** yn ymasio â **sberm** yn ystod proses **ffrwythloniad**. Bydd y genynnau yn yr wy yn cymysgu â genynnau gwahanol yn y sberm. O ganlyniad i ffrwythloniad, bydd cell o'r enw **sygot** yn cael ei ffurfio, gyda set o enynnau gan y tad a set gan y fam (gw. tud. 20).

Yn ystod **atgynhyrchiad anrhywiol** nid yw genynnau'r organebau'n cael eu cymysgu, gan nad yw ffrwythloniad yn rhan o'r broses. Bydd un unigolyn yn cynhyrchu epil sy'n unfath yn enetig i'w gilydd ac i'r rhiant. Clonau yw'r enw ar y rhain.

Yn y 1990au daeth yn gyffredin i organebau oedd yn bwysig yn economaidd gael eu masgynhyrchu trwy **glonio**. Mae'n bosibl cynhyrchu cannoedd o epil sy'n unfath yn enetig o un gell yn gynnar yn natblygiad embryonau defaid a gwartheg. Bydd celloedd wy o famogiaid yn cael eu ffrwythloni mewn cynwysyddion gan sbermau o hyrddod, neu gelloedd wy o wartheg gan sbermau o deirw. Yr enw ar hyn yw **ffrwythloniad** *in vitro* (IVF). Bydd celloedd o'r embryonau sy'n cael eu cynhyrchu yn y dull hwn yn cael eu gwahanu a'u tyfu mewn llestri meithrin arbennig sy'n cynnwys maetholion, cyn cael eu trawsblannu i grothau anifeiliaid llawn-dwf. Ym 1997, cynhyrchodd ymchwilwyr yn Awstralia 500 o embryonau gwartheg wedi'u clonio yn y ffordd hon. Yn yr unfed ganrif ar hugain mae'r dull hwn o gynhyrchu anifeiliaid dof bellach yn gyffredin ledled y byd.

Gellir clonio planhigion trwy ddefnyddio dull **microledaeniad**. Mae darnau bach yn cael eu torri o blanhigion iach. Gall y rhain fod yn flagur blodau, yn ddail neu'n rhannau o goesynnau. Maen nhw'n cael eu diheintio mewn **cemegyn gwrthficrobaidd** a'u meithrin ar gyfrwng sy'n cynnwys maetholion a **hormonau planhigol**. Ar ôl i'r planhigion gael eu tyfu mewn tymheredd rheoledig am 3–9 wythnos mewn 10–14 awr o olau bob dydd, byddan nhw'n datblygu gwreiddiau newydd. Bydd y rhain yn cael eu tynnu oddi arnynt a'u gosod ar gyfrwng meithrin newydd. Bydd y broses hon yn cael ei hailadrodd bob ychydig wythnosau. Yn y ffordd hon, bydd ychydig o blanhigion yn cynhyrchu miloedd o rai newydd. Dyma'r dull sy'n cael ei ddefnyddio ar gyfer coed palmwydd olew, bananas, tegeirianau ac unrhyw blanhigyn trin arall y gellir ei werthu ledled y byd. Os bydd y clonau hyn yn cael eu tyfu mewn amgylcheddau unfath, yr unig ffordd y gall gwahaniaethau ddatblygu rhyngddynt yw trwy fwtaniad genynnau.

Beth yw mwtaniad?

Mwtaniad yw newid yn un neu fwy o'r pethau canlynol:

- adeiledd cemegol genyn
- dilyniant genynnau ar **gromosomau**
- nifer y cromosomau mewn cell.

Os bydd y mwtaniad yn newid anffafriol i'r organeb, bydd yn diflannu yn y pen draw, gan ei bod yn annhebygol y bydd yr organeb sydd â'r mwtaniad

Ffigur 1.18 Mae'r pryfyn ffrwythau ar y dde yn bryfyn normal; mwtan â llygaid gwyn yw'r un ar y chwith.

yn cael epil a fydd yn etifeddu'r mwtaniad. Fodd bynnag, yn hwyr neu'n hwyrach, bydd y mwtaniad yn digwydd eto. Mae Ffigur 1.18 yn dangos enghraifft o fwtaniad.

Er ein bod ni'n sôn am enynnau mwtan a genynnau normal, ar un adeg mwtaniadau oedd y genynnau rydym ni'n eu galw'n rhai normal heddiw. Gan eu bod nhw'n enynnau ffafriol, maen nhw wedi cael eu trosglwyddo o un genhedlaeth i'r llall nes dod yn rhan o'r casgliad arferol o enynnau mewn poblogaeth. Mae mwtanu yn rhan o broses esblygiad.

Sut mae mwtaniadau mewn genynnau'n cael eu hachosi?

Mae pob peth byw yn derbyn rhyw gymaint o **belydriad**. Tair ffynhonnell naturiol y pelydriad hwn yw:

- pelydrau cosmig o'r gofod
- defnyddiau ymbelydrol yng nghramen y Ddaear
- pelydriad uwchfioled o'r Haul.

Mae'r pelydriad cefndir hwn yn rhannol gyfrifol am y mwtaniadau sydd yn digwydd mewn organebau.

Meddyliwch am belydriad fel cyfres o fwledi mân yn cael eu tanio'n gyflym iawn. Dychmygwch y bwledi hyn yn taro'r moleciwlau sy'n rhan o enynnau rhyw organeb neu'i gilydd. Bydd y moleciwlau hyn yn cael eu niweidio, a bydd hyn yn effeithio ar y genynnau sy'n cael eu hetifeddu gan epil yr organeb. Yr egni sy'n cael ei gludo gan y pelydriad sy'n achosi'r niwed. Mae unrhyw foleciwl biolegol sy'n cael ei daro gan belydriad yn cael ei ddinistrio. Mae hyn ynddo'i hun yn ddigon i achosi niwed sylweddol i gell fyw. Ers amser maith, mae gwyddonwyr yn ymwybodol fod cynnydd mewn pelydriad yn arwain at gynnydd yn y gyfradd fwtanu – mewn geiriau eraill, cynnydd yng nghyfradd y newid mewn genynnau.

Mae gwyddonwyr wedi defnyddio'r wybodaeth hon mewn arbrofion genetig er mwyn cynhyrchu mwtaniadau mewn organebau arbrofol. Mae'r driniaeth wedi cynhyrchu rhai amrywogaethau newydd defnyddiol o blanhigion. Rydym ni hefyd yn gwybod bod hyd yn oed lefelau isel iawn o belydriad yn gallu achosi mwtaniadau. Yn ein hoes niwclear a thechnolegol mae'r darganfyddiadau hyn yn arwyddocaol iawn.

Mae'r hil ddynol yn gyfrifol am gynyddu lefelau pelydriad ar y Ddaear mewn sawl ffordd.

- Bu cynnydd yn nefnydd **pelydrau X** at bwrpas meddygol
- Rydym ni'n defnyddio egni sydd wedi ei gynhyrchu gan **orsafoedd pŵer niwclear**. Yn anffodus, mae damweiniau wedi digwydd, ac mae defnyddiau ymbelydrol wedi achosi llygredd. Mae gwaredu gwastraff o atomfeydd yn broblem nad yw technoleg fodern hyd yma wedi ei datrys yn llwyr.
- Tua diwedd yr Ail Ryfel Byd dechreuwyd defnyddio arfau niwclear. Arweiniodd hyn at gynhyrchu **llwch ymbelydrol**. Er y dyddiau hynny, mae arfau niwclear mwy pwerus fyth wedi cael eu profi. (gw. Ffigur 1.19).

Cyfradd fechan yn unig o'r pelydriad cefndir sy'n digwydd yn naturiol yw'r cynnydd hwn yn y pelydriad y mae pobl yn ei gynhyrchu. Ond mae unrhyw gynnydd mewn pelydriad yn cynyddu cyfradd fwtanu genynnau. O safbwynt biolegol, y pelydriadau pwysicaf a'r rhai mwyaf niweidiol yw pelydrau X a **phelydrau gama**. Mae gan belydrau X a phelydrau gama bŵer treiddio enfawr ac maen nhw'n hynod o beryglus pan fyddan nhw'n dod o ffynhonnell y tu allan i'r corff. Rhaid bod yn eithriadol o ofalus wrth ddefnyddio pelydrau X er mwyn cyfyngu ar faint o'r pelydriad y mae'r corff yn ei dderbyn. Y meinwe mwyaf actif yw'r math sydd fwyaf sensitif i belydriad, er enghraifft hwnnw mewn embryonau sy'n datblygu.

Ffigur 1.19 Safle'r profion niwclear yn Atol Mururoa yn y Môr Tawel

Cwestiynau

1 Beth yw ystyr y term 'mwtaniad'?

2 Rhestrwch brif achosion mwtaniad.

3 Pam nad yw mwtaniadau sy'n digwydd mewn corffgelloedd o bwys i'r rhywogaeth?

4 Eglurwch beth yw'r gwahaniaeth rhwng amrywiad parhaus ac amrywiad amharhaus. Rhowch enghreifftiau o'r ddau mewn pobl.

Mae rhoi pelydr X i fam feichiog yn beryglus i'r **embryo,** ac anaml iawn, os o gwbl, y bydd hyn yn cael ei wneud.

Esblygiad

Detholiad naturiol

Gan ein bod ni'n gwybod rhywfaint am amrywiad, byddwn ni'n gallu deall y syniad o **ddetholiad naturiol**. Charles Darwin (gw. Ffigur 1.20) a ddatblygodd hyn yn ei lyfr enwog *The Origin of Species,* a gyhoeddwyd ym 1859. Ysgrifennodd y llyfr ar ôl iddo fod ar fordaith ar *HMS Beagle* ym 1834 i wneud gwaith ymchwil. Mae damcaniaeth Darwin yn seiliedig ar dair ffaith y sylwodd arnynt a dau gasgliad a dynnodd o'r ffeithiau hyn.

Y ffaith gyntaf yw fod tuedd gan anifeiliaid a phlanhigion i luosi ar raddfa sy'n cynyddu'n gyson – hynny yw, yn 2, yna'n 4, yna'n 8, yna'n 16, 32 ac yn y blaen. Fel arfer mae mwy o epil nag o rieni. Enghraifft o'r egwyddor hon ar waith yw'r ffrwydrad poblogaeth sydd mewn rhannau o'r byd.

Yr ail ffaith yw mai anaml iawn y bydd organebau byw yn parhau i luosi ar raddfa gynyddol am byth, er eu bod i gyd â'r gallu i wneud hynny. Ar wahân i bobl, a rhai planhigion ac anifeiliaid sy'n ddibynnol arnom ni, nid yw gwyddonwyr wedi dod o hyd i lawer o rywogaethau sy'n cynyddu'n gyflym dros gyfnod hir. Yn aml iawn, pobl sydd wedi cyflwyno cyfleoedd newydd i'r rhywogaethau sy'n llwyddo i wneud hyn. Enghreifftiau o'r rhain yw gwylanod yn bwydo ar ein tomenni sbwriel, a llygod mawr yn bridio yn ein carthffosydd. Pobl a gyflwynodd gwningod i Awstralia, ac oherwydd nad oedd ganddynt elynion naturiol yno, ymhen ychydig flynyddoedd daeth cwningod yn niwsans cenedlaethol.

O'r ddwy ffaith hyn, daeth Darwin i'r casgliad fod yna 'ymdrech i fodoli', neu gystadleuaeth am gael y cyfle i atgynhyrchu. Ym mhobman bron ym myd natur, mae organebau'n cynhyrchu mwy o epil na'r nifer a all oroesi nes cyrraedd oed atgynhyrchu. Rhaid iddynt gystadlu am fwyd ac am eu holl anghenion eraill. Er enghraifft, er bod cyfradd fridio pryfed yn eithriadol o gyflym, nid yw pryfed yn bla parhaol.

Y drydedd ffaith yw fod popeth byw yn amrywio. Rydym ni wedi gweld hyn wrth astudio **geneteg**. Felly daeth Darwin i'r casgliad fod mecanwaith detholiad naturiol yn bodoli. Yn ôl egwyddor detholiad naturiol mae cystadleuaeth er mwyn bodoli mewn grwpiau o unigolion sy'n amrywio. Mae rhai unigolion wedi ymaddasu'n well i'w hamgylchedd nag eraill. Bydd yr unigolion ag amrywiadau ffafriol yn fwy tebygol o oroesi ac atgynhyrchu na'r rhai ag amrywiadau anffafriol.

Mae llawer o amrywiadau'n cael eu hetifeddu. Mae'n fwy tebygol y bydd amrywiadau etifeddol ffafriol yn cael eu trosglwyddo i'r genhedlaeth nesaf nag amrywiadau anffafriol. Detholiad naturiol yw prif achos **esblygiad**. Er bod Darwin wedi ei argyhoeddi bod modd trosglwyddo amrywiadau sy'n bodoli mewn rhywogaethau i genedlaethau'r dyfodol, nid oedd yn gwybod bod mwtaniadau'n achosi amrywiadau.

Problemau rhagfynegi

Roedd Charles Darwin yn ymwybodol fod maint poblogaethau'n bwysig o safbwynt goroesiad unigolion sy'n cystadlu am gyflenwad cyfyngedig o bethau hanfodol fel bwyd. Mae gan ysglyfaethu ran bwysig yn y broses hon.

Ffigur 1.20 Charles Darwin, y naturiaethwr enwog o Brydain a thad esblygiad

Wyddoch chi?

Bu bron i Gymro ennill y ras i gyhoeddi damcaniaeth esblygiad. Alfred Russel Wallace oedd ei enw, a chafodd ei eni ym Mrynbuga yn ne Cymru. Gwnaeth lawer o waith ymchwil yn Indonesia yn y 1850au a datblygodd ddamcaniaeth am ddetholiad naturiol (er na ddefynddiodd yr ymadrodd hwnnw). Ym 1858 anfonodd ei syniadau at Charles Darwin, gan ofyn am ei sylwadau. Sylweddolodd Darwin fod eu syniadau'n debyg iawn, ac roedd e'n fodlon i Wallace gyhoeddi ei waith ef yn gyntaf. Fodd bynnag, cafodd gwaith y ddau ohonynt ei gyhoeddi ar y cyd mewn traethawd ym 1858. Yn fuan wedyn cyhoeddodd Darwin ei lyfr enwog *The Origin of Species*.

U

U

Ffigur 1.21 Amrywiaethau o'r falwoden
Cepaea

Un o'r ychydig feirniadaethau dilys ar waith Darwin oedd na allai brofi ei ddamcaniaeth trwy ddefnyddio arbrofion. Fodd bynnag, erbyn heddiw mae llawer o dystiolaeth o blaid damcaniaeth Darwin ar gael mewn astudiaethau ym maes geneteg ac arbrofion ar ddetholiad naturiol. Er enghraifft, mae llawer o astudiaethau'n dangos bod ysglyfaethwyr yn dethol yr ysglyfaeth heb guddliw da, yn enwedig malwod y tir o'r genws *Cepaea* (gw. Ffigur 1.21).

Astudiaeth achos: detholiad naturiol mewn malwod

Dim ond dwy rywogaeth o *Cepaea* sydd i'w cael ym Mhrydain: y falwoden finfrown *Cepaea nemoralis* a'r falwoden finwen *Cepaea hortensis*. Y math minfrown sy'n amrywio fwyaf, gan fod lliw cragen y falwoden yn un o dri lliw gwahanol: brown, pinc a melyn. Mae amrywiaeth o farciau ar y gragen: o ddim o gwbl i hyd at bump o fandiau tywyll. Fel arfer mae cragen y math minwen yn felyn, naill ai heb farciau neu â phump o fandiau amlwg; mae rhyngolynnau'n gymharol brin. Yn y ddwy rywogaeth, genynnau sy'n rheoli lliw'r gragen a'i phatrwm.

Mae astudiaethau o'r mathau minfrown mewn gwahanol gynefinoedd megis glaswelltir a choedwigoedd wedi dangos bod cydberthyniad uchel rhwng cregyn melyn a chefndir gwyrdd o laswellt byr ar dir agored. Mewn cynefinoedd tywyllach, yn amrywio o gysgod gwrychoedd i ganol coedwigoedd coed bedw, mae cyfran y cregyn melyn yn lleihau'n raddol i ambell un yn unig. Mae cydberthyniad clir rhwng y bandiau ar y cregyn a'r amgylchedd: po fwyaf amrywiol a pho dywyllaf yr amgylchedd (er enghraifft mewn coetir), mwyaf y gyfran o gregyn â bandiau.

Y fronfraith yw prif ysglyfaethwr y falwoden finfrown. Yng nghanol Ebrill, brown yw'r llystyfiant ar y cyfan, felly mae bod â chragen felen yn anfantais ddetholus. Erbyn diwedd Ebrill, nid yw cragen felen yn hytrach na lliw arall o fantais nac anfantais er mwyn goroesi, ac erbyn canol Mai mae cragen felen yn fantais.

Mae'n amlwg bod ysglyfaethwyr yn defnyddio eu llygaid i ddethol, gan ei bod yn ymddangos bod rhai patrymau cregyn yn cynnig cuddliw yn erbyn cefndiroedd penodol. Fodd bynnag, mae gan y falwoden finwen hefyd amrywiaeth o ran patrymau ei chragen a gall fyw yn yr un ardal â'r falwoden finfrown. Yr un ysglyfaethwyr sy'n eu hela, ond gall eu hamlder alelau fod yn wahanol iawn. Mewn coedwigoedd bedw, mae gan bron y cyfan o'r malwod minfrown gregyn brown heb fandiau, tra bo cregyn melyn â bandiau gan y rhai minwen ar y cyfan. Bydd gwyddonwyr yn aml yn defnyddio efelychiadau cyfrifiadurol wrth astudio detholiad naturiol o ganlyniad i ysglyfaethu. Mae hyn, neu ddulliau eraill sy'n darparu **modelau**, yn dangos effeithiau cuddliw ac ysglyfaethu. Yn y ffordd hon, mae'n bosibl rhagfynegi'r hyn a allai ddigwydd dros gyfnod hir o amser trwy archwilio yn y tymor byr yn unig. Er hynny, rhaid bod yn ofalus wrth gasglu gwybodaeth o fodelau fel hyn, oherwydd dylanwad amryw o newidynnau mewn amgylchedd naturiol. Ymhlith y newidynnau hyn y mae'r canlynol:

* Mae maint y boblogaeth sy'n cael ei hastudio yn ffactor arwyddocaol.
* Efallai nad oes gan bob unigolyn sydd mewn oedran atgenhedlu siawns cyfartal o ddod o hyd i gymar.
* Gall mewnfudiad i'r boblogaeth neu ymfudiad ohoni ddigwydd.
* Mae mwtaniadau'n digwydd ar hap.
* Gall gwahaniaethau mewn lliw arwain at broblemau eraill, er enghraifft bydd cregyn duon yn amsugno gwres yn gyflymach a gall hyn effeithio ar oroesiad y falwoden.

Gwrthiant i wrthfiotigau

Un enghraifft o ddetholiad naturiol ar waith heddiw yw sut mae rhai bacteria'n datblygu gwrthiant i wrthfiotigau. Sylweddau sy'n cael eu cynhyrchu gan ficrobau i ladd bacteria yw **gwrthfiotigau**. Mae gwrthiant i wrthfiotigau mewn rhai bacteria sy'n achosi afiechyd wedi arwain at broblemau iechyd difrifol ledled y byd.

Mae'r genynnau sy'n ymwneud â gwrthiant i wrthfiotigau'n amrywio rhwng rhywogaethau ac oddi mewn i rywogaethau. Mae gorddefnyddio gwrthfiotigau wedi arwain at ddethol y mathau hynny o facteria sydd wedi mwtanu i ddatblygu gwrthiant i wrthfiotigau. Mae'r mathau gwrthiannol yn goroesi i fridio ac yn trosglwyddo'r genyn sydd wedi mwtanu i'w disgynyddion. Gan fod bacteria'n atgynhyrchu'n gyflym dros ben, buan iawn y bydd miliynau o glonau'n cael eu ffurfio. Er y 1940au mae pobl yn gwybod am wrthiant i **benisilin**, a ddechreuodd oherwydd effaith **ensym** bacteriol sy'n gallu dadelfennu penisilin. Mae gwrthiant i wrthfiotigau eisoes wedi cyfyngu neu roi terfyn ar ddefnyddioldeb nifer o wrthfiotigau gwerthfawr, a oedd unwaith yn cael eu defnyddio i drin amrywiaeth o glefydau heintus. Yn ddiweddar, mae cynnydd wedi bod yn y gwrthiant i wrthfiotigau mewn nifer o rywogaethau o facteria sy'n achosi twbercwlosis. Mae **MRSA** (*Staphylococcus aureus* gwrthiannol i fethisilin) wedi datblygu gwrthiant i bob gwrthfiotig sy'n cael ei ddefnyddio'n gyffredin, ac erbyn hyn mae'n gyfrifol am lawer o farwolaethau mewn ysbytai ledled Prydain.

Llygod mawr eithriadol yng Nghymru

Byth ers i bobl ddechrau tyfu cnydau grawn a'u storio, mae llygod mawr wedi bod yn cystadlu â phobl am fwyd. Nhw hefyd oedd yn gyfrifol am ledaenu clefydau fel y pla, a nhw yw'r rheswm anuniongyrchol dros farwolaeth miloedd o bobl ledled y byd bob blwyddyn. Er mwyn ceisio eu rheoli mae pobl wedi defnyddio sawl gwahanol fath o wenwyn. Cafodd un ohonynt, **warffarin**, ei gyflwyno gyntaf ym 1950. Daeth yn wenwyn poblogaidd i ladd llygod mawr gan nad oedd yn wenwynig iawn i anifeiliaid fferm. Mae'n gweithio trwy atal gwaed rhag ceulo. Pan fydd llygod mawr yn ei fwyta, bydd eu capilarïau gwaed yn mynd yn frau iawn a'r gwaed yn peidio â cheulo. Bydd y capilarïau'n hollti a'r llygod mawr yn gwaedu i farwolaeth.

Ymddangosodd rhywogaethau o lygod mawr â gwrthiant i warffarin yn y Trallwng yng nghanolbarth Cymru ym 1959. Bob blwyddyn roedden nhw'n ymledu tua thair milltir ymhellach o'r fan lle roedden nhw'n byw yn wreiddiol, ac erbyn 1972 roedd y llygod mawr gwrthiannol hyn yn bridio mewn 12 ardal arall ym Mhrydain. Gallwn egluro sut yr esblygodd y rhywogaeth newydd yn nhermau un genyn yn mwtanu. Mae'r **alel trechol** (ffurf drechol y genyn) yn rhoi gwrthiant i warffarin. Nid yw proses geulo gwaed y rhywogaeth wrthiannol o lygod mawr yn ymateb i warffarin, felly mae eu gwaed nhw yn ceulo'n normal, hyd yn oed os bydd y llygoden fawr yn bwyta warffarin.

Mae detholiad naturiol yn ffafrio ambell un o'r anifeiliaid mwtan sy'n cludo'r alel trechol ar gyfer gwrthiant. Bydd y rheini'n bridio ac yn trosglwyddo'r alel i genedlaethau'r dyfodol. Mae hyn yn brawf o'r rheol fod detholiad naturiol yn arwain at esblygiad os yw'r boblogaeth yn ddigon mawr, a'i chyfradd fridio yn ddigon uchel. Yn yr achos hwn, arweiniodd detholiad naturiol at esblygiad math newydd o lygoden fawr ymhen llai na deng mlynedd!

Wyddoch chi?

Jean-Baptiste Lamarck oedd y cyntaf i ddefnyddio'r term 'bioleg' yn ei ystyr fodern. Hefyd, awgrymodd ddamcaniaeth esblygiad ar gyfer anifeiliaid heb asgwrn cefn (infertebratau) hanner cant o flynyddoedd cyn i Charles Darwin gyhoeddi ei ddamcaniaeth ef ym 1859. Fodd bynnag, roedd diffygion sylfaenol yn syniadau Lamarck, a gredai fod esblygiad yn digwydd oherwydd bod nodweddion a ddatblygodd yn ystod oes organeb yn cael eu hetifeddu gan epil yr organeb honno. Petai Lamarck yn gywir, byddai plant codwyr pwysau o fri bob amser yn etifeddu cryfder a chyrff cyhyrog.

Ffigur 1.22 Mae'r pryfyn hwn wedi cael ei gadw mewn ambr

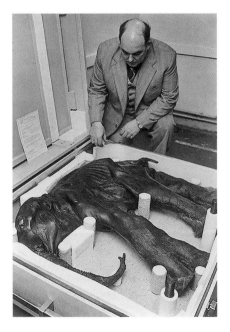

Ffigur 1.23 Baban i famoth, wedi'i gadw mewn rhew

Barn arall

Cyn dyddiau Charles Darwin, roedd y rhan fwyaf o bobl yn credu i bob rhywogaeth naturiol gael ei chreu yn union fel yr oedd yn ymddangos iddyn nhw ar y pryd, ac nad oedd y rhywogaethau hynny wedi newid erioed. Enw'r safbwynt hwn yw **creadaeth**. Ym 1859, pan gafodd syniadau Darwin am esblygiad eu cyhoeddi gyntaf, roedd y rhan fwyaf o bobl yn dal i gredu mewn creadaeth, ac roedd llawer yn dadlau yn erbyn damcaniaeth esblygiad Charles Darwin. Yna dechreuodd rhai pobl feddwl y gallai rhywogaethau newid yn raddol i fod yn rhywogaethau eraill trwy esblygiad. Yr enw a gafodd ei roi ar y gred hon oedd **Darwiniaeth**.

Erbyn heddiw, mae bron pob biolegydd yn cytuno â syniadau Darwin am ddetholiad naturiol. Mae astudiaethau ym maes geneteg etifeddiad, tystiolaeth o ffosiliau a data sy'n dal i ymddangos o arbrofion, gyda'i gilydd, yn brawf fod damcaniaeth detholiad naturiol yn ffaith.

Tystiolaeth 'galed' dros esblygiad

Casglodd Charles Darwin nifer enfawr o **ffosiliau** er mwyn cyflwyno tystiolaeth bod rhywogaethau'n newid dros amser. Darganfu fod anifeiliaid a phlanhigion mwy cyntefig i'w cael ar ffurf ffosiliau yn y creigiau hynaf. Mae'r gair 'ffosil' yn dod o'r Lladin *fossilis*, sy'n golygu rhywbeth sydd wedi ei gloddio o'r ddaear. Erbyn heddiw, mae'r term yn cael ei ddefnyddio am unrhyw organeb sydd wedi ei chadw yng nghramen y Ddaear, ac olion organebau o'r fath.

Ambell waith yn yr oesoedd a fu, byddai planhigyn neu anifail, adeg ei farw, yn cael ei ddal mewn hylif a fyddai'n rhwystro aer rhag ei gyrraedd ac felly'n atal bacteria rhag gwneud i'r corff marw bydru. O ganlyniad, byddai'r organeb yn parhau i bob pwrpas heb ei newid. Enghraifft o hyn yw'r pryfed hynafol sydd wedi'u cadw mewn ambr (Ffigur 1.22). Mae ambr yn resin ffosiledig (mae resin yn hylif a geir mewn rhai coed). Enghraifft arall yw sgerbydau'r anifeiliaid sydd wedi'u darganfod mewn pyllau tar yng Nghaliffornia, UDA, lle mae'r hylif wedi dinistrio'r cnawd ond gadael yr esgyrn heb eu cyffwrdd.

Fodd bynnag, mae ffosiliau o gyrff neu sgerbydau cyfan yn hynod o brin. Pan maen nhw'n marw, mae'r rhan fwyaf o anifeiliaid a phlanhigion yn cael eu bwyta neu'n pydru. Pryd a lle maen nhw'n marw sy'n penderfynu a fyddan nhw'n troi'n ffosil. Prin yw'r siawns i rywun ddod o hyd i'r ffosil. Fel arfer, dim ond darnau sy'n dod i'r golwg – ychydig o ddannedd neu esgyrn yn unig. Ambell waith, y cyfan yw ffosil yw cragen, twnnel llyngyren mewn tywod, ôl troed, neu ôl siâp anifail neu blanhigyn mewn llaid. Glo yw'r ffosil mwyaf cyfarwydd mae'n debyg. Gweddillion coedredynnau hynafol oedd yn byw filiynau lawer o flynyddoedd yn ôl, ac wedi'u ffosileiddio, yw glo.

Mae gwyddonwyr wedi darganfod bod rhannau o gramen y Ddaear yn frith o sbesimenau ar ffurf ffosiliau. Mewn rhannau o'r Arctig mae'r rhew wedi cadw organebau, ac yn aml maen nhw bron yn gyflawn. Er enghraifft mae gweddillion mamothiaid a chreaduriaid mawr eraill i'w cael, wedi eu cadw'n hynod o dda (Ffigurau 1.23 ac 1.24).

Ffigur 1.24 Palaeontolegwyr yn archwilio dinosor ffosilaidd

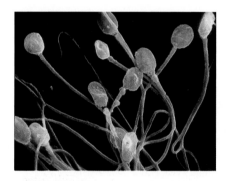

Ffigur 1.25 Sbermau dynol

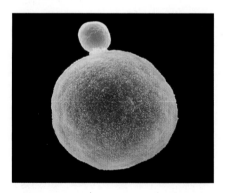

Ffigur 1.26 Wy o fenyw yn union cyn i ofwliad ddigwydd

Y lleoedd gorau i ddod o hyd i ffosiliau yw gwelyau'r moroedd – moroedd heddiw a moroedd ddoe. Oni bai bod rhywbeth yn eu bwyta, bydd organebau marw yn syrthio i'r gwaelod. Mae eu cregyn neu ddarnau esgyrnog eu cyrff yn cael eu trawsnewid yn galchfaen caled trwy adweithiau cemegol. Dros gyfnod o filiynau o flynyddoedd, bydd tywod yn gorwedd drostynt, ac er bod rhannau meddal yr organeb yn pydru, bydd y rhannau caled yn aros. Efallai na fydd y ffosiliau'n dod i'r golwg hyd nes bydd y tywod wedi hen droi yn graig solet a dyfroedd y môr wedi cilio.

Cwestiynau

5 Beth yw'r prif wahaniaeth rhwng syniadau Darwin a rhai Lamarck am esblygiad?

6 Sut mae gwyddonwyr yn defnyddio ffosiliau fel tystiolaeth o esblygiad?

7 Disgrifiwch enghreifftiau o dystiolaeth i ddangos bod esblygiad yn digwydd heddiw.

Etifeddiad

Ble rydych chi'n cadw eich genynnau?

Erbyn hyn byddwch chi'n gallu adnabod amrywiad biolegol a'i egluro. Fodd bynnag, mae angen inni astudio achos sylfaenol amrywiad yn fwy manwl. Mae amrywiadau'n cael eu trosglwyddo o un genhedlaeth i'r nesaf trwy gyfrwng defnyddiau genetig. Y celloedd hynny sy'n ffurfio cyswllt rhwng y cenedlaethau – y celloedd rhyw, neu'r **gametau** – sy'n cynnwys defnyddiau genetig. Felly nhw yw'r man cychwyn gorau ar gyfer ein hastudiaeth.

Mae Ffigur 1.25 yn dangos gametau gwrywol (sbermau). Fel celloedd eraill, mae gan y rhain **gnewyllyn** a **philen**. Yn wahanol i'r gamet benywol (wy) (Ffigur 1.26), ychydig iawn o **gytoplasm** sydd ynddynt. Mae holl ddefnydd genetig y gametau gwrywol yn y cnewyllyn, sef 'pen' y sberm. Gall sbermau symud trwy hylif fel petaen nhw'n nofio. Pan fydd ffrwythloniad yn digwydd, bydd cnewyllyn y sberm yn mynd i mewn i'r gamet benyw ac yn ymasio â chnewyllyn yr wy (gw. Ffigur 1.27). Mae'r cnewyllyn yn cynnwys yr holl gemegion sy'n cael eu defnyddio er mwyn rheoli datblygiad yr unigolyn.

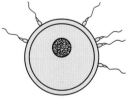

Mae sbermau'n taro yn erbyn y got jeli sy'n amgylchynu'r wy

Mae un ohonynt yn treiddio trwy'r jeli

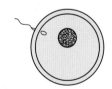

Mae pen y sberm yn mynd i mewn i'r wy ac mae'r ddau gnewyllyn yn ymasio

Ffigur 1.27 Ffrwythloniad

Golwg fanylach ar y cnewyllyn

Gwaith ymarferol

Edrych ar y cnewyllyn

Bydd arnoch angen y darn sy'n tyfu o flaenwreiddyn garlleg. Mae'r planhigyn hwn ar gael drwy'r flwyddyn ac yn hawdd ei dyfu. Gosodwch y bwlb garlleg ar ben tiwb profi sy'n cynnwys dŵr. Ymhen ychydig ddyddiau bydd gwreiddiau'n ymddangos. Bydd eich athro/athrawes yn rhoi ichi flaenwreiddyn sydd wedi'i staenio â staen Feulgen (mae hwn yn adweithio â chemegion yn y cnewyllyn, gan gynhyrchu lliw pinc).

Hefyd bydd arnoch angen hydoddiant asid ethanöig, sy'n gyrydol. Bydd eich athrawon wedi storio hwn mewn lle diogel yn y labordy, ac efallai y cewch chi sleid ficrosgop gyda diferyn o hydoddiant asid ethanöig arni yn barod.

Dull

1 Gwisgwch sbectol ddiogelwch.

2 Yn ofalus, torrwch 2 mm oddi ar ben y blaenwreiddyn gan ddefnyddio sgalpel miniog.

3 Gosodwch y blaenwreiddyn ar sleid ficrosgop mewn diferyn o asid ethanöig 45%.

4 Defnyddiwch ddwy nodwydd wedi'u mowntio i dynnu'r blaenwreiddyn yn garpiau. Ceisiwch chwalu'r meinwe yn ddarnau mân.

5 Gosodwch arwydryn ar y defnydd.

6 Gosodwch y sleid ar bapur hidlo, a rhoi ychydig o haenau o bapur hidlo drosti. Yn ofalus, pwyswch eich bawd i lawr yn syth ar y fan lle mae'r arwydryn, heb bwyso i'r ochr o gwbl. Dylai hyn wastatáu'r celloedd a gwahanu'r defnydd genetig (**cromosomau**).

7 Wedi tua 5 eiliad, codwch y papur hidlo yn ofalus. Dylai'r hydoddiant asid ethanöig fod yn llenwi'r gofod o dan yr arwydryn.

8 Tynnwch eich sbectol ddiogelwch ac archwiliwch eich sleid o dan ficrosgop. Ffocyswch o dan bŵer isel ac yna defnyddiwch y gwrthrychiadur pŵer uchel. Dylech fod yn gallu gweld y cromosomau. Mae cromosomau'n cynnwys **genynnau**, sy'n cludo gwybodaeth enynnol. Tynnwch lun o'r celloedd.

(a) rhyngffas – ddim yn ymrannu   (b) proffas – cam 1   (c) metaffas – cam 2

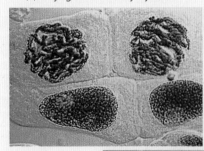 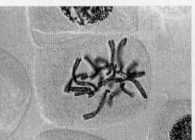 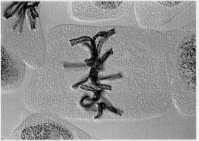

(ch) anaffas –
      cam 3

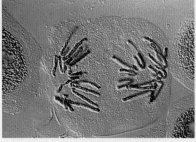 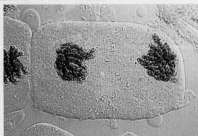

(d) teloffas –
      cam 4

Ffigur 1.28 Celloedd o wreiddyn cloch y gog yn arddangos camau mitosis yn y drefn maen nhw'n digwydd wrth i'r gwreiddyn dyfu

9 Edrychwch ar amryw o gelloedd a'u cymharu â'r gyfres o ffotograffau yn Ffigur 1.28. Ceisiwch ddod o hyd i'r cam cynharaf lle y gallwch chi weld y cromosomau fel ffurfiadau dwbl.

Dylech fod wedi arsylwi ar y pethau canlynol:

• Y cnewyllyn yw lleoliad mwyaf tebygol defnyddiau genetig.

• Gall y cnewyllyn gynnwys cromosomau.

• Dim ond mewn celloedd sydd yn ymrannu ar y pryd y gallwn ni weld cromosomau.

Cellraniad

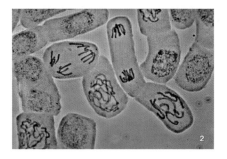

Ffigur 1.29 Celloedd blaenwreiddyn yn dangos gwahanol gamau mitosis

Mitosis yw'r enw ar y math o gellraniad sy'n digwydd yn y gwaith ymarferol uchod. Yn ystod y broses hon, bydd cell yn cynhyrchu dwy epilgell sy'n unfath yn enetig. Mae'r math hwn o gellraniad yn parhau trwy gydol ein hoes, ac mae'n rhan o brosesau tyfu ac atgyweirio celloedd y croen a'r gwaed, er enghraifft. Ar wahân i gelloedd rhyw (gametau), mae cromosomau pob cell yn ymrannu trwy fitosis yn ystod eu datblygiad. Mae Ffigur 1.28 yn darlunio pedwar cam gwahanol mitosis.

Cyn i fitosis ddechrau, mae pob cromosom yn dyblygu (hynny yw, mae'n gwneud copi ohoni'i hun). Ar ddechrau mitosis, mae'r cromosom gwreiddiol a'r copi yn gwahanu ac yn symud i begynau cyferbyn y gell. Felly mae dau epilgnewyllyn yn cael eu ffurfio, y naill fel y llall wedi ei amgylchynu â philen gnewyllol. Mewn celloedd planhigion, mae cellfur yn gwahanu pob cell. Mewn celloedd anifeiliaid, mae'r cytoplasm yn ymweinio, gan ffurfio dwy epilgell (gw. Ffigur 1.30).

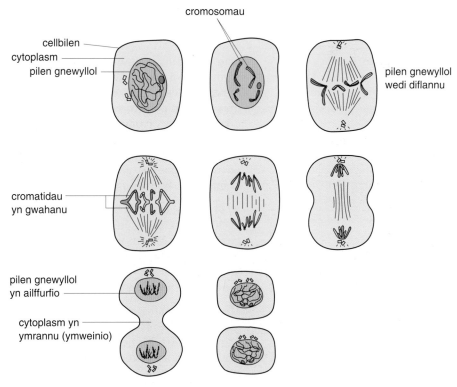

Ffigur 1.30 Y camau mewn mitosis

Mae mitosis yn galluogi pob cell newydd (epilgell) i gael set o gromosomau sy'n unfath yn enetig â'r gell wreiddiol. Dyma sut mae celloedd mewn embryo yn datblygu o wy wedi'i ffrwythloni. A thrwy fitosis y mae organebau fel bacteria yn gallu atgynhyrchu'n anrhywiol. Felly mae'r holl epil sydd wedi'u cynhyrchu'n anrhywiol o un rhiant yn unfath yn enetig â'r rhiant hwnnw.

Mae epil sydd wedi'u cynhyrchu'n rhywiol yn ganlyniad ymasiad gametau gwrywol a benywol (celloedd rhyw).

Ffrwythloniad a nifer y cromosomau

Pan fydd sberm (gamet gwrywol) yn nofio tuag at wy (gamet benywol), bydd ei gnewyllyn yn ymasio â chnewyllyn yr wy. **Ffrwythloniad** yw'r term am hyn. Mae llai o gromosomau yng nghnewyll y gametau gwrywol a benywol nag sydd mewn celloedd eraill yng nghorff yr un organeb. Beth fyddai'n digwydd pe na fyddai'r nifer yn llai?

Mae gan gelloedd yn y corff dynol 46 o gromosomau (23 pâr). Petai gan bob cell ryw aeddfed, neu gamet, 46 o gromosomau hefyd, yna byddai gan bob cell mewn baban 92 cromosom, a byddai gan gelloedd plentyn y baban hwnnw 184 ohonynt. Ond, 46 sydd ym mhob cell normal yn y corff dynol. Fel arfer, 23 o barau o gromosomau sydd mewn celloedd dynol. Mae un aelod o bob pâr yn dod o wy'r fam a'r un arall o sberm y tad. Mae mitosis yn sicrhau bod pob cell newydd yn cael set gyfan o barau o gromosomau.

Mae astudio datblygiad wyau a sbermau dynol trwy ficrosgop yn dangos mai 23 o gromosomau yn unig sydd ganddyn nhw, un cromosom o bob pâr. Sut mae organeb yn cynhyrchu cell sydd â hanner y nifer arferol o gromosomau?

Cellraniad er mwyn ffurfio gametau

Er bod miliynau lawer o gelloedd yn ein cyrff, dim ond yn y celloedd sy'n cynhyrchu wyau a sbermau mae'r parau o gromosomau'n cael eu gwahanu yn ystod cellraniad. Ymraniad lleihaol yw'r enw ar y broses hon, neu **meiosis**, i roi'r enw sy'n fwy cyffredin. Er mwyn gweld sut mae hyn yn gweithio, gallwn ddilyn meiosis fel mae'n digwydd mewn anifail sydd â dau bâr o gromosomau yn unig.

Mae cam cyntaf meiosis yn debyg mewn rhai ffyrdd i fitosis. Bydd pob cromosom yn gosod ei hun mewn rhes gyferbyn â'r cromosom cyfatebol ar draws cyhydedd y gell. Mae pob cromosom wedi gwneud copi union ohono'i hun. Ar gyfer pob cromosom gwreiddiol mae yna gromosom dwbl, a'r enw ar y ddau hanner yw **cromatidau**. Nawr, yn union fel sy'n digwydd yn ystod mitosis, mae'r **bilen gnewyllol** yn diflannu ac mae'r gell yn ymrannu. Yn wahanol i fitosis, fodd bynnag, mae un aelod o bob pâr dwbl yn mynd i gell newydd. Ar y pwynt hwn mae dwy gell, y naill a'r llall yn cynnwys dau gromosom dwbl, sef un cromosom o bob un o'r parau gwreiddiol (gw. Ffigur 1.31).

Ar ôl hyn, mae cyfnod byr o orffwys, wedyn mae gweithgaredd newydd yn dechrau, a'r cromosomau dwbl yn gwahanu fel bod pob cromatid yn dod yn gromosom ar wahân. Yna mae'r celloedd yn ymrannu eto. Erbyn hyn mae pedair cell, â dau gromosom ym mhob un, un o bob un o'r parau o gromosomau oedd yn y gell wreiddiol. Dyma pam mai dim ond hanner y nifer normal o gromosomau sydd mewn gametau.

Mae meiosis yn digwydd wrth i sbermau ac wyau gael eu ffurfio. Pan fydd y sberm yn ymasio â'r wy, mae'r naill a'r llall yn cyfrannu hanner y cromosomau ar gyfer yr unigolyn newydd. Mae pa gromosom y mae gamet yn ei gael gan y pâr gwreiddiol yn ystod meiosis yn digwydd ar hap, felly mae'n hynod o annhebygol y bydd unrhyw ddau gamet yn derbyn 23 cromosom union yr un fath. Mae pa sberm sy'n ymasio â pha wy hefyd yn digwydd ar hap, felly bydd gan bob wy wedi'i ffrwythloni set unigryw o gromosomau. Mantais atgenhedlu rhywiol dros atgenhedlu anrhywiol yw'r wy wedi'i ffrwythloni, gan ei fod yn gwneud pob organeb fyw newydd yn wahanol yn enetig i'w ddau riant. Efallai y bydd yr amrywiad hwn ymysg yr epil yn cynhyrchu unigolyn a all ymaddasu i newidiadau yn ei amgylchedd.

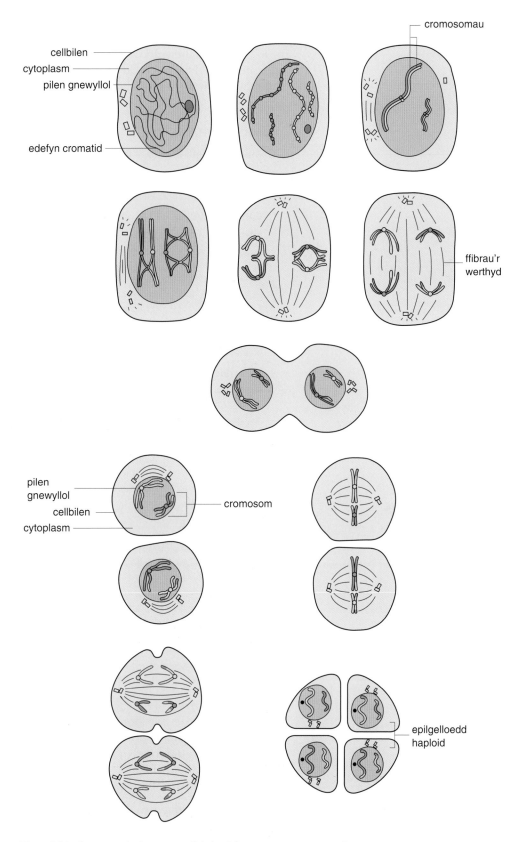

cromosomau

cellbilen
cytoplasm
pilen gnewyllol

edefyn cromatid

ffibrau'r werthyd

pilen gnewyllol
cellbilen
cytoplasm

cromosom

epilgelloedd haploid

Ffigur 1.31   Camau meiosis, mewn cell â dau bâr o gromosomau yn unig

Wedi i'r wy gael ei ffrwythloni, bydd pob cellraniad o hyn ymlaen yn cynhyrchu celloedd â'r nifer llawn o gromosomau. Yn y pen draw bydd yr organeb newydd yn dod yn aeddfed, a'i thro hi fydd atgenhedlu wedyn. Yna bydd ei horganau cenhedlol hi yn cynhyrchu sbermau neu wyau, a chylch bywyd yn dod yn ôl i'r dechrau.

Gwaith ymarferol

Gwneud model i ddangos y camau mewn meiosis

Bydd arnoch angen:

- pedwar glanhawr pibell o un lliw a phedwar glanhawr pibell o liw arall
- dwy wifren (rhai metel â gorchudd plastig) at glymu bagiau sbwriel
- tâp adlynol a phedwar label adlynol bach
- darn o bapur A4 plaen

Dull

1 Tynnwch linell lorweddol trwy ganol y papur A4. Y llinell hon sy'n cynrychioli cyhydedd y werthyd (gw. Ffigur 1.31). Chwe chentimetr uwchben y llinell hon rhowch groes i farcio lleoliad un o begynau'r werthyd. Gwnewch yr un peth islaw'r llinell er mwyn dangos y pegwn cyferbyn.

2 Defnyddiwch y glanhawyr pibell i wneud model sy'n dangos adeiledd pâr o gromosomau fel y maen nhw ar gyhydedd y werthyd. Defnyddiwch lanhawyr pibell un lliw i ddangos cromosom y fam a rhai'r lliw arall i ddangos cromosom y tad. Defnyddiwch y gwifrau clymu bagiau sbwriel i gynrychioli'r pwyntiau cyffwrdd rhwng y cromosomau.

3 Tybiwch fod y cromosom yn cynnwys y genyn A, a bod eich model yn cynrychioli heterosygot (unigolyn ag alelau gwahanol, gw. tudalen 24) ar gyfer y genyn hwn. Defnyddiwch eich labeli adlynol i labelu eich model gan ddangos lleoliad y genynnau.

4 Defnyddiwch dâp adlynol i lynu eich model wrth y darn papur i ddangos y lleoliadau cywir.

5 Tynnwch saethau ar y papur i ddangos cyfeiriad symudiad y cromosomau yn ystod cam nesaf meiosis.

Trosglwyddo gwybodaeth

Mae'r ddolen gyswllt rhwng yr un genhedlaeth a'r nesaf yn un ficrosgopig – cell wy a chell sberm. Y darnau mân, mân hyn o fater byw sy'n cynnwys y cynlluniau ar gyfer y genhedlaeth nesaf.

Wedi i'r sberm ffrwythloni'r wy, bydd un o'r cyfresi mwyaf rhyfeddol o newidiadau y mae gwyddonwyr yn gwybod amdanynt yn dechrau. Bydd y cyfarwyddiadau sydd mewn cell ddynol yn sicrhau bod yr embryo'n datblygu'n fod dynol, yn hytrach nag yn eliffant neu'n llygoden. Mae cyfarwyddiadau tebyg ar gyfer pob organeb arall sy'n atgenhedlu'n rhywiol.

Mae'r cyfarwyddiadau hyn i'w cael ar ffurf negeseuon cemegol wedi eu codio mewn genynnau. **Etifeddiad** yw'r broses sy'n trosglwyddo'r negeseuon hyn o un genhedlaeth i'r nesaf. Mae astudio etifeddiad wedi tyfu i fod yn gangen o geneteg. Byddwn yn aml yn darllen a chlywed am 'beirianneg genetig', 'cynghori geneteg', 'clefydau etifeddol' a 'chlefydau genetig' mewn papurau newydd a rhaglenni radio a theledu.

Tiwtorial meiosis:
www.biology.arizona.edu

Animeiddiad o feiosis (chwilio am *Meiosis*):
www.csuchico.edu

Ffotomicrograffau o fitosis mewn blaenwraidd nionod (ewch i *Photo Gallery*, ac yna *Mitosis*):
micro.magnet.fsu.edu

Ffigur 1.32 Gregor Mendel, tad geneteg

Yn ôl pob tebyg, agweddau meddygol geneteg sydd o'r diddordeb mwyaf i ni. Mae hyn i'w ddisgwyl, gan ein bod yn clywed am gymaint o gyflyrau neu glefydau y gall plant eu hetifeddu trwy enynnau eu rhieni. Petaech chi'n ffermwr neu'n arddwr, byddai gennych chi ddiddordeb hefyd mewn gwybod am ddulliau o drosglwyddo nodweddion defnyddiol o un genhedlaeth i'r nesaf trwy **fridio detholus**.

Gwaith Gregor Mendel

Pys oedd dewis Gregor Mendel (gw. Ffigur 1.32) ar gyfer ei arbrofion am y rhesymau canlynol:

- Gallai weld eu nodweddion. Er enghraifft, melyn neu wyrdd oedd lliw'r hadau bob tro. Byddai'r planhigion yn tyfu i fod yn dal neu'n fyr – nid oedd yna faint canolig.
- Roedd y planhigion yn hawdd eu meithrin a'u croesi, ac yn tyfu'n eithaf cyflym.

Sicrhaodd Mendel fod gan yr holl blanhigion oedd ganddo ar y dechrau yr un alelau ar gyfer pob nodwedd roedd yn ei hastudio (hynny yw, roedden nhw o linach bur). Gwnaeth hyn trwy rwystro planhigion rhag trawsffrwythloni â phlanhigion eraill am nifer o genedlaethau. Astudiodd epil pob cenhedlaeth i sicrhau eu bod i gyd yr un fath â'i gilydd a'r un fath â'r rhiant-blanhigion.

Yna croesodd Mendel blanhigion oedd yn arddangos un nodwedd benodol â rhai oedd yn arddangos y nodwedd gyferbyniol. Er enghraifft, croesodd fath o blanhigion oedd yn tyfu i fod yn dal yn unig â math oedd yn tyfu i fod yn fyr yn unig. Ym mhob achos gwelodd Mendel fod pob un o'r epil yn debyg i'r naill riant neu'r llall, heb unrhyw arwydd o nodwedd y rhiant arall. Felly roedd pob croesiad rhwng planhigion tal a phlanhigion byr yn cynhyrchu hadau oedd bob tro yn tyfu i fod yn blanhigion tal. Roedd un nodwedd fel petai'n 'trechu' y llall. Yr enw a roddodd Mendel ar hyn oedd y **nodwedd drechol**.

Etifeddu nodwedd unigol

Cyfraniad mwyaf Mendel i faes geneteg oedd egluro ei arsylwadau ar y ffordd mae nodwedd unigol yn cael ei hetifeddu (**etifeddiad monocroesryw**). Dechreuodd trwy ddefnyddio symbolau i gynrychioli'r nodweddion oedd dan sylw. Roedd yn cymryd bod y nodwedd ar gyfer planhigion tal yn cael ei hachosi gan ffactor drechol. Defnyddiodd lythyren fawr **T** fel symbol ar gyfer y ffactor hon. Roedd y nodwedd ar gyfer planhigion byr – yr unig ddewis ar wahân i blanhigion tal – yn cael ei hachosi gan **ffactor enciliol, t.**

Y cam nesaf oedd fod Mendel yn cymryd bod gan bob planhigyn bâr o ffactorau ar gyfer pob nodwedd. Yr enw ar y parau hyn o ffactorau bellach yw **alelau**. Un o'r ddwy wahanol ffurf ar enyn yw alel. Er enghraifft, os yw **T** yn cynrychioli tal a **t** yn cynrychioli byr, gall y parau o alelau fod yn **TT** neu **Tt** neu **tt**.

Roedd Mendel yn argyhoeddedig fod alelau yn bodoli oherwydd bod rhai rhiant-blanhigion oedd â'r ffactor drechol yn cynhyrchu rhywfaint o epil oedd â'r ffactor enciliol. Felly roedd rhaid bod y ddau fath o alel gan bob un o'r epil yn y genhedlaeth gyntaf (**F1**). Byddai **Tt** yn symbol addas i gynrychioli'r planhigyn **F1**.

Felly **TT** oedd planhigyn o rieni oedd bob amser yn cynhyrchu planhigion tal, a **tt** oedd planhigyn o rieni oedd yn bridio'n gywir ar gyfer planhigion byr. **Genoteip** planhigyn yw'r enw ar y parau hyn o symbolau i gynrychioli genynnau organeb. Pan fo gan organeb alelau unfath yn ei genoteip (er enghraifft **TT** neu **tt**), dywedwn ei bod yn **homosygaidd**; pan fo ganddi alelau gwahanol (e.e. **Tt**), dywedwn ei bod yn **heterosygaidd.**

Ffenoteip planhigyn yw'r nodweddion y gallwn ni eu gweld. Er enghraifft, tal yw ffenoteip **Tt** neu **TT.** Byr yw ffenoteip **tt.** Defnyddiodd Mendel y rhesymeg hon i roi ei syniadau am etifeddiad ar brawf. Petai'n gwybod beth oedd genoteip pob rhiant, gallai ragfynegi pa fathau o gametau y byddai pob rhiant yn eu cynhyrchu, a hefyd beth fyddai cyfrannedd pob un ohonynt. Trwy wybod hyn, gallai ragfynegi pa fathau o epil fyddai'n cael eu cynhyrchu a beth fyddai cyfrannedd pob un ohonynt hwythau.

Petai gan bob planhigyn bâr o alelau ar gyfer pob nodwedd, a oedd rheol i egluro sut roedd y rhain yn cael eu trosglwyddo i'r genhedlaeth nesaf? Meddyliodd Mendel am y planhigion byr oedd yn ymddangos yn yr ail genhedlaeth, **F2**. Nid oedd yn bosibl fod y rhain yn cludo'r genyn trechol **T**, felly rhaid eu bod nhw wedi cael eu genyn enciliol **t** o'u rhieni **F1**. (Cafodd yr ail genhedlaeth ei chynhyrchu trwy hunanffrwythloniad y genhedlaeth **F1**.)

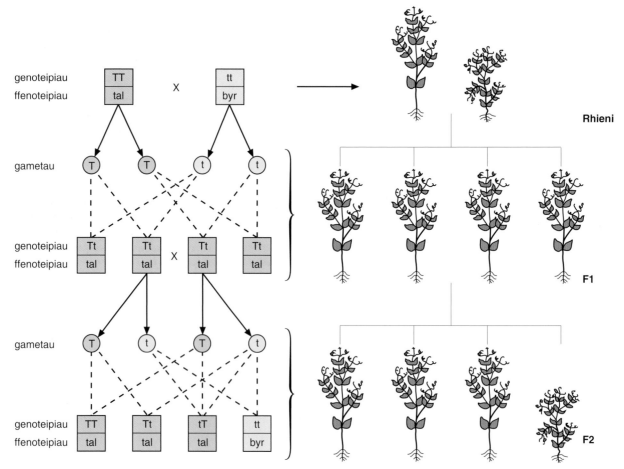

Ffigur 1.33   Canlyniadau Mendel

Mae Ffigur 1.33 yn dangos arbrofion clasurol Mendel gyda phys gardd. Trwy groesi rhywogaeth dal o linach bur â rhywogaeth fyr o linach bur, roedd yr holl epil yn dal. Pan gafodd dau o'r epil hyn eu croesi, roedd tri o'r epil yn dal ac un ohonynt yn fyr. Gwelodd Mendel y byddai'n bosibl egluro'r canlyniadau hyn petai'r nodweddion yn cael eu hetifeddu ar ffurf 'gronynnau'. Roedd gan bob planhigyn ddau o'r gronynnau hyn, a'r naill yn drech na'r llall. Yn yr achos hwn roedd y nodwedd dal (**T**) yn drech na'r nodwedd fer (**t**).

Felly daeth Mendel i'r casgliad fod rheol gyffredinol ar waith, sef deddf arwahanu: 'Pan fo gametau'n cael eu ffurfio, rhaid i ddau aelod o bob pâr o unedau cenhedlol ymwahanu, a dim ond un o bob pâr a all fynd i un gamet.' Aeth blynyddoedd lawer heibio cyn i bobl gydnabod pwysigrwydd gwaith Mendel. Roedd hynny i raddau gan nad oedd neb wedi gweld cromosomau mewn celloedd. Ym 1910, flynyddoedd lawer wedi i Mendel gwblhau ei waith, daeth y ffactor a alwodd ef yn uned genhedlol i gael ei hadnabod fel 'genyn'.

Os **TT** yw genynnau'r rhiant, bydd ei holl gametau'n etifeddu'r naill neu'r llall o'i enynnau **T**, ond nid y ddau. Os **tt** yw genynnau'r rhiant, bydd ei holl gametau'n etifeddu un o'i enynnau **t**. Os **Tt** yw genynnau'r rhiant, bydd hanner y gametau'n etifeddu genyn **T**, a'r hanner arall yn etifeddu genyn **t**.

Sgwariau Punnett

Ym 1905 dyfeisiodd R C Punnett y grid a elwir erbyn hyn yn **sgwâr Punnett**. Caiff y sgwâr ei ddefnyddio i ragfynegi canlyniadau croesiadau genetig. Mae'r alelau sy'n debygol o fod yn bresennol yn y gametau benywol yn cael eu gosod i lawr ochr chwith y grid (gw. Ffigur 1.34), a'r alelau sy'n debygol o fod yn bresennol yn y gwryw yn cael eu gosod ar draws brig y grid (neu'r ffordd arall). Yna bydd yr alelau o'r naill a'r llall yn cael eu cyfuno yn y sgwariau perthnasol ar y grid. O ganlyniad bydd y grid yn dangos yr holl gyfuniadau gwahanol sy'n bosibl, hynny yw holl genoteipiau posibl yr epil.

Cartiau achau a thrasau

Mae pobl wedi bod yn defnyddio **trasau** cartiau achau i olrhain nodweddion trwy hanes teuluoedd dros y canrifoedd. Mae'r math hwn o astudiaeth wedi dangos bod rhai genynnau dynol yn ymddwyn yn debyg i'r rhai roedd Mendel yn eu hastudio a bod ganddynt batrymau syml o etifeddiad trechol ac enciliol.

Yn Ffigur 1.35 mae fersiwn syml o un o'r trasau cyntaf i gael eu cofnodi. Roedd hon yn dangos ac yn olrhain cyflwr 'bysedd byr' trwy deulu o Norwy. Alel trechol sy'n achosi'r cyflwr. Os oes gennych chi fysedd o hyd arferol, rhaid bod gennych enynnau homosygaidd enciliol ar gyfer y nodwedd hon. Os oes bysedd o hyd arferol gan eich cymar hefyd, petaech chi'n cael plant, byddai bysedd o hyd arferol ganddynt hwythau. Os oes bysedd byr gan eich cymar, yna beth fydd siawns eich plant o gael bysedd o hyd arferol? Mae hyn yn dibynnu ar y cwestiwn ai homosygaidd ai heterosygaidd yw eich cymar ar gyfer y cyflwr hwn.

gametau	T	t
T	TT	Tt
t	Tt	tt

Ffigur 1.34 Croesiad monocroesryw mewn sgwâr Punnett

Wyddoch chi?

Mae'r gair 'pedigri', sy'n golygu tras, yn tarddu o'r Ffrangeg *pied de grue*. Ystyr hynny yw troed y garan, sydd â siâp tebyg i'r we o linellau mewn cart achau. (Aderyn mawr tebyg i'r storc yw'r garan.)

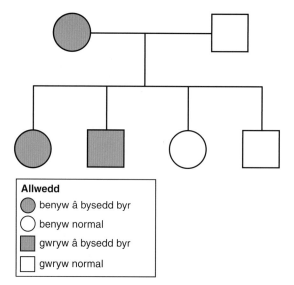

Allwedd
- benyw â bysedd byr
- benyw normal
- gwryw â bysedd byr
- gwryw normal

Ffigur 1.35 Un o'r trasau cynharaf inni wybod amdani, yn dangos cyflwr o'r enw 'bysedd byr' mewn pobl

Canolfan ddysgu gwyddor geneteg:
gslc.genetics.utah.edu

Gregor Mendel:
www.mendelweb.org

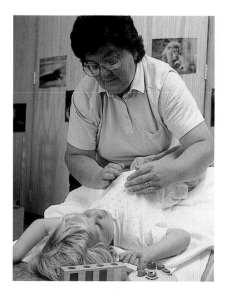

Ffigur 1.36 Plentyn yn cael ffisiotherapi ar gyfer ffibrosis codennog

Wyddoch chi?

Yn ôl yr amcangyfrif, mae'r genyn enciliol sy'n achosi ffibrosis codennog wedi goroesi yn yr hil ddynol am fwy na 2500 cenhedlaeth.

A yw hyn yn awgrymu efallai fod y cyfuniad genynnau heterosygaidd yn fanteisiol i rai pobl? Os nad yw hyn yn fanteisiol, pam nad yw'r genyn wedi diflannu?

Pan fydd rhywbeth yn mynd o'i le mewn pobl

Mae dros 4000 o gyflyrau neu anhwylderau mewn pobl sy'n cael eu hetifeddu o ganlyniad i enynnau diffygiol. Yr anhwylder genynnau mwyaf cyffredin, mae'n debyg, yw **ffibrosis codennog**. Dyma gyflwr sy'n effeithio ar y **pancreas** a **bronciolynnau**'r ysgyfaint. Mae'n bosibl felly na fydd y pancreas yn gweithio'n iawn, bydd y coluddion yn llenwi â mwcws a chau, a bydd mwcws hefyd yn cronni yn yr ysgyfaint (gw. Ffigur 1.36).

Ffibrosis codennog yw un o'r clefydau difrifol mwyaf cyffredin o hyd. Dyma ddisgrifiad o'r ffordd mae'n cael ei etifeddu fel alel enciliol. Cymerwch mai **N** yw'r alel ar gyfer pancreas a bronciolynnau normal. Cymerwch mai **n** yw'r alel enciliol ar gyfer ffibrosis codennog. Rhaid i berson gael dau alel enciliol ar gyfer ffibrosis codennog os yw i ddioddef gan y cyflwr, h.y. **nn** yw'r genoteip. Bydd person â'r genoteip **Nn** yn **gludydd** y cyflwr ond ni fydd yn dioddef ganddo. Mae un siawns mewn pedair y bydd plentyn yn dioddef gan ffibrosis codennog os bydd dau gludydd yn cael plentyn (gw. y sgwâr Punnett yn Nhabl 1.3).

Tabl 1.3 Sgwâr Punnett ar gyfer ffibrosis codennog

gametau	N	n
N	NN	Nn
n	nN	nn

Mae'r cyflwr yn digwydd tuag un waith mewn 2000 o enedigaethau, ac yn gyfrifol am 1–2% o'r derbyniadau i ysbytai plant.

Ar hyn o bryd nid oes iachâd i ffibrosis codennog ond mae triniaethau ar ei gyfer yn gwella, felly mae pobl sy'n dioddef ganddo yn byw i fod yn oedolion ac yn hŷn nag o'r blaen. Yn y dyfodol, mae'n debyg y bydd **therapi genynnau** yn cynnig posibiliadau. Yn y broses arbrofol hon mae copïau normal o'r genyn trechol yn cael eu gosod yn ysgyfaint dioddefwyr trwy ddefnyddio aerosolau.

Bachgen neu ferch?

Ym mhob un o'n corffgelloedd sy'n cynnwys cnewyllyn, mae un o'n 23 pâr o gromosomau'n cynnwys genynnau sy'n pennu pa ryw ydym ni (gw. Ffigur 1.37). Ein **cromosomau rhyw** yw'r rhain. Yn y fenyw mae'r cromosomau yr un fath, **XX**, ac yn y gwryw maen nhw'n wahanol, **XY**. Mae'r cromosom **Y** yn fychan iawn o'i gymharu â'r cromosom **X.**

Mae Ffigur 1.38 yn egluro sut mae rhyw yn cael ei bennu mewn pobl. Mae gan blentyn siawns gyfartal, 50%, o fod yn wryw neu'n fenyw.

Genynnau a DNA

Mae nodweddion unigolyn yn cael eu trosglwyddo o genhedlaeth i genhedlaeth gan enynnau. Beth yw genynnau, ble maen nhw a beth yn union maen nhw'n ei wneud?

Cyfres o adweithiau cemegol yw bywyd. Pa syndod felly fod gwyddonwyr yn gwybod yn eithaf cynnar yn hanes gwyddor geneteg, mai cemegion yw genynnau.

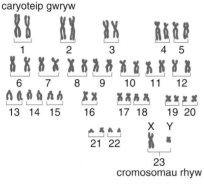

Ffigur 1.37 Y set gyflawn o gromosomau dyn a benyw

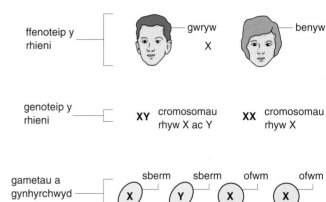

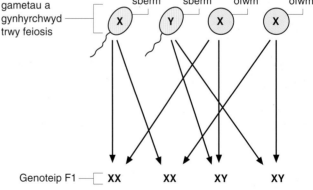

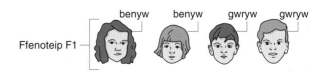

Ffigur 1.38 Cromosomau rhyw mewn pobl

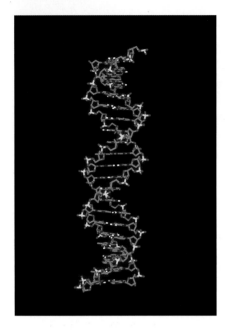

Ffigur 1.39 Model o DNA

Proteinau yw'r cemegion mwyaf hanfodol mewn celloedd byw. Dyfalodd y genetegwyr cyntaf fod genynnau yn ôl pob tebyg yn bodoli ar ffurf protein yn y cromosomau yng nghnewyll celloedd.

Erbyn 1950, roedd hi wedi dod yn amlwg nad y protein yn y cromosomau ond cemegion eraill mewn celloedd, sef **asidau niwclëig**, oedd yn trosglwyddo cod bywyd o genhedlaeth i genhedlaeth. Dyma rai o'r moleciwlau mwyaf mewn pethau byw, a'r rhai mwyaf rhyfeddol o ddigon.

Rydym ni'n gwybod am fodolaeth dwy ffurf: **asid deocsiriboniwclëig (DNA)** (gw. Ffigur 1.39), sydd i'w gael ym mhob cromosom, ac **asid riboniwclëig (RNA)**, sydd i'w gael yng nghytoplasm a chnewyll pob cell. Un moleciwl hir o DNA yw cromosom.

DNA sy'n cludo'r **cod genynnol**. Cafodd adeiledd moleciwl DNA ei ddarganfod ym 1953 gan Americanwr, James Watson, a'r gwyddonydd o Sais, Francis Crick, a oedd yn cydweithio yn Labordy Cavendish yng Nghaergrawnt, Lloegr.

Yn debyg i broteinau, mae asidau niwclëig yn cynnwys sawl uned wedi'u cysylltu â'i gilydd. Adeiledd tebyg i ysgol sydd gan DNA, sef dwy gadwyn hir o siwgrau-ffosffadau wedi eu huno â basau cysylltu (grisiau'r ysgol). Mae'r ysgol wedi ei throelli i siâp sbiral gan ffurfio **helics dwbl** tri dimensiwn (gw. Ffigur 1.40, sy'n dangos model o edefyn DNA).

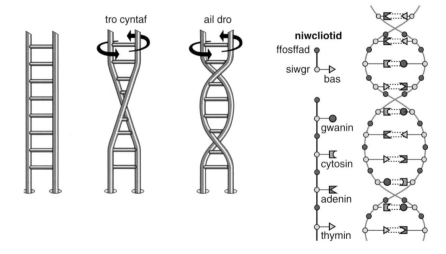

Ffigur 1.40 Adeiledd DNA

Darganfu Watson a Crick fod grisiau'r ysgol yn bedwar gwahanol fath o fas: gwanin, cytosin, adenin a thymin. Mae Ffigur 1.40 yn dangos sut mae'r basau'n ffitio i'w gilydd. Gyda gwanin yn unig y bydd cytosin yn paru, a thymin gydag adenin yn unig.

Mae'r gwahaniaethau rhwng un moleciwl DNA ac un arall, neu rhwng un genyn ac un arall, yn dibynnu ar batrwm y parau hyn o fasau. Dyma sut mae genynnau'n cynhyrchu effeithiau penodol mewn organebau. Er enghraifft, mae trefn y parau o fasau sy'n cynhyrchu llygaid glas yn wahanol i drefn y parau o fasau sy'n cynhyrchu llygaid brown.

Mae'r nifer o ddilyniannau posibl o barau o fasau bron yn ddiderfyn, o gofio bod edefyn o DNA yn gallu cynnwys 10 000 a mwy o unedau basau. Felly mae'r nifer posibl o enynnau mewn planhigion ac anifeiliaid bron yn ddiderfyn.

Sut mae genynnau'n gweithio?

Sut mae genynnau'n rheoli datblygiad organeb? Sut mae gronynnau mor ficrosgopig yn effeithio gymaint ar fywyd?

Mae genynnau wedi'u gwneud o DNA. Mae DNA yn mynegi cod sy'n pennu pa adweithiau cemegol sy'n digwydd mewn cell, a pha mor gyflym maen nhw'n digwydd. Mae DNA yn gwneud hyn trwy bennu pa broteinau sy'n cael eu gwneud (syntheseiddio) yn y gell. Y math o adweithiau cemegol a pha mor gyflym y maen nhw'n digwydd sy'n pennu twf a datblygiad cell. Felly, trwy reoli **synthesis proteinau**, mae DNA yn rheoli bywyd cell, a thrwy hynny'n rheoli datblygiad yr organeb.

Sut mae DNA yn rheoli synthesis protein?

O 'flociau adeiladu' o'r enw **asidau amino** mae proteinau wedi'u gwneud (gw. yr adran ar broteinau a'r defnydd ohonynt ym Mhennod 3). Mae'r asidau amino wedi'u cysylltu â'i gilydd ar ffurf cadwynau. Y gwahanol ffyrdd o gyfuno gwahanol asidau amino sy'n pennu pa fath o brotein sy'n cael ei syntheseiddio.

Gall DNA reoli sut mae'r asidau amino'n cael eu trefnu. Mae'r mathau o fasau a'u dilyniant yn y moleciwl DNA yn gweithredu fel cod sy'n pennu pa asidau amino sy'n cael eu cysylltu. Trwy bennu ffurf a threfniant y 'blociau adeiladu' sylfaenol hyn, mae DNA yn rheoli synthesis protein.

Dyma grynodeb syml iawn o sut mae DNA yn cael ei ddefnyddio i wneud proteinau:

1 Mae moleciwl hir DNA (cofiwch ei fod fel ysgol wedi ei throelli) yn dad-ddirwyn ac yn ymhollti ar ei hyd, rhwng y basau.

Ffigur 1.41 James Watson a Francis Crick, a ddarganfu adeiledd DNA ym 1953.

2 Mae un o haneri'r moleciwl nawr yn gweithredu fel patrwm neu dempled (gw. Ffigur 1.42) ar gyfer ffurfio moleciwl 'copi'. Mae'r edafedd hyn yn gosod eu hunain mewn rhes gyferbyn â'u partneriaid sydd ar hanner gwreiddiol y DNA. Fel hyn, maen nhw'n ffurfio un edefyn. Canlyniad hyn yw fod y cod oedd yn wreiddiol yn y DNA bellach ar y moleciwl sydd wedi'i gopïo hefyd.

3 Yna mae'r moleciwl yn mynd trwy'r bilen gnewyllol ac i mewn i ffurfiadau yn y gell o'r enw **ribosomau.**

4 Wedyn, mae'r cod ar y moleciwl sydd wedi'i gopïo yn rheoli pa asidau amino o gytoplasm y gell sy'n cysylltu â'i gilydd, ac felly pa fath o brotein sy'n cael ei syntheseiddio.

Roedd darganfod bod DNA yn cludo cod bywyd yn gam enfawr ymlaen mewn bioleg foleciwlaidd. Y cam nesaf oedd darganfod sut mae'r moleciwl yn gwneud copïau union ohono'i hun (hunanddyblygu).

Dyblygiad DNA

Yn union cyn i gell ymrannu, cofiwch fod y cromosomau'n hunanddyblygu. Fel y gwelsom eisoes, cadwyn hir o DNA yw'r cromosom. Dyma sy'n cael ei ddyblygu.

Mae'r ddau edefyn hir o DNA yn gwahanu, ac mae'r basau rhydd yng nghnewyllyn y gell yn gosod eu hunain mewn rhes rhwng y ddau edefyn sydd wedi gwahanu (cytosin â gwanin a thymin ag adenin). Canlyniad hyn yw creu dau helics dwbl newydd (gw. Ffigur 1.42).

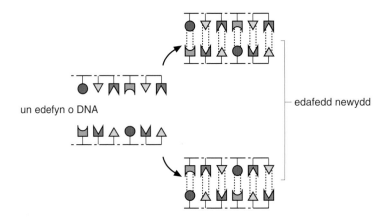

un edefyn o DNA

edafedd newydd

Ffigur 1.42 Dyblygiad DNA

Cwestiynau

8 Beth yw ystyr y gair 'geneteg'?

9 Pan oedd Gregor Mendel yn gwneud ei arbrofion, beth oedd manteision defnyddio pys?

10 Nodwch beth yw egwyddor trechedd Mendel.

11 Beth yw ystyr y term 'genoteip'?

12 Mewn pobl, mae'r alel ar gyfer llabedi clustiau rhydd, **R**, yn drech na'r alel ar gyfer llabedi ynghlwm, **r**.

   a Mae'r tad yn heterosygaidd ac nid oes llabedi rhydd gan y fam. Petai ganddynt blant, nodwch beth fyddai eu genoteipiau, gan ddefnyddio'r symbolau uchod.

   b Nodwch a fyddai llabedi rhydd gan y plant ai peidio.

13 Dyma ddeddf geneteg gyntaf Mendel: 'Un yn unig o bâr o nodweddion cyferbyniol fydd yn cael ei chynrychioli mewn gamet gan ei huned genhedlol.'

a Nodwch beth yw'r enw modern am 'uned genhedlol'.

b Nodwch ble mewn gametau y mae'r unedau cenhedlol.

c Mae benyw â gwallt coch yn priodi dyn â gwallt brown. Gwallt brown sydd gan bob un o'u chwe phlentyn. Eglurwch hyn yn nhermau geneteg.

Technoleg genynnau

Peirianneg genetig

Hanfod **peirianneg genetig** yw arwahanu genyn o un organeb a gosod y genyn hwnnw mewn genyn arall o rywogaeth wahanol. Pa resymau sydd dros wneud hyn? Efallai fod y genyn yn gyfrifol am gyflawni rhyw swyddogaeth ddefnyddiol iawn. Er enghraifft, mae gwyddonwyr yn aml yn arwahanu genynnau o gromosomau dynol sy'n rheoli cynhyrchu proteinau megis hormonau. Maen nhw'n gosod y genynnau defnyddiol hyn mewn celloedd o facteria neu furum. Pwrpas trosglwyddo genynnau dynol i'r celloedd o facteria neu furum yw er mwyn gallu cynhyrchu mwy o'r sylwedd defnyddiol. Mae'r microbau'n lluosi yn hynod gyflym ac mae'n bosibl eu meithrin yn gymharol rad. Mewn gwirionedd, maen nhw'n darparu cyflenwad bron yn ddiderfyn o sylweddau fel hyn – ac i bob pwrpas nid oes unrhyw ddull arall o gynhyrchu cyflenwad mor fawr ohonynt.

Cam cyntaf y broses yw fod ensym yn gweithredu fel pâr o siswrn biolegol (gw. Ffigur 1.43). Mae'r ensym yn cael ei ychwanegu at y cromosomau er mwyn iddo dorri allan ddarnau o DNA mewn mannau lle mae'r gwyddonwyr yn gwybod bod genynnau defnyddiol i'w cael. Felly mae'r ensym yn galluogi'r gwyddonydd i dorri allan yr union enyn sydd ei angen. Gallai hwnnw fod yn un o gannoedd ar gromosom penodol.

Y cam nesaf yw gosod y genyn mewn bacteriwm (y gell letyol). Bydd yn cael ei osod yn uniongyrchol mewn darn cylchol o DNA bacteriol. Yn yr un modd â chromosomau, mae'r darn cylchol o DNA yn cynnwys genynnau'r bacteriwm, sy'n rheoli popeth sy'n digwydd yn y bacteriwm. Mae'r darn cylchol o DNA yn cael ei dorri gan ensymau ac yna bydd y genyn estron yn cael ei osod yn y bwlch. Wedyn bydd ensym arall yn cau'r toriad.

Y cam nesaf wedyn yw defnyddio tiwb profi i gymysgu'r darnau cylchol newydd o DNA â bacteria sydd heb ddarnau o'r fath. Bydd rhai o'r darnau cylchol o DNA a gafodd eu newid, yn mynd i mewn i'r bacteria hyn. Oherwydd bod y genyn estron ynddynt bellach, mae'r bacteria'n cael cyfarwyddiadau i wneud y protein 'newydd' sydd ei angen (gw. Ffigur 1.43). Felly bydd y gell letyol yn ufuddhau i'r cyfarwyddiadau gan y genyn estron ac yn cynhyrchu proteinau dynol.

Geneteg yn achub bywydau

Hormon yw **inswlin**, sy'n cael ei wneud gan rai o gelloedd y pancreas (gw. Pennod 2). Ei swyddogaeth yw cadw crynodiad y glwcos yn y gwaed oddi mewn i ystod normal. Os bydd lefel y glwcos yn gostwng yn llawer is na hyn, ni fydd gan y corff ddigon o danwydd i weithio'n iawn. Mae bod â lefel glwcos uwch na'r crynodiad normal hefyd yn ymyrryd â'r ffordd mae'r corff yn gweithio. Bydd yr arennau fel arfer yn adamsugno glwcos, ond os bydd gormod ohono yn y gwaed bydd glwcos yn cael ei golli yn y troeth. Pen draw hyn yw nad yw'r corff yn gallu defnyddio'r tanwydd sydd ar gael iddo.

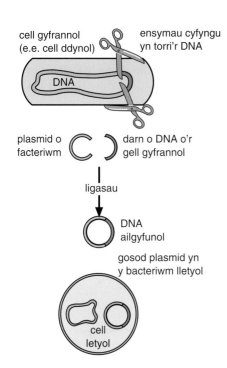

cell gyfrannol (e.e. cell ddynol)

ensymau cyfyngu yn torri'r DNA

DNA

plasmid o facteriwm

darn o DNA o'r gell gyfrannol

ligasau

DNA ailgyfunol

gosod plasmid yn y bacteriwm lletyol

cell letyol

Ffigur 1.43 Egwyddorion peirianneg genetig

Mae gan inswlin swyddogaeth hanfodol yn y broses o symud gormodedd o glwcos o'r gwaed. Un o'r ffyrdd mae'n gwneud hyn yw trwy newid peth o'r glwcos yn **glycogen**, sy'n ffurf anhydawdd ar **garbohydrad**. Bydd hwn wedyn yn cael ei storio yn yr afu nes bod angen cyflenwad newydd o glwcos. Heb ddigon o inswlin, nid yw pobl yn gallu rheoli lefel y glwcos yn y gwaed a byddan nhw'n dioddef gan fath o **ddiabetes mellitus** (y clefyd siwgr). Yn ffodus, mae'n bosibl i berson sydd â'r math hwn o ddiabetes reoli'r cyflwr trwy chwistrellu inswlin yn rheolaidd (gw. hefyd tud. 39).

Hyd yn gymharol ddiweddar, o bancreasau gwartheg a moch a gafodd eu lladd mewn lladd-dai y byddai'r inswlin hwn yn dod. Roedd yn anodd cynhyrchu digon o inswlin yn y ffordd hon ar gyfer anghenion pobl â diabetes. Yn ogystal â hyn, mewn rhai diwylliannau a chrefyddau mae pobl yn cael eu gwahardd rhag defnyddio cynhyrchion o foch ac o wartheg. Hefyd mae'n bosibl fod llysieuwyr caeth yn gwrthwynebu defnyddio anifeiliaid yn y ffordd hon.

Addasu genynnau bacteria oedd ateb peirianwyr genetig i'r problemau hyn. Mae Ffigur 1.44 yn crynhoi'r dull hwn. Prif fantais y dechneg hon yw ei bod yn bosibl masgynhyrchu proteinau sy'n gallu arbed bywydau, ond a fyddai fel arall yn brin ac yn ddrud. Mae'n bosibl defnyddio bacteria fel ffatrïoedd byw i gynhyrchu'r proteinau hyn yn ôl y galw. Yn ddamcaniaethol, mae'n bosibl masgynhyrchu unrhyw brotein gan ddefnyddio'r un egwyddor.

Ym 1993, dechreuwyd defnyddio enghraifft arall o dechnoleg genynnau sydd hefyd yn arbed bywydau. Cafodd genynnau defaid eu haddasu er mwyn cynhyrchu protein sy'n rhan o broses ceulo'r gwaed. Cafodd y genynnau dynol, sydd fel arfer yn rheoli cynhyrchu un o'r ffactorau

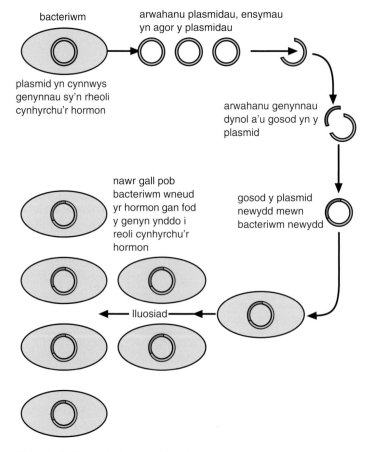

Ffigur 1.44 Cynhyrchu hormon dynol

ceulo gwaed, eu gosod mewn embryonau mamogiaid yn ystod camau cynnar eu datblygiad. Pan dyfodd yr embryonau hyn yn oedolion, roedden nhw'n cynhyrchu llaeth oedd yn cynnwys y ffactor ceulo gwaed.

Heddiw mae'r dechnoleg hon yn cael ei defnyddio i drin pobl sydd â chyflwr o'r enw **haemoffilia.** Diffyg etifeddol ar y gwaed yw haemoffilia, a'r nam yw fod un o'r ffactorau ceulo gwaed hanfodol yn brin neu ar goll. Gan nad yw eu gwaed yn ceulo'n iawn, mae perygl i bobl sy'n dioddef gan haemoffilia golli gwaed yn ddifrifol os byddan nhw'n dechrau gwaedu am ryw reswm.

Cnydau wedi'u haddasu'n enetig

Yn y 1980au, cafodd y cnwd cyntaf **i'w addasu'n enetig (GM)** ei gynhyrchu. Roedd ei enynnau wedi'u haddasu i'w wneud yn wrthiannol i bryfed ac i blâu eraill. Cnwd o datws oedd hwn, a'r daten wedi'i haddasu i gynhyrchu ei **phlaleiddiad** ei hunan. Gwenwyn pryfed oedd y plaleiddiad, a gafodd ei gynhyrchu fel arfer gan fath o facteriwm sy'n byw yn y pridd. Cafodd y genyn ar gyfer cynhyrchu'r gwenwyn ei drosglwyddo i'r planhigion tatws, ac roedd hynny'n gwneud y planhigion yn wrthiannol i bryfed sydd yn blaon.

Ers hynny, mae sawl math o gnwd wedi cael ei addasu trwy ddefnyddio'r un egwyddor yn union â'r un a gafodd ei defnyddio i wneud tatws yn wrthiannol i bryfed. Mae gwrthiant i **chwynladdwyr** bellach yn rhywbeth cyffredin mewn cnydau wedi'u haddasu'n enetig. Ym 1996, rhoddodd y Comisiwn Ewropeaidd ganiatâd i werthu India corn wedi'i addasu'n enetig ar gyfer gwrthiant i chwynladdwr yn ogystal ag i bryfed sy'n blaon. Erbyn 1990, roedd 30% o'r India corn a 50% o'r ffa soia oedd yn cael eu cynaeafu yn UDA a'u genynnau wedi eu haddasu i fod yn wrthiannol i chwynladdwyr ac i bryfed.

Heb eu rheoli, bydd chwyn yn cystadlu â chnydau. Am flynyddoedd lawer mae ffermwyr wedi bod yn ceisio gwaredu chwyn trwy ddefnyddio cemegion o'r enw chwynladdwyr. Fodd bynnag, mae'n anodd cynhyrchu chwynladdwyr detholus sy'n lladd chwyn yn unig, heb niweidio'r planhigion mae pobl eisiau eu tyfu. Mae'n bosibl tynnu genyn sy'n rheoli chwynladdwyr, o facteriwm sy'n tyfu fel arfer mewn pridd, a'i drosglwyddo i blanhigyn fel soia.

Yn anffodus, gallai rhai problemau godi trwy ddefnyddio'r dechnoleg hon, ac mae rhai pobl yn ei gwrthwynebu oherwydd hynny. Er enghraifft, yn ystod y broses o osod y genyn yn y planhigyn, mae genyn **marcio** yn cael ei ddefnyddio er mwyn nodi pa gelloedd sy'n cynnwys y cromosomau sydd wedi'u haddasu. Mae'r genyn marcio'n cynhyrchu gwrthiant i wrthfiotigau. Petai gwartheg yn bwyta India corn wedi'i drin fel hyn er enghraifft, mae posibilrwydd o drosglwyddo'r genyn i facteria sydd fel arfer yn byw yn system dreulio'r gwartheg. Ofn y bobl sy'n gwrthwynebu'r dechnoleg hon yw y byddai hyn yn cyfrannu at ledaenu gwrthiant i wrthfiotigau yn y gwartheg.

Ymhlith yr ofnau eraill mae'r posibilrwydd y byddai planhigion â gwrthiant i chwynladdwyr yn dianc i'r amgylchedd neu i'r gwyllt ac yn ffynnu. Os na fyddai chwynladdwyr yn eu difa, pa ffordd arall sydd o wneud hynny? Yr ateb yw sicrhau bod y planhigion yn anffrwythlon ac yn gallu atgynhyrchu'n anrhywiol yn unig. Sgil effaith annerbyniol arall, mewn planhigion soia gwrthiannol i chwynladdwyr, oedd fod coesynnau llawer ohonynt yn hollti mewn hinsoddau poeth. Heb gynhaliad felly, roedden nhw'n syrthio ac yn difetha.

Manteision planhigion sy'n wrthiannol i chwynladdwyr ac i bryfed yw fod angen cyflwyno llawer llai o gemegion i'r amgylchedd er mwyn lladd pryfed a chwyn. Yn ddamcaniaethol, mae'n bosibl i gnydau barhau i gynhyrchu'n helaeth heb effeithio ar yr amgylchedd.

A oes manteision i wledydd sy'n datblygu?

Yr achos o blaid:

- Byddai'n bosibl cynllunio planhigion cnwd yn benodol ar gyfer amodau ffermio amrywiol ledled y byd. Trwy wneud hyn byddai'r cnydau'n darparu gwell maeth a mwy o incwm.

- Gallai cnydau sy'n cynhyrchu egni arbed adnoddau naturiol a thrwy hynny creu llai o niwed i'r amgylchedd.

Yr achos yn erbyn:

- Byddai cnydau wedi'u haddasu'n enetig yn gallu lleihau dibyniaeth y gwledydd datblygedig ar gnydau o wledydd sy'n datblygu. O ganlyniad gallai'r gwledydd sy'n datblygu golli masnach a dioddef niwed economaidd difrifol.

- Mewn llawer o wledydd sy'n datblygu mae problemau gwleidyddol, ac nid yw pethau'n cael eu rheoli'n dda. Felly mae amheuon a fyddai poblogaethau'r gwledydd hyn mewn gwirionedd yn ymelwa ar fanteision cnydau sydd wedi'u haddasu'n enetig.

Mae'r materion hyn yn codi cwestiynau gwleidyddol, moesegol a masnachol pwysig sydd yn gyffredin mewn meysydd eraill heblaw biotechnoleg fodern. Rhaid i lywodraethau ddatrys y materion hyn yn rhyngwladol er mwyn i'r byd allu manteisio i'r eithaf ar dechnoleg genynnau.

Geneteg fforensig

Cafodd yr achos llys cyntaf ym Mhrydain i ddefnyddio **proffilio DNA** neu **adnabod ôl bys genetig** ei gynnal ym 1987. Profodd hwn fod person, oedd wedi cyfaddef iddo dreisio a llofruddio rhywun, mewn gwirionedd yn ddieuog. Roedd dwy ferch wedi cael eu treisio a'u llofruddio yn yr un rhan o Brydain, ond roedd tair blynedd rhwng y ddwy drosedd. Roedd ymchwilwyr yr heddlu'n amau bod cysylltiad rhwng y ddau achos, a chyn bo hir roedd dyn oedd yn cael ei amau o'r troseddau yn cael ei holi. Cyfaddefodd ei fod wedi cyflawni un o'r troseddau ond nid y llall.

Defnyddiodd gwyddonwyr fforensig broffil DNA i brofi'n glir mai'r un person oedd wedi cyflawni'r ddwy drosedd, ond nad y dyn dan amheuaeth oedd y person hwnnw. Gofynnodd yr heddlu i bob dyn yn yr ardal roi samplau o waed er mwyn dadansoddi eu DNA. Cafodd tua 5000 o samplau eu casglu. Yn y diwedd, roedd un sampl yn cyfateb i'r rhai oedd wedi'u casglu o leoliadau'r ddwy drosedd, a chafodd y person iawn ei arestio a'i gyhuddo.

Mae'n bosibl defnyddio techneg adnabod ôl bys genetig hefyd er mwyn penderfynu pwy yw tad plentyn. Bydd gan dad a'i blentyn DNA tebyg iawn.

Sail egwyddor proffil genetig yw'r ffaith fod DNA pob person yn cynnwys patrwm arbennig o gemegion. Oni bai eich bod yn efell unfath, bydd eich DNA chi yn unigryw i chi.

Problemau moesegol technoleg genynnau

Er y 1980au, mae cynnydd ym meysydd geneteg a meddygaeth wedi arwain at ddatblygiadau sylweddol mewn geneteg feddygol. Ym mlynyddoedd cynnar yr unfed ganrif ar hugain cafodd map genetig cyflawn o'r cromosomau dynol ei gwblhau, sy'n dangos lleoliadau'r holl enynnau. Dyma'r hyn a gyflawnodd **y project genom dynol.**

Erbyn 2002, roedd llawer iawn o waith ymchwil ar y gweill i'r posibilrwydd o fapio genom unigolyn yn gyflym ac yn rhad. Mae 99.9% o genomau pob un ohonom ni yr un fath yn union â genom pob person arall. Dim ond 0.1% yn unig o'n genom ni sy'n ein gwneud yn wahanol. Trwy astudio genom person, gellir darganfod a yw'r person hwnnw yn debygol o gael clefyd etifeddol, yn ogystal â nodweddion eraill mae modd eu hetifeddu.

Mae llawer o broblemau moesol a moesegol yn dod yn sgil yr wybodaeth hon. Os bydd genynnau amherffaith yn cael eu darganfod yng ngenom rhywun, a fydd rhagfarn yn erbyn y person hwnnw? A ddylai fod yn bosibl i bobl eraill gael gwybodaeth am ein genynnau ni? Yn sicr, mae gan gwmnïau yswiriant ddiddordeb yng ngenynnau person wrth bennu pris ar gyfer polisïau yswiriant bywyd.

Erbyn hyn mae'n bosibl creu firysau os yw gwyddonwyr yn gwybod beth yw patrwm eu genynnau ac yn gosod eu cemegion at ei gilydd yn y drefn gywir. Yn 2002 llwyddodd gwyddonwyr yn UDA i wneud firws polio yn y dull hwn. Mae'n bosibl dod o hyd i genom sawl firws ar y rhyngrwyd, sydd yn codi cwestiynau difrifol: a yw'n beth da fod y boblogaeth yn gyffredinol yn gallu dod o hyd i'r wybodaeth hon? A ddylai gwyddonwyr roi patent ar bob genom neu enyn sydd newydd ei ddarganfod? Byddai hyn yn golygu bod rheolaeth dros bwy sy'n berchen darganfyddiadau o'r fath.

I bwy mae genyn yn perthyn?

Mae maes ym myd y gyfraith o'r enw cyfraith patentau, sy'n gwarchod dyfeisiadau am nifer penodol o flynyddoedd. Yn ystod y cyfnod hwn, nid oes hawl gan unrhyw un arall i gopïo na defnyddio'r ddyfais heb ganiatâd. Fel arfer rhaid prynu'r caniatâd hwn. Mae pobl yn anghytuno a ddylai organebau sydd wedi'u haddasu'n enetig hefyd gael eu gwarchod dan batent cyfreithiol.

Yr achos o blaid hyn:

- Tra bydd dyfais dan warchodaeth patent, mae'r cwmni sydd wedi ei dyfeisio yn gallu adennill yr arian y maen nhw wedi ei wario ar ymchwil a datblygu. Heb y system hon, byddai llawer llai o arian ymchwil ar gael i wyddonwyr.
- Rhaid cyhoeddi manylion unrhyw batent fel eu bod ar gael i bawb. Heb warchodaeth dan batent, byddai mwy o ddyfeisiadau'n cael eu cadw'n gyfrinachol, a byddai hyn yn arafu datblygiad gwyddoniaeth.

Yr achos yn erbyn:

- Nid dyfeisiadau yw genynnau, ac felly nid yw cyfraith patent yn berthnasol iddynt.
- Mae'n amheus a ddylai'r nifer fechan o gwmnïau sy'n gallu fforddio'r costau datblygu gael rheoli cnydau wedi'u haddasu'n enetig.
- Y duedd yw mai gwledydd datblygedig yn unig sy'n elwa o batentau. Mae'n bwysig fod y technolegau newydd hyn hefyd ar gael i wledydd sy'n datblygu.

Ym 1998, cynhyrchodd yr Undeb Ewropeaidd gyfarwyddyd ar sut y dylai'r gyfraith warchod dyfeisiadau biotechnolegol newydd. Mae hyn yn gwarchod genynnau ac organebau a'u genynnau wedi'u haddasu dan batent, os ydyn nhw'n ddyfeisiadau newydd. Nid oes modd rhoi patent ar swyddogaeth genyn.

Wyddoch chi?

Yn 2001, cafodd cwmni o'r enw *DNA Copyright Institute of San Francisco* ei sefydlu yn UDA, fel bod sêr y byd pop ac enwogion eraill yn gallu bod yn berchen ar hawlfraint eu DNA eu hunain, rhag i rywun eu clonio heb ganiatâd.

Y genom dynol:
www.schoolscience.co.uk

Planhigion wedi'u haddasu'n enetig
ar gyfer bwyd ac iechyd pobl
(chwilio am GM):
www.royalsoc.ac.uk

Peirianneg genetig: ie neu nage?
(ewch i *What we do*)
www.greenpeace.org

Cwestiynau

14 Trafodwch fanteision ac anfanteision cnydau wedi'u haddasu'n enetig.

15 Ysgrifennwch adroddiad am ddefnydd masnachol clonio anifeiliaid.

16 Disgrifiwch sut mae cynhyrchu proteinau penodol yng nghyrff anifeiliaid wedi'u clonio wedi dod yn bosibl trwy ddefnyddio peirianneg genetig.

Crynodeb

1 Mae system wyddonol ar gyfer adnabod ac enwi pob organeb fyw, ac mae'n seiliedig ar nodweddion tebyg.

2 Mae cystadleuaeth am adnoddau, ysglyfaethu, afiechyd a llygredd yn gallu dylanwadu ar faint poblogaethau. Mae rhywogaethau'n ymaddasu i'w hamgylchedd trwy esblygu, neu byddan nhw'n diflannu.

3 Mae'n bosibl defnyddio rhywogaethau dangosol i fonitro llygredd.

4 Gall rhesymau amgylcheddol neu rai genetig achosi amrywiad.

5 Canlyniad atgenhedlu rhywiol yw epil sy'n wahanol yn enetig i'w rhieni. Canlyniad atgynhyrchu anrhywiol yw epil o'r enw clonau sy'n unfath yn enetig.

6 Mae genynnau newydd yn ganlyniad i fwtaniad.

7 Bydd unigolion â nodweddion sydd wedi'u haddasu i'w hamgylchedd yn fwy tebygol o oroesi a bridio, gan drosglwyddo'r genynnau sy'n gyfrifol am y nodweddion hyn.

8 Dros amser, mae organebau wedi newid, ac mae ffosiliau'n rhoi tystiolaeth inni am y newid hwn.

9 Ffibrosis codennog yw'r clefyd etifeddol mwyaf cyffredin.

10 Fel arfer mae cromosomau i'w cael mewn parau yng nghnewyllyn pob corffgell. O DNA mae genynnau wedi'u gwneud.

11 Cellraniad sy'n arwain at gynhyrchu celloedd unfath yw mitosis. Cellraniad sy'n cynhyrchu gametau â hanner y nifer normal o gromosomau yw meiosis.

12 Y cromosomau rhyw sy'n pennu rhyw. Mae gan wryw gromosom **X** a chromosom **Y** ym mhob corffgell, a benyw ddau gromosom **X** ym mhob corffgell.

13 Alelau trechol ac enciliol sy'n penderfynu beth fydd canlyniad croesiadau monocroesryw.

14 Mae techneg cynhyrchu clonau'n ddefnyddiol ar gyfer masgynhyrchu organebau yn gyflym ac yn economaidd.

15 Gellir defnyddio peirianneg genetig er mwyn cynhyrchu inswlin a chnydau sy'n wrthiannol i chwynladdwyr.

16 Gall technoleg genynnau gael ei defnyddio i ddatrys troseddau ac achosion tadolaeth.

17 Mae sawl cyfyng gyngor moesol a moesegol yn gysylltiedig â thechnoleg genynnau.

Pennod 2 Cynnal a diogelu'r corff

Erbyn diwedd y bennod hon dylech:

- wybod sut mae pobl yn cadw tymheredd y corff yn gyson;
- deall sut mae inswlin yn cael ei ddefnyddio er mwyn rheoli lefel y siwgr yn y gwaed;
- gwybod beth yw achosion diabetes a sut mae'r diagnosis yn cael ei wneud;
- gwybod beth yw llwybr ysgogiadau nerfol wrth iddynt ymateb i symbyliadau;
- deall sut mae ysgogiad nerfol mewn llwybr atgyrch yn cael ei gludo trwy nerfgelloedd ac yn gallu pontio synapsau;
- deall bod amrywiaeth o ffactorau yn effeithio ar iechyd, a'i fod yn dibynnu ar ddewisiadau ynglŷn â ffordd o fyw a hefyd ffactorau genetig;
- gwybod beth yw oblygiadau cynghori geneteg a therapi genynnau;
- deall beth yw pwysigrwydd bwyta'n iach;
- deall effeithiau alcohol, nicotin a chyffuriau eraill ar gorff unigolyn ac ar gymdeithas yn gyffredinol.

Sut mae chwarennau chwys yn gweithio (chwilio am *Sweat glands*): www.howstuffworks.com

Cwestiynau

I Pam mae pobl ambell waith yn cael eu cynghori i fwyta mwy o halen mewn tywydd poeth iawn?

Homeostasis

Y croen yn rheoli tymheredd

Rhaid i anifeiliaid reoli'r amodau yn eu cyrff er mwyn eu cadw'n gyson. Y rheswm dros hyn yw fod angen i'r adweithiau cemegol cymhleth sy'n digwydd yn y corff gael amgylchedd mewnol ffafriol a rheoledig.

Mae ein croen (gw. Ffigurau 2.1 a 2.2) yn ysgarthu dŵr, mwynau a rhywfaint o wrea pan fyddwn ni'n cynhyrchu chwys. Mae gan yr hylif hwn swyddogaeth ddefnyddiol gan ei fod yn helpu i reoli tymheredd y corff (gw. Ffigur 2.3).

Pan fydd dŵr hylifol yn cael ei newid yn anwedd dŵr trwy anweddiad, mae gwres yn cael ei ddefnyddio i newid mater o un cyflwr i gyflwr arall. Wrth i ddŵr mewn chwys anweddu o arwyneb y corff, mae gwres yn cael ei dynnu o'r meinweoedd allanol. Mae'r croen yn gweithredu fel rheiddiadur awtomatig. Gan fod gan y croen gyflenwad da o waed cynnes, mae gwres yn cael ei gludo i'r arwyneb yn y ffordd hon. Ar yr un pryd mae mwy o chwys yn cael ei gynhyrchu a hwnnw'n ffurfio haen o hylif yn gorchuddio'r croen. Mae hyn yn cynyddu'r gyfradd anweddu a faint o wres sy'n cael ei golli.

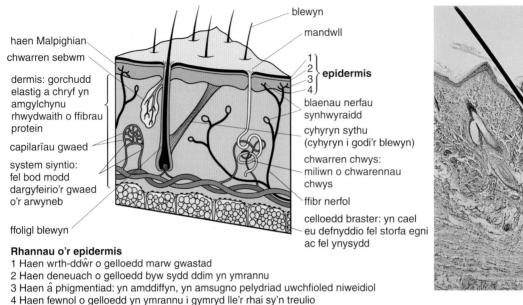

haen Malpighian
chwarren sebwm

dermis: gorchudd elastig a chryf yn amgylchynu rhwydwaith o ffibrau protein

capilarïau gwaed

system siyntio: fel bod modd dargyfeirio'r gwaed o'r arwyneb

ffoligl blewyn

blewyn

mandwll

1
2
3
4 } **epidermis**

blaenau nerfau synhwyraidd

cyhyryn sythu (cyhyryn i godi'r blewyn)

chwarren chwys: miliwn o chwarennau chwys

ffibr nerfol

celloedd braster: yn cael eu defnyddio fel storfa egni ac fel ynysydd

Rhannau o'r epidermis
1 Haen wrth-ddŵr o gelloedd marw gwastad
2 Haen deneuach o gelloedd byw sydd ddim yn ymrannu
3 Haen â phigmentiad: yn amddiffyn, yn amsugno pelydriad uwchfioled niweidiol
4 Haen fewnol o gelloedd yn ymrannu i gymryd lle'r rhai sy'n treulio

Ffigur 2.1 Toriad trwy groen dynol

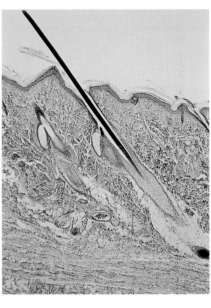

Ffigur 2.2 Toriad trwy groen dynol yn dangos ei adeiledd mewnol

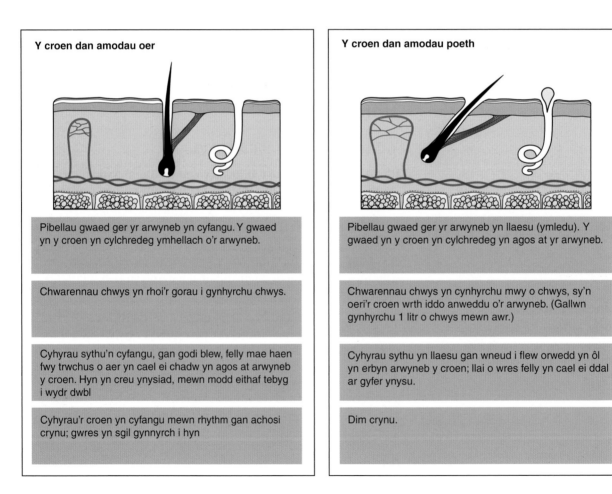

Y croen dan amodau oer

Pibellau gwaed ger yr arwyneb yn cyfangu. Y gwaed yn y croen yn cylchredeg ymhellach o'r arwyneb.

Chwarennau chwys yn rhoi'r gorau i gynhyrchu chwys.

Cyhyrau sythu'n cyfangu, gan godi blew, felly mae haen fwy trwchus o aer yn cael ei chadw yn agos at arwyneb y croen. Hyn yn creu ynysiad, mewn modd eithaf tebyg i wydr dwbl

Cyhyrau'r croen yn cyfangu mewn rhythm gan achosi crynu; gwres yn sgil gynnyrch i hyn

Y croen dan amodau poeth

Pibellau gwaed ger yr arwyneb yn llaesu (ymledu). Y gwaed yn y croen yn cylchredeg yn agos at yr arwyneb.

Chwarennau chwys yn cynhyrchu mwy o chwys, sy'n oeri'r croen wrth iddo anweddu o'r arwyneb. (Gallwn gynhyrchu 1 litr o chwys mewn awr.)

Cyhyrau sythu yn llaesu gan wneud i flew orwedd yn ôl yn erbyn arwyneb y croen; llai o wres felly yn cael ei ddal ar gyfer ynysu.

Dim crynu.

Ffigur 2.3 Rheoli tymheredd

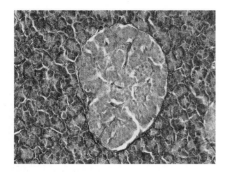

Ffigur 2.4 Toriad trwy bancreas dynol yn dangos un o ynysoedd Langerhans

Rheoli glwcos

Mae angen i anifeiliaid gadw'r amodau yn eu cyrff yn gymharol gyson. Er mwyn gwneud hyn maen nhw'n defnyddio cemegion o'r enw **hormonau**. Chwarennau sy'n gwneud hormonau ac yn eu trosglwyddo yn uniongyrchol i lif y gwaed. Yna bydd llif y gwaed yn cludo'r hormonau hyn i'r rhannau o'r corff sy'n cael eu rheoli ganddynt. Mae rhai hormonau yn negeswyr cemegol sy'n rheoli datblygiad y corff a rhai o'i weithgareddau.

Mae'r pancreas yn enghraifft o chwarren sy'n cynhyrchu hormonau (gw. Ffigur 2.4).

Y pancreas

Yn ogystal â chynhyrchu ensymau sy'n cyfrannu at dreulio bwyd (gw. yr adran ar y pancreas a threuliad ym Mhennod 3), mae gan y pancreas hefyd gelloedd arbennig sy'n cynhyrchu hormonau er mwyn rheoli crynodiad glwcos yn y gwaed. Enw'r hormon sy'n gostwng crynodiad glwcos pan fydd yn rhy uchel yw **inswlin**.

Mae inswlin yn galluogi'r afu i storio glwcos ar ffurf glycogen, ac yn cyflymu'r defnydd o glwcos er mwyn rhyddhau egni o gelloedd yn ystod resbiradaeth. Os nad oes gan berson ddigon o inswlin effeithiol, ni fydd yn gallu storio na defnyddio carbohydrad yn iawn. O ganlyniad bydd carbohydrad, ar ffurf glwcos, yn crynhoi yn y gwaed. Gall hyn fod yn beryglus. Os bydd crynodiad y glwcos yn y gwaed yn codi uwchben yr ystod normal, bydd yr arennau'n gadael i'r corff golli glwcos yn y troeth. Enw'r cyflwr hwn yw **diabetes mellitus**. Os bydd gormodedd o glwcos yn y troeth bydd angen i'r person gael prawf gwaed rhag ofn ei fod yn dioddef gan ddiabetes.

Mae dau brif fath o ddiabetes:

- Math 1: dim neu ychydig iawn o inswlin sy'n cael ei gynhyrchu gan y corff. Fel arfer bydd hwn yn cael ei ganfod mewn plant neu bobl ifanc.
- Math 2: mewn pobl hŷn sy'n ordew mae hwn i'w gael ran amlaf, ac un o'r rhesymau pam mae'n digwydd yw nad yw'r corff yn cynhyrchu digon o inswlin neu nad yw'n ymateb yn effeithiol i'r inswlin sydd ganddo.
- Weithiau bydd mamau beichiog yn datblygu math arall o ddiabetes – diabetes y cyfnod cario. Wedi geni'r plentyn, llai na hanner y mamau hyn fydd yn parhau i ddioddef gan ddiabetes, yn wahanol i fathau 1 a 2.

Rhaid i bobl â diabetes mellitus fod yn ofalus ynglŷn â'u deiet, yn enwedig faint o garbohydrad maen nhw'n ei fwyta a phryd, a chymryd tabledi neu inswlin yn ôl cyngor y meddyg. Os byddan nhw'n gwneud hyn, gall pobl â diabetes fyw bywyd normal. Os oes angen inswlin arnynt rhaid cael chwistrelliadau rheolaidd a rheoli'r dos yn fanwl. Nid inswlin sydd yn y tabledi sy'n cael eu defnyddio i reoli diabetes, ond maen nhw'n gostwng lefel y siwgr yn y gwaed mewn ffyrdd eraill.

Wyddoch chi?

Yn 2005, cafodd rhan o bancreas gwraig o Japan ei thrawsblannu i'w merch, oedd yn dioddef gan ddiabetes. Cafodd y ferch wellhad llwyr o'r cyflwr oherwydd y trawsblaniad. Yn fwy diweddar, mae celloedd o bancreas iach wedi cael eu meithrin ac yna eu trawsblannu i bobl sydd â diabetes. Mae llawer o'r llawdriniaethau hyn wedi bod yn llwyddiannus.

Diabetes UK:
www.diabetes.org.uk

Ffederasiwn Diabetes Rhyngwladol:
www.idf.org

Gwefan wybodaeth gyffredinol ardderchog:
www.howstuffworks.com

Cwestiynau

2 Sut mae'r gwaed yn helpu gwaith y chwarennau sy'n cynhyrchu hormonau?

3 Pam mae siwgr yn ymddangos yn nhroeth person â diabetes mellitus?

Y system nerfol

Rheolaeth nerfol

Bydd anifail yn defnyddio ei **system nerfol** i'w wneud yn ymwybodol o newidiadau yn ei amgylchfyd (symbyliadau), ac i'w helpu i gyd-drefnu adwaith i'r symbyliadau mewn ffordd sy'n fanteisiol i'r anifail. Mae dwy ran i'n **prif system nerfol** ni, sef yr **ymennydd** a **madruddyn y cefn**.

Ein **horganau synhwyro** sy'n ein galluogi i adweithio i newidiadau yn ein hamgylchedd. Mae'r rhain yn cynnwys grwpiau o **gelloedd derbyn** sy'n adweithio i symbyliadau goleuni, sain, cyffyrddiad, tymheredd a chemegion. Er enghraifft, os bydd rhywun yn sathru ar eich troed, bydd y gwasgedd mae'r celloedd yn eich croen yn ei synhwyro yn peri i signal trydanol deithio i'ch prif system nerfol. Yna bydd yr **ysgogiad nerfol** hwn yn cael ei drosglwyddo'n gyflym iawn yn ôl i'r cyhyrau yn eich troed. Bydd y cyhyrau hyn wedyn yn cyfangu er mwyn symud eich troed o'r ffordd. Yn y cyfamser, bydd eich ymennydd wedi cydnabod teimlad o boen a byddwch chithau'n ymwybodol o'r broblem.

Mae nerfau'n cynnwys bwndeli o **nerfgelloedd.** Mewn rhai ffyrdd mae'r rhain yn debyg i gebl trydan, sy'n cynnwys gwifrau ynysedig wedi'u clymu ynghyd. **Nerfau echddygol** sy'n cludo ysgogiadau i roi cyhyrau ar waith. **Nerfau synhwyraidd** sy'n cludo ysgogiadau o'r organau synhwyro a thuag at y brif system nerfol. Nid yw pen un nerfgell byth yn cyffwrdd â phen y nesaf gan fod gwagle bychan iawn rhwng pob un ohonynt. Enw'r gwagle hwn yw'r **synaps**. Rhaid i ysgogiadau groesi synapsau cyn bod un nerf echddygol yn gallu anfon neges i'r nesaf, neu un nerf synhwyraidd yn gallu anfon neges i'r nesaf. Adweithiau cemegol cyflym dros ben ar derfynau nerfau sy'n galluogi'r ysgogiadau i bontio'r synapsau.

Madruddyn y cefn a nerfau'r asgwrn cefn

Mae madruddyn y cefn (gw. Ffigurau 2.5 a 2.6) yn ymestyn i lawr y cefn o'r ymennydd, ac yn cael ei amddiffyn gan esgyrn y cefn, y **fertebrâu**. Mae 31 o barau o **nerfau'r asgwrn cefn** yn ymestyn allan fel canghennau rhwng y fertebrâu, o fadruddyn y cefn. Yna maen nhw'n ymrannu gan ffurfio'r nerfau sy'n cyflenwi organau'r corff.

Petai madruddyn eich cefn yn cael ei dorri mewn damwain byddai gennych broblemau difrifol. Byddai unrhyw ran o'ch corff sy'n cael ei rheoli gan nerfau yn gadael y madruddyn o dan y toriad wedi ei pharlysu'n llwyr. Yn ogystal â hyn, byddech chi'n colli pob teimlad mewn sawl rhan o'ch corff islaw'r fan sydd wedi'i niweidio.

Gweithredoedd atgyrch

Gweithred atgyrch yw'r adwaith nerfol symlaf mewn pobl. Dwy neu dair nerf yn unig sydd ar waith, yn cysylltu derbynnydd (organ synhwyro) ag **effeithydd** (cyhyr neu chwarren) trwy'r brif system nerfol (madruddyn y cefn neu'r ymennydd). Mae hwn yn adwaith cyflym ac awtomatig, heb i rywun wneud ymdrech ymwybodol, ac felly nid yw rhannau'r ymennydd sy'n meddwl yn rhan ohoni.

Mae atgyrch plwc pen-glin yn enghraifft dda o adwaith atgyrch syml. Eisteddwch ar ymyl bwrdd a gadael i'ch coes siglo'n wirfoddol. Yna rhowch ergyd ysgafn a sydyn i'ch coes yn union o dan badell eich pen-glin gyda rhywbeth go fain (e.e. pren mesur).

Y corff dynol:
www.bbc.co.uk/science

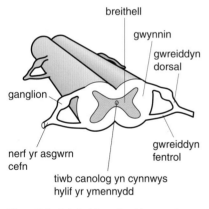

breithell
gwynnin
gwreiddyn dorsal
ganglion
gwreiddyn fentrol
nerf yr asgwrn cefn
tiwb canolog yn cynnwys hylif yr ymennydd

Ffigur 2.5 Adeiledd madruddyn y cefn

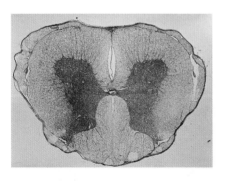

Ffigur 2.6 Toriad ardraws trwy fadruddyn y cefn

U

Ffigur 2.7 Y prosesau sy'n rhan o'r adwaith plwc pen-glin, o'r symbyliad i'r effeithydd

Bydd rhan isaf eich coes yn hercio neu blycio at i fyny gan fod yr ergyd yn ysgogi celloedd derbyn yn rhan isaf y goes (gw. Ffigur 2.7). Bydd ysgogiad yn teithio ar hyd y nerf synhwyraidd a thrwy synaps i **nerfgell gysylltu** yng nghanol madruddyn y cefn. Bydd y nerfgell gyswllt yn ysgogi nerfgell echddygol trwy synaps arall, a'r ysgogiad yn teithio i gyhyrau yn y goes sy'n cyfangu, gan achosi'r symudiad plwc pen-glin. Mae'r weithred atgyrch cyfan yn digwydd mewn amrantiad.

Swyddogaeth amddiffynnol sydd i adweithiau atgyrch. Er enghraifft, pan fyddwch yn cyffwrdd â rhywbeth poeth, bydd eich llaw yn rhoi plwc fwy neu lai ar unwaith. Mae'r atgyrch wedi'i gwblhau bron cyn i'r ymennydd gydnabod y boen. Petai adwaith y cyhyr yn cael ei ohirio hyd nes bod y symbyliad poen wedi'i gwblhau a'i ddehongli, byddai effeithiau'r llosg yn llawer gwaeth. Atgyrchau eraill yw tisian, pesychu, amrantu, a channwyll y llygad yn ymledu a chyfangu.

Cwestiynau

4 Sut mae'r corff dynol yn derbyn gwybodaeth am y byd o'i gwmpas?

5 Pam mae rhai o'n hadweithiau yn gyflym iawn?

Cwestiynau

6 Beth yw llwybr atgyrch?

7 Heb ddefnyddio diagramau, disgrifiwch lwybr ysgogiad nerfol yn ystod gweithred atgyrch.

Gwaith ymarferol

Rhoi prawf ar eich atgyrchau ac amser adweithio

1 Gweithiwch mewn parau. Daliwch bren mesur 30 cm o hyd yn fertigol tra bydd eich partner yn dal ei fawd a'i fynegfys bob ochr i waelod y pren mesur, ond heb ei gyffwrdd.

2 Gollyngwch y pren mesur heb rybudd. Dylai eich partner ei ddal cyn gynted â phosibl trwy wasgu ei fawd/bawd a'i fynegfys/mynegfys.

3 Cofnodwch, i'r centimetr agosaf, sawl centimetr y syrthiodd y pren mesur cyn i'ch partner ei ddal. Gwnewch hyn trwy fesur y pellter o ben y pren mesur i'r pwynt rhwng bawd a mynegfys y daliwr.

4 Gwnewch hyn dair gwaith heb ymarfer ymlaen llaw, a chyfrifo'r pellter cyfartalog ar gyfer pob aelod yn y dosbarth. Po gyflymaf yr adwaith atgyrch, byrraf y pellter y bydd y pren mesur yn cael syrthio.

Iechyd

Byw yn iach

Nid diffyg afiechyd yn unig yw iechyd. Mae'n cynnwys agweddau eraill hefyd, fel y teimlad braf a dymunol y bydd rhywun yn ei gael pan fydd yn gwneud ymdrech i gadw ei gorff yn heini a'i feddwl yn fywiog.

Nid oes angen inni i gyd fod mor ffit ag athletwyr Olympaidd, ond mae'n syniad da inni anelu at fod yn ddigon ffit i allu cynnal y ffordd o fyw rydym ni am ei chael. Mae'n bur debyg fod ein ffordd ni o fyw heddiw yn llai egnïol na'r bobl oedd yn byw ganrif yn ôl, ond er hynny mae'n rhaid inni roi mwy o ymdrech nag arfer mewn pethau o bryd i'w gilydd – rhedeg i ddal bws neu ddawnsio drwy'r nos. Os gallwn wneud y pethau hyn heb ddiffygio, bydd hynny'n amlwg o fantais inni.

Mae ffitrwydd yn helpu ein cyrff i weithio'n iawn. Er enghraifft, mae ymarfer corff rheolaidd ac estynedig yn gwella cylchrediad y gwaed ac yn gostwng curiad y galon. Mae hefyd yn gwneud y system anadlu'n fwy effeithlon. Mae cyfuniad o ymarfer corff, **deiet cytbwys** iach a pheidio ag ysmygu yn sicr o fudd inni.

Ein bara beunyddiol

Beth sy'n gyffredin rhwng malwod, gwymon ac ystifflog? Mae gan bob un ei le yn neiet pobl, er y byddai meddwl am un neu ddau ohonynt efallai yn ddigon i droi'ch stumog. Mae pobl yn bwyta am sawl rheswm. Y prif reswm yw er mwyn cael digon o egni o'n bwyd i'n cadw'n fyw. Mae'r bwydydd y byddwn ni'n eu dewis yn amrywio yn ôl beth sydd ar gael a beth sydd orau gennym ni.

Gall bwyta gormod neu rhy ychydig o rai mathau o fwydydd arwain at anhwylderau corfforol difrifol. Felly mae'n bwysig ein bod yn bwyta deiet cytbwys (gw. yr adran am fwyd ym Mhennod 3). Mae pobl dros y canrifoedd wedi cydnabod pwysigrwydd bwyd digonol ac addas. Florence Nightingale oedd un o'r bobl gyntaf i ddeall pwysigrwydd deiet iach ar gyfer gwella clwyfau. Erbyn heddiw, maes y **deietegydd** yw astudio deiet ac iechyd. Bydd deietegyddion yn defnyddio'r wybodaeth sydd ganddynt i gynghori pobl ar eu deiet, sef pa fwydydd sy'n addas – ac yn flasus gobeithio – ar gyfer eu hiechyd.

Nid yw hi bob tro yn hawdd bwyta deiet cytbwys. O edrych yn ôl dros y can mlynedd diwethaf, fe welwn ni fod deiet pobl sy'n byw ym Mhrydain wedi newid yn sylweddol (gw. Tabl 2.1).

Tabl 2.1 Cerrig milltir yn y chwyldro bwyd

1900au	Er bod y cyfnod Edwardaidd yn un llewyrchus, roedd dros draean poblogaeth Prydain heb ddigon o faeth. Cafodd prydau ysgol am ddim ac archwiliadau meddygol eu cyflwyno.
1930au	Daeth y Rhyfel Byd Cyntaf i ben ym 1918, ond roedd hynny wedi dangos pa mor anffit oedd pobl. Roedd miliynau'n methu profion meddygol y fyddin. Cafodd rhagor o fwyd ei gynhyrchu, ond roedd pobl Prydain yn dal i ddioddef gan y llech, twbercwlosis, anaemia, a phlant yn methu â thyfu'n iawn.
1940au	Yn ystod yr Ail Ryfel Byd, roedd deiet pob unigolyn ym Mhrydain yn cael ei reoli trwy ddogni, ac roedd y boblogaeth yn gyffredinol yn iachach.
1990au	Roedd dewis amrywiol o fwydydd o bobman yn y byd ar gael ym Mhrydain trwy gydol y flwyddyn. Oherwydd bod pobl yn defnyddio bwydydd parod a bwydydd sothach roedden nhw'n mynd yn ordew ac yn cael problemau oherwydd hynny. Daeth pobl i sylweddoli ei bod yn bosibl fod defnyddio ychwanegion mewn bwydydd yn gysylltiedig â phroblemau iechyd ac ymddygiad mewn plant.

Yn y bedwaredd ganrif ar bymtheg, roedd y rhan fwyaf o bobl Prydain yn bwyta digonedd o ffibr ar ffurf bara a thatws. Er hynny, roedd clefydau oedd yn deillio o ddiffyg fitaminau neu fwynau yn gyffredin. Problemau gwahanol sydd gennym ni heddiw. Erbyn hyn rydym ni'n tueddu i fwyta gormod o gig, cynnyrch llaeth a siwgr, ac ychydig iawn o ffibr.

Gormod o ddim nid yw dda

Mae llawer ohonom yn bwyta gormod ar adegau, ond os bydd hyn yn digwydd dros gyfnod hir, gall rhai clefydau difrifol iawn sy'n gysylltiedig â'r deiet ddatblygu.

- **Clefyd y galon** – mae gormod o fraster yn y deiet hefyd yn codi lefel y colesterol yn y gwaed. Mae colesterol uchel yn un o achosion clefyd y galon
- **Pwysedd gwaed uchel a strôc** (trawiad) – mae cysylltiad posibl rhwng bwyta gormod o halen a hyn
- **Diabetes** – erbyn heddiw mae bod yn ordew yn golygu bod plant yn datblygu diabetes Math 2, oedd yn arfer digwydd mewn oedolion yn unig
- **Canser y perfedd** – mae bwyta rhy ychydig o ffibr a gormod o gig yn cael eu cysylltu â hyn
- **Pydredd dannedd** – mae bwyta gormod o siwgr (a pheidio â glanhau'r dannedd) yn arwain at hyn.

Mae'r duedd i orfwyta yn broblem y dyddiau hyn, ac mae bwyta gormod o bopeth, yn enwedig o fraster a charbohydrad, yn arwain at ordewdra. Mae 39% o'r dynion a 32% o'r gwragedd ym Mhrydain dros eu pwysau, a 6% o'r dynion ac 8% o'r gwragedd yn y dosbarth gordew (eithriadol o drwm). Un ffordd o reoli eich deiet yw trwy gyfrif faint o galorïau rydych chi'n eu bwyta.

Fe gawn ni'r rhan fwyaf o'n hegni o **garbohydradau** a **brasterau**. Unedau mesur egni yw **calorïau** neu **jouleau**. Yn wyddonol, un calori yw hynny o egni gwres sydd ei angen i godi tymheredd 1g o ddŵr 1° C; y joule yw'r uned ryngwladol i fesur egni gwres. 1 calori = 4.2 kJ. Ym maes maetheg a deieteteg, ac ar becynnau bwyd, mae 'Calori' yn gyfystyr ag un cilocalori, neu fil o galorïau.

Mae Ffigur 2.8 yn dangos anghenion egni pobl sy'n gwneud gwahanol fathau o waith.

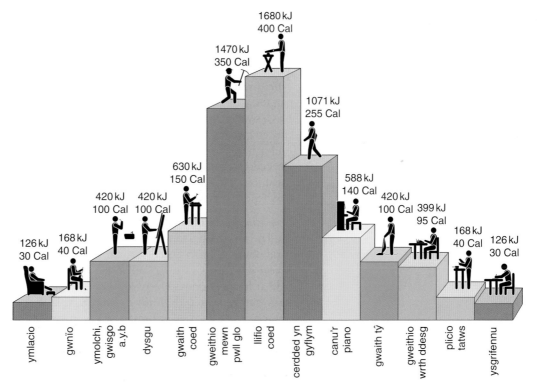

Ffigur 2.8 Ein hanghenion egni bob awr ar gyfer gwneud gwahanol weithgareddau

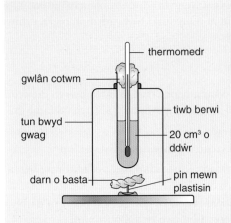

Ffigur 2.9 Cyfarpar sy'n cael ei ddefnyddio i fesur yr egni gwres mewn darn o basta

Gwaith ymarferol

Darganfod cynnwys egni darn o basta

1 Gwisgwch sbectol ddiogelwch.

2 Pwyswch ddarn (unrhyw siâp) o basta a'i osod ar bin, fel y gwelwch yn Ffigur 2.9.

3 Rhowch 20 cm³ o ddŵr mewn tiwb berwi.

4 Cofnodwch ei dymheredd gan ddefnyddio thermomedr.

5 Defnyddiwch losgydd Bunsen i roi'r darn pasta ar dân, ac yna gosodwch y tiwb berwi drosto er mwyn dal cymaint ag sy'n bosibl o'r gwres.

6 Darllenwch dymheredd y dŵr cyn gynted ag y bo'r pasta wedi llosgi'n ulw.

7 Cofnodwch y codiad yn nhymheredd y dŵr.

8 Cyfrifwch werth yr egni mewn 1g o'r pasta mewn jouleau fel a ganlyn:

Mae 4.2 J yn codi tymheredd y dŵr 1°C.

cynnydd yn nhymheredd y dŵr mewn graddau Celsius	= y
màs y dŵr (g)	= 20
màs y pasta (g)	= x
gwres a enillodd y dŵr mewn jouleau	= 20 × y × 4.2
egni gwres a ryddhaodd 1g o'r pasta mewn jouleau	= $\dfrac{20 \times y \times 4.2}{x}$

Bwydydd proses ac ychwanegion

Mae'n bosibl cadw bwyd mewn cyflwr da os bydd twf microbau – bacteria a ffyngau er enghraifft – yn cael ei atal neu ei leihau. Dulliau traddodiadol o gadw neu gyffeithio bwyd yw piclo, canio a photelu. Anfantais y dulliau hyn yw fod effaith y broses gyffeithio yn darfod cyn gynted ag y byddwch yn agor y cynhwysydd. Felly bydd cyffeithyddion cemegol yn cael eu hychwanegu y dyddiau hyn at fwydydd sydd wedi'u paratoi mewn ffatrïoedd. Trwy wneud hyn bydd yn ddiogel defnyddio'r cynnyrch, er enghraifft sawsiau a syrypau, dros gyfnod hirach.

Mae'r rhan fwyaf o'r bwydydd cadw sydd ar gael heddiw yn cynnwys cyffeithyddion cemegol trwyddedig. Maen nhw'n hawdd eu hadnabod gan fod ganddynt **rifau E**. Efallai fod cyfryngau lliwio, cemegion cryfhau blas a siwgr ychwanegol yn y bwydydd hefyd. Bydd profion trwyadl yn cael eu gwneud ar yr ychwanegion hyn cyn bod gwneuthurwyr bwyd yn cael yr hawl i'w cynnwys yn eu cynnyrch. Yn anffodus, mae rhai pobl ag alergedd tuag at rai ychwanegion. Ymhlith y symptomau mae cur pen a theimlo'n sâl. Mae rhai plant ifanc yn adweithio i'r ychwanegion hyn trwy fynd yn orfywiog.

Mae arbenigwyr meddygaeth a maetheg y llywodraeth wedi gosod canllawiau ynglŷn â faint o wahanol faetholion sydd eu hangen ar y rhan fwyaf ohonom ni. Yr enw ar y rhain yw Gwerthoedd Cyfeirio Deietegol (*Dietary Reference Values*). Canllawiau tebyg ond ychydig yn wahanol sydd ar labeli pecynnau bwydydd a diodydd proses, sef Dognau Dyddiol Awgrymedig (*Guideline Daily Amounts*). Ar labeli'r eitemau hyn fe welwch chi *GDAs* ar gyfer braster (yn cynnwys colesterol), siwgr, carbohydradau eraill a halen. Mae bwyta gormod o siwgr yn dueddol o arwain at bydredd dannedd, ac os bydd gormodedd o egni yn y deiet bydd yn cael ei storio ar ffurf braster. Mae bwyta gormod o halen yn gallu achosi pwysedd gwaed uchel, sy'n cyfrannu at glefyd y galon.

Creu problemau i ni'n hunain

Cyffur yw unrhyw sylwedd sy'n newid ein cyflwr corfforol neu seicolegol. Mae pobl sy'n defnyddio cyffuriau yn aml yn mynd yn ddibynnol arnynt neu'n gaeth iddynt. Byth ers i bobl ddechrau defnyddio cyffuriau, maen nhw wedi achosi problemau i gymdeithas ac i iechyd y defnyddiwr. O'u camddefnyddio, maen nhw i gyd yn niweidiol. Byddwch chi'n darllen ffeithiau am nifer o gyffuriau yn yr adran nesaf, a gallwch chi eu defnyddio fel sail i lunio eich barn eich hunan am ddefnyddio cyffuriau.

Caethiwed i nicotin, prif ddrwgarfer Prydain

Mae miliynau o bobl ym Mhrydain yn defnyddio tybaco ar ryw ffurf neu'i gilydd. Sigaréts mae'r rhan fwyaf o bobl yn eu hysmygu, ac mae'r rhan fwyaf o ysmygwyr wedi datblygu drwgarfer tybaco yn ogystal â drwgarfer ysmygu. Drwgarfer ysmygu yw'r defodau sydd ynghlwm ag ysmygu. Er enghraifft, bydd llawer o ysmygwyr, heb feddwl, yn estyn am sigarét arall cyn gorffen y gyntaf. Ond yn y pen draw bydd ysmygwyr yn datblygu dibyniaeth gorfforol ar y cyffur caethiwus sydd mewn tybaco, **nicotin** – a hyn yw drwgarfer tybaco.

Mae llawer o bobl ifanc sy'n ysmygu yn dweud bod ysmygu yn gwneud iddynt deimlo'n fwy aeddfed. Er hynny, petaen nhw'n holi pobl sydd wedi bod yn ysmygu am flynyddoedd lawer, eu cyngor nhw yn aml iawn fyddai peidio byth â dechrau ysmygu. Yn anffodus, nid yw effeithiau tymor hir ysmygu yn poeni rhywun sy'n dechrau arni, ac erbyn i'r effeithiau hynny ddechrau ymddangos (gw. Ffigur 2.10), yn aml iawn bydd yr ysmygwr 'newydd' yn gaeth.

Beth sydd mewn sigarét?

Cymysgedd o dar, nicotin a charbon monocsid sydd mewn mwg sigaréts. Mae dros 4000 o wahanol gemegion mewn tar, ac o'r rhain rydym ni'n gwybod bod tua 60 yn achosi canser. Bydd pobl yn mynd yn gaeth i nicotin oherwydd ei fod yn gyffur pwerus sy'n ysgogi'r system nerfol. Mae hefyd yn codi pwysedd y gwaed, sy'n gallu arwain at glefyd y galon. Bydd gronynnau o dar yn rhwystro'r cilia, sef system y corff o lanhau'r ysgyfaint, rhag gweithio. Hefyd bydd carbon monocsid yn lleihau gallu celloedd coch y gwaed i gludo ocsigen.

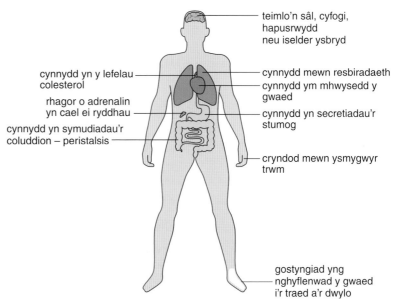

teimlo'n sâl, cyfogi, hapusrwydd neu iselder ysbryd

cynnydd yn y lefelau colesterol

rhagor o adrenalin yn cael ei ryddhau

cynnydd yn symudiadau'r coluddion – peristalsis

cynnydd mewn resbiradaeth

cynnydd ym mhwysedd y gwaed

cynnydd yn secretiadau'r stumog

cryndod mewn ysmygwyr trwm

gostyngiad yng nghyflenwad y gwaed i'r traed a'r dwylo

Ffigur 2.10 Sut mae nicotin yn effeithio ar wahanol rannau'r corff

Newid agweddau

Er y 1960au, wrth i fwy o dystiolaeth wyddonol am effeithiau ysmygu ddod i'r amlwg, mae llai o bobl yn ysmygu. Er hynny, mae'r dreth ar dybaco yn dod ag arian mawr, ac felly nid yw gwledydd sy'n dibynnu ar y dreth hon yn awyddus i wahardd ysmygu yn gyfan gwbl. Felly trwy hysbysebu gwahanol frandiau o sigaréts yn gyfrwys, mae gwerthiant cynhyrchion tybaco i bobl ifanc yn dal i fod yn uchel a hwythau'n gwneud drwg mawr i'w hiechyd trwy eu prynu. Mae hyn yn digwydd er gwaethaf yr orfodaeth i osod rhybuddion iechyd ar becynnau sigaréts a rhywfaint o gyfyngu ar ble mae hawl gosod hysbysebion.

Nid yw ymgyrchoedd addysg iechyd llywodraeth Prydain wedi llwyddo i atal pobl ifanc rhag ysmygu, a hynny efallai gan mai arian bach mae'r llywodraeth yn ei wario ar yr ymgyrchoedd hynny o'i gymharu â'r miliynau o bunnoedd mae gwneuthurwyr sigaréts yn eu gwario ar hysbysebu ledled y byd.

Er mis Ebrill 2007 mae'n anghyfreithlon ysmygu mewn mannau cyhoeddus caeedig yng Nghymru. Mae'r rhan fwyaf o bobl ystyriol wedi derbyn hyn. Mae mwg nid yn unig yn gwneud i lygaid a llwnc pobl nad ydyn nhw'n ysmygu losgi, ond hefyd yn gallu arwain at broblemau iechyd llawer mwy difrifol i ysmygwyr goddefol, canser yr ysgyfaint, er enghraifft.

Alcohol yn y corff

Mae diodydd alcoholig yn cynnwys **ethanol**, sy'n wenwyn. Trwy effaith burum ar siwgrau mae ethanol yn cael ei gynhyrchu. Nid yw ethanol yn cael ei brosesu yn yr un ffordd â bwydydd gan ensymau treulio yn y coluddion, a gall gyrraedd llif y gwaed ynghynt o lawer, yn enwedig ar stumog wag (gan fod cyfran fechan yn mynd i lif y gwaed yn syth o'r stumog).

Caiff ei gludo i'r meinweoedd a'i amsugno'n gyflym gan y celloedd. Bydd y rhan fwyaf o'r ethanol yn cael ei ocsidio'n gyflym iawn yn y celloedd, gan ryddhau llawer o wres. Bydd hyn wedyn yn codi tymheredd y gwaed, sy'n ysgogi'r ganolfan reoli tymheredd yn yr ymennydd, sy'n ymateb trwy gynyddu cylchrediad y gwaed i'r croen. Mae gwres dros ben yn cael ei belydru o'r corff – sef y rheswm pam bydd eich croen yn mynd braidd yn goch. Oherwydd bod gwaed yn llifo i'r croen, bydd y cyflenwad i'r organau mewnol yn gostwng a byddan nhw'n cael llai o waed a gwres.

Effeithiau ethanol ar organau'r corff

Nid yw'r holl ethanol mae person yn ei yfed yn cael ei ocsidio. Caiff rhywfaint ei ryddhau i'r ysgyfaint ar ffurf anwedd, sy'n creu'r arogl nodweddiadol sydd ar anadl rhywun sy'n yfed yn drwm. Bydd peth ohono'n mynd i'r croen ac yn gadael ar ffurf chwys, a pheth i'r arennau ac yn cael ei ysgarthu yn y troeth. Mae pob organ yn y corff yn amsugno ethanol, ac o ganlyniad yn cael eu heffeithio i ryw raddau neu'i gilydd pan fydd yn bresennol.

Pan fydd ethanol yn cael ei ocsidio mewn celloedd, mae dŵr yn cael ei gynhyrchu, sy'n cael ei ysgarthu gan y croen i helpu i reoli tymheredd y corff. Os bydd person yn yfed llawer ar unwaith neu yfed yn drwm mae perygl i'r meinweoedd ddadhydradu – dyma un rheswm pam mae yfed gormod o alcohol yn rhoi cur pen. Mae yfed gormodedd o ethanol hefyd yn gallu effeithio ar y stumog, gan wneud iddo secretu rhagor o asid. Canlyniad hyn yw llid y stumog, sef cyflwr poenus lle bydd leinin y stumog yn chwyddo ac yn mynd yn llidiog.

Effeithiau ethanol ar nerfau

Mae ethanol yn **dawelydd**, oherwydd bod ei effaith yn anaestheteiddio neu'n pylu'r teimlad yn y system nerfol, hynny yw, yn arafu ei weithgaredd. Er hynny, mae rhai pobl dan gamargraff ei fod yn **symbylydd**, gan fod yr effaith hon o dawelu'r nerfau yn ymlacio pobl, gan wneud rhai yn llai swil a llai ystyriol o'u hymddygiad

Yr ymennydd sy'n arddangos effeithiau cyntaf ethanol. Arwyddion cyntaf bod yn feddw yw cael anhawster i benderfynu'n gall, diffyg ewyllys a cholli gafael arnoch eich hunan. Pan fydd ethanol yn cyrraedd y rhannau o'r ymennydd sy'n ymwneud â gweld a siarad, bydd golwg pobl yn mynd yn aneglur a'u lleferydd yn mynd yn floesg. Pan fydd ethanol yn cyrraedd y rhan honno o'r ymennydd sy'n rheoli cydbwysedd, bydd yn effeithio ar gydsymud y cyhyrau, sy'n achosi pendro ac anallu i gerdded yn iawn. Os bydd rhywun yn eithriadol o feddw gall syrthio'n anymwybodol. Gall hyn beryglu bywyd gan y gall person fygu ar ei chwyd neu hyd yn oed marw oherwydd bod y gyfradd anadlu a churiad y galon yn gostwng yn beryglus o isel.

Alcoholiaeth – y clefyd

Mae pobl sy'n dioddef gan alcoholiaeth yn dibynnu ar ethanol drwy'r amser. Efallai eu bod nhw'n yfed yn gymdeithasol ac yn achlysurol i ddechrau, ond gall hyn arwain at yfed trwm wrth geisio lleihau'r tyndra neu'r straen sydd yn eu bywydau am wahanol resymau. Bydd tuag un ym mhob deg o alcoholigion yn cyrraedd sefyllfa lle bydd angen triniaeth broffesiynol a gofal ysbyty arnynt. Mae symptomau alcoholiaeth yn cynnwys dryswch i'r fath raddau fel nad yw'r person hyd yn oed yn adnabod aelodau o'i deulu ei hun. Gall gael hunllefau brawychus a chryndod na all ei reoli.

Ymhlith y problemau iechyd mae diffyg rhai fitaminau. Mae diffygion fitaminau'n gyffredin ymhlith alcoholigion. Un rheswm dros hyn yw mai ychydig iawn y maen nhw'n ei fwyta yn ystod cyfnodau o yfed yn drwm. Mae alcohol yn effeithio ar allu'r afu i brosesu maetholion ac yn newid y ffordd maen nhw'n cael eu metaboleiddio. Bydd braster yn crynhoi yn afu yfwyr trwm a chyson, a bydd rhai'n datblygu clefyd difrifol o'r enw **sirosis yr afu**, wrth i'r afu galedu a dirywio a pheidio â gweithio'n effeithiol.

Cyffuriau a'r corff

Y prif reswm pam mae pobl yn camddefnyddio cyffuriau yw oherwydd bod hyn yn gwneud iddynt deimlo'n dda. Fodd bynnag, yn y pen draw mae perygl i'r cyffuriau niweidio'r ymennydd, yr afu, yr arennau a'r ysgyfaint. Problem arall yw fod pobl yn gallu mynd yn gaeth i gyffuriau, ac felly yn cael trafferth fawr i roi'r gorau i'w cymryd (gw. Tabl 2.2).

Genynnau ac iechyd

Wrth i safonau byw wella ac i ffordd o fyw pobl newid, mae iechyd y boblogaeth hefyd wedi gwella, felly mae llai o achosion o heintiau a chlefydau eraill o ganlyniad i ffactorau amgylcheddol. Fodd bynnag, newidiadau mewn genynnau yw achos rhai clefydau. Gall unigolion etifeddu clefydau oherwydd mwtaniadau mewn genynnau (gw. Pennod 1). Ar y cychwyn, nid oedd pobl yn meddwl y byddai modd gwneud llawer i oresgyn y problemau hyn. Erbyn heddiw mae canlyniadau gwaith ymchwil a datblygiadau mewn therapi genynnau'n cynnig gobaith y bydd hyn o gymorth yn y dyfodol.

Olrhain anhwylderau genynnau: sgrinio a chynghori geneteg

Gall cynghorwyr geneteg roi amcan o beth yw'r siawns y bydd plant ag anhwylderau genynnau yn cael eu geni i gwpl trwy astudio hanes teuluol y ddau riant. Mae **profion sgrinio genetig** hefyd ar gael er mwyn darganfod a yw person yn gludydd rhyw gyflwr etifeddol megis ffibrosis codennog. Os oes rhywun yn gwybod bod gan y naill riant neu'r llall enyn diffygiol, mae ganddo gyfrifoldeb moesegol i ddatgan yr wybodaeth hon cyn i blentyn gael ei genhedlu. Mae **profion genetig cyn-geni** hefyd ar gael i brofi ffoetysau yn ystod beichiogrwydd.

Tabl 2.2 Cyffuriau: y ffeithiau

Enghreifftiau	Statws cyfreithiol	Effeithiau niweidiol
Alcohol	Rhaid bod yn 18 oed i'w brynu, ond mae hawl i'w yfed yn y cartref wedi cyrraedd eich 5 oed. Rhaid cael trwydded i'w werthu	Caethiwus; arafu adweithiau nerfol (tawelu); gall achosi niwed i'r afu, yr ymennydd a'r arennau, ac arwain at broblemau cardiofasgwlar
Barbitwradau ('downers', 'barbs')	Ar gael yn gyfreithiol trwy bresgripsiwn yn unig	Syrthni (tawelydd); dibyniaeth seicolegol
Tawelyddion ('tranx', tabledi cysgu)	Ar gael yn gyfreithiol trwy bresgripsiwn yn unig	Syrthni (tawelydd); dibyniaeth seicolegol
Hydoddyddion (glud, petrol taniwr)	Anghyfreithlon fel cyffur sy'n cael ei gamddefnyddio	Pendro, trafferthion cydsymud; golwg yn aneglur; codi cyfog; niwed parhaol i'r ymennydd, yr afu, yr arennau
Cannabis ('pot', 'dope', 'ganja', 'hash', 'weed', mariwana)	Anghyfreithlon i'w werthu, i'w gael yn eich meddiant, i ganiatáu ei ddefnyddio yn eich cartref, ond efallai mai rhybudd yn unig y bydd yr heddlu yn ei roi; mae'r gyfraith yn cael ei hadolygu eto	Amharu ar y gallu i wneud penderfyniadau call, clefydau'r ysgyfaint o ganlyniad i ysmygu, problemau iechyd meddwl
Amffetaminau ('uppers', 'speed', 'whiz')	Ar gael yn gyfreithlon trwy bresgripsiwn yn unig; anghyfreithlon i unrhyw un arall eu gwerthu	Amharu ar y gallu i wneud penderfyniadau call ac ar y golwg; rhithweledigaethau (symbylydd)
Tybaco	Hawl i'w brynu wedi cyrraedd eich 16 mlwydd oed	Caethiwed; canser yr ysgyfaint; clefydau cardiofasgwlar; broncitis, emffysema
Cocên ('coke', 'snow')	Anghyfreithlon	Caethiwed (symbylydd); pryder eithriadol
Crac cocên	Anghyfreithlon	Ymosodedd; teimlo'n ofnus
Caffein (mewn coffi, te, siocled, rhai diodydd meddal)	Cyfreithlon	Symbylydd
LSD ('asid')	Anghyfreithlon	Rhithweledigaethau; pwysedd gwaed yn codi; cryndod; codi cyfog; niwed i'r ymennydd trwy niweidio nerfgelloedd
Amffetaminau rhithweledigaethol (MDMA, 'ecstasy', 'E')	Anghyfreithlon	Rhithweledigaethau; niwed i'r system nerfol
Heroin (yn deillio o opiwm)	Ar gael yn gyfreithlon trwy bresgripsiwn yn unig; anghyfreithlon i unrhyw un arall ei werthu	Caethiwed; niwed parhaol i'r system nerfol

Bydd meddyg yn cymryd samplau bach o gelloedd o'r pilenni sy'n amgylchynu'r ffoetws. Yna bydd y DNA o'r celloedd hyn yn cael ei ddadansoddi. Erbyn hyn mae llunio diagnosis o anhwylderau genynnau mewn plant cyn eu geni yn fater hynod sensitif yn ein cymdeithas fodern ni.

Bydd gan y rhieni gyfle i ofyn cwestiynau cyn i'w DNA nhw neu'r ffoetws gael ei ddadansoddi. Dyma rai o'r cwestiynau sy'n cael eu holi yn aml:

- Pa mor ddifrifol yw'r cyflwr sy'n cael ei achosi gan y genyn sydd o dan amheuaeth o fod wedi mwtanu?
- Pa driniaethau sydd ar gael?
- Pa mor ddibynadwy yw'r prawf?
- Sut mae'r cyflwr yn cael ei etifeddu, a beth yw oblygiadau hyn ar gyfer teuluoedd?
- Beth yw ystyr ac arwyddocâd bod yn gludydd genyn arbennig?

Cyn geni'r plentyn, bydd y rhieni'n derbyn cyngor geneteg er mwyn rhoi gwybodaeth iddynt am unrhyw anhwylder genynnau a allai effeithio ar eu plentyn. Mewn achosion fel hyn, mae cynghorydd yn aml yn gallu rhoi help iddynt drafod a meddwl am y gwahanol bosibiliadau. Yn y pen draw, y rhieni fydd yn gorfod gwneud y penderfyniad moesegol hollbwysig, gan nad lle'r cynghorydd yw dweud wrthynt beth i'w wneud. Fel arfer, cwestiynau fel 'Beth y gallwn ni ei wneud fel bod plentyn gydag anhwylder genynnau yn gallu cyrraedd ei lwyr botensial?' neu 'A ddylai'r ffoetws gael ei erthylu?' yw'r cwestiynau sy'n arwain at y penderfyniad. Bydd credoau moesegol, moesol, diwylliannol a chrefyddol i gyd yn dylanwadu ar y penderfyniad terfynol.

Therapi genynnau

Pwrpas sgrinio genetig yw darganfod yn union beth yw'r broblem. Pwrpas therapi genynnau yw cynnig ateb iddi, os yn bosibl. Trwy ddefnyddio therapi genynnau, mae arbenigwyr mewn geneteg feddygol yn ceisio goresgyn problem genynnau mwtan. Maen nhw'n gwneud hyn trwy geisio gosod genynnau perffaith yn y cromosomau sy'n cynnwys y genynnau mwtan. Bydd y genynnau sy'n cael eu hychwanegu yn galluogi'r celloedd sydd wedi'u heffeithio i weithio fel y dylen nhw. Mae tair prif ffordd o ychwanegu'r genynnau hyn:

- Mae'r dull cyntaf yn defnyddio firysau i gludo genynnau i gelloedd.
- Mae'r ail ddull yn cael ei ddefnyddio i drin ffibrosis codennog (gw. yr adran am ffibrosis codennog ym Mhennod 1). Bydd genynnau perffaith yn cael eu tynnu o gelloedd pobl, a'r claf yn eu mewnanadlu trwy chwistrell aerosol. Dull arbrofol yw hwn o hyd. Y gobaith yw fod y genynnau'n mynd i gelloedd yr ysgyfaint ac yn ysgogi cynhyrchu'r protein sydd ei angen ar gyfer cyflenwad o fwcws normal. Wedyn gallai'r ysgyfaint weithio fel y dylen nhw.
- Y trydydd dull yw chwistrellu genynnau newydd i lif y gwaed, fel eu bod yn gallu cyrraedd pob cell yn y corff. Bydd y genynnau'n cael eu trin ymlaen llaw i sicrhau eu bod yn actifadu'r celloedd targed yn unig. Efallai y bydd modd defnyddio'r dechneg hon i drin canser y croen.

Nid yw therapi genynnau wedi bod yn llwyddiannus iawn hyd yma, ac yn y 1990au roedd sawl methiant trychinebus, a nifer o gleifion yn marw. Er hynny, yn yr unfed ganrif ar hugain mae potensial i ddarganfod triniaethau therapi genynnau at y dyfodol ar gyfer llawer o anhwylderau genynnau. Mae'r ymchwil yn parhau, ac mae gwyddonwyr yn cyflwyno achos cryf o blaid defnyddio anifeiliaid ar gyfer y math hwn o arbrofi meddygol.

Defnyddio anifeiliaid i brofi cyffuriau

Yn bur aml bydd pobl yn cymysgu rhwng y termau 'moesol' a 'moesegol' mewn trafodaethau. Moesau pobl yw eu syniadau personol nhw ynglŷn â'r hyn sy'n iawn neu beidio. Mae'n debyg fod gan bob un ohonom rai safbwyntiau moesol oherwydd y ffyrdd rydym ni wedi dysgu gwahaniaethu rhwng da a drwg. Moeseg yw set o safonau y mae grŵp neu gymuned arbennig yn cytuno i'w derbyn er mwyn rheoli ymddygiad. Mae moesau a moeseg yn newid dros gyfnod o amser. Ar un adeg roedd pobl yn ystyried bod gwneud arbrofion meddygol ar garcharorion yn dderbyniol o safbwynt moesegol, ond erbyn hyn nid yw hyn yn cael ei dderbyn. Mae safbwyntiau moesol pobl yn newid yn ôl eu profiad a'u gwybodaeth eu hunain.

Mae miloedd o bobl ledled y byd yn dioddef gan glefydau difrifol. Mae'r triniaethau meddygol sydd gennym yn barod wedi gwella ansawdd ein bywyd yn sylweddol, ac mae cyffuriau newydd yn rhoi gobaith i bobl â chlefydau sy'n bygwth bywyd.

Yn 2005, cafodd dros 2 000 000 o arbrofion eu gwneud ar anifeiliaid wrth wneud ymchwil meddygol. Roedd llawer o'r arbrofion hyn yn profi effeithiau cyffuriau newydd ar anifeiliaid er mwyn barnu a fyddai'n ddiogel i bobl eu defnyddio. Mae mudiadau fel grwpiau hawliau anifeiliaid yn gwrthwynebu defnyddio anifeiliaid ar gyfer y fath ddiben gan eu bod yn credu hyn:

Gweithgaredd

Chwiliwch y rhyngrwyd gan ddefnyddio geiriau allweddol fel 'addysg iechyd', 'cyffuriau', 'alcohol' ac 'ysmygu'. Ewch i wefannau asiantaethau addysg iechyd Prydain. Gallwch chi hefyd edrych ar wyddoniadur CD-ROM neu CD-ROM am iechyd neu gyffuriau.

Cyffuriau:
www.acen.co.uk/rap
www.schoolscience.co.uk

Ysmygu ac iechyd:
www.ash.co.uk

Alcoholiaeth:
www.sciencemuseum.org.uk

Camddefnyddio alcohol:
www.homeoffice.gov.uk

Cwestiynau

8 Nodwch rai o'r pethau sydd wedi cael eu darganfod trwy waith ymchwil am y cyfraddau marwolaethau ymysg ysmygwyr.

9 Beth yw rhai o anfanteision tymor byr ysmygu?

10 Eglurwch beth yw rhai o'r effeithiau cynyddol mae alcohol yn eu cael ar y system nerfol ddynol.

11 Rhowch enghreifftiau o gyffuriau sy'n achosi caethiwed ac sy'n anghyfreithlon eu gwerthu na'u defnyddio.

12 Pam mae anadlu mwg o sigarét rhywun arall yn niweidiol i'ch iechyd?

13 Pam mae yfed diodydd alcoholig ar stumog wag yn fwy peryglus nag yfed ar ôl cael rhywbeth i'w fwyta?

14 Pam mae presenoldeb ethanol yng nghorff person yn gwneud iddo deimlo'n gynnes?

15 Eglurwch beth yw'r berthynas bosibl rhwng bod yn gaeth i gyffuriau a throseddu ymhlith pobl ifanc.

- Mae anifeiliaid labordy yn wahanol iawn i bobl, felly nid ydyn nhw'n ymateb i gyffuriau yn yr un ffordd â phobl.
- Nid oes gan bobl hawl i gynnal arbrofion o unrhyw fath ar anifeiliaid.

Mae'n debyg fod y cyfreithiau sy'n rheoli cadw a thrin anifeiliaid mewn labordai ym Mhrydain ymhlith y rhai mwyaf caeth yn y byd. Er hynny, mae'r cwestiwn a ddylai anifeiliaid gael eu defnyddio fel hyn o gwbl yn bwnc llosg iawn. Dyma rai rhesymau pam mae anifeiliaid weithiau'n cael eu defnyddio i brofi cyffuriau a allai achub bywyd:

- Ni ddylai bywydau pobl gael eu peryglu trwy arbrofi arnynt.
- Ychydig o werth sydd i brofion ar ychydig o gelloedd neu feinwe wedi'u cymryd o bobl. Y rheswm dros hyn yw fod celloedd a meinwe yn bethau syml iawn o'u cymharu â chymhlethdod anifeiliaid byw.
- Nid oes rhaglen efelychiad cyfrifiadurol sy'n ddigon manwl gywir i fodelu'r holl brosesau biolegol sy'n digwydd mewn organeb fyw.

Mae gwyddonwyr wrthi'n datblygu dulliau gweithredu er mwyn gallu profi cyffuriau yn ddiogel mewn pobl. Byddai hyn yn golygu rhywfaint yn llai o brofi ar anifeiliaid, ond mae cefnogwyr hawliau anifeiliaid yn gofyn am waharddiad llwyr ar ddefnyddio anifeiliaid mewn arbrofion a dim llai. Mae'r rhan fwyaf o awdurdodau meddygol yn datgan y bydd yr angen am ryw fath o brofi cyffuriau ar anifeiliaid yn parhau. Y sialens yw dod o hyd i'r cydbwysedd rhwng y posibilrwydd o achosi dioddefaint i anifeiliaid a datblygu cyffuriau sy'n arbed bywyd.

Crynodeb

1 Mae eich croen yn gallu rheoli tymheredd eich corff.

2 Mae'r pancreas yn secretu inswlin yn uniongyrchol i lif y gwaed er mwyn helpu i reoli lefel siwgr gwaed yn y corff dynol.

3 Cyflwr yw diabetes lle mae lefel siwgr gwaed rhywun yn dueddol o godi gan nad yw'r corff yn cynhyrchu digon o inswlin neu nad yw'n ymateb i'r inswlin sydd ganddo.

4 Dulliau rheoli diabetes yw rheoli'r carbohydrad yn y bwyd, chwistrellu inswlin, a chymryd tabledi. Mae hefyd driniaeth arbrofol sy'n trawsblannu meinwe o'r pancreas.

5 Prif system nerfol pobl yw'r un fwyaf cymhleth ymhlith anifeiliaid. Mae'n cynnwys yr ymennydd a madruddyn y cefn, ac yn cyfathrebu â phob rhan o'r corff trwy gyfrwng nerfgelloedd.

6 Mae rhai o ymatebion pobl i symbyliadau yn gyflym, yn amddiffynnol ac yn awtomatig. Yr enw arnynt yw gweithredoedd atgyrch.

7 Mae amrywiaeth o ffactorau'n effeithio ar iechyd pobl, ac efallai y bydd technoleg feddygol yn darparu atebion i rai problemau iechyd.

8 Mae rhai anhwylderau genynnau wedi cael eu trin â therapi genynnau, rhai yn llwyddiannus ac eraill yn aflwyddiannus.

9 Mae problemau moesegol yn gysylltiedig â chynghori geneteg.

10 Un o ofynion byw'n iach yw bwyta deiet cytbwys.

11 Mae camddefnyddio nicotin, alcohol a chyffuriau eraill yn arwain at broblemau personol a chymdeithasol.

Pennod 3 Celloedd a phrosesau mewn celloedd

Erbyn diwedd y bennod hon dylech:

- wybod bod celloedd planhigion ac anifeiliaid yn eu hanfod yn debyg ond bod ganddynt wahaniaethau o ran adeiledd;
- gwybod bod gan blanhigion ac anifeiliaid batrymau tyfu a datblygu gwahanol;
- gwybod bod bôn-gelloedd yn cadw'r gallu i ddatblygu yn amrywiaeth o feinweoedd ac y gellir eu defnyddio yn lle meinwe sydd yn afiach neu wedi ei niweidio;
- gwybod bod adweithiau cemegol mewn celloedd yn cael eu rheoli gan ensymau sy'n gweithio o fewn terfynau pH a thymheredd;
- gwybod y gall resbiradaeth ddigwydd gydag ocsigen neu hebddo;
- gwybod mai rhyddhau egni o glwcos yw resbiradaeth, a'i bod yn digwydd ym mhob cell fyw;
- gwybod bod bodau dynol, os nad oes digon o ocsigen ganddynt, yn rhyddhau rhywfaint o egni o glwcos a gwneud asid lactig, gan achosi dyled ocsigen;
- deall sut mae sylweddau'n mynd i mewn i gelloedd ac allan ohonynt trwy'r gellbilen;
- gwybod mai trylediad yw symudiad gronynnau i lawr graddiant crynodiad;
- gwybod mai osmosis yw trylediad dŵr trwy bilen athraidd-ddetholus i lawr graddiant crynodiad;
- gwybod y gall sylweddau fynd i mewn i gelloedd yn erbyn graddiant crynodiad trwy gludiant actif, a bod angen egni ar gyfer hyn;
- deall adeiledd sylfaenol carbohydradau, brasterau a phroteinau a beth yw eu swyddogaethau;
- deall y prosesau sy'n ymwneud â threuliad, gan gynnwys swyddogaeth ensymau;
- deall swyddogaethau rhai o'r organau sy'n rhan o'r system dreulio;
- gwybod bod celloedd planhigion yn cynnwys cloroplastau, sy'n gwneud ffotosynthesis yn bosibl;
- deall bod goleuni, tymheredd a chrynodiad carbon deuocsid yn effeithio ar gyfradd ffotosynthesis.

Celloedd

Unedau sylfaenol bywyd

Ar wahân i facteria a firysau, mae pob organeb yn cynnwys un gell neu fwy. Mae gan y rhan fwyaf o gelloedd gnewyllyn, cytoplasm a chellbilen o leiaf. Mae gan yr organebau mwyaf cymhleth filoedd, miliynau, neu hyd yn oed biliynau o gelloedd. Nid ar faint ei chelloedd, ond ar eu nifer, y mae maint organeb yn dibynnu. Yn gyffredinol nid yw celloedd eliffant ddim mwy o ran maint na chelloedd morgrugyn, ond mae gan eliffant fwy o gelloedd.

Mae gwybodaeth am gelloedd a'u swyddogaethau yn bwysig iawn i unrhyw un sy'n astudio bioleg. Mae pob cangen bron mewn bioleg yn ymwneud â chelloedd mewn rhyw ffordd neu'i gilydd.

Wyddoch chi?

Mae tua 50 000 000 000 000 o gelloedd mewn person arferol, a thua 2000 gwaith cymaint â hyn mewn morfil. Wy estrys yw'r gell fwyaf mae unrhyw anifail sy'n fyw heddiw yn ei chynhyrchu, a gall un o gelloedd coch y gwaed fod cyn lleied â 0.008 mm.

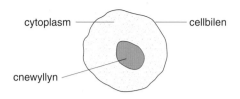

Ffigur 3.1　Cell nodweddiadol o anifail

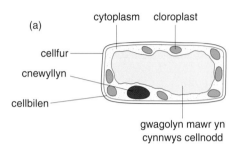

(a)

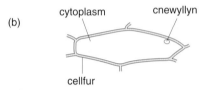

(b)

Ffigur 3.2　(a) Cell nodweddiadol o blanhigyn, (b) cell o epidermis nionyn

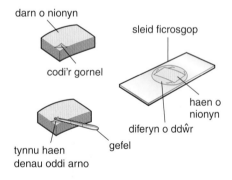

Ffigur 3.3　Sut i gael haen o gelloedd

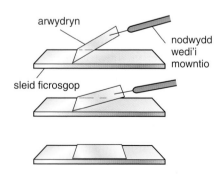

Ffigur 3.4　Mowntio ar sleid microsgop

Rhannau pwysicaf pob cell

Y cnewyllyn yw canolfan reoli holl weithgaredd y gell (gw. Ffigur 3.1). Heb gnewyllyn, bydd y gell yn marw. Fel arfer mae ei siâp yn grwn neu'n hirgrwn, ac mae'n aml yn gorwedd yn agos at ganol y gell. Mae pilen denau â dwy haen iddi yn ei amgylchynu. Yn y bilen mae tyllau mân iawn sy'n gadael i rai sylweddau symud rhwng y cnewyllyn a gweddill y gell. Yn y cnewyllyn mae'r cromosomau, sydd yn bwysig mewn cellraniad (gw. yr adran am gellraniad ym Mhennod 1).

Cemegion y tu allan i'r cnewyllyn yw cynnwys y cytoplasm. O dan ficrosgop golau, mae'r cytoplasm yn ymddangos fel sylwedd clir tebyg i jeli, sy'n llenwi'r rhan fwyaf o'r gell. Mae'n aml yn symud yn y gell, yn cludo'r cnewyllyn gydag ef ac yn newid ei siâp wrth symud. Ar derfyn allanol y gell, mae cellbilen yn amgáu'r cytoplasm, ac mae hon yn gwahanu'r gell oddi wrth gelloedd eraill a hylifau o'i hamgylch. Yn debyg i'r bilen gnewyllol, gall moleciwlau symud trwy'r gellbilen, o dan reolaeth, felly nid yw hi'n rhwystr solet. Mae'n gweithredu fel adwy, yn gadael i rai moleciwlau fynd drwyddi ond yn cadw rhai eraill allan (gw. yr adran ar sut mae sylweddau yn mynd i mewn i gelloedd ac allan ohonynt yn ddiweddarach yn y bennod hon).

Celloedd planhigion, arbenigwyr cynhyrchu bwyd

Mewn celloedd planhigion nodweddiadol mae nifer o ffurfiadau nad ydynt i'w cael mewn celloedd anifeiliaid (gw. Ffigur 3.2).

- **Cellfur** – wedi ei wneud o garbohydrad o'r enw **cellwlos** (gw. yr adran ar garbohydradau yn ddiweddarach yn y bennod hon). Haen anfyw, drwchus ac anhyblyg yw hon, sy'n amgylchynu'r gellbilen ac yn cyfrannu tuag at gynhaliad y planhigyn. Mae siapiau celloedd planhigion yn amrywio – rhai yn onglog, rhai yn hirsgwar ac eraill ag ymylon crwn.

- **Gwagolyn** – coden yn llawn hylif wedi ei hamgylchynu gan bilen. **Cellnodd** yw'r hylif hwn, sy'n cynnwys defnyddiau bwyd, mwynau a chynhyrchion gwastraff wedi'u hydoddi. Mewn celloedd hŷn o blanhigion, mae'r gwagolynnau yn fawr, a'u prif swyddogaeth yw cynnal y celloedd trwy gyfrwng gwasgedd y cellnodd. Mae hyn yn debyg mewn rhai ffyrdd i wely dŵr yn cynnal pwysau corff person.

- **Cloroplastau** – disgiau gwyrdd yn cynnwys pigment gwyrdd o'r enw **cloroffyl**, sy'n hanfodol ar gyfer proses **ffotosynthesis** (gw. yr adran ar ddal egni yn ddiweddarach yn y bennod hon). Dim ond yn y rhannau hynny o'r planhigyn sydd yn derbyn goleuni mae'r cloroplastau yn bresennol.

Gwaith ymarferol

Edrych ar gelloedd

Dull

1 Efallai y bydd eich athro/athrawes yn rhoi sleidiau ichi gyda diferyn o hydoddiant ïodin ar bob un yn barod. Fel arall, defnyddiwch sleid ficrosgop lân a gosod diferyn o botasiwm ïodid ar ei chanol.

2 Cymerwch ddarn bach o nionyn.

3 Ewch i un o gorneli'r darn nionyn a defnyddiwch efel i godi cornel yr haen denau sy'n gorchuddio tu allan y nionyn. Tynnwch hynny a fedrwch o'r haen hon oddi ar y darn.

4 Gosodwch yr haen ar yr ïodin ar y sleid fel bod yr haen yn dadrolio a gorwedd yn wastad. Yn ofalus iawn, yn ôl y dull yn Ffigurau 3.3 a 3.4, gosodwch arwydryn dros y nionyn.

5 Nawr archwiliwch yr haen o dan y microsgop. Defnyddiwch chwyddhad pŵer isel yn gyntaf, ffocyswch y microsgop, yna archwiliwch sleid ar bŵer uchel.

Ni allwch chi weld cloroplastau. Eglurwch pam.

Un ffordd o weld cloroplastau yw edrych ar ddeilen gyfan o ddyfrllys alaw Canada, *Elodea canadensis* (mae hwn i'w gael yn y rhan fwyaf o byllau, ac mae'r rhan fwyaf o ganolfannau garddio yn ei werthu).

Dull

1 Gosodwch ddeilen wedi'i chymryd o dyfbwynt y dyfrllys mewn diferyn o ddŵr ar sleid microsgop.

2 Ffocyswch y microsgop ar y sleid ar bŵer isel, ac yna ar bŵer uchel.

Patrymau tyfu

Yn yr adran am gellraniad ym Mhennod 1 mae disgrifiadau o'r ddau ddull o gellraniad. O hyn, byddwch chi'n gwybod mai mitosis yw'r math o gellraniad sy'n gwneud i anifeiliaid a phlanhigion dyfu. Er bod y broses yr un fath yn y bôn mewn anifeiliaid a phlanhigion, mae gwahaniaethau sylfaenol rhwng y mannau ynddynt lle mae mitosis yn digwydd.

Mewn anifeiliaid, mae mitosis yn digwydd ym mhob meinwe rywdro yn ystod eu datblygiad. Mae mitosis yn fwy llwyddiannus, neu'n digwydd yn amlach mewn rhai meinweoedd nag eraill. Er enghraifft, yn eich croen mae haen arbennig o gelloedd sy'n gwneud celloedd newydd yn lle'r rhai sy'n cael eu treulio, drwy gydol eich bywyd. Trwy fitosis mae'r celloedd hyn yn cael eu hadnewyddu. Nid yw nerfgelloedd yn llwyddiannus iawn wrth greu rhai newydd. Mae celloedd coch y gwaed yn cael eu cynhyrchu trwy fitosis ym mêr yr esgyrn hyd yn oed. Efallai fod hyn yn ymddangos yn beth rhyfedd, gan nad oes cnewyll gan gelloedd coch y gwaed. Mae ganddynt gnewyll yn ystod camau cynnar eu datblygiad, ond maen nhw'n eu colli pan fydd y celloedd coch yn aeddfedu. Gall anifeiliaid atgyweirio'r rhan fwyaf o feinweoedd sydd wedi'u niweidio trwy ddefnyddio mitosis.

Mewn planhigion, dim ond yn yr ardaloedd sy'n tyfu yn unig y bydd mitosis yn digwydd. Meddyliwch am goeden. Ar ddechrau ei bywyd, hedyn yn egino, ychydig filimetrau o hyd a lled yw hi. Erbyn iddi gyrraedd ei llawn dwf, gallai ei huchder fod yn 100 m a'i lled yn 3 m. Sut mae hyn yn digwydd? Ar flaenau'r gwreiddiau a'r coesynnau mae ardaloedd twf, ac yma'n unig mae mitosis yn digwydd. Yr enw ar un o'r ardaloedd hyn yw **meristem**, a'r rhain sy'n gyfrifol am dwf y planhigyn i lawr i'r pridd ac i fyny tuag at yr awyr. Mae meristemau tebyg mewn blagur sy'n cynhyrchu canghennau ochr. Meristem arbennig o'r enw **cambiwm** sy'n gyfrifol am gynnydd yn y diamedr. Mae hwn yn ychwanegu haenau lawer o dwf, flwyddyn ar ôl blwyddyn (gw. Ffigur 3.5). Dull tebyg sydd ar waith pan fydd boncyff coeden yn tyfu.

Mae gan blanhigion y gallu i dyfu rhannau newydd drwy gydol eu hoes, ond ar y cyfan ni all anifeiliaid wneud hyn. Os bydd yr amodau'n addas, bydd toriadau o riant-blanhigyn yn cynhyrchu coesynnau gyda blagur a gwreiddiau, ac yn tyfu i fod yn blanhigion aeddfed. Mae anifeiliaid yn gallu atgyweirio meinweoedd sydd wedi'u niweidio trwy dyfu celloedd newydd, ond infertebratau yw'r unig anifeiliaid sy'n gallu atffurfio prif rannau newydd i'w cyrff. Gall rhai fertebratau fel madfallod dyfu cynffonnau newydd, ond eithriadau yw'r rhain.

Ffigur 3.5 Trawstoriad o goeden yn dangos cylchoedd tyfiant amlwg

Mae pa mor fawr y bydd planhigyn yn tyfu yn dibynnu ar:

* ei allu i ymgynnal er mwyn derbyn golau haul
* pa mor uchel y gall gludo dŵr.

Mae pa mor fawr y bydd anifail yn tyfu yn dibynnu ar:

* ei allu i ymgynnal er mwyn symud
* pa mor effeithiol yw'r broses o gael ocsigen i'r celloedd er mwyn rhyddhau egni.

Y morfil glas yw'r anifail mwyaf a fu byw erioed. Mae'n dibynnu ar ddŵr i gael cynhaliad, ac o holl deyrnas yr anifeiliaid, gan y morfil hwn y mae'r system waed fwyaf estynedig ar gyfer cludo gwaed llawn ocsigen. Y planhigyn tir sych mwyaf yn y byd yw'r gochwydden enfawr. Mae gallu'r goeden i godi dŵr o'i gwreiddiau i'w dail uchaf yn cyfyngu ar ei maint a'i hoed.

Celloedd yn arbenigo

Mae tynged y rhan fwyaf o'n celloedd yn cael ei benderfynu yn ystod cam cynnar iawn yn ein datblygiad. Ar adeg ffrwythloniad, bydd bywydau pob un ohonom yn cychwyn pan fydd wy gan ein mam yn ymasio â chell sberm gan ein tad (gw. Ffigur 3.6).

Y sberm yn mynd i mewn i'r wy sy'n cychwyn mitosis. Bydd y gell yn ymrannu dro ar ôl tro nes ffurfio cannoedd o gelloedd. Weithiau bydd un o'r ymraniadau cynnar yn rhannu'r embryo yn ddarnau cyfartal sy'n gwahanu. Pan fydd hyn yn digwydd, bydd gefeilliaid unfath, tripledi, pedrybledau neu hyd yn oed mwy o fabanod yn datblygu'n annibynnol. Mae hyn yn fath o glonio naturiol.

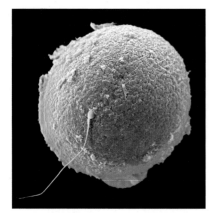

Ffigur 3.6 Wy gan y fam yn ymasio â chell sberm gan y tad

Wedi sawl ymraniad, bydd clwstwr o gelloedd siâp mwyar duon yn ffurfio. Yn y rhaglenni ymchwil sy'n ymwneud ag embryonau dynol y dyddiau hyn, mae cryn ddadlau ynglŷn â phryd mae'r pwynt lle dylem ni ddechrau galw'r casgliad o gelloedd yn fod dynol. Fodd bynnag, nid oes meinweoedd nac organau yn bresennol mewn clwstwr celloedd fel hyn.

Pan fydd meinweoedd ac organau yn dechrau datblygu, byddan nhw'n ffurfio o gelloedd sydd yn arbenigo i fod yn rhai cyhyrau, afu, arennau neu groen, er enghraifft. Ar y llaw arall, mae tynged grŵp o gelloedd o'r enw **bôn-gelloedd** yn ansicr. Ni fydd y rhain yn arbenigo (gwahaniaethu) ond yn hytrach yn parhau yn **anwahaniaethol**. Gall gwyddonwyr gymryd rhai o'r celloedd hyn a gwneud iddynt dyfu i fod yn feinweoedd gwahanol – rhai sydd eu hangen er mwyn eu rhoi yn lle meinwe wedi'i niweidio mewn pobl sy'n dioddef gan rai clefydau penodol. Byddai'n bosibl cynhyrchu meinwe nerfol yn y ffordd hon i'w roi yn lle nerfau sydd wedi'u niweidio. Byddai modd hefyd gynhyrchu celloedd sy'n gwneud inswlin yn y ffordd hon ar gyfer pobl sy'n dioddef gan ddiabetes.

Mae'r dechnoleg sy'n cael ei defnyddio yn y gwaith hwn yn ddadleuol, gan fod hyn yn golygu cymryd bôn-gelloedd o'r clwstwr o gelloedd embryo sy'n cael ei gynhyrchu o'r cellraniadau cyntaf wedi ffrwythloniad. Efallai fod hyn yn golygu dinistrio cychwyn cyntaf un bywyd dynol, ac i rai pobl mae hyn yn hollol annerbyniol. I bobl eraill, nid yw cymryd bôn-gelloedd o embryonau er mwyn eu defnyddio i wella clefydau dynol yn broblem foesegol.

Mae gwyddonwyr yn ymchwilio er mwyn gweld a oes modd defnyddio bôn-gelloedd oedolion i drin rhai clefydau. Yn y flwyddyn 2000 yn yr Eidal cafodd rhai plant â math o lewcaemia (canser y gwaed) driniaeth gyda bôn-gelloedd gwaed o fêr esgyrn (ac nid o embryonau). Roedd y canlyniadau yn galonogol – roedd 56% o'r plant a gafodd y driniaeth yn dal yn fyw yn 2005.

Ensymau (ewch i *Bioleg*, ac yna *Bodau dynol fel organebau*): bbc.co.uk/cymru/tgau

Biocemeg: www.biology.arizona.edu

Ensymau: yr offer yn ffatri'r gell

Systemau cemegol byw yw celloedd, lle mae sylweddau'n newid drwy'r amser. Mae moleciwlau'n adweithio â'i gilydd; mae moleciwlau mawr yn cael eu hadeiladu a'u dadelfennu. Beth sy'n ysgogi'r newidiadau hyn? Beth sy'n eu rheoli? Beth sy'n atal un newid rhag amharu ar un arall? Yr ateb i'r holl gwestiynau hyn yw **ensymau**. Mae ensymau'n broteinau sy'n cael eu gwneud gan organebau byw ac sy'n cynyddu cyfraddau adweithiau cemegol – maen nhw'n gatalyddion. Gellir eu hechdynnu o organebau heb amharu ar briodweddau'r ensymau. Mae ensymau'n cael eu defnyddio mewn powdrau golchi biolegol a hefyd yn ystod rhai prosesau cynhyrchu bwyd.

Mae'n bwysig peidio â meddwl am bob ensym fel cemegyn sy'n dadelfennu moleciwlau mawr yn rhai bach, fel mae ensymau treulio yn ei wneud (gw. yr adran ar dreuliad yn nes ymlaen yn y bennod hon). Ar unrhyw adeg, mae yna dros 100 000 o adweithiau cemegol yn digwydd yn eich corff, a phob un ohonynt bron yn cael ei reoli gan ensymau. Cyfran fechan iawn ohonynt sy'n rhan o broses treuliad. Mae'r rhan fwyaf ohonynt yn ymwneud â rhyddhau egni yn ystod proses **resbiradaeth** (gw. yr adran am resbiradaeth yn nes ymlaen yn y bennod hon).

Mae gan bob ensym briodweddau sy'n gyffredin:

- Proteinau ydyn nhw.
- Wrth gael eu gwresogi, maen nhw'n cael eu **dadnatureiddio**. Ystyr hyn yw fod eu hadeiledd moleciwlaidd yn cael ei newid, sy'n eu hatal rhag gweithio.
- Pan fyddan nhw'n derbyn egni ar ffurf gwres, bydd eu cyfradd adwaith yn cynyddu, ond dim ond hyd nes cyrraedd y tymheredd lle byddan nhw'n dechrau cael eu dadnatureiddio. Wedi cyrraedd y pwynt hwn, mae eu cyfradd adwaith yn arafu.
- Mae eu cyfradd adwaith yn newid pan fydd y pH (graddfa asidedd neu alcalinedd) yn newid. Mae gan bob ensym pH optimwm lle mae'n gweithio gyflymaf.
- Mae gwaith pob ensym yn benodol, er enghraifft nid yw'n bosibl defnyddio'r ensymau sy'n rhan o broses rhyddhau egni ar gyfer dim byd arall, fel treuliad neu adeiladu proteinau.

Yr ensym sy'n gweithio gyflymaf

Ensym sydd i'w gael ym mhob organeb yw **catalas**. Mae'n gweithio trwy dorri i lawr grŵp o sylweddau gwenwynig o'r enw perocsidau sy'n rhai o gynhyrchion gwastraff celloedd. Mae perocsidau'n cael eu dadelfennu yn sylweddau diniwed, sef ocsigen a dŵr. Rhaid i gatalas weithio'n gyflym er mwyn atal y perocsidau rhag lladd y celloedd sy'n eu cynhyrchu. Mae'n hanfodol mai hwn yw'r ensym sy'n gweithio gyflymaf.

Wyddoch chi?

Mae catalas yn cael ei ddefnyddio mewn diwydiant i wneud cynhyrchion rwber sbwng a pholystyren. Yn yr adwaith rhwng yr ensym a pherocsid, mae ocsigen yn cael ei gynhyrchu, sy'n creu swigod yn y rwber sbwng neu'r polystyren. Mae'r un egwyddor yn cael ei defnyddio wrth gynhyrchu gorchuddion cymorth cyntaf ar gyfer y fyddin. Mae'r ocsigen sy'n cael ei gynhyrchu yn lladd rhai bacteria a fyddai fel arall yn achosi madredd mewn clwyfau.

Gwaith ymarferol

Arddangos gweithgaredd catalas

Gellir arddangos gweithgaredd catalas trwy ddefnyddio hydrogen perocsid a meinwe, naill ai o blanhigyn, fel tatws, neu o anifail, fel afu. Bydd arnoch angen darn o afu ffres o siop y cigydd, neu daten ffres, hydrogen perocsid 3% (cyfaint 10), tri thiwb profi, prennyn er mwyn profi am bresenoldeb ocsigen, dŵr, llosgydd Bunsen, gefeiliau a labeli.

Dull

1 Gwisgwch sbectol ddiogelwch, ac ystyriwch wisgo cot labordy neu oferôl er mwyn amddiffyn eich dillad. Bydd rhaid ichi gael clwtyn gwlyb wrth law er mwyn cael gwared ag unrhyw hylif sy'n colli trwy ei olchi yn gyflym â dŵr.

2 Cymerwch ddau ddarn o feinwe â chyfaint o oddeutu 1 cm³ yr un. Gosodwch un mewn tiwb profi wedi hanner ei lenwi â dŵr, gafael yn y tiwb profi â'r gefeiliau, a berwi'r dŵr.

3 Tywalltwch hydrogen perocsid 3% yn ofalus i ddau diwb profi arall a hanner eu llenwi. Labelwch y tiwbiau hyn yn A a B.

4 Ychwanegwch ddarn o feinwe heb ei ferwi at diwb A. Profwch unrhyw nwy sy'n cael ei ryddhau â phrennyn yn mudlosgi.

5 Ailadroddwch gam 4 gan ddefnyddio tiwb profi B a'r meinwe wedi'i ferwi.

6 Peidiwch â thywallt cynnwys y tiwbiau profi i lawr y sinc. Rhowch y tiwbiau profi mewn powlen blastig.

7 Golchwch eich dwylo'n ofalus yn syth ar ôl gorffen eich arbrawf.

8 Disgrifiwch eich arsylwadau.

9 Eglurwch eich arsylwadau.

Arddangos gweithgaredd catalas: dull arall yn defnyddio cyfrifiadur

1 Dilynwch gamau 1–3 o'r dull uchod.

2 Cysylltwch ddau synhwyrydd tymheredd â system logio data, a gosod synhwyrydd ym mhob tiwb.

3 Dechreuwch gofnodi. Dylech weld olin graff ar sgrin y cyfrifiadur. Ychwanegwch ddarn o feinwe heb ei ferwi at un tiwb, ac ychwanegu'r meinwe wedi'i ferwi at yr ail diwb.

4 Eglurwch eich arsylwadau.

Gallwch chi gynllunio ac astudio effaith tymheredd ar actifedd ensymig trwy ddefnyddio'r cyfarpar yn Ffigur 3.7. Defnyddiwch y dull sy'n cael ei ddisgrifio uchod er mwyn cynllunio astudiaeth o effaith gwahanol dymereddau ar gyfradd adwaith catalas.

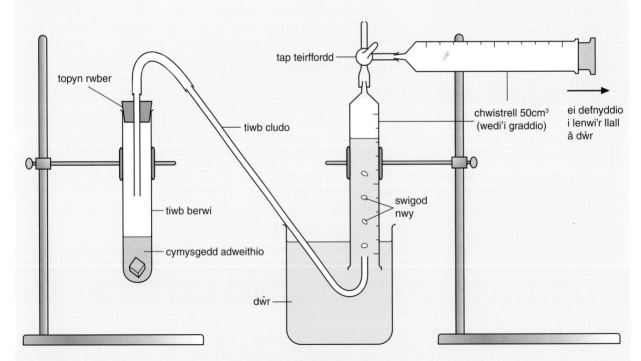

Ffigur 3.7 Cyfarpar sy'n cael ei ddefnyddio er mwyn profi actifedd ensymau

Cwestiynau

1 Beth yw'r prif nodweddion sy'n gwahaniaethu celloedd anifeiliaid a chelloedd planhigion?

2 Ym mha ffordd y gallwn ni ddweud mai'r gell yw uned sylfaenol bywyd?

3 Eglurwch beth yw pwysigrwydd ensymau o ran gweithgaredd celloedd.

4 Beth sy'n debyg a beth sy'n wahanol yn y ffyrdd mae planhigion ac anifeiliaid yn tyfu?

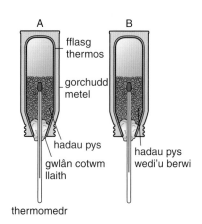

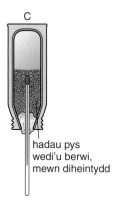

Ffigur 3.8 Cyfarpar sy'n cael ei ddefnyddio i ddangos bod pys sy'n egino yn rhyddhau egni ar ffurf gwres wrth resbiradu

Resbiradaeth

Rhyddhau egni

Mae angen egni er mwyn i adweithiau cemegol ddigwydd mewn celloedd. Proses sy'n rhyddhau egni o glwcos mewn celloedd yw resbiradaeth. Gall hyn ddigwydd ar dymheredd normal y corff oherwydd presenoldeb ensymau, y catalyddion biolegol sy'n cyflymu adweithiau yn y corff. Pan fydd ocsigen yn cael ei ddefnyddio yn y broses hon, yr enw arni yw **resbiradaeth aerobig**. Dyma'r ffurf arferol ar resbiradaeth sy'n digwydd yn ein celloedd.

Fodd bynnag, gall resbiradaeth ddigwydd heb ocsigen. Yr enw ar y broses honno yw **resbiradaeth anaerobig**, ac mae'n rhyddhau cyfran yn unig o'r egni sy'n cael ei ryddhau pan fydd ocsigen yn bresennol.

Yn ystod resbiradaeth anaerobig, mae glwcos yn cael ei dorri i lawr gyda chymorth ensymau, ond heb ddefnyddio ocsigen. Mewn rhai organebau fel burumau, bydd ethanol a charbon deuocsid yn cael eu ffurfio. Mae defnydd helaeth ar yr adwaith hon mewn biotechnoleg, gan mai dyma sylfaen pobi bara, ac eplesiad sy'n cynhyrchu alcohol.

$$C_6H_{12}O_6 \rightarrow 2C_2H_5OH + 2CO_2 + \text{egni}$$
glwcos   ethanol   carbon
                       deuocsid

Ym meinwe ein cyhyrau, pan nad oes ocsigen yn bresennol, mae modd newid glwcos yn asid lactig, gan ryddhau ychydig o egni.

$$C_6H_{12}O_6 \rightarrow 2C_3H_6O_3 + \text{egni}$$
glwcos   asid lactig

Mae hyn yn ddefnyddiol yn ystod ymarfer corff, pan fydd celloedd y cyhyrau weithiau yn brin o ocsigen gan fod y galw am egni yn fwy na'r cyflenwad ocsigen sydd ar gael o lif y gwaed. O dan yr amodau hyn, bydd y corff yn parhau i allu rhyddhau egni am gyfnod byr, er y bydd asid lactig yn crynhoi, gan achosi lludded cyhyrol. Wrth orffwys ar ôl ymarfer corff caled, byddwn ni'n anadlu'n ddyfnach ac yn gyflymach. Mae hyn yn hanfodol gan fod angen codi mwy o ocsigen er mwyn ad-dalu'r ddyled ocsigen sy'n cael ei chreu gan y cynnydd yn y galw. Po fwyaf heini yw rhywun, mwyaf effeithlon yw cylchrediad ei waed, a pho leiaf o asid lactig sy'n cael ei gynhyrchu.

Gwaith ymarferol

Hadau'n rhyddhau egni yn ystod resbiradaeth

1 Cydosodwch dair fflasg thermos fel yn Ffigur 3.8

2 Cofnodwch dymheredd pob fflasg ar ddechrau ac ar ddiwedd wythnos.

Cwestiynau

- Beth yw pwrpas y diheintydd?

- Beth yw mantais defnyddio fflasgiau thermos yn hytrach na biceri?

- Pam mai plygiau gwlân cotwm yn hytrach na thopynnau rwber sy'n cael eu defnyddio?

- Pa un o'r tair fflasg yw'r rheolydd?

- Eglurwch y canlyniadau ym mhob fflasg.

Hadau'n rhyddhau egni yn ystod resbiradaeth: dull arall yn defnyddio cyfrifiadur

1 Cydosodwch y tair fflasg thermos fel yn Ffigur 3.9
2 Cysylltwch dri synhwyrydd tymheredd â system gofnodi data a gosod synhwyrydd ym mhob fflasg.
3 Dechreuwch gofnodi a pharhau i gofnodi am ddiwrnod o leiaf.
4 Brasluniwch y graffiau y byddech chi'n disgwyl eu cael, a chymharwch y rhain â'r gwir ganlyniadau.
5 Ychwanegwch eich sylwadau at y graffiau a'u hargraffu.

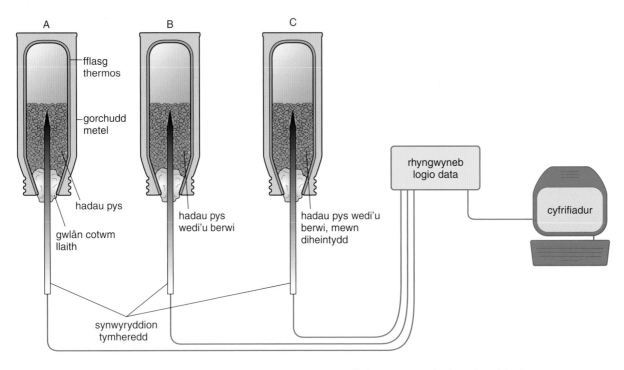

Ffigur 3.9 Defnyddio cyfrifiadur i arddangos bod egni yn cael ei ryddhau ar ffurf gwres mewn hadau sy'n resbiradu

Ffigur 3.10 Bydd dyled ocsigen wedi crynhoi yng nghyhyrau'r athletwr hwn

Dyled ocsigen

Ar adegau pan fydd y cyhyrau'n gweithio'n galed, bydd ar y celloedd angen mwy o ocsigen nag y gall y corff ei gyflenwi. Nid yw'r ysgyfaint yn gallu codi ocsigen yn ddigon cyflym, na'r gwaed yn gallu ei gludo'n ddigon cyflym. Pan fydd hyn yn digwydd, bydd y celloedd yn troi at resbiradu'n anaerobig (gw. uchod). Ystyr hyn yw nad yw ocsigen yn cael ei ddefnyddio, ac mae asid lactig yn crynhoi yn y meinweoedd, gan greu teimlad o flinder neu hyd yn oed o boen. Mae crynhoi asid lactig yn arwydd i'r ganolfan anadlu yn yr ymennydd gynyddu'r gyfradd anadlu er mwyn cyflenwi rhagor o ocsigen i'r meinweoedd. Os bydd yr ymarfer corff caled yn parhau, bydd yr asid lactig yn dal i grynhoi, gan achosi **dyled ocsigen**. Bydd hon yn parhau hyd nes bydd yr ymarfer caled yn dod i ben. Yna, er enghraifft yn ystod egwyl o hanner awr i orffwys, bydd peth o'r asid lactig yn cael ei ocsidio a pheth yn cael ei drawsnewid yn glycogen. Bydd y ddyled ocsigen yn cael ei thalu, a'r corff yn barod ar gyfer mwy o ymarfer (gw. Ffigur 3.10).

U

Cwestiynau

5 Beth yw pwysigrwydd biolegol resbiradaeth?

6 Disgrifiwch y ddau fath o resbiradaeth

7 Disgrifiwch sut mae celloedd yn cael yr egni sydd ei angen arnynt ar gyfer tyfu.

8 Ysgrifennwch adroddiad am bwysigrwydd gwneud asid lactig yng nghelloedd y cyhyrau yn ystod ymarfer corff.

Sut mae sylweddau yn mynd i mewn i gelloedd ac allan ohonynt

Pwysigrwydd pilenni

Mae bywyd yn dibynnu'n fawr ar symudiad rhai defnyddiau i mewn i gelloedd ac allan ohonynt. Bwydydd wedi'u treulio ac ocsigen yw rhai o'r defnyddiau hanfodol sydd yn mynd i mewn i gelloedd. Rhaid gwaredu cynhyrchion gwastraff fel carbon deuocsid. Rhaid i bob sylwedd sy'n mynd i mewn i gell neu allan ohoni groesi'r gellbilen. Bydd rhai moleciwlau'n mynd trwyddi'n rhwydd, rhai'n llai rhwydd, ac eraill ddim yn mynd trwyddi o gwbl. Yn y ffordd hon, mae'r bilen yn dethol sylweddau sy'n cael mynd i mewn ac allan. Mae nifer o ffactorau yn bwysig o ran penderfynu beth sy'n cael croesi'r bilen:

- **Maint y gronynnau**: Bydd rhai moleciwlau mawr yn methu â mynd trwy'r gellbilen. Ar y llaw arall, bydd niferoedd mwy o rai moleciwlau mawr yn mynd trwyddi nag o ïonau sy'n llai o lawer (gronynnau wedi'u gwefru, yn tarddu o 'rannau' o foleciwlau).

- **A yw'r gronynnau'n hydoddi mewn dŵr ai peidio**: Hydoddiannau o foleciwlau ac ïonau mewn dŵr yw'r hylifau sy'n amgylchynu celloedd fel arfer. Nid yw sylweddau sy'n anhydawdd mewn dŵr yn gallu mynd trwy'r gellbilen.

- **Amodau y tu mewn a thu allan i'r gell**: Mae amodau yn y gell neu yn amgylchedd y gell yn gallu effeithio ar symudiad gronynnau trwy'r bilen. Os oes mwy o ronynnau ar y tu mewn nag ar y tu allan, maen nhw'n tueddu i symud tuag allan.

- **Adeiledd y gellbilen:** Mae'n ymddangos bod llawer o fandyllau yn arwyneb y bilen. Rhaid bod gwagleoedd hefyd rhwng y moleciwlau sy'n ffurfio'r bilen. Efallai fod y gwagleoedd hyn yn rhy fach i foleciwlau mawr fynd trwyddynt, ond yn ddigon mawr ar gyfer moleciwlau llai.

Mae'r cyfraddau a'r graddau y bydd rhai sylweddau'n treiddio trwy'r gellbilen yn amrywio. Os bydd sylwedd yn mynd trwy bilen, dywedwn fod y bilen yn athraidd i'r sylwedd hwnnw. Os yw pilen yn gadael i rai sylweddau fynd trwyddi ond yn atal rhai eraill, dywedwn ei bod yn **athraidd-ddetholus** neu'n **ddifferol athraidd**. Mae'r gellbilen yn athraidd ddetholus.

Trylediad

Er mwyn gallu deall yn well sut mae sylweddau'n symud trwy gellbilenni, mae angen inni ddeall mwy am foleciwlau a'u mudiant. Mewn unrhyw sylwedd, mae'r moleciwlau'n symud drwy'r amser. Canlyniad **egni cinetig** yn y moleciwlau eu hunain yw'r mudiant hwn, yn hytrach na grymoedd allanol. Nid oes llawer o fudiant moleciwlaidd mewn solidau, ond mae llawer mwy ohono mewn hylifau a nwyon. Mae mudiant y moleciwlau'n hollol afreolus. Hynny yw, mae'r moleciwlau'n symud mewn llinell syth nes iddynt wrthdaro yn erbyn moleciwlau eraill. Yna maen nhw'n adlamu ac yn symud mewn llinell syth eto nes iddynt wrthdaro â moleciwlau eraill eto. Canlyniad y math hwn o symudiad yw fod y moleciwlau'n ymledu yn raddol. Yn y pen draw, byddan nhw wedi ymledu yn gyfartal trwy'r gofod sydd ar gael iddynt. Yr enw ar yr ymledu graddol a chyson hwn yw **trylediad.**

Fel enghraifft o drylediad, meddyliwch am beth sy'n digwydd pan fyddwch chi'n agor potel o bersawr. Cyn gynted ag y byddwch chi'n agor y botel, bydd y moleciwlau'n dechrau tryledu i'r aer. Cyn bo hir bydd y bobl sy'n agos at y persawr yn gallu ei arogli, ac wrth i'r tryledu barhau, bydd yr arogl yn cryfhau. Bydd mwy a mwy o foleciwlau'n ymledu ar hap ymysg moleciwlau'r nwyon yn yr aer. Yn y pen draw, byddan nhw'n cyrraedd cyflwr ecwilibriwm. Bydd moleciwlau'r persawr, er eu bod yn dal i symud, wedi ymledu'n gyfartal rhwng y moleciwlau nwy yn yr aer. Mewn gwirionedd, wrth i'r persawr dryledu i'r aer, bydd moleciwlau o nwyon o'r aer hefyd yn tryledu i'r botel bersawr. Mae hyn yn ein harwain at un o ddeddfau sylfaenol tryledaid. Yn ôl y ddeddf hon, mae sylweddau'n tryledu o fannau lle mae eu crynodiad yn uchel i fannau lle mae eu crynodiad yn is. Yn yr achos hwn, mae tryledaid yn parhau nes bod crynodiad moleciwlau nwyon o'r aer a moleciwlau o'r persawr yn gyfartal ym mhob rhan o'r ystafell.

Mae'r ffactorau canlynol yn effeithio ar dryledaid:

- **Crynodiad:** Po fwyaf y gwahaniaeth rhwng crynodiad dau sylwedd, cyflymaf y bydd tryledaid yn digwydd.
- **Tymheredd:** Po uchaf y tymheredd, mwyaf yw cyflymder y mudiant moleciwlaidd.
- **Gwasgedd:** Po uchaf y gwasgedd ar ronynnau, mwyaf yw cyflymder tryledaid o fan lle mae'r gwasgedd yn uchel i fan lle mae'r gwasgedd yn isel.

Sut mae pilen yn effeithio ar symudiad moleciwlau wrth iddynt dryledu? Mae'r ateb yn dibynnu ar natur y bilen a'r sylwedd sy'n tryledu. Gallwch chi arddangos hyn gyda **thiwbin Visking** a hydoddiant glwcos.

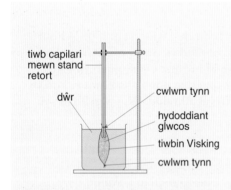

Ffigur 3.11 Y cyfarpar angenrheidiol er mwyn monitro tryledaid glwcos trwy bilen

Gwaith ymarferol

Monitro tryledaid glwcos trwy bilen

Dull

1 Gwnewch goden o diwbin Visking.

2 Llanwch y goden â hydoddiant glwcos (gw. Ffigur 3.11)

3 Gosodwch y goden mewn dŵr.

Gan fod y tiwbin yn athraidd i foleciwlau dŵr a glwcos, mae dau beth yn digwydd. Mae moleciwlau dŵr yn tryledu i'r hydoddiant glwcos a moleciwlau glwcos yn tryledu i'r dŵr. Yn y pen draw bydd crynodiad y moleciwlau glwcos a dŵr yn gyfartal ar ddwy ochr y tiwbin Visking. Dyma gyflwr **ecwilibriwm dynamig**, gan fod y ddau fath o foleciwl yn symud i'r ddau gyfeiriad ar gyfraddau cyfartal. Yn yr achos hwn, ychydig o effaith a gafodd y tiwbin Visking ar dryledaid.

Beth petai cellbilen yn hollol athraidd? Mae'r ateb yn syml: byddai'r gell yn marw. Mae'n wir y byddai moleciwlau o ddŵr ac o sylweddau eraill yn mynd i mewn i'r gell yn haws, ond ar yr un pryd, byddai moleciwlau'r gell ei hun yn tryledu allan i'w hamgylchedd. Yn amlwg, felly, er mwyn i'r gell oroesi, rhaid i'r gellbilen fod yn athraidd-ddetholus yn unig.

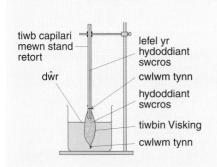

Ffigur 3.12 Gallwch chi ailadrodd yr arbrawf glwcos gan ddefnyddio hydoddiant swcros.

Celloedd byw:
www.cellsalive.com
Bioleg y gell:
www.arizona.edu

Wyddoch chi?

Mae'n bosibl gwneud esgidiau lledr sy'n rhy dynn yn fwy trwy wthio tatws i'w blaenau. Os gadewch chi'r tatws yn yr esgidiau am ychydig ddyddiau bydd yr esgidiau'n mynd yn fwy llac. Mae'n bosibl lladd gwlithod yn eich gardd trwy daflu halen drostynt. Byddan nhw'n crebachu ac yn marw. Eglurwch y ddwy ffaith hon yn nhermau osmosis.

Osmosis

Gallwch chi arddangos sut y gall pilen fod yn athraidd-ddetholus trwy ddefnyddio moleciwlau mwy.

Gwaith ymarferol

Monitro trylediad swcros trwy bilen

Dull

1 Gwnewch goden o diwbin Visking.

2 Llanwch y goden â hydoddiant swcros (gw. Ffigur 3.12).

3 Gosodwch y goden mewn dŵr.

Gall moleciwlau glwcos fynd trwy diwbin Visking ond ni all moleciwlau swcros wneud hynny. Y rheswm dros hyn yw fod moleciwl o swcros bron ddwywaith maint moleciwl o glwcos. Mae dŵr yn mynd i mewn i'r hydoddiant swcros, ond ni all swcros fynd i mewn i'r dŵr. Ar ôl tua hanner awr, bydd lefel yr hydoddiant yn y tiwb wedi codi, a lefel y dŵr yn y bicer wedi gostwng.

Mae hon yn enghraifft o **osmosis**, lle bydd dŵr yn tryledu trwy bilen athraidd-ddetholus o fan lle mae crynodiad y moleciwlau dŵr yn uchel i fan lle mae eu crynodiad yn is.

Beth yw arwyddocâd hyn i'n celloedd ni? Pe bai'r hydoddiant sy'n amgylchynu celloedd coch ein gwaed yn cynnwys llai o ddŵr nag sydd yng nghytoplasm celloedd coch y gwaed, byddai dŵr yn symud allan o'r celloedd yn gyflymach nag y byddai'n mynd i mewn iddynt. Yna byddai'r celloedd yn crebachu ac yn marw. Pe bai'r gwrthwyneb yn digwydd, a bod mwy o ddŵr ar y tu allan, yna byddai gormod o ddŵr yn mynd i'r celloedd, a byddai'r celloedd yn hollti. Felly mae'n hanfodol bwysig fod cyfansoddiad ein gwaed a hylifau eraill ein cyrff yn cael ei reoli. Dyma enghraifft o homeostasis, neu reoli ein hamgylchedd fewnol (gw. yr adran am homeostasis ym Mhennod 2).

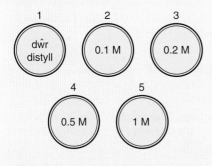

Ffigur 3.13 Labelu'r dysglau Petri

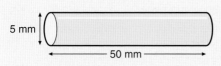

Ffigur 3.14 Sylindr tatws

Gwaith ymarferol

Monitro osmosis mewn taten

Dull

1 Labelwch gaeadau pum dysgl Petri fel y dangosir yn Ffigur 3.13.

2 Ym mhob dysgl Petri, rhowch 30 cm³ o hydoddiant swcros yn y crynodiad sydd wedi'i farcio ar ei chaead; rhowch ddŵr distyll yn y bumed ddysgl (gw. Ffigur 3.13).

3 Gosodwch y caeadau ar y dysglau.

4 Defnyddiwch dyllwr corcyn i dorri pum silindr yn ofalus o daten, pob un yn 50 mm o hyd a'i ddiamedr yn 5 mm (gw. Ffigur 3.14).

5 Pwyswch y sglodion hyn yn fanwl gywir ar glorian badell, a chofnodwch y màs mewn tabl o'r canlyniadau.

6 Gosodwch y sglodion hyn yn y ddysgl Petri sydd wedi'i marcio 'dŵr distyll', a rhoi'r caead yn ôl ar y ddysgl.

7 Ailadroddwch gamau 4–6 ar gyfer pob un o'r dysglau eraill.

8 *Gadewch y dysglau am 20 munud.*

9 Tynnwch y sglodion o'r dŵr distyll. Sychwch nhw'n ofalus â thywel papur. Pwyswch nhw'n fanwl gywir, a chofnodi'r màs yn y tabl canlyniadau isod.

Hydoddiant yn y ddysgl Petri	Màs ar y dechrau / g	Màs ar y diwedd / g (wedi 20 mun)	Newid yn y màs / g (+/−)	Newid / % (+/−)
Swcros 0.1M				
Swcros 0.2M				
Swcros 0.5M				
Swcros 1M				

$$\text{canran y newid mewn màs} = \frac{\text{newid mewn màs}}{\text{màs gwreiddiol}} \times 100$$

10 Ailadroddwch gam 9 ar gyfer y sglodion yn y dysglau eraill.

11 Lluniwch graff o ganran y newid mewn màs yn erbyn crynodiad swcros. Lluniadwch yr echelinau fel yn y diagram gyferbyn.

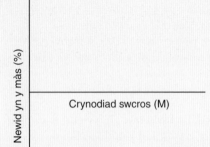

Cwestiynau

• Pam mae hi'n bwysig cyfrifo canran y newid mewn màs?

• Ym mha hydoddiannau yr aeth dŵr i mewn i gelloedd y daten?

• Ym mha hydoddiannau y daeth dŵr allan o gelloedd y daten?

Monitro osmosis: dull arall yn defnyddio cyfrifiadur

Dull

1 Llanwch goden wedi'i gwneud o diwbin Visking â hydoddiant swcros, a gosodwch hon mewn bicer o ddŵr distyll (gw. Ffigur 3.15).

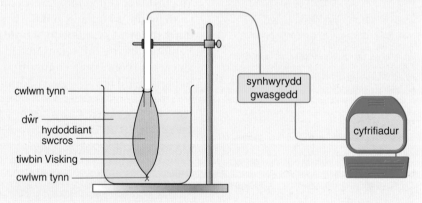

Ffigur 3.15 Defnyddio cyfrifiadur i fonitro osmosis

2 Defnyddiwch diwb i roi synhwyrydd gwasgedd yn sownd wrth y goden, a chysylltu'r synhwyrydd â system gofnodi data.

3 Dechreuwch gofnodi er mwyn profi'r system. Dylech gael olin graff ar y sgrîn sy'n allwyro pan fyddwch yn gwasgu'r goden yn ysgafn.

4 Daliwch ati i gofnodi am awr neu fwy. Tra bydd hyn yn digwydd, ysgrifennwch eich adroddiad am yr arbrawf.

5 Ailadroddwch yr arbrawf gyda chrynodiad gwahanol o hydoddiant swcros.

Cwestiynau

1 Ar y dechrau dylai olin y graff fod yn llinell wastad, ond bydd yn newid cyfeiriad dros amser. Beth fydd yn achosi i'r olin newid cyfeiriad?

U

2 Lluniwch graff bras i ddangos sut y bydd y graff yn newid yn ystod yr arbrawf. Dyma gliw ichi. Dylai fod yna dair rhan i'w labelu ar eich graff bras: (a) llinell wastad i ddechrau, (b) rhan lle mae'r gwasgedd yn codi, (c) rhan lle nad yw'r gwasgedd yn newid ddim mwy. Awgrymwch sut mae eich graff yn egluro beth sy'n digwydd yn ystod osmosis.

3 Byddai modd defnyddio'r dull uchod i ymchwilio i osmosis gan ddefnyddio hydoddiant mwy crynodedig o swcros. Brasluniwch y graff y byddech yn disgwyl ei gael y tro hwnnw, ac egluro pam y byddai efallai yn wahanol i'r un gwreiddiol.

4 Edrychwch ar ganlyniadau eich arbrawf. Newidiwch raddfa'r graff er mwyn gweld y canlyniad yn well. Labelwch y rhannau o'r graff sy'n cynrychioli ecwilibriwm, a dŵr yn llifo i'r goden.

Rhagor o syniadau ar gyfer gweithgareddau ymarferol

(Defnyddiwch y dulliau sydd wedi'u disgrifio uchod)

1 Cynlluniwch ymchwiliad i ddarganfod pa grynodiad siwgr sy'n gywerth â chrynodiad cellnodd.

2 Mae blas melysach ar fetys nag ar datws. Cymharwch grynodiad siwgr cellnodd betys a chellnodd tatws.

Cwestiynau

9 Beth yw'r gwahaniaeth rhwng pilenni athraidd a rhai athraidd-ddetholus?

10 Beth yw trylediad? Beth yw'r enw ar y cydbwysedd sy'n cael ei greu gan drylediad?

11 Nodwch beth yw'r ffactorau allanol sy'n dylanwadu ar gyfraddau trylediad.

12 Diffiniwch osmosis.

13 Beth yw'r gwahaniaeth rhwng cludiant actif a thrylediad?

14 Disgrifiwch beth allai ddigwydd i gell petai ei philen yn athraidd i bob moleciwl.

15 Pa ffactorau sy'n penderfynu a fydd gronyn yn gallu mynd trwy gellbilen?

Wyddoch chi?

Ar gyfartaledd, bydd person o wlad ddatblygedig yn bwyta tua 30 tunnell fetrig o fwyd yn ystod ei fywyd, ond bydd y rhan fwyaf ohonom ni yn gallu cadw pwysau'n corff heb amrywio mwy na thuag 1%.

Cludiant actif

U

Mewn llawer o achosion, mae gronynnau'n symud i mewn i gelloedd neu allan ohonynt yn erbyn graddiant trylediad, hynny yw, yn erbyn cyfeiriad llif gronynnau. Mae ïonau sodiwm a photasiwm yn enghreifftiau o hyn. O dan rai amodau, maen nhw'n cael eu **cludo yn actif** i mewn i gelloedd neu allan ohonynt. Nid yw trylediad yn defnyddio egni. Ar y llaw arall, mewn cludiant actif mae angen egni sy'n cael ei ryddhau gan y gell er mwyn 'pwmpio' ïonau i un cyfeiriad penodol.

Maethiad anifeiliaid

Beth yw bwyd?

Casgliad o gemegion yw bwyd, ac mae organeb yn cymryd y cemegion hyn i mewn iddi'i hun er mwyn tyfu, rhyddhau egni a chynnal holl brosesau bywyd. Yn ôl y diffiniad hwn mae dŵr, mwynau a fitaminau, yn ogystal â charbohydradau, brasterau a phroteinau, yn fwyd.

Yn y corff mae'r broses o baratoi'r bwydydd ar gyfer cyrraedd meinweoedd y corff yn digwydd mewn tiwb oddeutu 9 m o hyd; sef y **llwybr ymborth**. Mae ensymau treulio'n gwneud i fara, cig, llaeth, menyn ac ati ymddatod yn foleciwlau llai, sydd wedyn yn gallu mynd i lif y gwaed.

Bwydydd egni

O **garbohydradau** a **brasterau** mae'r rhan fwyaf o'n hegni yn dod.

Carbohydradau

Mewn deiet **cytbwys**, dylai dros hanner eich bwyd fod yn garbohydrad. Fodd bynnag, ni fydd carbohydradau wedi'u storio fyth yn cynrychioli mwy nag 1% o bwysau'ch corff. Y rheswm dros hyn yw mai tanwydd yw carbohydradau ar y cyfan, a bydd eich corff yn rhyddhau egni ohonynt. Bydd yr egni hwn yn cael ei ryddhau yn ystod resbiradaeth (gw. yr adran am resbiradaeth yn y bennod hon).

Wyddoch chi?

Ar gyfartaledd, mae pob oedolyn ym Mhrydain yn bwyta 43 kg o siwgr y flwyddyn. Mae siwgr yn storfa hynod grynodedig o egni, a byddai 43 kg ohono yn ddigon i'ch cadw'n cerdded yn gyflym am dros 2000 o filltiroedd. Fyddwch chi'n cerdded 2000 o filltiroedd mewn blwyddyn? Hyd yn oed os byddwch chi, nid siwgr yw'r unig fwyd rydych yn ei fwyta sy'n cyflenwi egni. Os byddwch chi'n bwyta gormod o siwgr, gall eich gwneud chi'n dew, gan fod y corff yn troi gormodedd ohono yn fraster. Mae siwgr hefyd yn achosi pydredd dannedd.

Ffigur 3.16 Bwydydd sy'n cynnwys llawer o garbohydrad

Ffigur 3.17 Bwydydd sy'n cynnwys llawer o frasterau ac olewau

Ffigur 3.18 Bwydydd sy'n cynnwys llawer o brotein

Rydym ni'n bwyta sawl gwahanol fath o garbohydrad (gw. Ffigur 3.16). Mae rhai ohonynt yn hawdd eu treulio ac yna'n teithio i'r meinweoedd heb gael eu newid fawr ddim yn gemegol. Rhaid i fathau eraill gael eu torri lawr cyn y gall ein meinweoedd eu defnyddio. Nid yw rhai carbohydradau, cellwlos er enghraifft, yn cael eu treulio o gwbl. Dyma'r mathau sydd yn y bwydydd garw rydym ni eu hangen i roi swmp i'n deiet. Mae pob carbohydrad sy'n cael ei dreulio yn mynd i'r corffgelloedd ar ffurf glwcos, yn barod i'w ddefnyddio i ryddhau egni ohono yn ystod resbiradaeth.

Startsh yw cyfran fawr o'r carbohydrad yn neiet y rhan fwyaf o bobl. Mae llawer o startsh mewn tatws a grawnfwydydd. Cadwynau enfawr o unedau glwcos yw startsh. Wrth gael ei dreulio, mae startsh yn cael ei ddadelfennu yn glwcos. Mae'r glwcos yn cael ei amsugno i'r gwaed a'i gludo yn gyntaf i'r afu cyn mynd i'r corffgelloedd. Bydd llawer o'r glwcos sy'n mynd i'r afu yn y gwaed yn cael ei droi yn glycogen. Mae modd troi hwn yn ôl yn glwcos pan fydd ei angen ar y corff (gw. yr adrannau am homeostasis a geneteg yn achub bywydau ym Mhennod 2).

Carbohydrad cymhlyg, sydd i'w gael ym muriau pob cell blanhigol, yw cellwlos. Er nad ydym ni'n gallu treulio cellwlos, mae'n bwysig ar gyfer proses **treuliad**. Trwy wneud i gyhyrau leinin y llwybr ymborth wasgu'r bwyd ar ei hyd, mae cellwlos yn helpu gwaith y system dreulio.

Brasterau fel storfa egni

Mae **brasterau** ac **olewau** yn cyflenwi dros ddwywaith yr egni sydd i'w gael o garbohydradau. Ffynonellau cyffredin brasterau ac olewau yw menyn, hufen, caws, margarin, olewau planhigol a chigoedd (gw. Ffigur 3.17).

Yn ystod proses treuliad mae ensymau'n torri brasterau i lawr yn araf. Mae hyn yn digwydd mewn tri cham. Y canlyniad yw un moleciwl o **glyserol** a thri moleciwl o **asidau brasterog** am bob un moleciwl o fraster sydd wedi cael ei dreulio. Bydd gormodedd o garbohydradau yn cael eu trawsnewid yn frasterau a chael eu storio o dan y croen ac o amgylch yr arennau. Nid yw gormod o fraster yn llesol i ni: mae'n arwain at ordewdra, a phroblemau sy'n gysylltiedig â hynny, gan gynnwys codiad yn lefel y **colesterol**. Felly mae'n bwysig rheoli faint o garbohydrad a braster rydym ni'n eu bwyta. Dylai tua 55% yr egni o ddeiet cytbwys ddod o garbohydrad, 30% o fraster a 15% o brotein.

Proteinau a'u defnydd

Moleciwlau mawr yn cynnwys miloedd o unedau o'r enw **asidau amino** yw **proteinau**. Yn ystod proses treuliad rhaid iddynt gael eu torri i lawr i'r unedau sylfaenol hyn. Wedyn bydd yr asidau amino'n cael eu cludo i gelloedd lle byddan nhw'n cael eu hailadeiladu yn broteinau dynol. Mae proteinau yn cael eu defnyddio ar gyfer tyfu ac atgyweirio, ond maen nhw hefyd yn hanfodol gan mai proteinau yw pob ensym a llawer o hormonau.

Pan fyddwn ni'n bwyta mwy o brotein nag y gallwn ei ddefnyddio, ni allwn ei storio. Ar ôl i'r protein gael ei dreulio yn asidau amino, bydd y rhai dros ben yn cael eu trawsnewid yn **wrea** yn yr afu. Bydd hwn wedyn yn cael ei gludo gan y gwaed i'r arennau er mwyn cael ei ysgarthu yn y **troeth**. Rhai o'r ffynonellau protein gorau yw cig heb fraster arno, wyau, llaeth, caws, pysgod a ffa (gw. Ffigur 3.18).

Camau treuliad

Pam nad yw eich corff yn gallu defnyddio'r rhan fwyaf o fwydydd yn y ffurf rydych chi'n eu bwyta nhw? Mae dau reswm dros hyn. Yn gyntaf, nid yw llawer o fwydydd yn hydoddi mewn dŵr. Oherwydd hyn, nid ydynt nhw'n gallu mynd i gelloedd trwy gellbilenni. Yn ail, mae'r bwydydd rydych yn eu bwyta wedi eu gwneud o foleciwlau sy'n llawer rhy fawr i'w defnyddio fel y maent. Nid yw celloedd yn gallu eu defnyddio i ryddhau egni nag i dyfu. Mae treuliad yn datrys y ddwy broblem hyn. Yn ystod treuliad, mae bwydydd cymhlyg yn cael

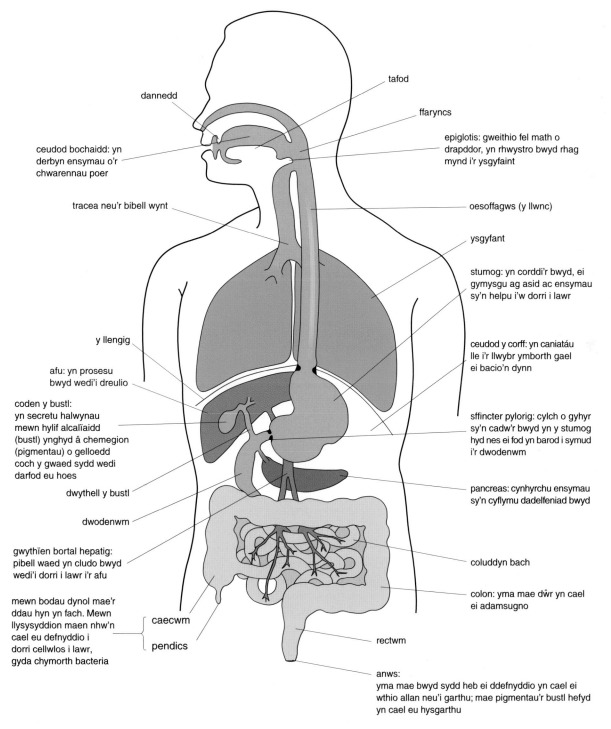

dannedd

tafod

ffaryncs

epiglotis: gweithio fel math o drapddor, yn rhwystro bwyd rhag mynd i'r ysgyfaint

ceudod bochaidd: yn derbyn ensymau o'r chwarennau poer

tracea neu'r bibell wynt

oesoffagws (y llwnc)

ysgyfant

stumog: yn corddi'r bwyd, ei gymysgu ag asid ac ensymau sy'n helpu i'w dorri i lawr

y llengig

ceudod y corff: yn caniatáu lle i'r llwybr ymborth gael ei bacio'n dynn

afu: yn prosesu bwyd wedi'i dreulio

coden y bustl: yn secretu halwynau mewn hylif alcalïaidd (bustl) ynghyd â chemegion (pigmentau) o gelloedd coch y gwaed sydd wedi darfod eu hoes

sffincter pylorig: cylch o gyhyr sy'n cadw'r bwyd yn y stumog hyd nes ei fod yn barod i symud i'r dwodenwm

dwythell y bustl

pancreas: cynhyrchu ensymau sy'n cyflymu dadelfeniad bwyd

dwodenwm

gwythïen bortal hepatig: pibell waed yn cludo bwyd wedi'i dorri i lawr i'r afu

coluddyn bach

colon: yma mae dŵr yn cael ei adamsugno

mewn bodau dynol mae'r ddau hyn yn fach. Mewn llysysyddion maen nhw'n cael eu defnyddio i dorri cellwlos i lawr, gyda chymorth bacteria

caecwm

pendics

rectwm

anws: yma mae bwyd sydd heb ei ddefnyddio yn cael ei wthio allan neu'i garthu; mae pigmentau'r bustl hefyd yn cael eu hysgarthu

Ffigur 3.19 Y system dreulio ddynol

Wyddoch chi?

Ar ôl ichi orffen bwyta eich cinio, mae eich pryd bwyd yn dal i fod ar du allan eich corff. Mae hyn oherwydd mai dim ond tiwb yw'r system dreulio. Cyn y gallwch chi ddefnyddio'r bwyd rhaid iddo gael ei dreulio. Rhaid i'r protein, y carbohydradau a'r brasterau gael eu dadelfennu'n foleciwlau llai. Yna, ynghyd â fitaminau a mwynau, rhaid i'r moleciwlau fynd i mewn i'ch celloedd.

eu torri i lawr yn foleciwlau bychan sy'n hydawdd mewn dŵr. Gall y moleciwlau hyn gael eu hamsugno i lif y gwaed, eu cludo o amgylch y corff, a'u defnyddio gan eich celloedd.

Mae treuliad yn digwydd mewn dau gam. Cam **mecanyddol** yw'r cam cyntaf: cnoi'r bwyd, yna bydd symudiad cyhyrau muriau'r system dreulio yn ei gorddi a'i gymysgu â gwahanol suddion treulio. Mae hyn i gyd yn paratoi ar gyfer ail gam treuliad, sy'n **gemegol**. Yn ystod y cam hwn, bydd **ensymau treulio** sy'n cael eu secretu gan y chwarennau treulio yn cwblhau'r gwaith.

Mae'r **system dreulio** yn cynnwys y llwybr ymborth ac organau eraill sy'n secretu ensymau treulio i'r llwybr ymborth trwy diwbiau o'r enw **dwythellau** (gw. Ffigur 3.19 ar dud. 65).

Y geg

Prif waith y geg yw paratoi bwyd ar gyfer cael ei dreulio. Mae **chwarennau poer** yn secretu **poer** i'r geg trwy ddwythellau sydd i'w cael gyferbyn â'ch cilddannedd (y rhai uchaf yn y cefn) a hefyd yng ngwaelod y geg, o dan y tafod (gw. Ffigur 3.20). Pan fydd rhywbeth yn 'tynnu dŵr o'ch dannedd', y chwarennau hyn sy'n secretu poer. Bydd hyn yn digwydd pan fyddwch chi'n blasu bwyd, neu wrth ei arogli neu'i weld yn unig. Pan fydd chwant bwyd arnoch, gall hyd yn oed meddwl am fwyd wneud i boer gael ei secretu.

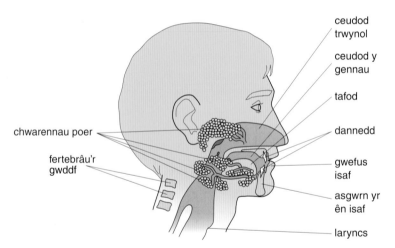

Ffigur 3.20 Y geg: lleoliad y chwarennau poer

Treuliad yn y geg

Mae treuliad cemegol yn cychwyn yn y geg: mae ensym yn dechrau treulio startsh yma. Dŵr yw tua 95% o'r poer. Mae hefyd yn cynnwys ensym o'r enw **carbohydras**. Mae hwn yn newid startsh yn fath o siwgr. Dylai bwydydd startslyd, tatws er enghraifft, gael eu coginio cyn eu bwyta. Mae hyn yn chwalu'r cellfuriau cellwlos ac yn gadael i'r carbohydras gyrraedd y starts yn y celloedd. Dim ond am gyfnod byr mae bwyd yn y geg, felly nid yw treuliad startsh fel arfer wedi'i gwblhau erbyn i'r bwyd gael ei lyncu (gw. Ffigur 3.21).

Y stumog

Mae'r bwyd rydym ni'n ei lyncu yn mynd i'r **oesoffagws** (**y llwnc**), sy'n cysylltu'r geg â'r **stumog**. Mae haenau o gyhyr yn leinio muriau'r oesoffagws, gan roi cymorth i'r bwyd symud i'r stumog.

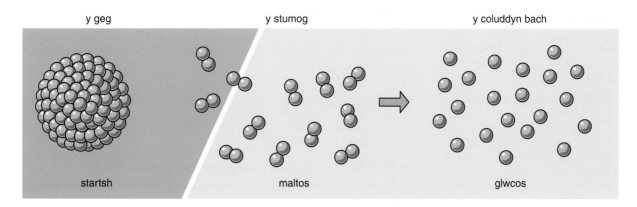

Ffigur 3.21 Carbohydrad yn cael ei dorri i lawr

Mae gan y stumog haenau o gyhyr sy'n cyfangu i gyfeiriadau gwahanol, gan wneud i'r stumog droi, gwasgu a chorddi. Pilen drwchus, yn llawn crychau ac ynddi lawer o chwarennau yw ei leinin. Mae tri math o chwarren yma: un math yn secretu **ensymau treulio**, math arall yn secretu **asid hydroclorig**, a thrydydd math yn secretu **mwcws**. Mae'r ensymau treulio sy'n cael eu cynhyrchu yn y stumog yn cychwyn treuliad protein. O dan amodau asidig yn unig y mae'r ensymau hyn yn gweithio, a dyna pam mae rhaid cynhyrchu asid hydroclorig. Fel arfer bydd bwyd yn aros yn y stumog am ddwyawr neu dair, cyn symud yn ei flaen i'r **coluddyn bach**.

Treuliad yn y stumog

Y prif ensym sy'n cael ei wneud yn y chwarennau yn leinin y stumog yw math o **broteas**. Mae'r ensym hwn yn gweithio ar brotein, yn hollti'r moleciwlau mawr yn grwpiau o asidau amino. Yr hollti hwn yw'r newid cemegol cyntaf mewn cyfres sy'n ymwneud â threuliad proteinau. Mae'r asid hydroclorig sy'n cael ei gynhyrchu yn y stumog yn helpu gwaith y proteas, a hefyd yn lladd llawer o facteria sydd efallai'n cyrraedd y stumog mewn bwyd.

Mae'r bwyd sy'n mynd o'r stumog i'r coluddyn bach yn cynnwys (a) brasterau, heb eu newid, (b) rhai siwgrau, heb eu newid, (c) startsh sydd heb gael ei newid gan y carbohydras yn y geg, (ch) proteinau ar ôl camau cyntaf eu torri i lawr, a (d) unrhyw broteinau sydd heb gael eu trin eto (gw. Ffigur 3.22).

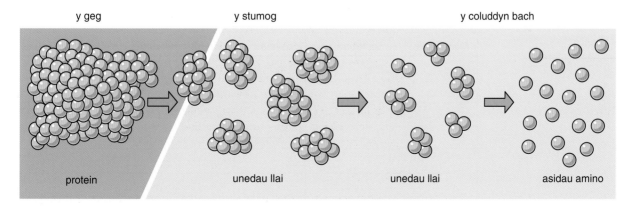

Ffigur 3.22 Protein yn cael ei dorri i lawr

Y coluddyn bach

Yn y coluddyn bach mae treuliad yn cael ei gwblhau. Dyma ran hiraf y system dreulio, ac mae ei ran olaf, yr **ilewm**, yn ymuno â'r **coluddyn mawr**.

Y coluddyn bach a threuliad

Mae o leiaf pum ensym ar waith yn y coluddyn bach i gwblhau proses treuliad:

- **Proteas** – yn cwblhau treuliad **protein** yn **asidau amino**.
- **Lipas** – yn cwblhau treuliad **brasterau** yn **glyserol** ac **asidau brasterog**.
- Tri **charbohydras** o leiaf yn cwblhau treuliad **carbohydradau** yn **glwcos**.

Erbyn hyn mae cynhyrchion treuliad yn hydawdd ac yn barod i adael y llwybr ymborth trwy gael eu **hamsugno** i lif y gwaed. Wedi cyrraedd yno, byddan nhw'n cael eu cludo i le bynnag mae eu hangen yn y corff.

Y pancreas a threuliad

Mae'r pancreas yn gwneud ensymau sy'n treulio pob un o'r tri phrif ddosbarth o fwydydd (gw. y crynodeb o'r broses dreulio yn Nhabl 3.1):

- **Proteas** sy'n parhau dadelfeniad proteinau a ddechreuodd yn y stumog. Mae'n eu newid yn foleciwlau llai fyth.
- **Carbohydras** sy'n newid unrhyw startsh sy'n weddill yn siwgr.
- **Lipas** sy'n hollti brasterau'n asidau brasterog a glyserol (gw. Ffigur 3.23).

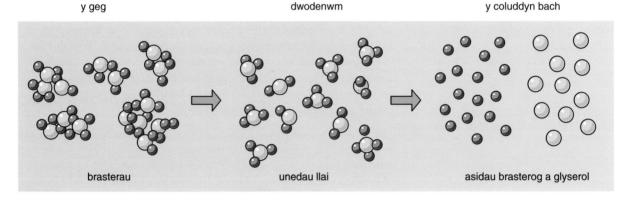

y geg dwodenwm y coluddyn bach

brasterau unedau llai asidau brasterog a glyserol

Ffigur 3.23 Braster yn cael ei dorri i lawr

Tabl 3.1 Crynodeb – treuliad

Man treulio	Secretiad	Ensymau	Gweithred dreulio
Y geg	Poer	Carbohydras	Newid startsh yn siwgr
Y stumog	Sudd gastrig	Proteas	Newid proteinau'n foleciwlau llai
Y coluddyn bach	Sudd pancreatig	Proteas	Newid proteinau'n foleciwlau llai
		Carbohydras	Newid startsh yn siwgr
		Lipas	Newid brasterau'n asidau brasterog a glyserol
	Sudd coluddol	Proteas	Newid protein yn asidau amino
		Carbohydras	Newid carbohydradau'n glwcos
		Lipas	Newid brasterau'n asidau brasterog a glyserol

Mae'r pancreas yn trosglwyddo ei ensymau treulio i'r coluddyn bach trwy'r **ddwythell bancreatig**. Mae'r pancreas hefyd yn cynhyrchu'r hormonau sy'n rheoli lefel y siwgr yn y gwaed (gw. yr adran am homeostasis ym Mhennod 2).

Wyddoch chi?

Damwain gyda gwn a'i gwnaeth hi'n bosibl gwneud rhai o'r archwiliadau cynharaf i dreuliad cemegol y tu mewn i berson byw. Cafodd bachgen ifanc 18 oed, Alexis St Martin, ei saethu'n ddamweiniol ym 1822. Bu fyw, gwellodd y clwyf ar wahân i dwll 5cm oedd yn arwain yn uniongyrchol i'w stumog. Cafodd Alexis fywyd normal a gweithgar, ond roedd y clwyf yn dwll sbecian i feddygon fedru gweld treuliad ar waith. Cafodd ei dalu i fod yn 'fochyn cwta', a bu fyw i fod yn 76 oed.

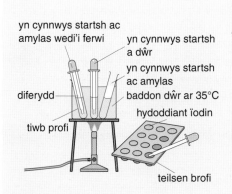

Ffigur 3.24 Cyfarpar sy'n cael ei ddefnyddio er mwyn profi effaith amylas ar startsh

Gwaith ymarferol

Archwilio effaith y carbohydras, amylas, ar startsh

1 Gwisgwch sbectol ddiogelwch. Byddwch yn ofalus rhag rhwbio eich llygaid wrth weithio gydag ensymau, gan y gall hyn achosi halogiad. Golchwch unrhyw ddiferion o hydoddiant yr ensym sy'n cyffwrdd â'ch croen oddi arno cyn gynted â phosibl.

2 Labelwch dri thiwb profi '1', '2' a '3'. Ychwanegwch ddaliant startsh 1% at bob un ohonynt (gw. Ffigur 3.24).

3 Berwch $2\,cm^3$ o amylas 1% mewn baddon dŵr am 1 munud, a'i ychwanegu at diwb profi 1.

4 Ychwanegwch $2\,cm^3$ o ddŵr distyll at diwb profi 2.

5 Ychwanegwch $2\,cm^3$ o amylas 1% heb ei ferwi at diwb profi 3.

6 Defnyddiwch ddiferydd i godi un diferyn o'r cymysgedd o bob un o diwbiau profi 1, 2 a 3 ar wahân.

7 Ychwanegwch y diferion yn unigol at hydoddiant ïodin mewn potasiwm ïodid ar ddeilsen brofi (gw. Ffigur 3.24).

8 Cofnodwch eich arsylwadau mewn tabl.

9 Gosodwch y tri thiwb profi mewn baddon dŵr ar 35oC.

10 Gwnewch brawf ar un diferyn o bob cymysgedd fesul 1 munud hyd at 30 munud.

11 Cofnodwch eich arsylwadau.

12 Cynlluniwch ddull o ganfod presenoldeb y sylwedd sy'n cael ei gynhyrchu o ganlyniad i'r adwaith yn nhiwb profi 3, yna rhowch y dull ar waith.

13 Ailadroddwch y broses ar wahanol dymereddau.

Ymchwilio i effaith y carbohydras amylas: dull arall yn defnyddio cyfrifiadur

Mae modd defnyddio synhwyrydd goleuni i fesur y goleuni sy'n cael ei drawsyrru trwy gymysgedd o startsh, amylas a hydoddiant ïodin mewn potasiwm ïodid. Wrth i'r startsh gael ei dreulio, mae lliw'r cymysgedd yn newid o lasddu i felynfrown. Mae'r synhwyrydd goleuni'n monitro'r newid lliw, a gellir plotio hyn ar graff.

Dull

1 Gwisgwch sbectol ddiogelwch. Byddwch yn ofalus rhag rhwbio eich llygaid wrth weithio gydag ensymau, gan fod hyn yn gallu achosi

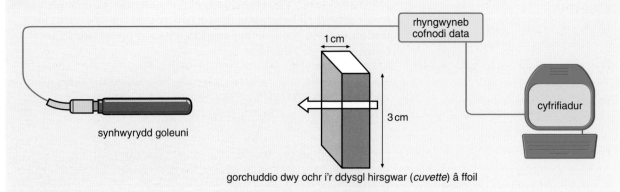

Ffigur 3.25 Y cyfarpar sydd ei angen ar gyfer monitro gweithgaredd amylas gan ddefnyddio cyfrifiadur

halogiad. Golchwch unrhyw ddiferion o hydoddiant yr ensym sy'n cyffwrdd â'ch croen oddi arno cyn gynted â phosibl.

2 Rhowch 1 cm³ o amylas ffres, 5 cm³ o hydoddiant startsh 0.1%, a thri diferyn o hydoddiant ïodin mewn potasiwm ïodid mewn dysgl hirsgwar.

3 Paratowch y ddysgl fel y dangosir yn Ffigur 3.25, a chysylltu synhwyrydd goleuni â system gofnodi data. Efallai y bydd rhaid ichi gofnodi am hyd at 15 munud cyn gweld unrhyw newid.

4 Edrychwch ar y graff, a labelu'r pwyntiau lle mae'n ymddangos bod treuliad startsh yn dechrau ac yn gorffen.

5 Ailadroddwch eich arbrawf gan ddefnyddio crynodiad gwahanol o startsh a chymharu'r ddau graff.

Ymchwilio i amsugniad yn y llwybr ymborth

1 Gwisgwch sbectol ddiogelwch.

2 Cydosodwch y cyfarpar sy'n cael ei ddangos yn Ffigur 3.26.

3 Yn syth wedi ichi gydosod y cyfarpar, rhowch brawf ar sampl o'r dŵr distyll gan ddefnyddio adweithydd Benedict fel hyn.

   a Cymerwch 5 cm³ o'r sampl ac ychwanegu yr un cyfaint o adweithydd Benedict ato.

   b Berwch y cymysgedd mewn baddon dŵr. Os bydd glwcos yn bresennol. bydd lliw'r adweithydd Benedict yn newid o las clir i wyrdd, yna yn felyn ac wedyn yn waddod oren-goch.

4 Yn syth wedi ichi gydosod y cyfarpar, rhowch brawf ar sampl arall o'r dŵr distyll gydag ïodin mewn potasiwm ïodid. Bydd lliw glasddu'n dynodi bod startsh yn bresennol.

5 Ailadroddwch y profion hyn bob 2 funud trwy gymryd samplau pellach o'r tiwb berwi.

6 Cofnodwch eich arsylwadau ar ffurf tabl.

7 Eglurwch eich arsylwadau.

   a Cynrychioli pa ran o'r llwybr ymborth mae'r tiwbin Visking?

   b Cynrychioli beth mae'r dŵr distyll?

   c Eglurwch sut mae'r arsylwadau'n arddangos pwysigrwydd ensymau treulio.

Ffigur 3.26 Y cyfarpar sy'n cael ei ddefnyddio i ymchwilio i amsugniad yn y llwybr ymborth

Cwestiynau

16 Beth yw swyddogaethau'r prif ddosbarthiadau o fwyd?

17 Eglurwch pam mae'n rhaid i'r corff gael dŵr.

18 Ym mha ddwy ffordd gyffredinol mae'n rhaid i fwyd gael ei newid yn ystod proses treuliad?

19 Rhestrwch raniadau'r llwybr ymborth yn eu trefn. Pa brosesau treulio sy'n digwydd ym mhob un ohonynt?

20 Pam mae hi'n arbennig o bwysig eich bod yn cnoi bara a thatws yn drwyadl?

21 Tybiwch eich bod wedi cael gwydraid o laeth a brechdan yn cynnwys bara, menyn a chyw iâr. Disgrifiwch beth fyddai'n digwydd i bob un o'r bwydydd hyn wrth iddynt gael eu treulio.

22 Pam mae'n fanteisiol fod yr amodau'n asidig yn y stumog ac yn alcalïaidd yn y coluddyn bach?

23 Beth yw mantais cael cellwlos yn y deiet?

24 Pam mae'n haws treulio llaeth wedi suro na llaeth ffres?

Maethiad planhigion

Ffotosynthesis

Mae egni'n cael ei ryddhau o danwydd ac mae'n un o anghenion sylfaenol pob peth byw. Mae'r egni sydd mewn bwyd yn cael ei ryddhau a'i ddefnyddio i gynnal yr organeb fyw. Felly er mwyn cadw'n fyw, rhaid i'r organeb gael cyflenwad o danwydd ar ffurf bwyd.

Gall planhigion droi amrywiaeth o gemegion syml yn foleciwlau cymhlyg bwyd trwy broses o'r enw **ffotosynthesis**. Mae dwy ran i'r gair hwn: 'ffoto', sy'n golygu goleuni, a 'synthesis', sy'n golygu gwneud. Felly, ystyr ffotosynthesis yw 'gwneud pethau â goleuni'. Sut mae hyn yn digwydd mewn planhigion? Mae yna sawl ffordd o ymchwilio i ateb y cwestiwn hwn. Gannoedd o flynyddoedd yn ôl cafodd arbrofion pwysig eu gwneud oedd yn dangos mai'r pedwar ffactor canlynol yw'r rhai pwysicaf:

- goleuni
- carbon deuocsid
- tymheredd
- cloroffyl.

Mae'n bosibl gwneud gwaith ymarferol i ymchwilio i bob un o'r rhain er mwyn profi bod eu hangen ar gyfer ffotosynthesis.

Gwaith ymarferol

Dangos bod bwyd (startsh) wedi ei storio mewn deilen

Bydd eich athrawon yn cynnal asesiad risg cyn ichi wneud y gwaith hwn. Byddwch chi'n defnyddio ethanol, sydd yn fflamadwy iawn.

Dull

1 Tynnwch ddeilen oddi ar blanhigyn sydd wedi cael ei adael yng ngolau'r haul am rai oriau. (Mynawyd y bugail (*Pelargonium*) sydd fwyaf addas gan fod ganddo ddail meddal â gorchudd gwrth-ddŵr tenau iawn.)

2 Daliwch y ddeilen â gefel, a'i lladd trwy ei rhoi mewn dŵr berwedig mewn bicer am 30 eiliad o leiaf.

3 Tynnwch y cloroffyl ohoni trwy socian y ddeilen mewn ethanol cynnes. Defnyddiwch faddon dŵr i wresogi'r ethanol. Byddwch yn ofalus iawn rhag i'r ethanol ddod i gysylltiad â fflam uniongyrchol.

4 Pan fydd y ddeilen yn ddi-liw neu'n felyn gwan, golchwch hi am ychydig eiliadau mewn dŵr oer mewn dysgl Petri.

5 Arllwyswch y dŵr o'r ddysgl a rhoi hydoddiant ïodin mewn potasiwm ïodid yn ei le.

6 Arsylwch ar unrhyw newid lliw. Bydd lliw du-las yn dangos bod startsh yn bresennol.

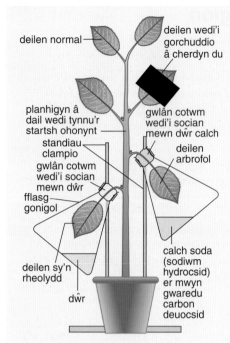

Ffigur 3.27 Cyfarpar sy'n cael ei ddefnyddio er mwyn dangos bod angen goleuni a charbon deuocsid ar gyfer ffotosynthesis.

Gwaith ymarferol

Dangos bod angen goleuni a charbon deuocsid ar gyfer ffotosynthesis

1 Tynnwch y startsh o blanhigyn trwy ei adael yn y tywyllwch am 48 awr. Yn ystod yr amser hwn, bydd unrhyw startsh sy'n bresennol yn y dail yn cael ei drawsnewid yn siwgr, ac yn cael ei symud o'r dail i'r coesyn neu'r gwreiddiau.

2 Cyn ichi gychwyn ar y prif arbrawf, gwnewch brawf am startsh ar un o ddail y planhigyn.

3 Gwisgwch sbectol ddiogelwch.

4 Gwnewch brawf i weld bod angen carbon deuocsid ar gyfer ffotosynthesis.
  a Dewiswch ddwy ddeilen sydd oddeutu'r un maint.
  b Gosodwch fflasg gonigol 250 cm^3 yn cynnwys 25 cm^3 o hydoddiant sodiwm hydrocsid neu botasiwm hydrocsid 5·M (sy'n gyrydol) am ddeilen sydd wedi ei dewis ar gyfer yr arbrawf, fel y dangosir yn Ffigur 3.27 (h.y. deilen arbrofol). Bydd y sodiwm hydrocsid yn gwaredu'r carbon deuocsid. Bydd plwg o wlân cotwm wedi ei socian mewn dŵr calch yn rhwystro carbon deuocsid rhag mynd i'r fflasg.
  c Paratowch ddeilen arall fel rheolydd, yn yr un modd â'r ddeilen arbrofol, ond gan ddefnyddio 25 cm^3 o ddŵr yn hytrach na photasiwm hydrocsid. Gosodwch blwg o wlân cotwm wedi ei socian mewn dŵr yn y fflasg.

5 Gwnewch brawf i weld bod angen goleuni ar gyfer ffotosynthesis.
  a Dewiswch ddwy ddeilen sydd oddeutu'r un maint.
  b Gorchuddiwch y ddeilen arbrofol â cherdyn du (gw. Ffigur 3.27).

6 Wedi iddynt dderbyn goleuni am nifer o oriau, gwnewch brawf am startsh ar y dail.

7 Cofnodwch eich arsylwadau mewn tabl.

Cyflwr	Deilen	Arsylwadau wedi'r prawf startsh
Gyda charbon deuocsid	Arbrofol	
Dim carbon deuocsid	Rheolydd	
Gyda goleuni	Arbrofol	
Dim goleuni	Rheolydd	

8 Eglurwch eich arsylwadau.

Ffigur 3.28 Dail brith *Pelargonium* (mynawyd y bugail)

Gwaith ymarferol

Dangos bod angen cloroffyl ar gyfer ffotosynthesis

Un o'r ffyrdd gorau o wneud hyn yw trwy ddefnyddio deilen fraith o blanhigyn mynawyd y bugail (*Pelargonium*) (gw. Ffigur 3.28). Rhannau gwyrdd y ddeilen yn unig sy'n cynnwys cloroffyl.

Dull

1 Tynnwch y startsh o'r planhigyn trwy ei adael yn y tywyllwch am 48 awr.

2 Gadewch y planhigyn yng ngolau lamp lachar am nifer o oriau.

3 Rhowch brawf am startsh ar un o ddail y planhigyn, yn ôl y disgrifiad uchod.

4 Cofnodwch eich canlyniadau.

5 Eglurwch eich canlyniadau.

Cipio egni

Yr Haul yw ffynhonnell egni popeth byw ar y Ddaear, ond mae hyd at 50% o'i egni yn cael ei adlewyrchu'n ôl i'r gofod ac nid yw byth yn cyrraedd arwyneb y Ddaear. Cymharol ychydig o egni'r Haul sydd yn cyrraedd arwyneb y Ddaear yn y pen draw, a hwnnw ar ffurf goleuni a gwres. Mae pigment gwyrdd o'r enw cloroffyl sydd i'w gael yn nail a choesynnau planhigion, a hwnnw sy'n cipio'r goleuni. Mae rhai planhigion nad ydyn nhw'n edrych yn wyrdd, er enghraifft gwymonau coch a brown a llawer o blanhigion addurnol â dail lliwgar, ond maent hwythau'n gallu dal cipio goleuni. Mae cloroffyl yn y planhigion hyn hefyd, ond ei fod yn cael ei guddio gan bigmentau eraill.

Mae goleuni gwyn gweledol yn cynnwys saith lliw'r sbectrwm wedi cyfuno i'w gilydd, ond fel arfer nid ydym ni'n ymwybodol o hyn ar wahân i'r adegau pan welwn ni enfys. Fodd bynnag, mewn labordy, gellir hollti goleuni i'w saith lliw trwy ddefnyddio prism. Mae planhigion gwyrdd yn defnyddio'r lliwiau coch a glas yn bennaf ac yn adlewyrchu'r lleill, gwyrdd yn arbennig. Dyna pam mae planhigion yn ymddangos yn wyrdd. Lliwiau'r goleuni mae planhigion yn eu hamsugno sy'n darparu'r egni iddynt adeiladu moleciwlau cymhlyg o fwyd o foleciwlau bach carbon deuocsid a dŵr. Y moleciwlau bwyd sy'n cael eu ffurfio gyntaf yw glwcos. Gall y planhigyn ddefnyddio hwn fel tanwydd, neu ei newid yn startsh ar gyfer ei storio. Mae adweithiau cemegol pellach yn defnyddio glwcos i wneud cellwlos ar gyfer cellfuriau, a phroteinau a brasterau sy'n cael eu storio.

Ble yn y ddeilen mae'r egni yn cael ei gipio?

Mae gan gloroffyl, ynghyd â phigmentau eraill sydd yn nail a choesynnau planhigion, swyddogaeth hanfodol mewn ffotosynthesis. Mae **cloroffyl** i'w gael wedi'i bacio mewn **cloroplastau** (gw. yr adran am gelloedd planhigion yn cynhyrchu bwyd yn y bennod hon). Mae dail planhigion wedi ymaddasu'n arbennig o dda ar gyfer cipio egni a gweithredu fel canolfan ffotosynthesis. Dychmygwch fod gennych chi'r gallu i wneud deilen. Pa nodweddion y byddech chi'n eu rhoi iddi hi er mwyn iddi wneud ei gwaith yn dda?

Dyma rai awgrymiadau:

- arwynebedd arwyneb eang fel bod y ddeilen yn cipio cymaint o egni goleuni ag sy'n bosibl ac yn amsugno cymaint o garbon deuocsid ag sy'n bosibl
- tenau iawn fel nad yw'r un gell yn bell o'r ffynhonnell goleuni
- celloedd sy'n gadael i oleuni dreiddio trwyddynt (tryloyw)
- cloroffyl wedi'i ddosbarthu mewn cloroplastau sy'n agos at arwyneb uchaf y ddeilen
- y ddeilen yn trefnu ei lleoliad fel nad yw hi'n cael ei chysgodi gan ddail eraill, ac felly'n derbyn cymaint â phosibl o oleuni
- tyllau yn y ddeilen i ganiatáu iddi hi gyfnewid nwyon
- gwagleoedd rhwng celloedd i ganiatáu i nwyon symud trwy'r ddeilen
- system gyflenwi ddatblygedig i gludo dŵr a halwynau i'r celloedd
- system ddosbarthu er mwyn 'allforio' bwyd sydd wedi'i gynhyrchu yno o'r ddeilen.

Os byddwn ni'n astudio deilen planhigyn yn fanwl o dan ficrosgop, mae'r manylion hyn i'w gweld (gw. Ffigur 3.29).

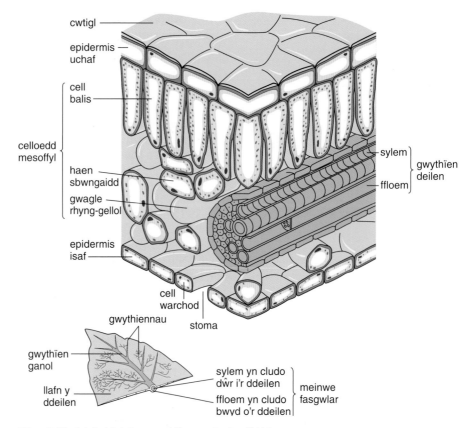

Ffigur 3.29 Adeiledd deilen, uned ffotosynthetig effeithlon

Y defnyddiau crai

Yr elfennau sydd eu hangen ar gyfer ffotosynthesis yw carbon o garbon deuocsid, ac ocsigen a hydrogen o ddŵr. Mae carbon deuocsid yn cyrraedd y planhigyn o ddwy ffynhonnell bosibl: o gynhyrchion gwastraff resbiradaeth yn y planhigyn ei hun, ac o'r atmosffer, sy'n cynnwys tua 0.04% o'r cynhyrchion hyn. Mae'r nwy yn tryledu o'r aer i'r ddeilen trwy dyllau o'r enw **stomata**. Tra bo'r cloroffyl yn parhau i'w ddefnyddio, bydd symudiad y carbon deuocsid i'r ddeilen i lawr graddiant trylediad yn parhau. O'r pridd, a thrwy'r gwreiddiau mae dŵr yn cyrraedd y planhigyn. Yna bydd yn cael ei gludo i'r dail trwy diwbiau o'r enw **pibellau sylem**.

Dyma'r hafaliad geiriau ar gyfer proses ffotosynthesis:

$$\text{carbon deuocsid} \ + \ \text{dŵr} \ \xrightarrow[\text{cloroffyl}]{\text{goleuni}} \ \text{glwcos} \ + \ \text{ocsigen}$$

Gwaith ymarferol

Arddangos bod ocsigen yn cael ei gynhyrchu yn ystod ffotosynthesis

Nid yw metelau'n rhydu oni bai bod ocsigen yn bresennol. Gallwch chi gymhwyso'r egwyddor hon i ddangos bod ocsigen yn cael ei gynhyrchu o ganlyniad i ffotosynthesis. Er mwyn gwneud hynny rhaid i'r amgylchedd fod yn ddi-ocsigen ar ddechrau'r arbrawf.

Dull

1 Cydosodwch ddau diwb sbesimen A a B (gw. Ffigur 3.30).

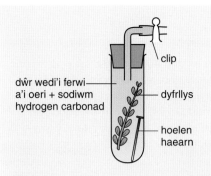

Ffigur 3.30 Cyfarpar sy'n cael ei ddefnyddio i arddangos bod ocsigen yn cael ei gynhyrchu yn ystod ffotosynthesis

2 Llanwch nhw â dŵr wedi'i ferwi a'i oeri yn cynnwys 2g o sodiwm hydrogen carbonad.

3 Rhowch ddarnau cyfartal eu maint o'r dyfrllys, alaw Canada (*Elodea*), sydd wedi cael ei adael yn y tywyllwch am 24 awr, yn y ddau diwb sbesimen.

4 Rhowch hoelen haearn newydd yn y ddau diwb sbesimen a thopyn yng ngheg pob tiwb. Gwnewch yn siŵr nad oes gofod aer ym mhennau'r tiwbiau.

5 Gorchuddiwch diwb B â ffoil i atal goleuni rhag cyrraedd y planhigyn.

6 Gadewch y tiwbiau yng ngolau lamp lachar am awr, yna arsylwch yn fanwl ar yr hoelion yn y ddau diwb.

Cwestiynau

- Eglurwch eich arsylwadau.
- Nodwch pam y gwnaethoch chi ferwi'r dŵr cyn dechrau'r arbrawf.
- Nodwch beth yw pwrpas y sodiwm hydrogen carbonad.
- Pam mae hi'n bwysig llenwi'r tiwbiau'n llawn â dŵr sydd wedi'i ferwi a'i oeri?

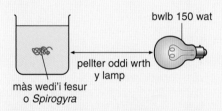

Ffigur 3.31 Cyfarpar sy'n cael ei ddefnyddio i ymchwilio i effaith cryfder goleuni ar gyfradd ffotosynthesis

Gwaith ymarferol

Ymchwilio i effaith cryfder goleuni ar gyfradd ffotosynthesis gan ddefnyddio *Spirogyra*

Planhigyn cyntefig (math o alga) yw *Spirogyra*, sydd fel arfer yn byw mewn pyllau dŵr croyw. Gan mai alga ydyw, nid yw wedi'i wreiddio wrth waelod y pwll.

Dull

1 Gosodwch ddarn o *Spirogyra* mewn bicer mawr o ddŵr a'i adael yn y tywyllwch am 24 awr.

2 Gosodwch fàs cyfartal o *Spirogyra* ym mhob un o bum bicer, sydd â 100 cm^3 o ddŵr distyll a 0.5 g o sodiwm hydrogen carbonad ynddynt. Golchwch eich dwylo ar ôl gafael yn y *Spirogyra*.

3 Gosodwch y biceri ar bellteroedd cynyddol oddi wrth lamp gref (150W).

4 Mewn tabl, cofnodwch yr amser a gymerodd i *Spirogyra* godi i arwyneb yr hylif.

	Bicer 1	Bicer 2	Bicer 3	Bicer 4	Bicer 5
Pellter oddi wrth y lamp/cm	5	25	50	75	100
Amser i'r *Spirogyra* godi					

Cwestiynau

- Plotiwch eich canlyniadau ar ffurf graff llinell. Tynnwch linell ffit gorau.
- Eglurwch eich canlyniadau.
- Rhestrwch unrhyw ffynonellau gwallau a fyddai efallai wedi gwneud i'r *Spirogyra* godi'n gyflymach na'r disgwyl, yn arbennig ym micer 1.

Gwaith ymarferol

Monitro ffotosynthesis

Gan fod ocsigen yn cael ei ryddhau'n ystod ffotosynthesis, gellir defnyddio cyfradd cynhyrchu ocsigen i fesur y gweithgaredd ffotosynthetig. Mae'n bosibl ymchwilio i brif ffactorau cyfyngol ffotosynthesis (gw. yr adran ar ddefnyddiau crai ffotosynthesis ar dudalen 74) trwy gyfri'r swigod sy'n cael eu cynhyrchu mewn amser penodol, neu trwy fesur cyfaint y nwy sy'n cael ei gynhyrchu mewn amser penodol.

Dull

1 Defnyddiwch naill ai'r disgrifiad o'r arbrawf yn Ffigur 3.32 neu'r un yn Ffigur 3.33 i ymchwilio i effeithiau cryfder goleuni, crynodiad carbon deuocsid a thymheredd ar gyfradd ffotosynthesis y dyfrllys, alaw Canada, *Elodea*.

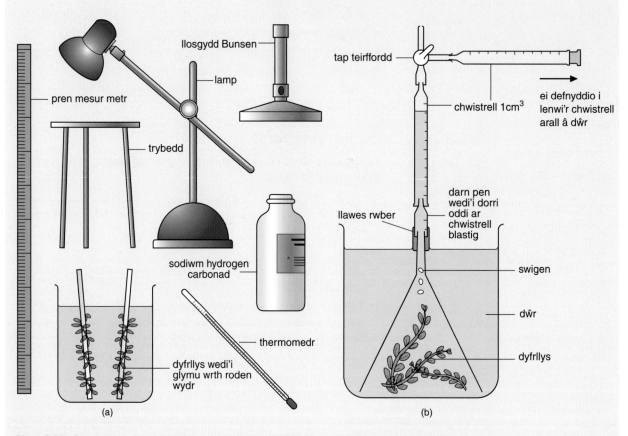

Ffigur 3.32 Cyfarpar sy'n cael ei ddefnyddio i ymchwilio i'r ffactorau sy'n effeithio ar gyfradd ffotosynthesis

2 Plotiwch eich canlyniadau ar ffurf graffiau, a'u gwerthuso o safbwynt casgliadau dilys, ffynonellau gwallau posibl, a gwelliannau posibl.

Trwy ddefnyddio hidlyddion lliw neu seloffan lliw wedi'i lynu wrth y biceri, gallwch chi ymchwilio i effeithiau gwahanol donfeddi goleuni ar gyfradd ffotosynthesis.

Cwestiynau

- A yw goleuni o wahanol liwiau'n effeithio ar beth sy'n digwydd yn ystod ffotosynthesis?
- Sut mae glaw asid yn effeithio ar ffotosynthesis?

Monitro ffotosynthesis: dull arall yn defnyddio cyfrifiadur

Gellir defnyddio synwyryddion i fonitro faint o ocsigen sy'n cael ei gynhyrchu a faint o garbon deuocsid sy'n cael ei godi. Gall electrod ocsigen fesur lefelau ocsigen, a gall electrod pH fesur newidiadau yn lefelau'r carbon deuocsid. Gellir defnyddio cofnodydd data i gasglu'r darlleniadau'n awtomatig dros gyfnod o ychydig ddyddiau.

Dull

1. Er mwyn monitro faint o ocsigen sy'n cael ei gynhyrchu, gosodwch electrod ocsigen mewn fflasg gyda hydoddiant sodiwm hydrogen carbonad ac *Elodea* ffres (gw. Ffigur 3.33). Gosodwch y fflasg a synhwyrydd goleuni yn agos at ffenestr.

2. Cysylltwch y synwyryddion ocsigen a goleuni â system gofnodi data a'u gadael yn cofnodi am 24 awr o leiaf.

3. Meddyliwch am sut y bydd cryfder y goleuni yn newid yn ystod eich arbrawf, ac yna brasluniwch graff i ddangos hyn.

4. Yna meddyliwch sut y bydd lefel yr ocsigen yn newid, ac ychwanegwch graff bras i ddangos hyn.

5. Cymharwch eich rhagfynegiadau â'ch canlyniadau.

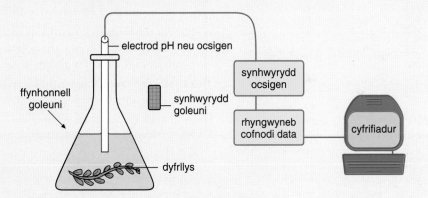

Ffigur 3.33 Defnyddio cyfrifiadur i fonitro ffotosynthesis

6. Er mwyn monitro faint o garbon deuocsid sy'n cael ei ddefnyddio, gosodwch electrod pH mewn fflasg gyda hydoddiant sodiwm hydrocsid ac *Elodea* ffres.

7. Clampiwch yr electrod yn agos i'r planhigyn lle bydd yn monitro newidiadau bach yn y pH.

8. Gosodwch synhwyrydd goleuni yn agos at y fflasg, a chysylltu'r synwyryddion ocsigen a goleuni â system gofnodi data.

9. Dechreuwch gofnodi, a daliwch ati am tua 30 munud.

10. Am y 10 munud cyntaf, gorchuddiwch y fflasg â ffoil. Am y 10 munud nesaf, tynnwch y ffoil oddi arni, ac am y 10 munud olaf, cynheuwch lamp lachar.

11. Eglurwch eich canlyniadau.

Crynodeb

1 Y gell yw uned sylfaenol pob peth byw.

2 Mae rhai pethau'n debyg, a rhai pethau'n wahanol, yn adeiledd a datblygiad celloedd planhigion ac anifeiliaid.

3 Mae bôn-gelloedd embryonau'n cadw eu gallu i ddatblygu yn feinweoedd gwahanol, ac felly gellir eu defnyddio i drin rhai clefydau.

4 Mae ensymau'n cyflymu cyfraddau adweithiau cemegol sy'n digwydd mewn celloedd.

5 Rhyddhau egni o glwcos mewn celloedd byw yw resbiradaeth. Gall resbiradaeth ddigwydd gydag ocsigen neu hebddo.

6 Trylediad yw symudiad gronynnau i lawr graddiant crynodiad.

7 Osmosis yw trylediad moleciwlau dŵr trwy bilen athraidd-ddetholus.

8 Cludiant actif yw symudiad moleciwlau yn erbyn graddiant crynodiad, ac mae angen egni ar gyfer hyn.

9 Mae angen bwyd ar anifeiliaid er mwyn rhyddhau egni ac er mwyn tyfu.

10 Treuliad yw torri moleciwlau mawr anhydawdd o fwyd i lawr yn foleciwlau bach o fwyd y gellir eu hamsugno i lif y gwaed.

11 Mae treuliad yn digwydd mewn system sy'n cynnwys amrywiaeth o chwarennau ac organau.

12 Ym mhroses ffotosynthesis mae cloroffyl yn cael ei ddefnyddio i gipio egni goleuni a thrawsnewid carbon deuocsid a dŵr yn glwcos ac ocsigen.

13 Mae cyfradd ffotosynthesis yn dibynnu ar dymheredd, carbon deuocsid a chryfder goleuni.

Cwestiynau

25 Eglurwch pam mae ffotosynthesis yn hanfodol i bron i bob ffurf ar fywyd.

26 Diffiniwch ffotosynthesis gan ddefnyddio hafaliad geiriau.

27 Ysgrifennwch adroddiad am yr amodau sy'n effeithio ar ffotosynthesis.

Pennod 4 Cyd-ddibyniaeth organebau

Erbyn diwedd y bennod hon dylech:

- ddeall sut mae disgrifio cadwynau bwydydd yn feintiol trwy ddefnyddio pyramidiau niferoedd a phyramidiau biomas;
- deall sut mae egni'n cael ei drosglwyddo trwy ecosystem;
- deall swyddogaeth microbau ac organebau eraill ym mhrosesau dadelfennu defnyddiau organig a chylchredau carbon a nitrogen;
- gwybod beth yw effeithiau cadarnhaol ac effeithiau negyddol gweithgaredd pobl ar yr amgylchedd;
- gwybod sut mae rheoli cynhyrchu bwyd er mwyn gwella effeithlonrwydd trosglwyddo egni.

Trosglwyddo egni a maetholion

Cadwynau bwydydd

Planhigion yw'r dolennau cyntaf ym mhob **cadwyn fwyd** gan mai nhw yw'r **cynhyrchwyr** – nhw sy'n newid yr egni goleuni mewn golau haul yn egni cemegol sy'n cael ei storio. Pan fydd llysysyddion yn bwyta planhigion, bydd peth o'r egni hwn yn cael ei drosglwyddo i'r ddolen nesaf, sef yr **ysyddion** yn y gadwyn fwyd. Pan fydd cigysydd yn bwyta'r llysysydd, bydd y broses drosglwyddo egni'n cael ei hailadrodd. Mae egni'n symud yn y ffordd hon o gigysyddion i garthysyddion a dadelfenyddion, sy'n bwydo ar organebau marw. Fodd bynnag, nid yw'r holl egni sydd wedi'i storio gan y llysysydd yn cael ei storio gan y cigysydd sy'n bwyta hwnnw. Mae llawer ohono'n cael ei ddefnyddio ar gyfer prosesau byw fel symud, tyfu ac atgenhedlu. Bydd peth ohono hefyd yn cael ei wastraffu ar ffurf gwres yn ystod resbiradaeth. Egni dros ben yn unig mae'r cigysydd yn ei storio.

Meddyliwch am y gadwyn fwyd, a'r llif egni trwyddi, sy'n digwydd pan fyddwn ni'n bwyta pysgodyn fel tiwna. I ddechrau, mae plancton planhigol (algâu microsgopig) yn defnyddio egni o'r Haul. Yna mae'r egni hwnnw'n cael ei drosglwyddo i blancton anifeilaidd, yna i bysgod bach, yna i bysgod mwy, yna i diwna ac yna i ni. Fel arfer nid oes ysglyfaethwr i'n bwyta ni, felly ninnau yw'r cigysyddion ar frig y gadwyn fwyd hon.

> plancton planhigol → plancton anifeilaidd → pysgod bach → pysgod mawr → tiwna → pobl

A dweud y gwir, byddai'n bosibl rhestru cannoedd o rywogaethau eraill a allai fod yn fwyd ar gyfer yr anifeiliaid uchod, a thynnu saethau i ddangos y llif egni. Byddai eich diagram yn debycach i we yn hytrach na chadwyn (gw. Ffigur 4.1). Am y rheswm hwn, **gweoedd bwydydd** yw'r enw ar gadwynau bwydydd sy'n gysylltiedig â'i gilydd.

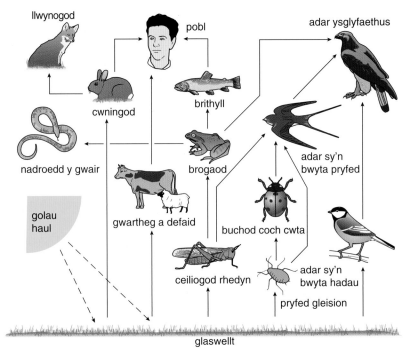

llwynogod   pobl   adar ysglyfaethus

cwningod

brithyll

nadroedd y gwair

adar sy'n bwyta pryfed

golau haul

gwartheg a defaid

brogaod

buchod coch cwta

adar sy'n bwyta hadau

ceiliogod rhedyn

pryfed gleision

glaswellt

Ffigur 4.1 Gwe fwydydd nodweddiadol

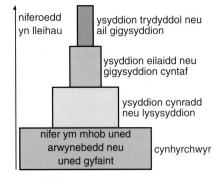

niferoedd yn lleihau

ysyddion trydyddol neu ail gigysyddion

ysyddion eilaidd neu gigysyddion cyntaf

ysyddion cynradd neu lysysyddion

nifer ym mhob uned arwynebedd neu uned gyfaint

cynhyrchwyr

Ffigur 4.2 Pyramid niferoedd cyffredinol

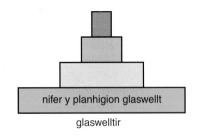

nifer y planhigion glaswellt

glaswelltir

Ffigur 4.3 Pyramid niferoedd ar gyfer glaswelltir

Pyramidiau bwydydd a throsglwyddo egni

Gallwn ddangos perthnasoedd bwydo ar ffurf pyramidiau (gw. Ffigur 4.2). O'r rhain, gallwn ddysgu mwy am yr egni sydd ar gael i organebau sy'n byw mewn ardal neu gyfaint mesuredig. Mae tair ffordd o ddylunio'r pyramidiau hyn:

- pyramid niferoedd sy'n dangos nifer yr organebau ym mhob uned arwynebedd neu uned gyfaint ym mhob lefel fwydo
- pyramid biomas sy'n dangos màs sych y defnydd organig ym mhob uned arwynebedd neu uned gyfaint ym mhob lefel fwydo
- pyramid egni sy'n dangos y llif egni trwy'r lefelau bwydo.

Gall y ddau ddull cyntaf fod yn gamarweiniol fel gwir ddarlun o lif egni, am y rhesymau canlynol.

Nodwch mai pyramid niferoedd ar gyfer cae gwair yw Ffigur 4.3, ac un ar gyfer coetir yw Ffigur 4.4. Mae'r siapiau'n hollol wahanol, er eu bod wedi eu llunio trwy gyfrif organebau unigol. Mewn coetir, gall pob coeden gynnal miloedd o anifeiliaid, ac felly mae sylfaen y pyramid yn llai na'r lefel uwch ei phen.

Nodwch fod gan Ffigur 4.6, yr un â phlancton planhigol fel sylfaen, lefel gynradd sy'n fwy na'r sylfaen. Y rheswm dros hyn yw gallu biomas plancton i newid yn ôl y tymor. Nid oedd amser yn ystyriaeth wrth lunio'r pyramid. Mae Ffigur 4.5, ar gyfer coetir, o siâp mwy confensiynol.

Mae nifer y dolenni mewn cadwyn fwyd yn cael ei gyfyngu gan yr egni cemegol sydd ar gael. Wrth i gyfanswm yr egni cemegol ym mhob lefel fwydo leihau, lleihau hefyd mae faint o ddefnydd byw y gall y lefel honno ei gynnal. Pan na fydd egni cemegol ar ôl, bydd y gadwyn fwyd (a'r pyramid) yn dod i ben.

Dim ond 1% o'r egni goleuni a ddaw o'r haul y gall y planhigion sydd ar ddechrau'r gadwyn fwyd ei ddal. Nid yw effeithlonedd trosglwyddo'r egni hwn o un lefel fwydo i'r nesaf fyth yn 100%. Ar gyfartaledd, tua 10% o'r

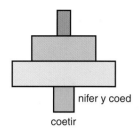

Ffigur 4.4 Pyramid niferoedd ar gyfer coetir

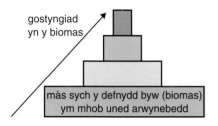

Ffigur 4.5 Pyramid biomas ar gyfer coetir

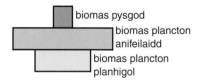

Ffigur 4.6 Pyramid biomas ar gyfer y môr

egni o'r lefel flaenorol sydd ar gael ar gyfer y lefel nesaf, a hwnnw ar ffurf egni cemegol sy'n cael ei storio mewn meinweoedd corff newydd. Bydd yr egni sy'n weddill yn gadael y gadwyn fwyd mewn cynhyrchion gwastraff sy'n cael eu hysgarthu, ar ffurf gwres sy'n cael ei golli yn ystod resbiradaeth, neu ar ffurf egni sy'n cael ei ddefnyddio ar gyfer cynnal ac atgyweirio celloedd. Mae angen biomas enfawr o gynhyrchwyr i gynnal biomas bychan o gigysyddion ar ben draw cadwyn fwyd.

Defnyddio meddalwedd i astudio newidiadau mewn poblogaethau

Mae meddalwedd cyfrifiadurol yn caniatáu i fiolegwyr fodelu, neu ragfynegi, sut y bydd niferoedd yr anifeiliaid mewn poblogaeth yn newid dros lawer o genedlaethau. Er enghraifft, gallwch chi ddefnyddio taenlen i ddangos twf poblogaeth o lwynogod a chwningod, ac i astudio effaith newid eu cyfraddau genedigaethau a'u cyfraddau marwolaethau. Gall y daenlen ddangos hyn ar ffurf graff sy'n dangos nifer yr anifeiliaid yn erbyn amser.

Y gylchred garbon

Wrth iddynt glywed am ficrobau a bacteria, mae'n anffodus y bydd y rhan fwyaf o bobl yn eu cysylltu â 'germau' ac afiechyd.

> ### Cwestiynau
>
> 1 Enwch a diffiniwch y gwahanol fathau o organebau mewn cadwyn fwyd sydd â phum dolen iddi. Dechreuwch â'r cynhyrchwyr bwyd a rhowch fodau dynol ar ei diwedd.
>
> 2 Eglurwch beth y byddai angen ichi ei wybod er mwyn newid cadwyn fwyd yn byramid biomas.
>
> 3 Eglurwch pam mae ffotosynthesis yn hanfodol ar gyfer bron i bob ffurf ar fywyd.
>
> 4 Tynnwch ddiagram o we fwydydd sy'n bodoli yn eich ardal leol.

Mewn gwirionedd, nid oes dim cysylltiad o gwbl rhwng y mwyafrif llethol o facteria ac afiechyd; mae'r rhan fwyaf ohonynt yn gwbl ddiniwed. A dweud y gwir, oni bai am y cymorth mae llawer o facteria yn ei roi i ni, byddai bywyd fel mae'n gyfarwydd i ni yn amhosibl. Nifer cymharol fach yn unig, o'r enw pathogenau, sy'n achosi niwed inni. Peth da yw hynny, gan fod miliynau o facteria'n cytrefu yn ein cyrff drwy'r amser, waeth pa mor ofalus y byddwn ni ynglŷn â hylendid.

Mae rhai bacteria a ffyngau'n hanfodol ar gyfer ailgylchu defnyddiau yn ein hamgylchedd. Mae un grŵp yn dadelfennu pethau marw, gan wneud iddynt ymddatod yn gemegion y gall grŵp arall eu defnyddio er mwyn cychwyn y broses grynhoi eto. Heb y **dadelfenyddion** hyn, byddem ni'n cael ein mygu gan werth miliynau ar filiynau o flynyddoedd o organebau marw. Mae dwy gylchred sy'n hanfodol i'n bywydau yn arddangos hyn (gw. Ffigurau 4.7 a 4.8).

Y gyntaf yw'r **gylchred garbon** (gw. Ffigur 4.7). Mae dwy o brosesau sylfaenol bywyd yn rhan o'r gylchred garbon – resbiradaeth a ffotosynthesis. Mae anifeiliaid a phlanhigion yn codi ocsigen ar gyfer resbiradaeth (gw. yr adran am resbiradaeth ym Mhennod 3). Yn ystod resbiradaeth mae glwcos, sy'n cynnwys carbon, yn cael ei ocsidio. O ganlyniad, mae carbon deuocsid yn cael ei ryddhau i'r amgylchedd. Petai'r prosesau hyn yn parhau, byddai'r cyflenwad ocsigen yn darfod, a byddai carbon deuocsid yn parhau i grynhoi yn yr atmosffer. Fodd bynnag, mae natur wedi datblygu dull ailgylchu hynod o effeithiol er mwyn cadw lefelau'r ocsigen a charbon deuocsid yn yr atmosffer yn gymharol gyson.

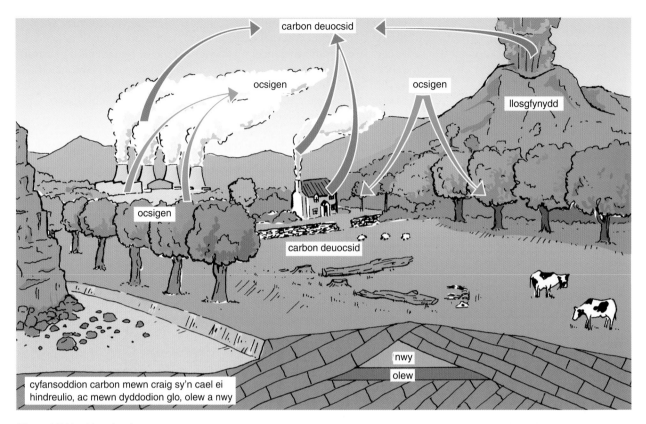

carbon deuocsid

ocsigen

ocsigen

llosgfynydd

ocsigen

carbon deuocsid

nwy

olew

cyfansoddion carbon mewn craig sy'n cael ei hindreulio, ac mewn dyddodion glo, olew a nwy

Ffigur 4.7 Y gylchred garbon

Pan mae ffotosynthesis yn digwydd mewn planhigion, maen nhw'n codi'r carbon deuocsid a fyddai fel arall yn crynhoi yn yr atmosffer, ac maen nhw'n rhyddhau ocsigen fel cynnyrch gwastraff. Yn ystod ffotosynthesis, mae planhigion yn gwneud mwy na digon o fwyd iddynt eu hunain. Mae anifeiliaid sy'n bwyta planhigion yn manteisio ar hyn, ac yn defnyddio'r bwydydd sy'n cael eu cynhyrchu yn ystod ffotosynthesis er mwyn gwneud eu celloedd eu hunain. Yn eu tro, mae'r llysysyddion hyn yn cael eu bwyta gan gigysyddion, a phan fydd unrhyw organeb yn marw, bydd ffyngau a **bacteria pydru** hanfodol yn dadelfennu'r defnyddiau organig sydd ynddi. Wrth i'r micro-organebau resbiradu ac i'r cyrff marw bydru, mae'r carbon yn cael ei ryddhau ar ffurf carbon deuocsid. Bydd carbon deuocsid hefyd yn cael ei ryddhau i'r atmosffer wrth losgi tanwyddau ffosil.

Y gylchred nitrogen

Mae cylchred arall, sy'n ymwneud â nitrogen (gw. Ffigur 4.8), hefyd yn arddangos pa mor hanfodol yw bacteria er mwyn inni allu goroesi. Mae'r **gylchred nitrogen** yn cynnwys planhigion, anifeiliaid ac amryw o fathau o facteria. Bydd gwreiddiau'r planhigion yn amsugno nitradau o'r pridd er mwyn eu defnyddio i wneud proteinau. Pam nad yw planhigion yn defnyddio'r holl nitradau yn y byd?

Bydd llysysyddion yn cael proteinau trwy fwyta planhigion. Bydd cigysyddion yn cael proteinau trwy fwyta llysysyddion. Nid yw'r holl brotein mae'r anifeiliaid hyn yn ei fwyta yn cael ei ddefnyddio i adeiladu celloedd. Mae'r protein maen nhw'n ei fwyta yn cael ei dreulio yn asidau amino (gw. yr adran am dreuliad ym Mhennod 3), ond mae yna fwy o'r blociau adeiladu hyn nag y mae'r anifail eu hangen ar gyfer adeiladu'i gorff ei hun.

U

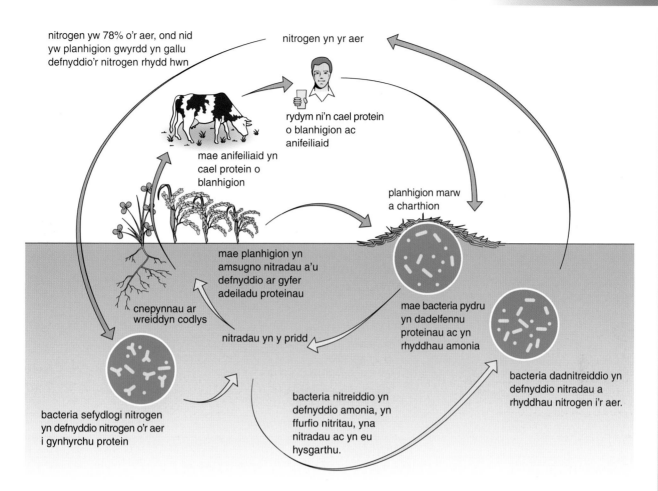

nitrogen yw 78% o'r aer, ond nid yw planhigion gwyrdd yn gallu defnyddio'r nitrogen rhydd hwn

nitrogen yn yr aer

rydym ni'n cael protein o blanhigion ac anifeiliaid

mae anifeiliaid yn cael protein o blanhigion

planhigion marw a charthion

mae planhigion yn amsugno nitradau a'u defnyddio ar gyfer adeiladu proteinau

cnepynnau ar wreiddyn codlys

mae bacteria pydru yn dadelfennu proteinau ac yn rhyddhau amonia

nitradau yn y pridd

bacteria dadnitreiddio yn defnyddio nitradau a rhyddhau nitrogen i'r aer.

bacteria sefydlogi nitrogen yn defnyddio nitrogen o'r aer i gynhyrchu protein

bacteria nitreiddio yn defnyddio amonia, yn ffurfio nitritau, yna nitradau ac yn eu hysgarthu.

Ffigur 4.8 Y gylchred nitrogen

Mae'r asidau amino sydd dros ben yn cael eu newid yn wrea, sy'n cael ei ysgarthu yn y troeth. Bydd bacteria pydru'n dadelfennu wrea, ynghyd â gweddillion anifeiliaid a phlanhigion marw. Bydd **amonia** yn cael ei ffurfio, ond mae hwn mor adweithiol fel ei fod yn cyfuno â chemegion yn y pridd gan ffurfio cyfansoddion amoniwm. Mae **bacteria nitreiddio** yn ocsidio'r cyfansoddion hyn gan ffurfio **nitraid** ac yna **nitradau**. Bydd y nitradau'n cael eu hamsugno gan wreiddiau planhigion, a'r broses yn ailddechrau wrth i blanhigion wneud proteinau newydd.

Nitrogen yw tua 78% o'r atmosffer, ond nid yw planhigion yn gallu defnyddio hwn. Fodd bynnag, mae math o facteriwm sy'n byw yng ngwreiddiau **codlysiau** yn gallu defnyddio nitrogen o'r atmosffer a'i drawsnewid yn gyfansoddion y gall planhigion eu defnyddio. Planhigion sy'n ffurfio codau – pys, ffa, meillion a bysedd y blaidd er enghraifft, yw codlysiau. Bydd y bacteria'n cael carbohydradau gan y codlysiau, yn gyfnewid am ffurf ar nitrogen mae'r planhigion hyn yn gallu eu hamsugno. Enw'r broses hon yw **sefydlogi nitrogen**. Mae pedwerydd grŵp o facteria, o'r enw **bacteria dadnitreiddio**, yn rhyddhau nitrogen o nitradau yn y pridd. O dan amodau anaerobig maen nhw'n cyflawni'r broses hon (gw. yr adran am ryddhau egni ym Mhennod 3), felly mae'r poblogaethau mwyaf ohonynt mewn pridd dwrlawn, sydd wedi'i bacio'n dynn. Os yw'r pridd wedi'i draenio'n dda, ychydig iawn o nitradau sy'n cael eu colli yn y ffordd hon.

Gweithgaredd

Chwiliwch am gylchredau nitrogen a charbon mewn gwyddoniadur amlgyfrwng neu yn *Encyclopaedia to the Environment: Biosphere* (ar gael gan *AVP Software*).

Wyddoch chi?

Mae gwyddonwyr yn yr Almaen wedi perffeithio techneg sy'n defnyddio bacteria i waredu dŵr yfed rhag nitradau. Mae lefelau'r nitradau mewn dŵr daear yn codi o ganlyniad i amaethyddiaeth. Yn ôl gwyddonwyr, mae'n bosibl fod cysylltiad rhwng nitradau mewn dŵr yfed a chanser y stumog. Mae lefelau uchel o nitradau hefyd yn gallu achosi **anaemia** (diffyg celloedd coch y gwaed) mewn babanod newydd-anedig. Cafodd gwyddonwyr gryn lwyddiant yn defnyddio rhywogaeth o facteria i waredu nitradau o ddŵr. Byddai'r broses hon yn fuddiol i'r diwydiant dŵr, gan fod y bacteria'n trawsnewid y nitradau yn nitrogen diniwed.

Cwestiynau

5 Eglurwch pam mae lefelau'r nitradau mewn dŵr daear wedi codi oherwydd prosesau amaethyddol.

6 Pa un o'r mathau canlynol o facteriwm sy'n gyfrifol am yr effaith hon?
 a pydru
 b nitreiddio
 c dadnitreiddio
 ch sefydlogi nitrogen.

Cwestiynau

7 Eglurwch sut mae chwistrellu coctel o ficrobau'n gweithredu fel:
 a dadelfennydd
 b gwrtaith
 c ffwngleiddiad.

8 Awgrymwch sut y byddai'r chwistrellu hwn yn diogelu'r pridd rhag erydiad.

9 Beth yw ystyr 'amodau addas ar gyfer y bacteria sefydlogi nitrogen'?

Wyddoch chi?

Cyn bo hir mae'n bosibl y bydd coctel o ficrobau'n cynnig ffordd economaidd i ddileu'r angen am losgi gwellt, sy'n aml yn arwain at lygru'r aer. Am ganrifoedd, bu ffermwyr yn defnyddio tân i glirio tir cyn hau'r cnwd nesaf, gan fod hynny'n lladd unrhyw glefydau yn y cnwd. Yr unig ddewisiadau eraill yw naill ai gadael y gwellt i bydru yn y fan a'r lle, neu ei aredig i'r pridd. Mae'r ddau ddull yn gallu arwain at fwy o glefydau mewn cnydau. Maen nhw hefyd yn achosi problemau i'r peiriannau sy'n gwneud driliau hau.

Fel arfer, prinder cyflenwad parod o egni sy'n cyfyngu ar weithgaredd bacteria yn y pridd. Mae gwellt yn cynnwys llawer iawn o gellwlos. Gall microbau ddadelfennu cellwlos yn siwgrau syml y gellir eu defnyddio gan facteria sefydlogi nitrogen. Mae gwyddonwyr wedi dewis sawl math o ficrob ar gyfer y pwrpas hwn. Er enghraifft, mae ffwng sy'n byw ar ffyngau eraill sy'n achosi afiechyd mewn cnydau gwraidd. Gall y ffwng hwn hefyd ddadelfennu cellwlos. Mae un bacteriwm sy'n sefydlogi nitrogen hefyd yn gwneud hyn. Mae yna facteriwm arall sy'n cynhyrchu llawer iawn o gwm sy'n clymu gronynnau pridd wrth ei gilydd. Mae defnydd ocsigen y bacteriwm hwn hefyd yn darparu'r amodau addas ar gyfer y bacteria sefydlogi nitrogen. Mae'r holl ficrobau hyn yn cael eu cymysgu mewn coctel sy'n gallu cael ei chwistrellu ar y gwellt, ac yna bydd y gwellt yn cael ei aredig i'r pridd.

Cwestiynau

10 Beth yw ffynhonnell y carbon mae planhigion yn ei ddefnyddio i wneud bwyd trwy gyfrwng ffotosynthesis?

11 Eglurwch sut mae lefel y carbon deuocsid yn yr atmosffer yn cael ei chadw'n gyson.

12 Rhowch amlinelliad byr o'r gylchred garbon rhwng planhigion ac anifeiliaid.

13 Sut mae'r nitrogen yn yr atmosffer yn dod ar gael i blanhigion?

14 Beth yw'r ffynhonnell nitrogen arall ar gyfer planhigion, a sut maen nhw'n ei gael?

15 Pam mae angen nitrogen ar blanhigion ac anifeiliaid?

16 Rhowch grynodeb o swyddogaeth bacteria yn cylchredeg carbon a nitrogen.

17 Rhowch gyfiawnhad dros y gosodiad 'na allwn ni oroesi heb ficrobau'.

Gwaith ymarferol

Meithrin ac arsylwi ar facteria sefydlogi nitrogen

1 Defnyddiwch blanhigyn pys neu ffa. Golchwch y gwreiddiau sydd â gwreiddgnepynnau arnynt yn ofalus.

2 Dipiwch nhw mewn diheintydd Domestos am 5 munud.

3 Bydd eich athro/athrawes yn rhoi dwy sleid wedi'u diheintio ichi.

4 Gwasgwch wreiddgnepyn mewn diferyn o ddŵr rhwng y sleidiau.

5 Gwnewch iriad tenau iawn wedi'i staenio o lond dolen o'r cnepyn wedi'i wasgu a fioled grisial (0.5 g mewn 100 cm³ o ddŵr distyll).

6 Codwch lond dolen o'r cnepyn wedi'i wasgu sydd ar ôl, a thynnu llinellau igam-ogam ohono dros blât agar glwcos ac echdynnyn burum (mae'r rysáit yn Nhabl 4.1). Rhowch hwn i ddeori ar 25 °C.

7 Bydd cytref felyn ludiog o facteria sefydlogi nitrogen (*Rhizobium*) yn tyfu ymhen 1–2 ddiwrnod.

Tabl 4.1 Rysáit ar gyfer agar glwcos ac echdynnyn burum

Cynhwysyn	Mesur	Cynhwysyn	Mesur
Pepton	10.0 g	Glwcos	5.0 g
Marmite	10.0 g	Agar	10.0 g
Byffer K_2HPO_4 pH7	5.0 g	Dŵr distyll	1.0 dm³

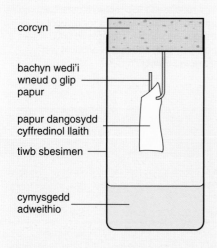

corcyn

bachyn wedi'i wneud o glip papur

papur dangosydd cyffredinol llaith

tiwb sbesimen

cymysgedd adweithio

Ffigur 4.9 Cyfarpar i arddangos sut mae wreas yn dadelfennu wrea

Gwaith ymarferol

Arddangos sut y gall yr ensym bacteriol, wreas, achosi pydredd

Mae rhai microbau'n cynhyrchu ensym, **wreas**, sy'n dadelfennu wrea yn y pridd gan ffurfio amonia a charbon deuocsid. Mae amonia'n alcalïaidd, ac felly mae modd canfod ei fod yn bresennol trwy ddefnyddio papur dangosydd cyffredinol.

Dull

1 Arllwyswch 20 cm³ o wrea (1 mol/dm³) i ddiwb sbesimen.

2 Gwnewch fachyn trwy wthio hanner clip papur i gorcyn, a defnyddio hwnnw i hongian stribed o bapur dangosydd cyffredinol llaith.

3 Ychwanegwch 5 cm³ o wreas 1% at yr wrea yn y tiwb sbesimen, a gosodwch y corcyn â'r papur dangosydd cyffredinol yn hongian arno yn y tiwb, fel y gwelir yn Ffigur 4.9.

4 Cydosodwch ddiwb rheoli sydd â'i gynnwys yr un fath yn union â'r rhai uchod, ond â 5 cm³ o wreas wedi'i ferwi a'i oeri yn hytrach nag wreas heb ei ferwi.

5 Gadewch y ddau ddiwb am hanner awr mewn tymheredd ystafell.

6 Cofnodwch unrhyw newidiadau yn lliw'r papur dangosydd cyffredinol, a chymharu'r rhain â'r siart lliw pH sy'n rhan o becyn y papur dangosydd cyffredinol

7 Eglurwch eich arsylwadau.

Dylanwad gweithgaredd dynol ar yr amgylchedd

Byw nawr, talu eto

Heb os, twf poblogaeth ddynol yw'r prif ddylanwad amgylcheddol ar broblemau sy'n gysylltiedig â gorlenwi aneddiadau a llygredd. Mae ffactorau fel cyfraddau atgenhedlu, cyfraddau marwolaethau ac afiechyd i gyd yn dibynnu ar faint poblogaethau. Gallwn ddarganfod beth yw cyfradd y cynnydd yn y boblogaeth ddynol trwy gofnodi'r genedigaethau a'r marwolaethau dyddiol. Yn ôl amcangyfrifon, bob dydd, mae 270 000 o fabanod yn cael eu geni yn y byd ac mae 142 000 o bobl yn marw. Os tynnwch chi niferoedd y marwolaethau dyddiol o nifer y genedigaethau dyddiol, fe gewch chi amcangyfrif o'r cynnydd dyddiol yn y boblogaeth. Yr amcangyfrif yw fod y boblogaeth ddynol yn cynyddu yn ôl tua 128 000 o unigolion bob dydd. Yn ôl pob tebyg, bydd y gyfradd hon yn cynyddu, oherwydd po fwyaf o oedolion sydd yna, mwyaf o fabanod sy'n debygol o gael eu geni. Mae poblogaeth y byd dros 6 000 000 000 o bobl (gw. Ffigur 4.10). Os bydd y gyfradd bresennol o gynhyrchu bwyd yn aros yn ei hunfan, ni fydd digon o fwyd i fwydo pawb. Mae dros 20 000 o bobl yn marw o newyn neu gamfaethiad bob dydd yn barod.

Allwedd

- ☐ America
- ☐ Affrica
- ☐ Ewrop a'r Undeb Sofietaidd
- ☐ Asia ac Awstralasia

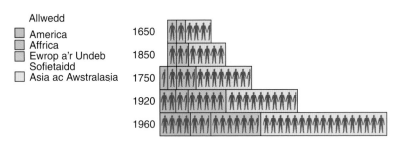

Mae pob colofn yn cynrychioli'r boblogaeth yn y rhannau o'r byd a ddangosir. Mae'r lluniau bach o bobl yn cynrychioli nifer y bobl yn fras – pob person yn cynrychioli 100 miliwn o bobl. Ym 1650 roedd 550 miliwn o bobl. Dechrau anturio i gyfandir America roedd pobl ar yr adeg honno. Erbyn 1960 roedd 3000 miliwn o bobl yn y byd, 400 miliwn ohonynt yng nghyfandir America.

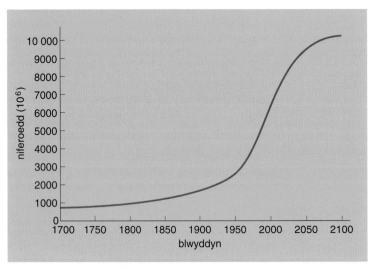

Ffigur 4.10 Sut mae'r boblogaeth ddynol wedi newid dros amser

Yn ogystal â'r problemau hyn, mae problemau llygredd yn dod law yn llaw â nifer cynyddol o bobl yn defnyddio lle cyfyngedig. Ein dylanwad mwyaf ni ar yr amgylchedd yw ei ddinistrio trwy ei lygru.

Sylwedd sy'n achosi niwed i'r amgylchedd yw llygrydd. Nid cemegion yn unig sy'n llygru – mae gwres a sŵn hefyd yn llygryddion. Mae byd natur wedi bod yn cynhyrchu llygryddion erioed, fel olew naturiol yn tryddiferu, nwyon folcanig, a chynhyrchion hylosgiad o danau mewn coedwigoedd. Mae natur hefyd wedi trin y mathau hyn o lygredd heb adael problemau parhaol ar eu holau. Fodd bynnag, ers i bobl esblygu, mae lefel y llygredd wedi cynyddu i'r fath raddau fel ei fod bellach yn bygwth ein hiechyd. Rydym ni wedi perffeithio'r gallu i lygru ein hamgylchedd. A dweud y gwir, mae ein sgiliau cemegol cystal erbyn hyn fel y gallwn wneud defnyddiau niweidiol nad oes modd eu dadelfennu. Maen nhw'n parhau i gronni, gan roi problemau i'r genhedlaeth bresennol a chyflwyno rhai mwy fyth i genedlaethau'r dyfodol.

Bob dydd, mae aer, dŵr a thir yn cael eu llygru gan filoedd o dunelli metrig o lygryddion ar raddfa fyd-eang. Yn gymharol ddiweddar yn unig mae mesurau i fynd i'r afael â'r broblem wedi cael eu rhoi ar waith. Yn anffodus roedd hyn yn rhy hwyr ar gyfer rhai rhywogaethau sydd wedi diflannu oherwydd dinistrio'u cynefinoedd.

Adeiladu neu beidio?

Yn yr 21ain ganrif, efallai fod pobl yn dal i fod yn amheus o ddatblygwyr adeiladau a ffyrdd ar sail eu hymddygiad yn y gorffennol. Erbyn hyn rhaid i ddatblygwyr yn y DU gydymffurfio ag o leiaf 23 o reoliadau cyfreithiol gwahanol wrth iddynt ddechrau ar eu gwaith – felly ni allant anwybyddu effeithiau'r adeiladu hwn ar yr amgylchedd. Mae'r deddfau'n amrywio o rai sy'n parchu bywyd gwyllt i rai sy'n ymwneud â llygredd a rhai sy'n gwarchod henebion.

Yn ystod y broses gynllunio, rhaid gwneud Asesiadau Effaith ar yr Amgylchedd ar gyfer pob datblygiad a'u dangos i awdurdodau lleol cyn y gall yr adeiladu ddechrau. Os bydd cwmni'n methu â gwneud hyn, gall gael ei ddirwyo'n drwm iawn.

Os oes rhywogaethau prin yn byw mewn ardal sydd i gael ei datblygu, yna rhaid rhoi mesurau ar waith i warchod y rhywogaethau a'u cynefin. Yr un math o driniaeth sy'n cael ei roi i bob ardal sy'n amgylcheddol sensitif. Os yw'r datblygiadau mewn ardal yn cynnwys agor chwarel, yna wedi i'r gwaith hwnnw ddod i ben rhaid tirlunio'r ardal fel bod cyn lleied o wahaniaeth â phosibl i'w weld o gymharu â'r amodau gwreiddiol. Bydd tystiolaeth ffotograffau cyn ac ar ôl y datblygiadau ar gael er mwyn i bobl asesu unrhyw newid yn y mathau o rywogaethau a'u niferoedd.

Wrth adeiladu ffyrdd, ymhlith y mesurau i warchod bywyd gwyllt mae darparu twnelau a chyrsiau dŵr ar gyfer rhywogaethau fel moch daear, brogaod a madfallod dŵr fel y gallant gyrraedd eu safleoedd bridio. Wrth wneud gwaith datblygu bydd planhigion prin yn cael eu hamgylchynu â ffens er mwyn amharu llai arnynt. Bydd gwaith yn aml yn cael ei ohirio yn ystod tymhorau bridio rhywogaethau sensitif o ieir bach yr haf ac adar. Mae'r mesurau hyn yn aml yn rhai drud, ond yn hanfodol er mwyn gwarchod cynefinoedd a chynnal bioamrywiaeth.

Mae sawl manylyn yn gyffredin rhwng polisïau amgylcheddol prif ddatblygwyr adeiladu a phrif ddatblygwyr ffyrdd y DU. Maen nhw i gyd yn ymwybodol o'r pryderon ar raddfa fyd-eang yn ogystal â'r angen i gynnal cynefinoedd lleol. Yn anochel, bydd gweithgaredd diwydiannol yn effeithio ar yr amgylchedd, ond mae datblygwyr yn ceisio lleihau'r effeithiau negyddol gymaint â phosibl. Y nod yw creu cydbwysedd rhwng anghenion y boblogaeth a'r angen i warchod yr amgylchedd naturiol. Wrth gynllunio a

Dyma rai o reoliadau cyfreithiol y DU sy'n ymwneud ag organebau byw yn yr amgylchedd:

- Deddf Bywyd Gwyllt a Chefn Gwlad (1981)
- Deddf Diogelu'r Amgylchedd (1990)
- Rheoliadau Diogelu'r Amgylchedd (Dyletswydd Gofal) (1991)
- Deddf Gwarchod Moch Daear (1992)
- Deddf yr Amgylchedd (1995)
- Rheoliadau Gwrychoedd (1997)
- Rheoliadau Cadwraeth (Cynefinoedd Naturiol) (2001)

datblygu prosiectau newydd a rhai sydd eisoes ar droed, mae pob cwmni adeiladu mawr yn ystyried materion a ffactorau amgylcheddol. Eu nod yw darparu'r defnyddiau a'r gwasanaethau sydd eu hangen ar gymdeithas gan warchod yr amgylchedd ar yr un pryd, fel bod modd i bawb ei fwynhau, nid yn unig heddiw ond hefyd yn y dyfodol.

Llygredd dŵr

Mae llawer o'n hafonydd a'n llynnoedd wedi'u llygru (gw. Ffigur 4.11). Rydym ni hyd yn oed wedi llygru'r cefnforoedd. Pan ddechreuodd yr aneddiadau cyntaf dyfu, rhai bychain oeddynt, yn aml wedi'u hadeiladu yn agos at afonydd mawr. Un rheswm dros hyn oedd yr angen i waredu gwastraff. Byddai'r trigolion yn arllwys carthion heb eu trin a gwastraff arall i'r dŵr, oedd wedyn yn eu cludo i'r môr. Ar y cychwyn nid oedd hyn yn broblem ddifrifol, pan oedd aneddiadau'n fach ac yn bell oddi wrth ei gilydd. Roedd prosesau naturiol yn dadelfennu'r llygryddion.

Erbyn heddiw mae'r hanes yn gwbl wahanol. Nid oes modd yn y byd i ddadelfeniad naturiol drin swmp y gwastraff hylifol mae trigolion trefi a dinasoedd modern yn ei gynhyrchu. Erbyn hyn mae deddfau llym mewn grym ynglŷn â defnyddio dyfrffyrdd i waredu carthion a mathau eraill o wastraff. Er bod carthion heb eu trin yn aml yn cael eu harllwys i'r môr, mae gorsafoedd trin carthion yn prosesu gwastraff yn garthffrwd, sy'n addas ar gyfer ei arllwys i afonydd. Pan fydd carthion yn mynd i'r dŵr mewn dyfrffyrdd, bydd y carthion hynny'n ysgogi lluosi bacteria, a'r rheini'n defnyddio'r holl ocsigen yn y dŵr. Gall carthion hefyd halogi dŵr â microbau sy'n achosi afiechyd, a thrwy hynny cyfrannu at ledaenu clefydau fel teiffoid a cholera. Oherwydd hyn mae hi'n beryglus bwyta anifeiliaid sy'n dod o ddyfroedd wedi'u llygru. Yn aml, mae achosion o'r teiffoid, hepatitis a chlefydau heintus eraill wedi eu holrhain yn ôl at gregyn gleision neu fywyd môr arall sy'n hidlo dŵr ac yn dal y microbau niweidiol.

Mae'r nitradau sydd i'w cael mewn carthion yn gweithredu fel gwrtaith ar gyfer bywyd planhigol microsgopig sydd yn y dŵr lle mae carthion yn cael eu harllwys. O ganlyniad, bydd cynnydd sydyn yn yr algâu (blymau algaidd). Bydd yr algâu a phlanhigion dyfrol eraill yn atgynhyrchu i'r fath raddau fel eu bod yn atal goleuni rhag cyrraedd y planhigion sy'n tyfu ar waelod y llyn neu'r afon. Bydd y rhain yn marw ac yn pydru, gan adael i facteria luosi. Mae'r bacteria hyn yn defnyddio ocsigen o'r dŵr, a bydd pysgod ac anifeiliaid eraill yn y llyn neu'r afon yn marw oherwydd diffyg ocsigen (gw. rhywogaethau dangosol ym Mhennod 1).

Mae'r un broblem yn digwydd wrth orddefnyddio gwrteithiau ar gnydau, sef bod ocsigen yn cael ei 'ddwyn'. Pan fydd glaw yn golchi gwrtaith sy'n cynnwys nitradau a ffosffadau i ddyfrffyrdd, bydd yn ysgogi twf planhigion.

Rhywbeth arall sy'n ychwanegu at broblemau llygredd dŵr yw'r miliynau o alwyni o lanedyddion sy'n mynd i ddraeniau bob dydd. Mae llawer ohonynt yn cynnwys ffosffadau, ac felly'n gweithredu fel gwrteithiau, gan arwain at broblemau tebyg i'r rhai sy'n digwydd o ganlyniad i orddefnyddio gwrtaith ar gnydau.

Mae amaethyddiaeth hefyd yn gyfrifol am fathau eraill o lygredd dŵr, yn cynnwys y mathau sy'n cael eu hachosi gan blaleiddiaid (gw. Ffigur 4.12). Mae'r rhain yn cael eu golchi i'r dŵr. Er nad yw eu crynodiad fel arfer yn cyrraedd lefel sy'n niweidiol i bobl, maen nhw'n mynd yn wenwynig iawn gan eu bod yn cael eu crynhoi wrth iddynt symud ar hyd cadwynau bwydydd. Mae'r anifeiliaid ar frig y gadwyn fwyd yn gallu derbyn crynodiad digon uchel o'r plaleiddiaid i'w gwenwyno.

Ffigur 4.11 Pibell allfa yn arllwys carthion i'r môr, gan lygru'r dŵr.

Wyddoch chi?

Yn Awstralia, mae algâu gwyrddlas yn lluosi mewn rhai dyfrffyrdd yn ystod yr hafau poeth, ac yn cynhyrchu gwenwyn sy'n niweidio afu'r da byw sy'n yfed y dŵr. Mae gwyddonwyr yno wedi darganfod bacteriwm sy'n bwydo ar yr algâu gwenwynig. Gellid defnyddio hwn i'w rheoli heb ychwanegu cemegion niweidiol at yr amgylchedd.

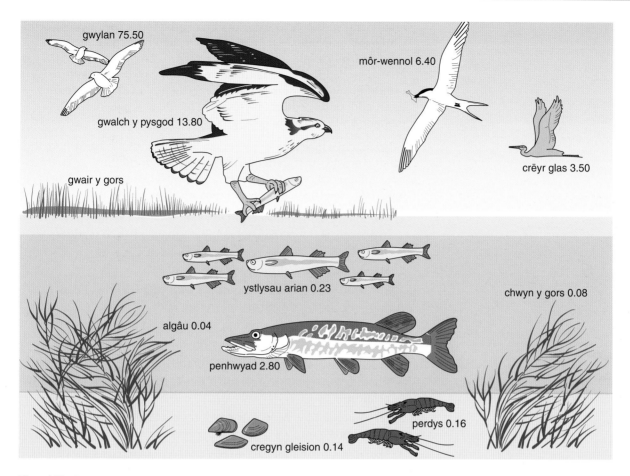

Ffigur 4.12 Crynodiad DDT mewn cadwyn fwyd. Mae'r DDT yn cael ei storio ym meinweoedd yr organebau ym mhob lefel fwydo yn y gadwyn fwyd, ac yn gallu crynhoi nes cyrraedd lefelau uchel iawn yn y cigysyddion ar y brig (mae'r ffigurau yn dynodi rhannau mewn miliwn o DDT).

Cymorth gan estroniaid

Mae pobl ledled y byd yn cael eu heffeithio gan lygredd amgylcheddol sy'n cael ei achosi gan blaleiddiaid. Bu gwyddonwyr yn chwilio am flynyddoedd lawer am ffyrdd amgen o reoli plâu, trwy ddefnyddio dull o'r enw **rheoli biolegol**. Nid yw'r dull hwn yn defnyddio cemegion, ond yn hytrach, organebau eraill sy'n ysglyfaethwyr neu'n barasitiaid i'r pla. Dim ond tua hanner yr arbrofion cynnar oedd yn llwyddiannus. Yn Awstralia roedd un o'r llwyddiannau cyntaf. Pan oedd pobl yn dechrau ffermio'r tir, roedd yn rhaid iddynt gau ardaloedd eang er mwyn rhwystro'r anifeiliaid cynhenid fel y walabi a'r cangarŵ rhag ysbeilio'r cnydau. Roedd ffensio'n ddrud, felly dyma fynd ati i greu gwrychoedd o'r cactws gellyg pigog oedd wedi ei fewnforio o Dde America.

Roedd y gwrychoedd yn cadw'r anifeiliaid cynhenid allan, ond cyn bo hir roedd y cactws yn tyfu allan o reolaeth, nes iddo fynd yn bla ei hun, ac yn chwyn yng nghanol y cnydau. Nid oedd yn bosibl defnyddio chwynladdwr ar y cactws gan y byddai'n niweidio'r cnydau. Felly cafodd math o bryfyn sydd fel arfer yn bwyta'r cactws yn Ne America ei gyflwyno i Awstralia, ac fe fwytaodd y cactws i gyd. Ffensio oedd yr ateb yn y pen draw, wedi'r cyfan!

Ar y llaw arall, bu llawer o fethiannau. Un o'r rhai mae sôn amdano'n aml yw'r ymgais i reoli pryfyn oedd yn bwydo ar gnydau cnau coco India'r Gorllewin. Cafodd math o froga ei gyflwyno i fwyta'r pryfed oedd yn blâu. Roedd y brogaod mor llwyddiannus fel eu bod fwy neu lai wedi diddymu'r pryfyn oedd yn bla, ond wedyn aethant ati i fwydo ar bryfed eraill oedd yn bwysig ar gyfer peillio planhigion. Erbyn hynny roedd y brogaod mor niferus fel bod rhaid eu rheoli hwythau. Er mwyn gwneud hyn, cafodd nadroedd eu cyflwyno. Trodd y rhain yn bla gan eu bod yn lladd adar cynhenid ac ieir. Er mwyn rheoli'r nadroedd, cafodd mamolyn o'r enw mongŵs ei gyflwyno. Lladdodd y rhain y nadroedd, ond roeddent hwythau yn bwyda ar wyau adar, felly parhaodd y broblem, heb ei datrys.

Y dyddiau hyn mae mwy o gynlluniau llwyddiannus na rhai sy'n methu, gan fod gwyddonwyr wedi dysgu o brofiadau'r gorffennol, ac yn llawer mwy gofalus cyn cyflwyno rhywogaethau estron i unrhyw ardal. Bellach mae rhaglenni rheoli biolegol yn dilyn y camau canlynol:

1 Mae biolegwyr yn chwilio gwlad wreiddiol y pla er mwyn dod o hyd i ysglyfaethwyr naturiol neu barasitiaid a fyddai'n addas i'w defnyddio.

2 Maen nhw'n cynnal profion i sicrhau

   a y bydd yr organeb reoli (yr un a fydd yn gwneud y rheoli biolegol) yn ymosod ar y pla a dim arall

   b na fydd hi'n cludo clefydau a allai gael eu lledaenu

   c y bydd hi'n gallu bridio'n llwyddiannus yn ei hamgylchedd newydd.

   Rhaid gofalu i atal yr organebau rheoli rhag dianc cyn gorffen y profion.

3 Mae niferoedd mawr o'r organeb reoli'n cael eu bridio, yna eu rhyddhau i ganol y pla.

4 Mae digwyddiadau'n cael eu monitro er mwyn barnu a yw'r rhaglen wedi llwyddo neu wedi methu.

Mae'r rhan fwyaf o'r dulliau modern ar gyfer rheoli plâu'n defnyddio cyfryngau biolegol a rhai plaleiddiaid penodol. Yr enw ar hyn yw **rheoli plâu mewn modd integredig**. Mae nifer o fanteision i raglen reoli biolegol lwyddiannus o'i chymharu â rheoli plâu â phlaleiddiaid cemegol:

- Mae'n ddull penodol iawn ac yn effeithio ar y pla yn unig. Mae plaleiddiaid cemegol yn effeithio ar organebau eraill, waeth pa mor ofalus mae pobl wrth eu defnyddio.

- Wedi cyflwyno'r organeb reoli bydd yn ymsefydlu ac ni fydd rhaid ei hailgyflwyno. Rhaid defnyddio plaleiddiaid cemegol dro ar ôl tro, ac yn y tymor hir mae hyn yn eu gwneud yn ddrutach.

- Nid yw plâu'n datblygu gwrthiant tuag at ysglyfaethwyr. Un o'r rhesymau pam mae'n rhaid inni ddatblygu plaleiddiaid newydd drwy'r amser yw fod plâu'n datblygu gwrthiant tuag at blaleiddiaid yn gyflym iawn.

Fodd bynnag, mae rhai anfanteision i reoli biolegol:

- Yn aml mae oedi rhwng cyflwyno'r organeb reoli a gostyngiad arwyddocaol yn niferoedd y pla. Mae plaleiddiaid cemegol yn gweithio'n llawer cyflymach.

- Bydd rhaglen reoli biolegol effeithiol yn cyfyngu niferoedd y plâu i lefelau isel. Yn anaml iawn y bydd yn eu difodi'n llwyr.

Mae rhaglenni rheoli biolegol effeithiol yn defnyddio amrywiaeth o ddulliau. Maen nhw'n aml yn cynnwys ysglyfaethwyr naturiol a pharasitiaid, ac yn achlysurol yn defnyddio plaleiddiaid penodol hefyd.

Wyddoch chi?

Yn ystod y ddegawd nesaf, dŵr wedi'i ailgylchu o weithfeydd carthion fydd ffynhonnell bwysicaf dŵr ychwanegol mewn llawer o wledydd datblygedig. Mae'n bosibl y bydd dŵr wedi'i ailddefnyddio yn darparu un rhan o bump o gyfanswm y cyflenwad dŵr ac un rhan o dair o'r galw am ddŵr ar gyfer dyfrhau.

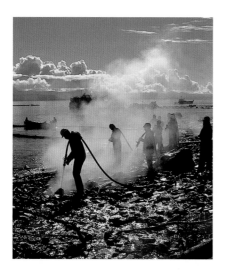

Ffigur 4.13 Effeithiau llygredd olew ar ran o'r arfordir

Ffigur 4.14 Safle tirlenwi

Metelau trwm

Efallai mai'r llygredd dŵr mwyaf parhaol ac arwyddocaol yw hwnnw sy'n tarddu o wastraff diwydiannol fel metelau trwm, er enghraifft mercwri, plwm, sinc a chadmiwm. Sgil gynhyrchion prosesau cynhyrchu mewn melinau papur, gweithfeydd dur, purfeydd olew a ffatrïoedd ceir yw'r rhain yn aml. Mae crynodiad metelau trwm hefyd yn cynyddu ar hyd cadwynau bwydydd, nes bod yr ysyddion ar frig y gadwyn yn cael eu gwenwyno. Mae'r metelau trwm yn ymyrryd â gweithgaredd llawer o ensymau hanfodol mewn anifeiliaid, gan achosi marwolaeth.

Mae sylweddau anfiodiraddadwy o'r enw biffenylau polyclorinedig (PCBau) yn cael eu defnyddio i wneud paent a chyfarpar trydanol. Nid yw gwyddonwyr yn gwybod sut i'w gwaredu o ddŵr, ac unwaith y maen nhw'n mynd i gadwynau bwydydd, maen nhw'n cronni o un lefel fwydo i'r nesaf.

Mae olew a chynhyrchion petrolewm eraill hefyd yn creu llygredd. O burfeydd olew, gweithfeydd drilio a phwmpio, iardiau llongau a gollyngiadau olew mae'r rhain yn dod. Ar ben hyn mae cyfuniad o effeithiau perchnogion ceir yn taflu olew yn anghyfreithlon, ac olew wedi'i golli ar ffyrdd ac yn rhedeg i ffosydd, yn gyfrifol am y symiau sylweddol o olew sy'n cyrraedd cyrsiau dŵr. Mae'n effeithio'n uniongyrchol ar lawer math o fywyd gwyllt, adar môr yn enwedig, ond mae'r problemau mwyaf yn codi pan fydd dolenni yn y cadwynau bwydydd yn cael eu difa'n llwyr. Pan fydd llawer iawn o olew yn cael ei golli (gw. Ffigur 4.13), bydd glanedyddion yn cael eu defnyddio, sy'n aml yn wenwynig i'r bywyd gwyllt maen nhw i fod i achub.

Sbwriel a llygredd tir

Ble bynnag mae pobl yn mynd, maen nhw'n gadael gwastraff ar eu hôl. Mewn gwirionedd, mae archaeoleg yn dibynnu ar ddarganfod defnyddiau y mae diwylliannau'r gorffennol wedi'u gadael ar eu holau. Mae yna sbwriel ar y strydoedd, ar ddraethau ac ar hyd ochrau'r ffyrdd. Mae rhai pobl yn defnyddio mannau yn y wlad fel iardiau sgrap wrth iddynt adael ceir wedi torri i lawr, oergelloedd a sbwriel arall diwerth. Mae sbwriel yn un agwedd ddrud a difrifol ar y broblem wastraff rydym wedi'i chreu i ni'n hunain. Rydym ni'n byw mewn cymdeithas sy'n gwneud mwy a mwy o ddefnyddiau tafladwy, a hynny oherwydd ein bod yn dibynnu ar alw cyson am gynhyrchion ffatrïoedd, er mwyn creu gwaith a chyfoeth.

Mae'r DU yn creu biliynau o dunelli metrig o sbwriel bob blwyddyn. Yn ôl un amcangyfrif, mae pob person yn cynhyrchu dros 2 kg o sbwriel bob dydd. Mae casglu'r sbwriel yn rhywbeth mae'r rhan fwyaf o bobl yn ei gymryd yn ganiataol, heb sylwi arno nes y bydd rhywbeth yn atal y casgliad wythnosol. Mae gweddillion bwyd, papurau newydd, coed, toriadau'r lawnt, gwydr, caniau bwyd a diod, hen beiriannau, teiars, dodrefn a phob math o bethau eraill yn mynd i'r lorïau casglu sbwriel. Mae'r gwastraff solid hwn yn cael ei waredu mewn sawl ffordd. Bydd rhai pethau'n cael eu gollwng i'r môr, nifer o filltiroedd o'r lan. Bydd pethau eraill yn cael eu llosgi mewn llosgyddion. I safleoedd tirlenwi y bydd y rhan fwyaf yn mynd (gw. Ffigur 4.14). I ryw raddau, mae pob dull o waredu gwastraff yn siŵr o lygru'r amgylchedd, ond tirlenwi yw'r dull diogelaf, yn ôl pob tebyg. Fodd bynnag, pan fydd defnyddiau organig yn pydru bydd nwy methan yn cronni, sy'n gallu achosi problemau. Ambell dro mae methan yn cyrraedd yr arwyneb a mynd ar dân, gyda chanlyniadau trychinebus megis tai'n ffrwydro. Mae llawer o'r methan sy'n cael ei gynhyrchu yn y ffordd hon yn cael ei gasglu a'i ddefnyddio fel tanwydd.

Wyddoch chi?

Mae bacteria sy'n bwydo ar sylffwr yn helpu i leihau'r mynyddoedd o hen deiars ceir sydd yn UDA (gw. Ffigur 4.15). Rhaid gwaredu 200 000 000 o hen deiars bob blwyddyn. Mae'r bacteria'n newid y rwber fel y gellir ei ailgylchu.

Ffigur 4.15 Mae bacteria'n ei gwneud hi'n bosibl inni ailgylchu'r hen deiars ceir hyn.

Ffigur 4.16 Canolfan gasglu defnyddiau i'w hailgylchu

Cwestiynau

18 Rhestrwch bedwar math o lygredd dŵr, ac awgrymu camau y byddai angen eu dilyn er mwyn datrys problem llygredd dŵr.

19 Eglurwch sut mae carthion sy'n pydru mewn dŵr yn lladd bywyd dyfrol.

20 Eglurwch sut y gall ailgylchu helpu i ddatrys problemau gwaredu gwastraff.

21 Eglurwch sut mae gorgynhyrchu'n arwain at ddisbyddu adnoddau.

22 Beth yw canlyniadau posibl twf mewn diwydiant ar fioamrywiaeth?

Un ateb i broblem sbwriel yw ei ddefnyddio dro ar ôl tro yn y broses o'i **ailgylchu**. Mae hyn yn golygu bod llai o gynhyrchion gwastraff sy'n ffynhonnell llygredd. Mae hefyd yn gymorth i arbed ein hadnoddau **anadnewyddadwy**, fel mwynau, yn ogystal â'n hadnoddau **adnewyddadwy**, fel coed.

Mae'n bosibl ailgylchu papur, gwydr a rhai metelau. Yn y gorffennol, oherwydd bod digon o adnoddau naturiol ar gael a thechnoleg ailgylchu'n ddrud, nid oedd llawer o ddatblygu ar y dechnoleg. Roedd hefyd angen dull effeithlon o wahanu'r defnyddiau gwastraff y gellir eu hailddefnyddio oddi wrth y lleill. Erbyn heddiw, gan fod llai o adnoddau naturiol ar gael, rhaid i ni ystyried ailgylchu. Er hynny, nid yw pawb o bell ffordd yn derbyn bod rhaid ailgylchu. Mae sawl peth wedi arafu'r broses – diffyg diddordeb o du'r cyhoedd, prinder canolfannau ailgylchu ac arian ar gyfer ymchwil, prinder nwyddau ailgylchadwy a diffyg cymhelliad gan y llywodraeth. Erbyn hyn, fodd bynnag, mae agweddau pobl yn dechrau newid.

Mae grwpiau amgylcheddol wedi bod yn weithgar yn sefydlu mannau casglu (gw. Ffigur 4.16). Mae'r cyhoedd yn dod yn fwyfwy ymwybodol fod angen mynd â photeli, caniau bwyd a phapur i'w hailgylchu, ac mewn llawer o ardaloedd yng Nghymru mae'r cyngor lleol yn casglu deunyddiau ailgylchadwy o dai trigolion. Rhaid i ddiwydiant hefyd ddechrau ailgylchu ar raddfa fawr, ac i lywodraethau gynnig deddfwriaeth i helpu datrys y broblem.

Cadwraeth – y ddelwedd gyhoeddus

Mae'r gair **cadwraeth** yn cynnig gwahanol ddelweddau i wahanol bobl. Nod cadwraethwyr fel arfer yw gwarchod rhywogaethau neu'r lleoedd lle mae'r rhywogaethau'n byw. Yn y gorffennol, roedd cadwraeth braidd yn isel ar restrau blaenoriaethau swyddogol llywodraethau. Fodd bynnag, mae ecodwristiaeth yn datblygu'n gryf ledled y byd, felly mae hi erbyn hyn o fantais i lawer o wledydd warchod eu bywyd gwyllt a'u cynefinoedd, gan fod hynny'n cynhyrchu incwm sylweddol iddynt.

Ym 1980 cafodd Strategaeth Gadwraeth y Byd (*WCS*) ei lansio. Gobaith y cyrff oedd yn ymwneud â hyn oedd gwella delwedd cadwraeth. Mae'r strategaeth yn cydnabod bod angen datblygiad, oherwydd heb hynny byddai cyfran fawr o boblogaeth y byd yn dal i fyw mewn tlodi. Y ddadl yw na fydd datblygiad yn barhaol oni bai bod y datblygiad hwnnw wedi ei seilio ar egwyddorion cadwraeth cydnabyddedig. Mewn gwirionedd, mae cadwraeth a datblygu yn ddibynnol ar ei gilydd. Gallwn weld enghreifftiau o hyn mewn gwledydd datblygol lle mae pobl yn ddibynnol ar organebau byw. Mae cadwraeth yn hanfodol i'r 500 000 000 o bobl sy'n brin o fwyd neu'r 1 500 000 000 o bobl sydd heb danwydd arall heblaw tail anifeiliaid neu wastraff o'u cnydau.

Yn anffodus, oherwydd eu tlodi, mae'r bobl dlotaf yn y byd yn cael eu gyrru i ddinistrio'r ychydig adnoddau sydd ar gael iddynt. Maen nhw'n torri canghennau coed er mwyn cael tanwydd, nes bod y planhigion yn gwywo ac yn marw. Mae 400 000 000 tunnell fetrig bob blwyddyn o ddail anifeiliaid a gwastraff o gnydau'n cael eu llosgi, ond mae angen mawr am yr union ddefnyddiau hyn fel gwrtaith ac i atal erydiad y pridd. Byddai'r tail fel arfer yn dal y pridd at ei gilydd, ond yn lle hynny mae'n cael ei losgi.

Diffiniad *WCS* o gadwraeth yw rheoli systemau byw y blaned er mwyn dod â budd parhaol i genedlaethau heddiw ac yfory. Nod *WCS* yw cyfuno cadwraeth a datblygiad er mwyn sicrhau lles a goroesiad holl bobl y byd.

Ffigur 4.17 Mae'r panda mawr yn byw mewn coedwigoedd bambŵ sydd dan fygythiad.

Ffigur 4.18 Mae'r arth fraith yn dal i fyw yn rhannau anghysbell Gogledd America.

Cadwraeth rhywogaethau

Mae pobl yn aml yn defnyddio'r term 'bioamrywiaeth' fel ffurf dalfyredig ar 'amrywiaeth fiolegol'. Mae'n disgrifio cyfoeth y byd naturiol trwy gyfeirio at ba mor amrywiol yw bywyd ar ein planed.

Ambell waith rydym ni'n anghofio nad yw natur yn annistrywiadwy, er ei bod mor amrywiol. Ni all rhai rhywogaethau ymdopi â'r newidiadau mae pobl yn eu gwneud i'w hamgylcheddau. Mae'r rhywogaethau hyn yn cynnwys anifeiliaid sy'n arbenigo ar fwyta un math o fwyd. Os bydd y cynefin lle mae eu bwyd nhw i'w gael yn cael ei ddinistrio, yna bydd ysyddion 'arbenigol' yn marw. Ymhlith y fath arbenigwyr ym myd yr anifeiliaid mae'r panda mawr (gw. Ffigur 4.17) a'r arth coala; mae'r rhain eisoes dan fygythiad.

Yn y DU mae'r gwrthdaro rhwng cadwraethwyr ac amaethyddiaeth i'w weld yn yr erledigaeth sydd ar y mochyn daear. Er mai ychydig o dystiolaeth sydd i gefnogi'r farn bod moch daear yn lledaenu twbercwlosis ymhlith gwartheg, maen nhw'n cael eu lladd yn anghyfreithlon, naill ai trwy eu gwenwyno â nwy, neu trwy ddefnyddio cŵn. Mae hyn yn digwydd er gwaetha'r ffaith fod moch daear yn rhywogaeth sydd dan warchodaeth.

Cadwraeth cynefinoedd

Ystyr cadwraeth natur yw cadw natur yn ei ffurf naturiol fel bod gan bob rhywogaeth gynefin addas i fyw ynddo. Unwaith y bydd rhywogaeth wedi diflannu oherwydd bod ei chynefin wedi cael ei ddinistrio, nid yw'n bosibl ei hatgyfodi. Mae hyd yn oed technoleg genynnau'n gyfyngedig. Ar ôl hyn a hyn o amser mae DNA yn bioddiraddio, ac ni fydd *Jurassic Park* fyth yn ddim mwy na breuddwyd. Fodd bynnag, mae rhai rhywogaethau oedd ar fin diflannu wedi cael eu hachub trwy gyfrwng rhaglenni bridio gofalus. Mae hyn wedi digwydd i geffylau gwyllt, ac mae modd gweld rhai enghreifftiau ohonynt er bod hynny ran amlaf mewn sŵau. Er 1990, mae rhaglenni bridio mewn caethiwed wedi arwain at ailgyflwyno ceffylau gwyllt Przewalski i Fongolia ac i barc cenedlaethol yn ardal y Massif Central yn Ffrainc.

Dim ond yn gymharol ddiweddar y mae llawer o adar a mamolion wedi dod o dan fygythiad, ac maen nhw wedi llwyddo i oroesi hyd heddiw mewn rhai gwledydd. Ychydig ganrifoedd sydd ers i'r lyncs, yr arth a'r blaidd ddiflannu o'r rhan fwyaf o Ewrop. Cafodd y rhain eu difa gan ein hynafiaid gan eu bod yn ystyried bod yr anifeiliaid yn cystadlu â nhw. Fodd bynnag, mae'r rhywogaethau hyn yn dal i fyw mewn lleoedd megis Gogledd America (gw. Ffigur 4.18), ac yn cael eu hailgyflwyno i rannau o Ewrop. Mae gennym ni ddyletswydd i ddadwneud y niwed a wnaeth ein hynafiaid.

Rydym ni wedi bod yn ceisio difa rhai rhywogaethau dro ar ôl tro, er enghraifft y mosgito sy'n cludo malaria, clêr tai a locustiaid. Er bod gennym dechnoleg soffistigedig iawn, mae'n ddiddorol nodi nad ydym wedi llwyddo i ddifa unrhyw rywogaeth yn fwriadol, ar wahân i firws y frech wen. Fodd bynnag, trwy or-hela a dinistrio cynefinoedd, rydym ni wedi cynyddu cyfradd diflaniad llawer o rywogaethau o anifeiliaid a phlanhigion. Y dodo, y golomen grwydr, blaidd Tasmania a môr-fuwch Steller yw rhai o'r fertebratau mawr sydd wedi cael eu hela gymaint fel eu bod wedi diflannu. Mae'n bur debyg fod llawer o anifeiliaid a phlanhigion llai amlwg yn diflannu cyn bod gwyddonwyr yn dod i wybod amdanynt. Efallai y bydd yn bosibl adfer cynefinoedd naturiol rhai rhywogaethau sydd ar fin diflannu, a bridio'r rhywogaethau mewn caethiwed cyn eu hailgyflwyno. Mae gwyddonwyr wedi bod yn ceisio gwneud hyn yn achos rhai o'r epaod mawr, er enghraifft y gorila a'r orang-wtang, a hefyd yn achos rhai adar, fel gŵydd Hawaii.

Canolfan fwydo barcutiaid coch:
www.gigrin.co.uk

Wyddoch chi?

Yn y ddeunawfed ganrif, y barcud coch (gw. Ffigur 4.19) oedd un o'r adar mwyaf cyffredin ledled Prydain. Yna cafodd ei amau o fod yn fygythiad i dda byw ar ffermydd ac i adar hela fel petris. O ganlyniad, cafodd cymaint ohonynt eu lladd fel y bu bron iddynt ddiflannu. Ym 1905, pum barcud coch yn unig oedd ar ôl yng Nghymru. Cafodd y niferoedd eu hadfer diolch i ymdrechion rhai cadwraethwyr brwd iawn yn Ymddiriedolaeth Barcud Coch Cymru. Erbyn 2002, roedd y nifer wedi codi i 300 o barau oedd yn bridio.

Ffigur 4.19 Barcud coch yn hedfan

Ffigur 4.20 Gwiwer goch

Ffigur 4.21 Brenigen yr wystrys o America, *Crepidula fornicata*

Estroniaid yng Nghymru

Y wiwer lwyd

Mae perygl i'r wiwer goch (gw. Ffigur 4.20) ddiflannu o Gymru. Y prif resymau dros hyn yw colli ei chynefin naturiol, a rhywogaeth estron yn cystadlu â hi. Rhaid iddi hi gystadlu â'r wiwer lwyd, sy'n fwy ac yn gryfach na hi. Mae'r wiwer lwyd yn gyffredin iawn ac i'w chael ledled y DU. Cafodd ei chyflwyno i'r DU o UDA ym 1876. Erbyn 2004, roedd poblogaethau'r wiwer goch yng Nghymru wedi'u cyfyngu i'r gogledd a'r canolbarth. Erbyn heddiw, mae'r tylwyth mwyaf i'w gael ar Ynys Môn, ynys â dwy bont yn ei chysylltu â'r tir mawr. Roedd ofnau ym 1997 y byddai poblogaeth y gwiwerod coch ar Ynys Môn yn diflannu, yn bennaf oherwydd cystadleuaeth gan y wiwer lwyd fwy niferus. Fodd bynnag, cafodd y wiwer lwyd ei rheoli trwy raglenni trapio, ac mae poblogaeth y wiwer goch wedi ei hachub.

Yng nghanol y 1960au y cychwynnodd y bygythiad gan y wiwer lwyd, oedd yn cyrraedd yr ynys trwy groesi'r bont ffordd dros Gulfor Menai sy'n gwahanu Ynys Môn a'r tir mawr. Yn fuan wedyn dechreuodd niferoedd y gwiwerod coch syrthio. Yn ystod 1970–99, roedd y patrwm diflannu'n debyg i'r patrwm roedd pobl eisoes wedi ei weld mewn rhannau eraill o Brydain. Erbyn gaeaf 1997–8, mewn un goedwig yn unig, sef Mynydd Llwydiarth, roedd gwiwerod coch i'w gweld. Dechreuodd y cynllun rheoli gwiwerod llwyd; roedd llawer mwy o obaith llwyddo yma ar ynys nag ar y tir mawr. Roedd llawer llai o wiwerod yn llwyddo i groesi i'r ynys nag a gafodd eu dal mewn trapiau. Daeth cyllid o Ewrop er mwyn talu am yr adnoddau angenrheidiol ar gyfer project cadwraeth parhaol, ac felly roedd modd parhau â'r rhaglen i drapio'r wiwer lwyd. Gan fod poblogaeth y wiwer lwyd wedi gostwng cymaint, cynyddodd poblogaeth y wiwer goch yn gyflym, ac erbyn 2004 roedd hi wedi ymledu trwy'r ynys.

Mae Menter Gwiwerod Ewrop (*ESI*) wedi tynnu sylw at gadwraeth y wiwer goch gynhenid. Mae'r fenter hon yn cynrychioli diddordebau tirfeddianwyr, cadwraethwyr a choedwigwyr sy'n ceisio gwarchod yr amgylchedd naturiol.

Brenigen yr wystrys o America

Nid y wiwer lwyd yw'r unig rywogaeth estron o bell ffordd sydd wedi cyrraedd Cymru yn ddamweiniol. Mae rhai ohonynt yn bwysig iawn gan eu bod wedi effeithio ar fuddiannau pobl yn ogystal â newid y cydbwysedd yn yr amgylchedd. Un enghraifft o hyn yw math o folwsg o'r enw *Crepidula fornicata*, sef brenigen yr wystrys o America (gw. Ffigur 4.21).

Mae'r molwsgiaid hyn yn cystadlu â wystrys a chregyn gleision sydd yn werthfawr yn fasnachol gan eu bod yn hidlo bwyd o'r môr. Yn aml, maen nhw mor niferus fel eu bod yn gorchuddio a mygu ardaloedd mawr o wystrys a chregyn gleision ar welyau naturiol ac artiffisial. O ganlyniad bydd yn amhosibl cynaeafu a gwerthu'r wystrys a'r cregyn gleision. Mae'r pla estron hwn wedi ymsefydlu mor gadarn erbyn hyn ar arfordir Prydain fel ei fod yn amhosibl ei waredu. Byddai defnyddio unrhyw blaleiddiad yn effeithio ar yr wystrys a'r cregyn gleision hefyd. Cafodd y pla ei gyflwyno'n ddamweiniol i arfordiroedd deheuol a dwyreiniol Prydain cyn belled yn ôl â'r 1880au. Erbyn y 1950au, roedd wedi ymledu ar hyd arfordir Sir Benfro ac erbyn 1974 roedd wedi cyrraedd y rhan fwyaf o lannau creigiog Môr Hafren mor bell â Ffontygari ger y Barri yn y de. Ychydig iawn o lannau creigiog sydd yng Nghymru heddiw lle nad yw brenigen yr wystrys i'w chael.

Masnachu rhywogaethau mewn perygl

Bob mis, bydd asiantiaid arbennig Gwasanaeth Pysgodfeydd a Bywyd Gwyllt Unol Daleithiau America yn meddiannu degau o filoedd o grwyn sy'n cael eu smyglo'n anghyfreithlon i UDA. Mae'r sefyllfa'n debyg yn Ewrop (gw. Ffigur 4.22). Mae yna ormod o lawer o straeon erchyll am ddarganfod bywyd gwyllt fel tsimpansïaid, ymlusgiaid a pharotiaid wedi marw wrth iddynt gael eu smyglo i bob gwlad bron yn Ewrop.

Bydd cyrn rhinoseros, crwyn teigrod, crwyn nadroedd, ifori a chynhyrchion eraill o rywogaethau prin hefyd yn cael eu smyglo dros ffiniau. Mewn ymgais i leihau'r masnachu gwarthus hwn, mae blychau gwydr mewn meysydd awyr yn arddangos enghreifftiau o bethau y mae'n anghyfreithlon eu smyglo. Mae llywodraethau wedi dechrau gafael yn y broblem, ac mae troseddwyr yn treulio cyfnodau hir yn y carchar. Mae gweithredu'r gyfraith yn dibynnu ar *CITES* (*Convention on International Trade in Endangered Species*). Mae'r confensiwn hwn yn gyfraith er 1975, ac erbyn hyn mae tua 100 o wledydd wedi'i arwyddo, yn cynnwys rhai o'r prif wledydd sy'n allforio a mewnforio planhigion ac anifeiliaid gwyllt. Pwrpas y confensiwn yw sefydlu rheolaeth fyd-eang dros fasnachu rhywogaethau mewn perygl a'u cynhyrchion (crwyn, cyrn ac ati). Mae'r confensiwn yn cydnabod bod y math hwn o fasnachu yn un o'r bygythiadau pennaf i oroesiad rhywogaethau. Yn anffodus, mae dros 30 mlynedd wedi mynd heibio cyn gweld bod llywodraethau'n rhoi'r sylw difrifol a dyledus i fasnachu anghyfreithlon rhywogaethau mewn perygl.

Asiantaethau a sefydliadau

Bellach mae gan y rhan fwyaf o wledydd Ewrop ddeddfau cadwraeth natur ac ardaloedd gwarchodedig. Mae hyd a lled a natur yr ardaloedd gwarchodedig yn gwahaniaethu'n fawr. Nid oes neb bron yn byw ym Mharc Cenedlaethol Grønland, a'r hinsawdd sy'n rheoli'r amgylchedd yno bron yn llwyr. Ar y llaw arall, mae llawer o ddylanwadau allanol ar warchodfa'r Camargue yn Ffrainc. Mae'r *International Union for Conservation of Nature* (*IUCN*) wedi cynhyrchu adroddiad sy'n adolygu'r gwahanol ffyrdd o ddiogelu cynefinoedd ledled y byd.

- **Gwarchodfeydd gwyddonol**: Nid oes unrhyw ymyrraeth gan bobl na dylanwadau 'gwneud' mewnol ar y rhain. Ardaloedd ar gyfer ymchwil gwyddonol yn unig ydyn nhw. Yn aml iawn bydd rhywogaethau neu gynefinoedd sy'n bwysig oherwydd eu gwerth biolegol yn cael eu gwarchod yma. Mae maint gwarchodfa fel hyn yn dibynnu ar faint yr ardal y gellir ei chadw ar wahân neu heb ymyrraeth – er enghraifft, Ynys Surtsey yn gyfan, neu rannau llai o lawer o wlyptiroedd ym Mhrydain.

- **Parciau cenedlaethol neu daleithiol**: Mae'r parciau hyn yn rhannu rhai o'r un amcanion â gwarchodfeydd, hynny yw, cadwraeth yr amgylchedd a'i rhywogaethau. Mae gwarchodfeydd morol o amgylch rhai o'r ynysoedd yng ngorllewin Cymru fel Skomer a Skokholm yn enghreifftiau o'r rhain. Mae rheoliadau'r parciau'n caniatáu rhywfaint o fynediad i'r cyhoedd, a rhai llwybrau i'w cyrraedd fel yr un ar hyd arfordir Sir Benfro. Yn gyffredinol, amcan y parciau yw bod yn ardaloedd ar gyfer hamdden ac addysg ond lle mae rheolau cadwraeth pendant hefyd ar waith.

- **Mannau o harddwch arbennig neu safleoedd o ddiddordeb cenedlaethol**: Mae'r safleoedd hyn, sy'n aml yn hynod drawiadol, yn cynnwys dyffrynnoedd dyfnion a chul, ceunentydd, rhaeadrau ac ogofâu. Maen nhw'n cael eu gwarchod yn yr un ffordd â henebion hanesyddol, ond mae hawl gan y cyhoedd i fynd yno. Yng Nghymru, mae Parc Cenedlaethol Bannau Brycheiniog yn enghraifft.

Ffigur 4.22 Cynhyrchion o anifeiliaid wedi'u mewnforio'n anghyfreithlon

- **Gwarchodfeydd natur rheoledig:** Bwriad y gwarchodfeydd hyn yw gwarchod rhywogaeth neu gymuned. Maen nhw'n cynnwys gwarchodfeydd mewn coedwigoedd, gwarchodfeydd helfilod, a physgodfeydd. Yn yr achosion hyn, rhaid rheoli rhywogaeth er mwyn sicrhau ei gwarchod. Yng Nghymru, mae Parc Cenedlaethol Eryri yn y gogledd, â'i fynyddoedd a'i rostiroedd yn enghraifft. Mae planhigion hynod o ddiddorol i'w cael yno, ac er mwyn sicrhau eu bod yn goroesi, mae defaid yn pori dan reolaeth. Oni bai bod hyn yn digwydd byddai'r amgylchedd yn newid yn gyflym.

- **Tirweddau o waith dyn a thirweddau gwarchodedig:** Tynged tirweddau sydd wedi'u llunio gan weithgaredd amaethyddol yw diflannu pan fydd eu gwerth economaidd yn dod i ben. Er mwyn diogelu amgylcheddau o'r fath rhaid cynnal neu adfywio gweithgaredd dynol. Mae parciau cenedlaethol rhanbarthol Ewrop yn enghreifftiau da o hyn. Yng Nghymru, mae Parc Gwledig Pembre yn y de, sy'n enghraifft 202 ha (hectar) o dirwedd warchodedig o waith dyn, yn cyfuno twyni a thraethau tywodlyd.

Banciau hadau a chadwraeth

Casgliadau o hadau wedi'u storio yw **banciau hadau,** a'u nod yw sicrhau y bydd pobl yn y dyfodol yn gallu tyfu'r mathau o blanhigion sy'n bodoli heddiw. Mae angen banciau hadau gan ei bod yn bosibl y gallai rhai mathau defnyddiol o blanhigion ddiflannu. Yn ôl rhai gwyddonwyr, mae perygl i hyd at 34 000 o rywogaethau o blanhigion ledled y byd ddiflannu. Os yw'r amodau'n gywir, mae'n bosibl tynnu'r rhan fwyaf o ddŵr o sawl math o hedyn, a'u cadw ar dymheredd isel fel eu bod yn cadw'n fyw am flynyddoedd lawer. Trwy ddefnyddio'r dull hwn, mae modd cadw hadau rhywogaethau o gnydau grawn sy'n wrthiannol i afiechyd a rhai sy'n gallu tyfu mewn hinsoddau eithafol.

Cafodd y banciau hadau cyntaf eu sefydlu ym 1958 yn UDA. Mae eu nifer wedi cynyddu bob blwyddyn, ac erbyn hyn maen nhw i'w cael ledled y byd. Ym 1997 cafodd Project Banc Hadau'r Mileniwm ei sefydlu yn y Gerddi Botaneg Brenhinol Cenedlaethol yn Kew, Llundain. Y prif nod oedd cadw dros 24 000 o rywogaethau erbyn 2010, trwy gydweithio rhyngwladol. Mae dros 16 o wledydd yn cydweithio yn y bartneriaeth hon. Erbyn 2002, yn ôl cofnodion Cyfundrefn Bwyd ac Amaeth y Cenhedloedd Unedig (*FAO*), roedd dros 19 000 o rywogaethau wedi'u storio mewn dros 400 o fanciau hadau.

Cynhyrchu bwyd trwy ffermio dwys a'r amgylchedd

Ar raddfa fyd-eang, mae amaethyddiaeth yn canolbwyntio ar ystod fechan o amrywogaethau o gnydau, sy'n cael eu bridio'n ddetholus ar gyfer anghenion pobl. Canlyniad hyn yw tyfu **ungnydau**, sef ardaloedd unffurf o'r un amrywiaeth o gnwd yn cael ei dyfu ar raddfa eang. Mae manteision ac anfanteision i dyfu ungnydau.

Y brif fantais yw fod gan unrhyw gnwd sy'n unffurf yn enetig nodweddion dibynadwy o safbwynt y ffermwr, er enghraifft pa mor wrthiannol yw'r cnwd i afiechyd, faint o gynnyrch i'w ddisgwyl, a syniad o faint o wrtaith sydd ei angen. Fodd bynnag, mae anfantais ddifrifol i hyn, sef bod tyfu ungnwd yn un o'r ecosystemau mwyaf annaturiol sy'n bodoli, a byddai un pla neu glefyd yn ddigon i'w ddifetha'n llwyr. Nid yw'r niferoedd enfawr o wahanol rywogaethau sydd i'w cael mewn amgylchedd naturiol yn bodoli mewn ecosystem fel hon. O ganlyniad nid oes yna anifeiliaid defnyddiol i reoli'r plâu nad oes croeso iddynt, ac nid yw maetholion hanfodol yn cael eu hailgylchu (gw. yr adran ar y cylchredau carbon a nitrogen yn y bennod hon). Cyn belled yn ôl â 1844 yn Iwerddon roedd enghraifft o berygl un pla yn dinistrio cnwd cyfan yn llwyr. Cafodd newyn difrifol ei achosi gan falltod ar datws, ac arweiniodd hyn at allfudiad poblogaeth – un o'r rhai mwyaf erioed yn Ewrop (gw. Ffigur 4.23). Ar yr adeg honno, roedd y rhan fwyaf o boblogaeth Iwerddon yn dibynnu'n llwyr ar un math o datws.

Wyddoch chi?

Ym 1877 rhoddodd gwyddonwyr yn Awstria hadau gwenith mewn llestri gwydr a'u selio. Ym 1987, cafodd yr hadau hyn rywfaint o ddŵr a'u rhoi mewn aer ar dymheredd addas. Canlyniad hyn oedd fod yr hadau'n egino. Mae hyn yn profi bod rhai hadau'n gallu byw am o leiaf 110 o flynyddoedd!

Ffigur 4.23 Ysgythriad yn dangos y newyn tatws yn Iwerddon

Adeg cynaeafu ungnydau, nid y cnwd ei hun yw'r unig beth i ddiflannu ond hefyd yr holl fwynau a gafodd eu hamsugno ganddo. Er mwyn ailffrwythloni'r pridd, rhaid i ffermwyr ychwanegu gwrteithiau artiffisial sy'n cynnwys nitradau a ffosffadau. Weithiau mae'r mwynau hyn yn cael eu golchi neu'u trwytholchi i ddyfrffyrdd ac yn creu llygredd (gw. yr adran ar lygredd dŵr ar dud. 88). Gall plaleiddiaid a chwynladdwyr hefyd achosi llygredd amgylcheddol trwy gronni mewn cadwynau bwydydd a niweidio anifeiliaid a phlanhigion sydd fel arfer yn byw o gwmpas ffermydd.

Fel strategaeth dymor hir, mae'n rhaid i fridwyr planhigion ofalu eu bod yn cadw amrywiad genetig. Trwy wneud hyn, bydd amrywogaethau newydd ar gael os bydd rhai hŷn yn marw o'r tir oherwydd newidiadau yn yr amgylchedd, er enghraifft yr hinsawdd, neu afiechyd. Mae'n bosibl iawn y bydd angen amrywogaethau eraill newydd yn y dyfodol oherwydd cynhesu byd-eang, felly mae bridwyr yn ymdrechu'n galed i gadw hen amrywogaethau, rhag i'w genynnau nhw ddiflannu.

Mae amrywogaethau prif gnydau'r byd yn cael eu cadw mewn banciau genynnau a gafodd eu sefydlu cyn belled yn ôl â 1971 gan Gyfundrefn Bwyd ac Amaeth y Cenhedloedd Unedig. Erbyn heddiw, mae gwyddonwyr yn defnyddio peirianneg genetig yn fwyfwy aml er mwyn achub genynnau prin (gw. yr adran am beirianneg genetig ym Mhennod 1). Yn ddamcaniaethol, mae modd cyflwyno unrhyw enyn i gnydau. Pwrpas hyn yw sicrhau bod gan gnydau'r dyfodol enynnau ychwanegol er mwyn rheoli'r nodweddion mae ffermwyr yn chwilio amdanynt.

Cynyddu cynnyrch cnydau

Yn ddamcaniaethol, gall ymddangos yn hawdd cynyddu cynnyrch cnydau gyda thechnegau modern bridio detholus, peirianneg genetig a defnyddio plaleiddiaid a gwrtaith. Y nod yw gwneud i'r cnwd dyfu'n gynt, bod â gwell blas arno ac yn fwy gwrthiannol i newidiadau hinsoddol ac afiechydon. Mae bridwyr planhigion yn dewis y planhigion unigol gorau o blith cannoedd neu hyd yn oed miloedd sy'n tyfu o dan amodau arbrofol. Yna maen nhw'n croesfridio unigolion sy'n cynnwys o leiaf rhai o'r nodweddion manteisiol. Trwy hap a damwain mae hyn yn digwydd o hyd, gan fod y bridwyr yn dibynnu ar siawns er mwyn cyfuno nodweddion gorau'r epil. Po fwyaf yw nifer y croesiadau, mwyaf yw'r siawns o lwyddo.

Mae gan wenith lawer o berthnasau sy'n weiriau gwyllt. Mae gan lawer o'r rhain enynnau sy'n rheoli gwrthiant i glefydau ffwngaidd. Bydd bridwyr felly yn croesi'r gwair gwyllt â'r gwenith er mwyn cael y genyn sydd ei eisiau ar gyfer gwrthiant i ffyngau. Nid yw hon yn broses hawdd, oherwydd efallai fod gan yr epil lawer o nodweddion llai manteisiol y gwair gwyllt, cynnyrch isel er enghraifft. Yr ateb i'r broblem hon yw croesfridio'r genhedlaeth gyntaf (**F1**) â'r gwenith gwreiddiol, ac, o'r planhigion hynny yng nghenhedlaeth **F2,** cadw'r rhai sydd â'r genyn gwrthiant yn unig. Trwy ôl-groesi dro ar ôl tro gall bridwyr gadw'r nodweddion maen nhw eu heisiau – gwrthiant i ffyngau yn yr achos hwn – a chael gwared yn raddol ar nodweddion eraill y gwair gwyllt.

Canlyniad bridio detholus tebyg i hyn dros ganrifoedd lawer yw'r amrywogaethau o lysiau, ffrwythau a blodau sydd i'w cael yn ein marchnadoedd ni heddiw. Mae bridwyr bellach yn defnyddio technegau newydd er mwyn cyflwyno genynnau o unrhyw organeb i blanhigion cnwd trwy ddefnyddio peirianneg genetig (gw. yr adran ar beirianneg genetig ym Mhennod 1). Trwy gyfuno technoleg genynnau â meithriniadau meinwe ar raddfa eang, y canlyniad yw masgynhyrchu planhigion sy'n unfath yn enetig.

Wyddoch chi?

Mae peirianwyr yn Awstralia wedi cynhyrchu math o gotwm sy'n lladd lindys sy'n bygwth dinistrio'r diwydiant cotwm yno. Maen nhw wedi cyflwyno genyn ar gyfer rheoli cynhyrchu plaleiddiad naturiol, sydd fel arfer yn cael ei gynhyrchu gan fath o facteriwm sy'n byw yn y pridd. O bosibl, gall hyn arbed miliynau lawer o ddoleri'r flwyddyn a fyddai fel arall yn cael eu gwario ar blaleiddiaid. Byddai hefyd yn lleihau'r problemau llygredd sy'n codi oherwydd bod plaleiddiaid yn cronni mewn cadwynau bwydydd.

Wyddoch chi?

Ym 1998, tyfodd ffermwyr Prydain dros 100 kg o datws ar gyfer pob person sy'n byw yma, sef dros 6 700 000 tunnell fetrig – felly nid oes amheuaeth nad yw'n gnwd pwysig! Mewn gwirionedd, mae tatws yn darparu cyfran helaeth o'r fitamin C rydym ei angen, a chymaint o egni o bob hectar ag unrhyw gnwd grawn.

Dyma enghraifft o glonio. Mae clonio'n hynod o ddefnyddiol mewn cnydau sy'n werthfawr yn fasnachol ond nad ydynt fel arfer yn atgynhyrchu'n anrhywiol. Cnau coco a phlanhigion olew palmwydd yw sylfaen economi rhai gwledydd, a dyma sut maen nhw'n cael eu hatgynhyrchu. Mae darnau o feinwe planhigol yn cael eu cadw'n fyw mewn hydoddiant meithrin sy'n cynnwys popeth sydd ei angen er mwyn i'r planhigyn dyfu'n naturiol. Mae'n bosibl meithrin rhai planhigion sy'n cynhyrchu cyffuriau naturiol i wella rhai afiechydon yn y ffordd hon. Un enghraifft yw'r goeden *cinchona*, sy'n cynhyrchu cwinin ar gyfer trin malaria.

Ffermio anifeiliaid yn ddwys

Mae dulliau tebyg i'r rhai sy'n cael eu defnyddio er mwyn gwella cynnyrch cnydau hefyd yn cael eu defnyddio er mwyn gwella anifeiliaid dof. Bydd ffermwyr yn dewis unigolion sydd â'r nodweddion maen nhw eu heisiau, er enghraifft gwartheg sy'n cynhyrchu llawer o gig neu laeth, ieir sy'n cynhyrchu llawer o wyau, a defaid sy'n cynhyrchu gwlân a chig da. Wrth groesi dau anifail â nodweddion maen nhw'n chwilio amdanynt, yn aml bydd cyfuniad o'r nodweddion hynny yn yr epil. Bridio detholus fel hyn dros gyfnod o filoedd o flynyddoedd sydd wedi cynhyrchu'r amrywiaeth eang o anifeiliaid dof sydd wedi'u bridio oherwydd eu nodweddion arbennig. Erbyn heddiw mae technolegau newydd ar gael sy'n cyflymu'r broses o fridio detholus, yn eu plith:

- **Ymhadiad artiffisial (*AI*)**: Mae sbermau o anifail gwryw sydd â nodweddion mae'r ffermwr eu heisiau yn cael eu gosod yn artiffisial yn system atgenhedlu'r anifail benyw er mwyn ffrwythloni wy. Gellir semenu llawer o anifeiliaid benyw yn y ffordd hon, gan ddefnyddio sbermau'r un gwryw.
- **Ffrwythloniad *in vitro* (*IVF*)**: Mae wyau'n cael eu tynnu o anifail benyw ac yn cael eu ffrwythloni mewn dysgl Petri gan sbermau wedi'u casglu o anifail gwryw (gw. Ffigur 4.24). Yna bydd yr wyau wedi'u ffrwythloni yn cael eu gosod yng nghroth yr anifail benyw.
- **Peirianneg genetig**: Mae DNA newydd yn cael ei gyflwyno i embryonau ifanc sydd wedi'u cynhyrchu trwy IVF. Mae'r dull hwn wedi cael ei ddefnyddio i roi DNA dynol mewn defaid, sydd wedyn yn cynhyrchu ffactor ceulo yn eu llaeth, er mwyn trin pobl sy'n dioddef gan haemoffilia. Mae genynnau hefyd wedi cael eu gosod mewn anifeiliaid i wneud iddynt gynhyrchu rhagor o hormon twf, fel y byddan nhw'n cynhyrchu rhagor o laeth.
- **Clonio**: Ffordd artiffisial o gynhyrchu gefeilliaid yw hon. Mae celloedd embryonau ifanc yn cael eu gwahanu, a gall pob cell dyfu i fod yn unigolyn. Yna, wedi trosglwyddo'r rhain i anifeiliaid benyw, mae'n bosibl cynhyrchu llawer o glonau sy'n unfath yn enetig.

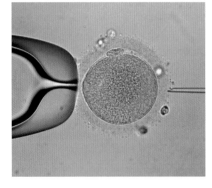

Ffigur 4.24 Nodwydd ar fin chwistrellu DNA sberm i wy dynol yn ystod proses IVF

Dyletswydd gofal am les anifeiliaid

Mae ffigurau gwerthiant cynhyrchion anifeiliaid yn awgrymu bod defnyddwyr eisiau cig, wyau a llaeth rhad ond sydd hefyd o ansawdd uchel. Mae'r rhan fwyaf o bobl eisiau i'r anifeiliaid gael gofal iawn, ond mae llawer yn anfodlon derbyn bod lles anifeiliaid yn costio arian ac y bydd y gost ychwanegol hon yn codi pris y cynnyrch. Mae pwysau ar ffermwyr i gyflenwi cynhyrchion anifeiliaid yn rhad, felly mae llawer o bobl yn amau bod lles anifeiliaid dan fygythiad.

Nid yw ieir sy'n cael eu cadw mewn cewyll batri yn gallu chwalu llwch dros eu plu na chrafu'r ddaear fel y byddan nhw ar fuarth fferm (gw. Ffigur

4.25). Ydyn nhw'n dioddef? Nid yw moch sy'n cael eu caethiwo mewn corau neu stalau â lloriau solet yn gallu tyrchu trwy'r pridd chwaith fel y bydden nhw'n ei wneud yn naturiol. Mae rhai pobl yn awgrymu bod cnoi'r bariau sy'n eu caethiwo yn arwydd bod yr anifail yn rhwystredig neu'n ofidus. Er hynny, peth anodd yw profi mewn llys barn fod anifeiliaid yn dioddef trwy gael eu caethiwo.

Ffigur 4.25 Bydd ieir yn aml yn cael eu magu'n ddwys mewn ffermydd batri

Gweithgaredd

Defnyddiwch y rhyngrwyd i chwilio am enghreifftiau eraill o'r syniadau yn yr adran hon. Er enghraifft, chwiliwch am eiriau allweddol fel 'technoleg genynnau', 'lles anifeiliaid', 'llygredd dŵr', ac 'ailgylchu'. Ewch i wefannau grwpiau pwyso amgylcheddol ac asiantaethau amgylcheddol Llywodraeth Cymru a Phrydain.

Gweithgaredd

Chwiliwch mewn gwyddoniadur aml-gyfrwng neu yn *Encyclopaedia to the Environment: Biosphere* am effeithiau amgylcheddol gweithgareddau pobl.

Wyddoch chi?

Mae gwyddonwyr yn Awstria wedi datblygu porthiant anifeiliaid y gellir ei ddefnyddio yn lle gwrthfiotigau ar gyfer da byw sy'n cael eu magu mewn ffermydd ffatri. Mae'n hawdd i anifeiliaid sy'n cael eu cadw mewn lle cyfyng ddal clefydau sy'n cael eu hachosi gan facteria. Bydd moch ac ieir sy'n cael eu cadw mewn batrïau yn aml yn cael eu trin â gwrthfiotigau i reoli'r clefydau hyn. Mae llawer o feirniadu ar yr arfer hwn gan y gallai'r gwrthfiotigau wneud bacteria sy'n wrthiannol iddynt. Yr ofn yw fod bacteria gwrthiannol wedyn yn datblygu, a'r rheiny efallai yn cael eu trosglwyddo i bobl. Yn Awstria, mae gwyddonwyr wedi datblygu porthiant yn seiliedig ar laeth, sydd wedi llwyddo i gadw da byw ffermydd ffatri yn rhydd o facteria. Trwy reoli twf organebau sy'n achosi afiechyd yn y llwybr treulio mae'r porthiant hwn yn gweithio, ac mae'n cynnwys meithriniad o facteria sy'n byw yn naturiol yn llwybr treulio lloi bach. Mae'r bacteria'n hybu treuliad yn yr anifeiliaid ac yn rheoli atgynhyrchiad bacteria niweidiol. Mae'r meithriniadau'n cael eu tyfu mewn llaeth buwch cyffredin ac yn cael eu sychu ar dymheredd lle nad yw'r bacteria'n cael eu dinistrio. Yna bydd y powdr yn cael ei fwydo i'r anifeiliaid.

Yn y DU, mae anifeiliaid ffermydd batri yn cael eu magu mewn amgylchedd sydd wedi'i rheoli'n ofalus. Maen nhw'n derbyn porthiant cytbwys, mewn tymheredd wedi'i reoli, heb blâu, ysglyfaethwyr nac afiechyd, ac mae pob unigolyn yn cael dim llai na'r gofod lleiaf sydd wedi'i gytuno yn gyfreithiol. Trwy wneud hyn, mae cynnyrch wyau ieir a chig moch yn cael eu cadw'n ddigon uchel i ateb y galw gan y cyhoedd.

Mae Cyngor Lles Anifeiliaid Fferm y DU (*FAWC*) yn datgan y dylai systemau da i reoli anifeiliaid ddarparu pum math o ryddid:

- rhyddid rhag newyn a syched: dŵr ffres a deiet cytbwys
- rhyddid rhag anghysur: cysgod a lle i orffwys
- rhyddid rhag poen, anafiadau ac afiechyd: atal afiechyd neu ddiagnosis cyflym ohono
- rhyddid i fynegi ymddygiad normal: darparu digon o le a chwmni unigolion eraill o'r un rhywogaeth
- rhyddid rhag ofn a gofid: triniaeth sy'n osgoi unrhyw ddioddefaint.

Mae Deddf Iechyd Anifeiliaid y DU (1981) yn diogelu lles anifeiliaid mewn marchnadoedd ac wrth iddynt gael eu cludo ar hyd a lled Prydain. Mae Deddf Lladd-dai y DU (1974) yn nodi'n fanwl y dulliau trugarog sydd i'w defnyddio i ladd yr anifeiliaid.

Rheoli afiechyd

Yn ystod y blynyddoedd diwethaf mae'r cyhoedd wedi dangos diddordeb mawr yn lledaeniad rhai clefydau rhwng rhywogaethau o anifeiliaid dof a rhwng aelodau o'r un rhywogaeth. Un clefyd o'r fath yw **twbercwlosis (TB) gwartheg**. Mae'r clefyd hwn yn effeithio ar wartheg ac yn cael ei achosi gan facteriwm. Mae'n hawdd iawn ei drosglwyddo o un anifail wedi'i heintio i'r nesaf trwy gyffwrdd â'i gilydd, felly rhaid archwilio buchesau'n rheolaidd.

Os oes prawf fod yr haint yn bresennol, fel arfer mae'r fuches gyfan yn cael ei difa. Mae rhai pobl yn ofni bod moch daear yn trosglwyddo'r bacteriwm i wartheg os maen nhw'n rhannu'r un cynefin. O ganlyniad mae cryn anghytuno dros y cwestiwn a ddylai moch daear gael eu difa ai peidio. Mae'r mochyn daear yn rhywogaeth dan warchodaeth. Eto, mae'r bobl sy'n eu beio nhw am ledaenu bacteriwm TB gwartheg ymysg gwartheg yn ymgyrchu dros gael eu difa nhw mewn ardaloedd lle mae buddiannau ffermwyr gwartheg dan fygythiad.

Mewn ardaloedd lle mae moch daear wedi cael eu difa, mae rhai pobl yn dweud bod y clefyd wedi cilio, ond yn ôl cadwraethwyr, nid oes data wedi'u casglu am ddulliau ac amlder cludo gwartheg rhwng ffermydd yn yr ardaloedd hyn. Bydd yr anghytundeb a'r dadlau'n parhau hyd nes cael tystiolaeth o ymchwiliadau dilys a gwrthrychol. Mae tystiolaeth o'r fath yn hanfodol cyn penderfynu difa moch daear ar raddfa genedlaethol.

Crynodeb

1 Planhigion sydd ar gychwyn pob cadwyn fwyd, sy'n cynrychioli'r llif egni o un lefel fwydo i'r nesaf.

2 Gellir darlunio perthnasoedd bwydo ar ffurf pyramidiau, sy'n arddangos y rheol fod biomas yn lleihau o sylfaen y pyramid i'w frig, oherwydd y golled egni rhwng lefelau bwydo.

3 Nid yw'r rhan fwyaf o ficrobau'n niweidiol i bobl. Mae rhai ohonynt yn hanfodol i ni, er enghraifft y rhai sydd ar waith mewn cylchredau naturiol fel y cylchredau carbon a nitrogen.

4 Mae dwysedd poblogaeth sefydlog yn dibynnu ar gydbwysedd rhwng y gyfradd genedigaethau a'r gyfradd marwolaethau. Mae'r tueddiadau presennol mewn poblogaethau dynol yn awgrymu y bydd hi'n anodd i genedlaethau'r dyfodol gynhyrchu digon o fwyd ar eu cyfer eu hunain.

5 Mae'r niferoedd mawr o bobl sy'n byw mewn lle cyfyngedig, a'r angen am ddiwydiant sy'n deillio o hynny, yn achosi problemau llygredd.

6 Mae cemegion, yn cynnwys y rhai sy'n sgil gynhyrchion diwydiannol, gwrteithiau a glanedyddion, yn llygru dŵr.

7 Mae rhai cemegion gwenwynig yn aros heb eu dadelfennu, ac yn cronni mewn cadwynau bwyd.

8 Mae dŵr yn cael ei ddefnyddio a'i lygru yn y prosesau o waredu gwastraff bioddiraddadwy ac anfioddiraddadwy fel ei gilydd.

9 Mae pobl bellach yn gwneud ymdrech ymwybodol i warchod bywyd gwyllt a'u cynefinoedd.

10 Mae dulliau ffermio dwys a rheolaeth dros amgylchedd yr anifeiliaid yn golygu y gellir cynhyrchu llawer o gig. Mae gan bobl ddyletswydd i reoli sut mae bwyd yn cael ei gynhyrchu er mwyn cadw niwed i'r amgylchedd mor isel â phosibl a sicrhau nad yw anifeiliaid yn dioddef.

Pennod 5 Adeiledd atomig a'r Tabl Cyfnodol, cyfansoddion ac adweithiau cemegol

Erbyn diwedd y bennod hon dylech:

- wybod bod elfennau wedi'u gwneud o atomau a bod gan bob atom niwclews canolog bach wedi'i wneud o brotonau a niwtronau;
- deall bod y rhan fwyaf o'r màs wedi'i chrynhoi yn y niwclews positif, sydd wedi'i amgylchynu gan electronau ysgafn sydd wedi'u gwefru'n negatif;
- gwybod bod yr electronau'n symud o amgylch y niwclews mewn lefelau egni (orbitau neu blisg);
- deall y termau 'rhif màs' a 'rhif atomig';
- gwybod y nifer mwyaf o electronau y mae pob orbit neu lefel egni'n gallu ei ddal;
- gwybod trefn yr elfennau yn Tabl Cyfnodol;
- deall sut mae cyfansoddion yn cael eu ffurfio;
- deall rhywfaint o gemeg yr elfennau sydd yng Ngrwpiau 1 a 7 yn y Tabl Cyfnodol;
- gwybod sut i ysgrifennu hafaliadau cemegol syml;
- gwybod sut i brofi am hydrogen a charbon deuocsid;
- gwybod sut i brofi am gloridau ac ïodidau;
- deall mai elfennau yw blociau adeiladu sylfaenol yr holl sylweddau ac nid yw'n bosibl eu torri i lawr yn rhywbeth symlach trwy ddulliau cemegol;
- gwybod mai Mendeléev a luniodd y tabl cyfnodol cyntaf trwy drefnu'r elfennau yn ôl trefn màs atomig cymharol a gadael bylchau ar gyfer yr elfennau nad oedden nhw wedi cael eu darganfod erbyn hynny;
- gwybod bod y Tabl Cyfnodol modern yn trefnu'r elfennau yn ôl trefn eu rhifau atomig;
- gwybod mai grwpiau yw enw colofnau ac mai cyfnodau yw enw rhesi yn y Tabl Cyfnodol;
- gwybod cemeg elfennau dau o'r grwpiau yn y Tabl Cyfnodol.

Adeiledd atomig

Adeiledd atomau

Elfennau yw blociau adeiladu sylfaenol mater. Nid yw'n bosibl torri elfennau i lawr yn rhywbeth symlach trwy ddulliau cemegol. Mae gan bob elfen ei symbol ei hun. Rydym ni'n gwybod bellach fod elfennau wedi'u gwneud o **atomau**. Cynigiodd y cemegydd Seisnig John Dalton (gw. Ffigur 5.1) y ddamcaniaeth atomig lwyddiannus gyntaf ar ddechrau'r bedwaredd ganrif ar bymtheg. Defnyddiodd ei ddamcaniaeth i egluro ffeithiau dan sylw am ymddygiad sylweddau. Dyma sut mae gwyddoniaeth yn gweithio. Mae damcaniaethau'n egluro ffeithiau dan sylw.

Ers hynny mae ein gwybodaeth wedi tyfu'n gyson. Bellach rydym ni'n gwybod bod atomau wedi'u gwneud o ronynnau symlach byth.

- Mae pob atom yn cynnwys ardal graidd fach wedi'i gwefru'n bositif. Enw hon yw'r **niwclews**.

Ffigur 5.1 John Dalton

Wyddoch chi?

Roedd John Dalton yn ddall i liwiau, cyflwr a gâi ei alw'n Ddaltoniaeth weithiau.

Adeiledd yr atom:
www.chemguide.co.uk

Gwefannau cemeg cyffredinol:
www.bbc.co.uk/cymru/tgau/cemeg
www.rsc.org
www.bbc.co.uk/schools
chemistry.about.com
www.sciencemuseum.org.uk
www.chemicalelements.com
www.schoolscience.co.uk

- Mae'r niwclews yn cynnwys bron y cyfan o fàs yr atom.
- Mae **electronau** ysgafn wedi'u gwefru'n negatif yn amgylchynu'r niwclews (gw. Ffigur 5.2) ac yn cael eu hatynnu ato. (Mae'r positif yn atynnu'r negatif.)

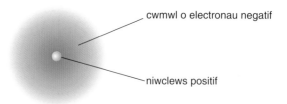

cwmwl o electronau negatif

niwclews positif

Ffigur 5.2 Model o adeiledd yr atom

Mae'r niwclews wedi'i wneud o ddau fath o ronyn: y **proton** a'r **niwtron**. Màs y proton positif yw 0.000 000 000 000 000 000 000 001 7 g, sy'n fach iawn. Mae màs niwtron a màs proton yr un fath, ond nid oes gwefr drydanol gan niwtron. Er hwylustod, gallwn ddweud mai 1 uned yw màs proton a +1 yw ei wefr, ac yna disgrifio'r gronynnau eraill trwy eu cymharu â'r gwerthoedd hyn.

Tabl 5.1 Masau a gwefrau cymharol gronynnau sylfaenol

Gronyn	Màs cymharol	Gwefr gymharol
Proton	1	+1
Niwtron	1	0
Electron	Prin dim	−1

Gronynnau sylfaenol yw'r enw ar brotonau, niwtronau ac electronau (gw. Tabl 5.1). Yr enw ar nifer y protonau yn niwclews atom yw'r **rhif atomig**. Mae gan bob elfen ei rhif atomig ei hun. Er enghraifft, mae gan hydrogen y rhif atomig 1. Mae gan lithiwm y rhif atomig 3. Mae gan glorin y rhif atomig 17.

Nifer y protonau plws nifer y niwtronau yw **rhif màs** atom. Mae Ffigur 5.3 yn dangos sut y gallwch chi ysgrifennu'r rhif màs a'r rhif atomig ar gyfer atom sodiwm, Na.

y rhif màs

y rhif atomig

$$^{23}_{11}\text{Na}$$

Ffigur 5.3 Rhif màs a rhif atomig

Mae atom yn niwtral yn drydanol (nid oes gwefr ganddo), oherwydd bod **nifer yr electronau sy'n amgylchynu'r niwclews yn hafal i nifer y protonau yn y niwclews**. Pan nad yw nifer yr electronau yn hafal i nifer y protonau, nid yw'r gronyn bellach yn atom. **Ïon** yw ei enw, ac mae ganddo wefr drydanol.

Cwestiynau

1 Sawl niwtron sydd yn niwclews atom $_{11}^{23}$Na?

2 Nodwch sawl proton, niwtron ac electron sydd ym **mhob un** o'r canlynol:

a $_{2}^{4}$He

b $_{7}^{15}$N

c $_{13}^{27}$Al

ch $_{19}^{39}$K

d $_{16}^{32}$S.

Yr electronau

Rydym ni'n defnyddio'r symbol n a gwerth 1, 2, 3, 4 a.y.b. i ddynodi ym mha **lefelau egni** y bydd electronau'n gwibio o amgylch niwclews atom. Mae'r lefelau hyn weithiau'n cael eu galw'n **orbitau**, neu **blisg**. Mae pob lefel egni'n gallu dal nifer penodol o electronau'n unig (gw. Tabl 5.2).

Tabl 5.2 Nifer yr electronau yn y lefelau egni

Lefel egni n	Y nifer mwyaf o electronau y gellir eu dal yn yr elfennau o hydrogen i galsiwm (1–20)	Y nifer mwyaf o electronau y gellir eu dal yn y lefelau egni (n = 1–4)
1	2	2
2	8	8
3	8	18
4	2	32

Enghraifft

Mae gan yr elfen sodiwm, Na, y rhif atomig 11. Mae hyn yn golygu bod ganddo 11 proton yn y niwclews, ac felly rhaid bod ganddo 11 electron yn amgylchynu'r niwclews. Mae Tabl 5.3 yn dangos trefn yr electronau hyn.

Tabl 5.3 Trefn electronau mewn atom sodiwm

Lefel egni (orbit neu blisgyn) n	Nifer yr electronau
1	2
2	8
3	1
	Cyfanswm: 11 electron

Y term am y ffordd mae'r electronau wedi'u trefnu mewn atom yw'r **ffurfwedd electronau**. Weithiau byddwn ni'n dangos hyn ar ffurf debyg i Ffigur 5.4. Gallwn ysgrifennu'r ffurfwedd electronau hon fel 2.8.1.

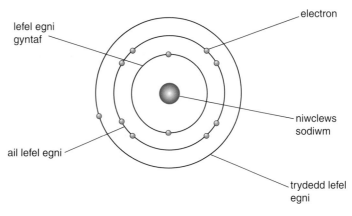

Ffigur 5.4 Ffurfwedd electronau atom sodiwm

Tabl 5.4 Ffurfweddau electronau'r 20 elfen gyntaf

Rhif atomig	Elfen	Ffurfwedd electronau			
		Lefel egni $n = 1$	Lefel egni $n = 2$	Lefel egni $n = 3$	Lefel egni $n = 4$
1	Hydrogen	1			
2	Heliwm	2			
3	Lithiwm	2	1		
4	Beryliwm	2	2		
5	Boron	2	3		
6	Carbon	2	4		
7	Nitrogen	2	5		
8	Ocsigen	2	6		
9	Fflworin	2	7		
10	Neon	2	8		
11	Sodiwm	2	8	1	
12	Magnesiwm	2	8	2	
13	Alwminiwm	2	8	3	
14	Silicon	2	8	4	
15	Ffosfforws	2	8	5	
16	Sylffwr	2	8	6	
17	Clorin	2	8	7	
18	Argon	2	8	8	
19	Potasiwm	2	8	8	1
20	Calsiwm	2	8	8	2

Mae ffurfweddau electronau'r 20 elfen gyntaf i'w gweld yn Nhabl 5.4.

Y Tabl Cyfnodol:
www.webelements.com
www.chemicalelements.com
www.chemsoc.org

Tabl Cyfnodol yr elfennau

Cafodd y Tabl Cyfnodol llwyddiannus cyntaf o'r elfennau ei lunio gan Mendeléev ym 1869. Cemegydd o Rwsia oedd Dmitri Ivanovich Mendeléev (1834–1907). Trefnodd yr elfennau yn nhrefn pwysau atomig (masau atomig cymharol) a chafodd fod yr elfennau'n dangos priodweddau tebyg ar gyfyngau rheolaidd. Er mwyn sicrhau bod y *cyfnodedd* hwn yn cyd-fynd â'r ffeithiau dan sylw, bu'n rhaid iddo adael bylchau yn ei dabl ar gyfer elfennau nad oeddent wedi cael eu darganfod ar y pryd, megis germaniwm, galiwm a scandiwm (gw. Ffigur 5.5). Rhagfynegodd Mendeléev briodweddau'r elfennau hyn. Er enghraifft, ar gyfer yr elfen sy'n hysbys i ni bellach fel germaniwm rhagfynegodd:

- y dylai fod ganddo fàs atomig cymharol o 72 (72.6 mewn gwirionedd)
- mai 5.5 fyddai ei ddwysedd (5.47 mewn gwirionedd)
- y byddai'n ffurfio clorid hylifol, XCl_4, fyddai'n berwi dan 100 °C (mewn gwirionedd mae germaniwm yn ffurfio $GeCl_4$, sy'n berwi ar 84 °C).

Cyfres	Grŵp I	Grŵp II	Grŵp III	Grŵp IV	Grŵp V	Grŵp VI	Grŵp VII	Grŵp VIII
1	1 H							
2	Li 2	Be	B	C	N	O	F	
3	3 Na	Mg	Al	Si	P	S	Cl	Fe Co Ni
4	K 4	Ca	?	Ti	V	Cr	Mn	
5	5 Cu	Zn	?	?	As	Se	Br	Ru Rh Pd
6	Rb 6	Sr	?	Zr	Nb	Mo	?	

Ffigur 5.5 Rhan o fersiwn cynnar o Dabl Cyfnodol Mendeléev yn dangos y bylchau a adawodd ar gyfer elfennau oedd heb eu darganfod

Yn y tablau cyfnodol cyntaf mae'r elfennau wedi'u trefnu yn ôl pwysau atomig cynyddol. Nid yw'r term pwysau atomig yn cael ei ddefnyddio bellach. Erbyn hyn mae cemegwyr yn defnyddio'r term *màs atomig cymharol*. Roedd anghysonderau yn y tablau cyfnodol cynharach, oedd wedi'u seilio ar bwysau atomig. Wrth i'r elfennau gael eu trefnu yn ôl eu rhifau atomig, cafodd yr anghysonderau hyn eu cywiro. Y dyddiau hyn mae'r elfennau'n cael eu trefnu yn ôl eu rhifau atomig.

Mae Ffigur 5.6 yn dangos Tabl Cyfnodol modern. (Ar dud. 309 fe welwch chi'r Tabl Cyfnodol y mae CBAC yn ei roi i fyfyrwyr i'w ddefnyddio yn eu harholiadau.) Y term am bob colofn yw **grŵp**. Y term am bob rhes lorweddol yw **cyfnod**. Mae'r cyfnod yn gorffen pan fydd y brif lefel egni yn llawn. Mae'r lefel egni gyntaf yn gallu dal hyd at ddau electron yn unig, ac felly mae hydrogen a heliwm yn cael eu gosod ar wahân fel rheol.

Gweithgaredd

Rhowch 'Tabl Cyfnodol' neu 'Periodic Table' yn eich peiriant chwilio a chanfod nifer o fersiynau rhyngweithiol o'r Tabl Cyfnodol.

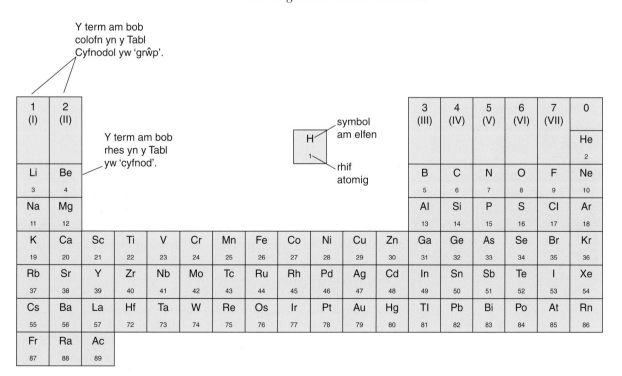

Ffigur 5.6 Y Tabl Cyfnodol modern, yn dangos symbolau a rhifau atomig (mae elfennau 58–71, y lanthanoidau neu elfennau prinfwyn, ac elfennau â rhif atomig yn uwch nag 89 wedi cael eu hepgor er symlrwydd).

Mae rhai tablau cyfnodol yn rhifo'r grwpiau 1, 2, 3, 4, a.y.b. Mewn eraill, mae'r grwpiau wedi'u labelu â rhifau Rhufeinig: I, II, III, IV, a.y.b.

Ar wahân i Grŵp 0, y nwyon nobl, mae rhif y grŵp yn dangos nifer yr electronau yn y lefel egni allanol. Yng Ngrŵp 0, mae gan heliwm ddau electron allanol ac mae gan bob un o'r nwyon nobl eraill wyth electron allanol (wythawd).

Mae'r Tabl Cyfnodol yn dangos bod priodweddau'r elfennau cemegol yn dibynnu ar eu rhifau atomig. Mae gan yr **elfennau mewn grŵp** briodweddau cemegol tebyg i'w gilydd, ac mae eu priodweddau ffisegol yn newid yn raddol wrth fynd i lawr y grŵp. Er enghraifft, mae **nodweddion metelig**:

- yn cynyddu wrth fynd i lawr grŵp
- yn lleihau wrth fynd ar draws cyfnod.

Mae **Grŵp 4** yn enghraifft dda. Mae'n symud o'r anfetel carbon ar y top i'r metel plwm ar y gwaelod. Yn y cyfnod Na–Ar, mae sodiwm yn fetel ond mae clorin yn anfetel. Dylech nodi mai metelau yw'r rhan fwyaf o'r elfennau; mae'r holl anfetelau i'w cael ar ochr dde'r tabl.

Mae gan fetelau'r priodweddau canlynol:

- dargludyddion da o drydan (**dargludedd trydanol uchel**)
- dargludyddion da o wres (**dargludedd thermol uchel**)
- **hydrin** (gellir ei guro yn llenni)
- **hydwyth** (gellir ei dynnu yn wifrau)
- **gloyw** (mae sglein ar arwynebau sydd newydd eu datgelu)
- dwyseddau uchel fel rheol
- ymdoddbwyntiau uchel
- berwbwyntiau uchel.

Mae anfetelau yn frau, yn ddi-sglein ac â dwysedd isel. Mae rhai elfennau'n gorwedd rhwng y ddau, er enghraifft mae silicon a germaniwm yn **lled-ddargludyddion** ac maen nhw'n bwysig iawn mewn electroneg. Mae gan ffurf **graffit** o garbon holl nodweddion anfetel ac eithrio ei bod yn ddargludydd da o drydan.

Mae gan rai grwpiau yn y Tabl Cyfnodol enwau arbennig.

- **Metelau alcalïaidd** yw'r elfennau yng Ngrŵp 1.
- **Halogenau** yw'r elfennau yng Ngrŵp 7 (mae'n golygu 'ffurfwyr halwynau').
- **Nwyon nobl** yw'r elfennau yng Ngrŵp 0.

Mae gan yr holl elfennau mewn grŵp briodweddau cemegol a ffisegol tebyg. Mae'r priodweddau hyn yn newid yn raddol wrth fynd i lawr y grŵp. Mae'r nwyon nobl yn anadweithiol iawn gan fod eu lefel egni allanol yn llawn. Mae ganddynt i gyd wyth electron allanol, ac eithrio heliwm sydd ag un lefel egni sy'n cynnwys dau electron.

Adweithedd mewn grŵp

Mae adweithedd yr elfennau mewn grŵp yn newid wrth fynd i lawr y grŵp. Yng Ngrŵp 1, lithiwm yw'r metel lleiaf adweithiol a chesiwm yw'r un mwyaf adweithiol (mae ffranciwm yn ymbelydrol iawn ac yn hynod o brin). Gallwn weld hyn yn y ffordd mae'r elfennau hyn yn adweithio ag ocsigen yn yr aer a dŵr.

Mae rwbidiwm a chesiwm yn adweithio'n ffyrnig ag aer a dŵr, ac nid ydyn nhw ar gael mewn labordai ysgolion. Mae samplau o lithiwm, sodiwm a photasiwm yn adweithio'n araf ag aer ac mae'n bosibl

Wyddoch chi?

Cafodd germaniwm yng Ngrŵp IV ei ddefnyddio yn y transistorau llwyddiannus cyntaf mewn cylchedau electronig. Silicon yw sail sglodion silicon, sydd wrth graidd cyfrifiaduron modern.

dangos bod yr adwaith â dŵr yn fwyfwy egnïol o lithiwm i botasiwm. Yng Ngrŵp 7, fflworin yw'r elfen fwyaf adweithiol ac ïodin yw'r un leiaf adweithiol (mae astatin yn ymbelydrol ac mae ar gael mewn symiau bach yn unig).

Gallwn egluro'r tueddiadau hyn yn nhermau maint yr atomau. Yng Ngrŵp 1, mae'r electron allanol yn mynd yn bellach i ffwrdd o'r niwclews positif wrth fynd i lawr y grŵp, ac o ganlyniad mae'n haws colli'r electron allanol. Mae hyn yn golygu ei bod yn haws i gesiwm ffurfio ïon positif nag i'r elfennau sy'n uwch nag ef. Yn yr un ffordd, yng Ngrŵp 7, mae'r electronau allanol yn mynd yn bellach i ffwrdd o'r niwclews positif wrth fynd i lawr y grŵp. Felly mae'n llai hawdd i ïodin ffurfio'r ïon ïodid nag i fflworin ffurfio'r ïon fflworid trwy dderbyn electron.

Grŵp 1: Y metelau alcalïaidd

Lithiwm, sodiwm, potasiwm, rwbidiwm a chesiwm yw metelau alcalïaidd Grŵp 1. Maen nhw i gyd yn fetelau meddal adweithiol iawn sy'n adweithio ag ocsigen yn yr aer. I atal hyn rhag digwydd rhaid eu storio'n ofalus mewn olew anadweithiol (gw. Ffigur 5.7). Mae metelau Grŵp 1 yn adweithio â halogenau megis nwy clorin hefyd (gw. Ffigur 5.13). Mae sodiwm yn ffurfio sodiwm clorid. Mae'r prawf am ïon clorid i'w gael ar dudalen 118.

Gellir torri sodiwm yn hawdd â chyllell i ddatgelu arwyneb sgleiniog sy'n tarneisio'n fuan wrth iddo ddechrau adweithio â'r aer.

sodiwm + ocsigen → sodiwm ocsid
$$4Na(s) + O_2(n) \rightarrow 2Na_2O(s)$$

Nid yw'r adwaith yn stopio yno. Mae'r ocsid yn adweithio i ffurfio sodiwm hydrocsid sy'n amsugno dŵr a charbon deuocsid o'r aer, ac ymhen amser bydd solid gwyn o sodiwm carbonad yn ffurfio.

Ffigur 5.7 Metel sodiwm wedi'i storio mewn olew

U

Gwaith ymarferol

Adweithiau elfennau Grŵp 1 â dŵr

Mae adweithedd y metelau alcalïaidd yn fwyfwy ffyrnig wrth fynd i lawr y grŵp o lithiwm i botasiwm. Nid yw'r elfennau rwbidiwm a chesiwm ar gael mewn labordai ysgolion ac mae eu hadwaith â dŵr yn ffrwydrol.

Nid yw'r arbrofion hyn i'w cynnal gan fyfyrwyr. Wrth arddangos sut mae metelau'n adweithio â dŵr, rhaid bod sgrin ddiogelu rhwng yr arddangosiad a'r myfyrwyr. Rhaid i'r myfyrwyr wisgo goglau.

Arddangosiadau

1 Mae **lithiwm** yn adweithio'n gymharol dawel â dŵr, gan ryddhau swigod o nwy. Hydrogen yw'r nwy.

2 Pan gaiff darn bach o **sodiwm** ei ychwanegu at ddŵr, mae'n arnofio ac yn dechrau ymdoddi, gan symud ar draws y dŵr yn gyflym a rhyddhau nwy hydrogen sy'n cynnau â fflam melyn (gw. Ffigur 5.8). Yn y diwedd bydd y sodiwm yn diflannu, gan adael hydoddiant sy'n cynnwys sodiwm hydrocsid.

sodiwm + dŵr → sodiwm hydrocsid + hydrogen
$$2Na(s) + 2H_2O(h) \rightarrow 2NaOH(d) + H_2(n)$$

Ffigur 5.8 Sodiwm yn adweithio â dŵr

Ffigur 5.9 Potasiwm metelig sydd newydd ei symud o'i olew a'i dorri â chyllell

3 Mae adwaith **potasiwm** â dŵr yn fwy ffyrnig nag adwaith sodiwm. Mae'r hydrogen sy'n cael ei ryddhau gan y potasiwm yn cynnau'n syth â fflam lelog. Efallai bydd potasiwm tawdd yn ffrwtian o amgylch yr adwaith.

Mae Tabl 5.5 yn dangos data ar gyfer elfennau Grŵp 1.

Tabl 5.5 Ymdoddbwyntiau a berwbwyntiau elfennau Grŵp I

	Ymdoddbwynt (°C)	Berwbwynt (°C)	Dwysedd (g/cm^3)
Li	181	1326	0.53
Na	98	883	0.97
K	63	760	0.86
Rb	39	686	1.53
Cs	29	669	1.88

Grŵp 1 – Y Metelau Alcalïaidd (ewch i *Visual elements*: www.chemsoc.org

Metelau Alcalïaidd (ewch i *Alkoli metal*: en.wikipedia.org

Cwestiwn

3 Ysgrifennwch hafaliadau mewn geiriau ac mewn symbolau ar gyfer adweithiau lithiwm a photasiwm â dŵr.

Wyddoch chi?

Mae gwifren blatinwm yn ddrud iawn, ond mae gwifren sydd wedi'i gwneud o'r aloi nicrom yn llawer rhatach ac mae'n dafladwy. Defnyddir gwifren nicrom mewn elfennau trydan.

Gwaith ymarferol

Cynhaliwch y prawf fflam ar gyfansoddion o:
1 lithiwm
2 copr
3 strontiwm
4 calsiwm.

Gwaith ymarferol

Y prawf fflam

Mae rhai elfennau'n allyrru golau lliw wrth gael eu gwresogi mewn fflam llosgydd Bunsen. Mae dau ddull o gynnal profion fflam.

Dull 1

1 Gwisgwch goglau.

2 Paratowch swm bach o glorid y metel rydych chi'n ei brofi, wedi'i gwlychu â diferyn neu ddau o asid hydroclorig crynodedig.

3 Cymerwch ddarn o wifren blatinwm neu nicrom, a dipiwch y pen yng nghlorid y metel.

4 Daliwch y wifren mewn fflam glas (cryf) llosgydd Bunsen (gw. Ffigur 5.10).

5 Edrychwch am liw amlwg yn y fflam. Cofnodwch beth yw'r lliw.

Dull 2

1 Gwisgwch goglau.

2 Chwistrellwch fân ddefnynnau o hydoddiant dyfrllyd o glorid y metel rydych chi'n ei brofi i fflam llosgydd Bunsen cryf gan ddefnyddio atomadur. Chwistrellwch yr hydoddiant i ffwrdd o'ch hunan.

3 Edrychwch am liw amlwg yn y fflam. Cofnodwch beth yw'r lliw.

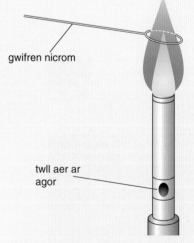

gwifren nicrom

twll aer ar agor

Ffigur 5.10 Y prawf fflam

Ceisiwch yr arbrofion uchod â sodiwm clorid a photasiwm clorid. Dylech weld y canlynol.

• Mae gan gyfansoddion sodiwm liw **melyn-euraidd** (oren bron).

• Mae gan gyfansoddion potasiwm liw **lelog** amlwg.

a)

b)

c)

Ffigur 5.11 Samplau o (a) clorin, (b) bromin ac (c) ïodin. **Anweddolrwydd** yw pa mor hawdd mae elfennau'n troi yn anwedd. Nodwch anweddolrwydd bromin ac ïodin. Er bod bromin yn hylif, gallwn weld llawer o anwedd bromin uwchben yr hylif. Yn yr un ffordd, gwelwn anwedd ïodin fioled uwchben yr ïodin solet.

Grŵp 7: Yr halogenau

Mae'r gair halogen yn golygu *ffurfiwr halwynau*. Mae elfennau Grŵp 7 yn anfetelau (gw. Ffigur 5.11).

Mae bromin ac ïodin yn anweddu yn hawdd iawn. Dywedwn eu bod yn **anweddol**. Mae'r anweddau'n wenwynig. Sylwch sut mae priodweddau ffisegol yn newid wrth fynd i lawr y grŵp (gw. Tabl 5.6).

Tabl 5.6 Halogenau

<table>
<tr><td></td><td>**Cyflwr ffisegol ar dymheredd ystafell**</td><td>**Lliw'r anwedd**</td></tr>
<tr><td>Clorin</td><td>Nwy melyn-wyrdd</td><td>Melyn-wyrdd</td></tr>
<tr><td>Bromin</td><td>Hylif coch-frown</td><td>Coch-frown</td></tr>
<tr><td>Ïodin</td><td>Solid llwyd sgleiniog</td><td>Porffor</td></tr>
</table>

Gweithgaredd

Rhagfynegwch briodweddau ffisegol astatin.

Wyddoch chi?

Roedd bromin yn arfer cael ei gynhyrchu o ddŵr y môr yn Amlwch ar Ynys Môn yn ffatri Octel. Daeth cynhyrchu i ben yn gynnar yn 2004 pan gaeodd y perchenogion Americanaidd, The Great Lakes Chemical Corporation, y ffatri, gan ddibynnu ar gael bromin o'r Môr Marw. Enghraifft arall o weithfeydd cemegol yw Dow Corning ym Mro Morgannwg.

Ffigur 5.12 Gwaith cemegol Dow Corning, Bro Morgannwg

Mae elfennau Grŵp 7 yn adweithiol iawn, gyda'r adweithedd cemegol yn lleihau wrth fynd i lawr y grŵp. Mae clorin yn adweithio'n rhwydd â llawer o fetelau.

Gellir cynnal adwaith â sodiwm mewn jar nwy o glorin mewn cwpwrdd gwyntyllu (gw. Ffigur 5.13 ar y chwith ar dud. 110).

sodiwm + clorin → sodiwm clorid
$$2Na(s) + Cl_2(n) \rightarrow 2NaCl(s)$$

Yn achos haearn, haearn(III) clorid yw'r cynnyrch. Mae hwn yn ffurfio yn y tiwb fel solid duaidd sy'n troi'n frown o'i adael mewn aer llaith (gw. Ffigur 5.13 ar y dde).

U

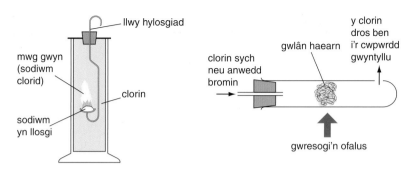

Ffigur 5.13 Metelau'n adweithio â chlorin

Adweithiau dadleoli

Gall halogen mwy adweithiol ddadleoli elfen lai adweithiol o hydoddiant o halwynau'r elfen honno. Felly bydd clorin yn dadleoli bromin ac ïodin o hydoddiannau o fromidau ac ïodidau.

clorin + hydoddiant → bromin + hydoddiant
sodiwm bromid   sodiwm clorid
$$Cl_2(n) + 2NaBr(d) \rightarrow Br_2(h) + 2NaCl(d)$$

clorin + hydoddiant → ïodin + hydoddiant
sodiwm ïodid   sodiwm clorid
$$Cl_2(n) + 2NaI(d) \rightarrow I_2(s) + 2NaCl(d)$$

Yn yr un ffordd, mae bromin, sy'n fwy adweithiol nag ïodin, yn dadleoli ïodin o hydoddiannau ïodid.

bromin + hydoddiant → ïodin + hydoddiant
sodiwm ïodid   sodiwm bromid
$$Br_2(h) + 2NaI(d) \rightarrow I_2(s) + 2NaBr(d)$$

Halogenau (ewch i *Halogens*):
en.wikipedia.org

Gwaith ymarferol

Adweithiau dadleoli halogen

1 Gwisgwch sbectol ddiogelwch. Peidiwch â cheisio arogli cynnwys y tiwbiau profi. Golchwch y cynhyrchion i lawr y sinc ar ôl gwneud yr arsylwadau. Dylai disgyblion sy'n dioddef gan asthma ddefnyddio cwpwrdd gwyntyllu os bydd y cynnwys yn cael ei wresogi.

2 Rhowch ychydig o hydoddiant sodiwm neu botasiwm bromid gwanedig mewn tiwb profi, ac ychwanegwch ddŵr clorin fesul diferyn, gan siglo'r tiwb yn ysgafn.

3 Sylwch sut mae lliw brownaidd y bromin yn datblygu.

4 Ailadroddwch yr arbrawf gan ddefnyddio hydoddiant sodiwm neu botasiwm bromid gwanedig.

5 Sylwch sut mae lliw melyn-frown yn datblygu wrth i ïodin gael ei ffurfio.

6 Os byddwch chi'n ychwanegu gormod o ddŵr clorin, mae'n bosibl y gwelwch chi waddod llwyd-ddu o ïodin yn ffurfio.

7 Os byddwch chi'n gwresogi cynnwys y tiwb yn ysgafn, fe welwch chi liw porffor anwedd ïodin.

Defnyddio halidau

Mae clorin yn gemegyn diwydiannol pwysig. Mae'n cael ei ddefnyddio wrth gynhyrchu asid hydroclorig, cannydd, plaleiddiaid, PVC (poly(cloroethen)), ac wrth ddiheintio'r cyflenwad dŵr. Mae'r defnyddiau hyn yn dibynnu ar y ffaith bod clorin yn adweithiol, yn ocsidydd da ac yn wenwynig.

Wyddoch chi?

Mae rhai awdurdodau dŵr yn defnyddio cyfansoddyn cemegol o'r enw cloramin, $ClNH_2$, yn lle clorin fel cyfrwng diheintio dŵr cyhoeddus. Mae Dŵr Cymru wedi dechrau ychwanegu cloramin yn ardal Ynys Môn. Wrth wella Gweithfeydd Trin Dŵr Alaw a Chefni, mae cyfarpar newydd wedi cael ei osod i ychwanegu cloramin at y dŵr wedi'i drin.

Fflworeiddiad:
www.bfsweb.org

Nwyon nobl (ewch i *Noble gases*):
en.wikipedia.org

Mae ïodin yn cael ei ddefnyddio wrth baratoi antiseptigion. Trwyth ïodin yw'r enw ar ïodin wedi'i hydoddi mewn alcohol, ac mae'n cael ei ddefnyddio fel antiseptig. Er bod ïodin yn llai adweithiol na chlorin mae'n dal i allu lladd bacteria.

Mae llawer o awdurdodau dŵr yn ychwanegu ïonau fflworid at ddŵr yfed i atal dannedd rhag pydru. Fodd bynnag, rydym ni'n gwybod hefyd fod crynodiad rhy uchel o fflworid mewn dŵr yfed yn gallu achosi pydredd dannedd. Felly mae rhywfaint o ddadlau am fflworeiddio dŵr yfed. Mae ychwanegu fflworid at y cyflenwad dŵr yn fater moesegol gan nad oes dewis gan yr unigolyn – rhaid i bawb ddefnyddio'r cyflenwad dŵr cyhoeddus.

Mewn rhai ardaloedd mae arolygon wedi cael eu cynnal ar amlder pydredd dannedd mewn grŵp oedran penodol, megis plant pump oed. Cafodd y data hyn eu defnyddio fel gwaelodlin i fesur effeithiolrwydd ychwanegu fflworid at y cyflenwad dŵr. Yn 2002, galwodd meddygon a deintyddion ar Gynulliad Cenedlaethol Cymru i orfodi Dŵr Cymru i ychwanegu fflworid at ei ddŵr. Dywedodd adroddiad yn y *Western Mail* yn Ebrill 2005 nad oedd unrhyw fwriad gan y Cynulliad i ychwanegu fflworid at ddŵr yfed. Mae ymchwil (Ystadegau Gwladol, 2003) wedi dangos bod pydredd dannedd gan fwy o blant Cymru na phlant yng Nghanolbarth Lloegr lle mae fflworid yn cael ei ychwanegu. Mae honiadau bod cyflwyno fflworeiddio yn Ynys Môn (1955–91) wedi arwain at ostyngiad dramatig ym mhydredd dannedd. Ond mae ychwanegu fflworid yn dal yn ddadleuol. Mae crynodiad rhy uchel o fflworid (hyd yn oed y fflworid sydd i'w gael weithiau mewn dyfroedd naturiol) yn gallu niweidio dannedd, ac mae rhai o'r farn fod fflworid yn gysylltiedig â chanser yr esgyrn ac afiechydon eraill. Mewn erthygl a gafodd ei chyhoeddi ym Mehefin 2004, cefnogodd Cymdeithas Feddygol Prydain fflworeiddio'r prif gyflenwadau dŵr yng Nghymru a Lloegr. Ni allai ganfod unrhyw dystiolaeth argyhoeddiadol o risg i iechyd dynol trwy fflworeiddio dŵr.

Grŵp 0: Y nwyon nobl

Mae'r nwyon nobl yn elfennau anadweithiol. Un atom sydd ym moleciwlau'r nwyon nobl, yn wahanol i foleciwlau ocsigen, dyweder, sydd â dau atom (O_2). Maen nhw'n digwydd mewn symiau bach iawn yn yr atmosffer, ac argon yw'r un mwyaf helaeth.

Defnyddir **heliwm** mewn balwnau tywydd. Mae ychydig yn llai effeithlon mewn balwnau na hydrogen, ond mae'n fwy diogel gan fod hydrogen yn gallu ffurfio cymysgeddau ffrwydrol ag aer ac mae'n fflamadwy. Hefyd mae'n cael ei ddefnyddio weithiau, wedi'i gymysgu ag ocsigen, mewn cyfarpar anadlu tanddwr.

Defnyddir **neon** mewn goleuadau neon mewn arddangosiadau hysbysebu a chelfyddyd.

Defnyddir **argon** i lenwi bylbiau goleuo. Gan ei fod yn anadweithiol, nid yw'n adweithio â'r ffilament metel yn y bwlb. Mewn rhai prosesau weldio, mae angen atmosffer anadweithiol i warchod y metel rhag ocsidio, ac mae argon yn addas ar gyfer hyn.

Cyfansoddion cemegol a fformiwlâu

Mae cyfansoddion yn cael eu ffurfio wrth i ddau neu ragor o elfennau gyfuno. Gallwn ddefnyddio fformiwla i gynrychioli cyfansoddyn cemegol. Bydd y fformiwla'n nodi cymhareb atomau pob elfen sydd yn y cyfansoddyn. Dyma rai cyfansoddion adnabyddus a'u fformiwlâu:

- dŵr: H_2O
- carbon deuocsid: CO_2
- sodiwm clorid: $NaCl$.

Mae sodiwm clorid yn wahanol i'r ddau arall oherwydd ei fod yn cynnwys ïonau. Gronynnau wedi'u gwefru'n drydanol yw ïonau.

Ysgrifennu fformiwlâu cyfansoddion ïonig syml

Gallwn ysgrifennu fformiwlâu cyfansoddion ïonig syml gan ddefnyddio fformiwlâu ïonau sydd i'w cael yn Nhablau 5.7 a 5.8. Mae cyfansoddion yn niwtral, ac felly rhaid i nifer y gwefrau positif gydbwyso nifer y gwefrau negatif.

Mae **sodiwm clorid** yn hawdd. Na^+ yw'r ïon sodiwm a Cl^- yw'r ïon clorid. Felly $(Na^+)(Cl^-)$ yw'r fformiwla. Fel arfer rydym ni'n ysgrifennu hyn fel **NaCl**.

Ca^{2+} yw'r ïon calsiwm a Cl^- yw'r ïon clorid. Felly $(Ca^{2+})(2Cl)$ yw'r fformiwla ar gyfer **calsiwm clorid.** Fel arfer byddwn yn ysgrifennu hyn fel **CaCl$_2$**.

Tabl 5.7 Fformiwlâu rhai ïonau positif

Ïon	Fformiwla
Grŵp 1	
Lithiwm	Li^+
Sodiwm	Na^+
Potasiwm	K^+
Grŵp 2	
Magnesiwm	Mg^{2+}
Calsiwm	Ca^{2+}
Strontiwm	Sr^{2+}

Tabl 5.8 Fformiwlâu rhai ïonau negatif

Ïon	Fformiwla
Grŵp 6	
Ocsid	O^{2-}
Grŵp 7	
Fflworid	F^-
Clorid	Cl^-
Bromid	Br^-
Ïodid	I^-

Cwestiwn

4 Llenwch y tabl hwn.

Cyfansoddyn	Fformiwla'r ïon positif	Fformiwla'r ïon negatif	Fformiwla'r cyfansoddyn
Calsiwm bromid	Ca^{2+}	Br^-	$CaBr_2$
Sodiwm ocsid			
Magnesiwm bromid			
Potasiwm clorid			
Calsiwm ocsid			
Sodiwm ïodid			
Potasiwm ïodid			

Cwestiynau

5 Ysgrifennwch fformiwlâu'r canlynol:
- sodiwm hydrocsid
- calsiwm hydrocsid
- haearn(III) ocsid
- bariwm clorid
- copr(II) sylffad
- amoniwm sylffad
- magnesiwm sylffad
- sodiwm carbonad
- alwminiwm ocsid
- sodiwm ffosffad.

Awgrym: Peidiwch ag anghofio sut i ddefnyddio cromfachau.

Ysgrifennu fformiwlâu cyfansoddion ïonig eraill

Gallwn ysgrifennu fformiwlâu cyfansoddion eraill o fformiwlâu eu hïonau. Bydd fformiwlâu rhai ïonau cyffredin yn cael eu rhoi yn yr arholiadau, fel y gwelwch chi yn Nhablau 5.9 a 5.10.

Tabl 5.9 Fformiwlâu ïonau positif

Gwefr: +1		Gwefr: +2		Gwefr: +3	
Sodiwm	Na^+	Magnesiwm	Mg^{2+}	Alwminiwm	Al^{3+}
Potasiwm	K^+	Calsiwm	Ca^{2+}	Haearn(III)	Fe^{3+}
Lithiwm	Li^+	Bariwm	Ba^{2+}	Cromiwm(III)	Cr^{3+}
Amoniwm	NH_4^+	Copr(II)	Cu^{2+}		
Arian	Ag^+	Plwm(II)	Pb^{2+}		
		Haearn(II)	Fe^{2+}		

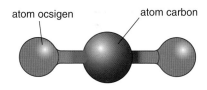

atom ocsigen   atom carbon

Ffigur 5.14 Model o foleciwl carbon deuocsid

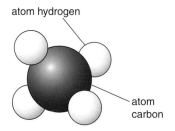

atom hydrogen

atom carbon

Ffigur 5.15 Model o foleciwl methan

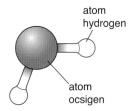

atom hydrogen

atom ocsigen

Ffigur 5.16 Model o foleciwl dŵr

Tabl 5.10 Fformiwlâu ïonau negatif

Gwefr: −1		Gwefr: −2		Gwefr: −3	
Clorid	Cl^-	Ocsid	O^{2-}	Ffosffad	PO_4^{3-}
Bromid	Br^-	Sylffad	SO_4^{2-}		
Ïodid	I^-	Carbonad	CO_3^{2-}		
Hydrocsid	OH^-				
Nitrad	NO_3^-				

Enghraifft

Darganfyddwch fformiwla calsiwm nitrad.

Ca^{2+} yw'r ïon calsiwm a NO_3^- yw'r ïon nitrad. Felly $(Ca^{2+})(2NO_3^-)$ yw'r fformiwla. Fel arfer byddwn yn ysgrifennu hyn fel **$Ca(NO_3)_2$**. **Sylwch ar y defnydd o gromfachau: $Ca(NO_3)_2$,** *nid* **$CaNO_{32}$**.

Moleciwlau

Nid yw pob cyfansoddyn yn ïonig. Mae llawer o gyfansoddion yn bodoli fel atomau wedi uno â'i gilydd i ffurfio gronyn niwtral o'r enw **moleciwl**. Moleciwlau cyffredin yw carbon deuocsid (CO_2) (gw. Ffigur 5.14), amonia (NH_3), methan (CH_4) (gw. Ffigur 5.15) a dŵr (H_2O) (gw. Ffigur 5.16).

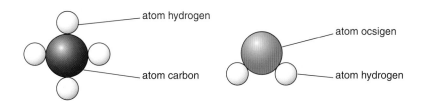

atom hydrogen

atom carbon

atom ocsigen

atom hydrogen

Ffigur 5.17 Diagramau llenwi gofod o fethan a dŵr

Mae'n bosibl cynrychioli'r moleciwlau hyn yn syml iawn gan ddiagramau llenwi gofod. Mewn gwirionedd, mae'r moleciwlau'n bodoli fel adeileddau tri dimensiwn. Gallwch chi weld hyn orau trwy ddefnyddio citiau model i wneud y moleciwlau (gw. Ffigurau 5.14 a 5.16).

Mae methan yn atom carbon canolog wedi'i amgylchynu gan bedwar atom hydrogen ar gorneli tetrahedron (gw. Ffigur 5.18).

Mae dŵr yn blanar, ac mae Ffigur 5.19 yn dangos sut i'w luniadu.

Mae carbon deuocsid yn llinol (mae pob un o'r tri atom mewn llinell syth). Gallwn ei ysgrifennu fel $O = C = O$.

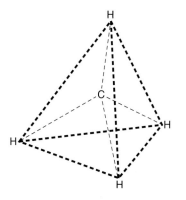

Ffigur 5.18 Moleciwl methan tetrahedrol

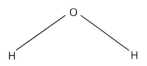

Ffigur 5.19 Dŵr

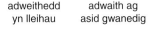

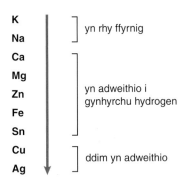

Ffigur 5.20 Y gyfres adweithedd

Adweithiau cemegol

Mae adwaith cemegol yn digwydd wrth i ddau sylwedd o'r enw **adweithyddion** newid i ffurfio sylweddau newydd o'r enw **cynhyrchion**. Weithiau bydd adweithydd unigol yn newid wrth gael ei wresogi. Dyma rai o'r arwyddion sy'n dangos bod adwaith cemegol wedi digwydd:

- newid lliw
- rhyddhau nwy
- ffurfio gwaddod
- newid tymheredd.

Wrth i gynhyrchion ffurfio mewn adwaith cemegol mae ad-drefnu atomau'n digwydd, ond nid yw'r un atom yn cael ei greu neu ei ddinistrio.

Os bydd codiad tymheredd yn ystod adwaith, y term amdano yw **adwaith ecsothermig**. Yr adwaith ecsothermig mwyaf cyffredin yw llosgi tanwydd, er enghraifft llosgi glo ar dân neu glwcos yn y corff. Os bydd gostyngiad tymheredd yn ystod adwaith, y term amdano yw **adwaith endothermig**.

Bydd cyfres o adweithiau yn aml yn dangos tebygrwydd i'w gilydd. Mae asidau gwanedig yn adweithio â charbonadau i ryddhau carbon deuocsid. Mae hyn yn ddefnyddiol wrth adnabod rhai creigiau. Os bydd sampl o graig yn sïo wrth i asid hydroclorig gwanedig gael ei ychwanegu, y tebygrwydd yw mai carbonad yw'r graig. Mae calsiwm carbonad yn digwydd yn naturiol ar ffurf creigiau calchfaen, sialc a chwrel.

Pan fydd asidau gwanedig yn cael eu hychwanegu at alcalïau, bydd codiad yn y tymheredd wrth i'r asid niwtraleiddio'r alcali. Mae hydoddiant sodiwm hydrocsid yn alcali cyffredin. Bydd metelau adweithiol yn rhyddhau nwy hydrogen bob amser gydag asid hydroclorig gwanedig ac asid sylffwrig gwanedig (gw. Ffigur 5.20).

Gwaith ymarferol

Adweithiau cemegol

1 Gwisgwch goglau.

2 Rhowch swm bach o galsiwm carbonad mewn tiwb profi. Ychwanegwch asid hydroclorig gwanedig.

3 Ailadroddwch yr arbrawf gydag asid sylffwrig gwanedig ac asid nitrig gwanedig.

4 Ailadroddwch yr arbrofion gyda swm bach o fagnesiwm carbonad.

1 Rhowch 25 cm³ o sodiwm hydrocsid gwanedig mewn cwpan polystyren.

2 Mesurwch ei dymheredd â thermomedr. Nawr ychwanegwch 25 cm³ o asid hydroclorig gwanedig. Trowch ef, ac yna mesurwch y tymheredd unwaith eto.

3 Ailadroddwch gydag asid sylffwrig gwanedig a sodiwm hydrocsid gwanedig.

Hafaliadau

Mae hafaliad cemegol yn grynodeb o adwaith cemegol. **Ni allwn ysgrifennu hafaliad cemegol oni bai ein bod ni'n gwybod beth yw'r adweithyddion a'r cynhyrchion.** Hafaliad geiriau yw'r math symlaf o hafaliad.

Enghraifft

Pan fydd asid hydroclorig gwanedig yn cael ei ychwanegu at ddarn o ruban magnesiwm, mae nwy hydrogen a hydoddiant magnesiwm clorid yn ffurfio.

Cwestiynau

6 Ysgrifennwch hafaliadau ar gyfer yr adweithiau canlynol:

a Mae copr(II) carbonad yn adweithio ag asid hydroclorig i ffurfio copr(II) clorid, dŵr a charbon deuocsid.

b Mae calsiwm hydrocsid yn adweithio ag asid hydroclorig i ffurfio calsiwm clorid a dŵr.

c Mae sodiwm hydrocsid yn adweithio ag asid sylffwrig i ffurfio sodiwm sylffad a dŵr.

ch Pan gaiff ei wresogi, mae copr(II) carbonad yn ffurfio copr(II) ocsid a charbon deuocsid.

magnesiwm + asid hydroclorig → magnesiwm clorid + hydrogen

Nawr mae'n bosibl ailysgrifennu'r hafaliad gan ddefnyddio fformiwlâu.

$$Mg + 2HCl \rightarrow MgCl_2 + H_2$$

Trwy osod y '2' o flaen yr HCl, rydym ni wedi cydbwyso'r hafaliad.

Mae gan hafaliad cytbwys yr un nifer o atomau o bob elfen ar ddwy ochr y saeth. Yr unig ffordd i gydbwyso hafaliadau yw gosod y rhifau priodol **o flaen** fformiwla mewn hafaliad. **Peidiwch byth â cheisio newid fformiwla gywir i gydbwyso hafaliad.**

Rhagor o enghreifftiau

sinc + asid hydroclorig → sinc clorid + hydrogen
$$Zn + 2HCl \rightarrow ZnCl_2 + H_2$$

copr ocsid + asid hydroclorig → copr clorid + dŵr
$$CuO + 2HCl \rightarrow CuCl_2 + H_2O$$

sodiwm hydrocsid + asid hydroclorig → sodiwm clorid + dŵr
$$NaOH + HCl \rightarrow NaCl + H_2O$$

sodiwm carbonad + asid hydroclorig → sodiwm clorid + dŵr + carbon deuocsid
$$Na_2CO_3 + 2HCl \rightarrow 2NaCl + H_2O + CO_2$$

Gwaith ymarferol

Profion am garbon deuocsid

Wrth i chi yrru swigod o garbon deuocsid drwy ddŵr calch (hydoddiant calsiwm hydrocsid), mae gwaddod gwyn o galsiwm carbonad yn ffurfio. Os byddwch chi'n gyrru'r carbon deuocsid drwyddo am amser hir, bydd y gwaddod gwyn yn diflannu i adael hydoddiant di-liw. **Peidiwch byth â halogi'r dŵr calch ag asid.**

Dull 1

1 Gwisgwch sbectol ddiogelwch.

2 Ychwanegwch asid hydroclorig gwanedig at y carbonad tybiedig. Rhowch y caead yn y tiwb (gw. Ffigur 5.21).

3 Gyrrwch y nwy drwy gyfaint bach o ddŵr calch.

4 Dylech weld cymyledd, sy'n dangos bod gwaddod gwyn yno, ac mae hyn yn cadarnhau bod carbonad yn bresennol. Mae rhai pobl yn dweud bod 'y dŵr calch yn mynd yn llaethog'.

Dull 2

1 Sugnwch y carbon deuocsid tybiedig i fyny mewn diferydd glân, ac yna gorfodwch y nwy drwy ddim mwy nag 1 cm³ o ddŵr calch mewn tiwb profi glân. Mae glendid yn hanfodol.

Prawf am hydrogen

1 Gwisgwch sbectol ddiogelwch.

2 Rhowch brennyn llosg wrth diwb profi sy'n cynnwys hydrogen.

3 Dylech chi glywed pop gwichlyd. Mae hwn yn ffrwydrad bach wrth i'r hydrogen gyfuno â'r ocsigen yn yr aer i ffurfio dŵr.

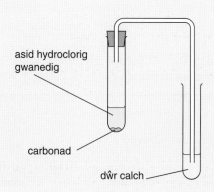

asid hydroclorig gwanedig

carbonad

dŵr calch

Ffigur 5.21 Profi am garbon deuocsid

Halwynau

Basau

Mae basau'n ocsidau neu hydrocsidau o fetelau sy'n adweithio ag asid i gynhyrchu halwyn a dŵr.

bas + asid → halwyn + dŵr

Pan fydd bas yn hydoddi mewn dŵr, byddwn ni'n ei alw yn alcali.

Ffigur 5.22 Titradu yn defnyddio bwred

Gwaith ymarferol

Gwneud halwynau hydawdd o asid a bas

Dull 1: O asid ac alcali

1 Gwisgwch sbectol ddiogelwch.
2 Gan ddefnyddio pibed, rhowch 25 cm³ o sodiwm hydrocsid gwanedig mewn fflasg gonigol (gw. Ffigur 5.22).
3 Llenwch y fwred ag asid hydroclorig gwanedig.
4 Rhaid i chi benderfynu faint o asid y mae ei angen i niwtraleiddio'r hydoddiant sodiwm hydrocsid yn union.
5 Ar gyfer hyn bydd arnoch angen **dangosydd**. Er y gallwch chi ddefnyddio dangosydd cyffredinol, mae'n well defnyddio hydoddiant o gyfansoddyn lliw, methyl oren. Ychwanegwch tua phedwar diferyn o hydoddiant methyl oren at y sodiwm hydrocsid. Dylai'r cymysgedd droi'n **felyn**.
6 Nawr ychwanegwch yr asid yn araf o'r fwred nes bod un diferyn yn troi cynnwys y fflasg gonigol o **felyn** i **oren**.
7 Cofnodwch ddarlleniad y fwred.
8 Os ychwanegwch chi fwy o asid, bydd y cymysgedd yn troi'n **goch**. Efallai bydd rhaid i chi wneud hyn nifer o weithiau cyn y byddwch chi'n ei wneud yn gwbl iawn.
9 Gallwch chi ailadrodd y broses nawr heb fethyl oren, ond gan ychwanegu'r un cyfaint yn union o asid. Bellach mae hydoddiant o sodiwm clorid gennych.

sodiwm hydrocsid + asid hydroclorig → sodiwm clorid + dŵr

$$NaOH + HCl → NaCl + H_2O$$

10 Anweddwch rywfaint o'r dŵr a gadewch i'r gweddill sefyll. Ymhen amser, bydd grisialau ciwbig gwyn o sodiwm clorid yn ffurfio.

Halen cyffredin neu **halen bwrdd** yw sodiwm clorid. Mewn cemeg, defnyddir y gair *halwyn* i ddisgrifio cyfansoddyn sydd wedi'i ffurfio o asid a bas.

Dull 2: O asid a bas neu garbonad anhydawdd

1 Rhowch rywfaint o asid mewn bicer bach ac ychwanegwch y bas neu garbonad anhydawdd hyd nes na fydd mwy'n adweithio. Gwresogwch y bicer gan bwyll os oes angen.
2 Dylai'r asid fod wedi'i niwtraleiddio'n gyfan gwbl. Hidlwch y bas neu'r carbonad sydd dros ben.
3 Nawr anweddwch rywfaint o'r dŵr o'r hydoddiant halwyn a gadewch iddo sefyll (gw. Ffigur 5.23). Bydd grisialau o halwyn yn ymddangos. Symudwch y grisialau a'u sychu rhwng papurau hidlo.

U

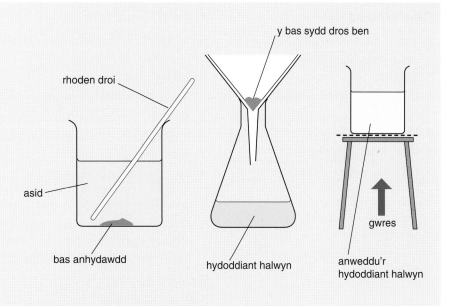

Ffigur 5.23 Hydoddiant o halwyn hydawdd wedi'i baratoi trwy niwtraleiddio asid

Wyddoch chi?

Mae llawer o risialau yn cynnwys dŵr grisialiad. Er enghraifft, y fformiwla am risialau copr sylffad glas yw $CuSO_4.5H_2O$. I gael grisialau da, ychydig o'r dŵr yn unig sy'n cael ei anweddu ac mae'r grisialau'n cael cyfle i ffurfio o hydoddiant crynodedig.

Ffigur 5.24 Grisialau copr sylffad bach

Grisialau

Enghreifftiau

Mae'n bosibl gwneud copr clorid o gopr ocsid ac asid hydroclorig gwanedig.

copr ocsid + asid hydroclorig → copr clorid + dŵr
$$CuO + 2HCl → CuCl_2 + H_2O$$

I wneud grisialau copr sylffad, defnyddiwch gopr ocsid neu gopr carbonad ac asid sylffwrig gwanedig (gw. Ffigur 5.24).

copr ocsid + asid sylffwrig → copr sylffad + dŵr
$$CuO + H_2SO_4 → CuSO_4 + H_2O$$

copr + asid sylffwrig → copr sylffad + dŵr + carbon
carbonad   deuocsid
$$CuCO_3 + H_2SO_4 → CuSO_4 + H_2O + CO_2$$

Sut i wneud halwynau anhydawdd

Mae halwynau anhydawdd yn cael eu ffurfio trwy **ddyddodiad**. Yn y broses hon mae dau hydoddiant yn cael eu cymysgu, ac mae'r halwyn anhydawdd yn ffurfio solid o'r enw **gwaddod**. Mae'n bosibl hidlo'r solid ac yna ei olchi â dŵr, ei sychu a'i storio.

Enghreifftiau o adweithiau dyddodi

sodiwm carbonad + calsiwm clorid → calsiwm carbonad + sodiwm clorid

bariwm clorid + sodiwm sylffad → bariwm sylffad + sodiwm clorid

potasiwm ïodid + plwm nitrad → plwm ïodid + potasiwm nitrad

Gwaith ymarferol

Paratowch samplau o'r canlynol:

1 magnesiwm sylffad o fagnesiwm carbonad

2 plwm sylffad o hydoddiant plwm nitrad

3 sinc sylffad o sinc ocsid

4 copr sylffad o gopr carbonad

5 potasiwm clorid o hydoddiant potasiwm hydrocsid.

Gwaith ymarferol

Mae'r profion am hydoddiannau cloridau, ïodidau a sylffadau yn gymwysiadau o adweithiau dyddodi.

Prawf am glorid

1 Gwisgwch sbectol ddiogelwch.

2 Rhowch 2 cm^3 o hydoddiant sodiwm clorid gwanedig mewn tiwb profi.

3 Ychwanegwch 2 cm^3 o asid nitrig gwanedig ac yna 2 cm^3 o hydoddiant arian nitrad gwanedig.

4 Dylai gwaddod gwyn o arian clorid ffurfio. Mae'n troi'n dywyllach yn yr heulwen ac yn hydoddi wrth i ormodedd o hydoddiant amonia gwanedig gael ei ychwanegu. Mae hyn yn cadarnhau bod clorid yn bresennol.

5 Mae'n bosibl hepgor yr asid nitrig, ond pan fydd yr hydoddiant yn anhysbys, dylid ei ychwanegu er mwyn atal ïonau eraill megis carbonad a hydrocsid rhag ymyrryd ag adwaith yr arian nitrad.

Wyddoch chi?

Gellir defnyddio arian clorid ac arian bromid mewn ffotograffiaeth, gan fod golau'n achosi iddyn nhw ffurfio arian.

Prawf am ïodid

1 Cynhaliwch hwn yn union yr un ffordd â'r prawf clorid uchod.

2 Dylai gwaddod melyn o arian ïodid gadarnhau bod ïodid yno. Mae'r gwaddod melyn yn anhydawdd mewn hydoddiant amonia.

Cwestiynau

7 Mae elfennau Grwpiau 1 a 7 i'w gweld isod. Llenwch y tablau drwy ysgrifennu symbolau'r elfennau a rhowch diciau ar gyfer y ddau grŵp yn erbyn
a yr elfen fwyaf adweithiol
b yr elfen â'r atom lleiaf.

Elfen	Symbol	Y fwyaf adweithiol	Yr atom lleiaf
Lithiwm			
Sodiwm			
Potasiwm			
Rwbidiwm			
Cesiwm			

Elfen	Symbol	Y fwyaf adweithiol	Yr atom lleiaf
Fflworin			
Clorin			
Bromin			
Ïodin			
Astatin			

Potasiwm	K
Sodiwm	Na
Calsiwm	Ca
Magnesiwm	Mg
Sinc	Zn
Haearn	Fe
Tun	Sn
Copr	Cu
Arian	Ag

8 **a** Mae sodiwm yn adweithio â chlorin. Nodwch enw'r cynnyrch a rhowch ei fformiwla.

b Rhowch **ddau** ddefnydd o glorin.

c Rhowch **un** fantais ac **un** anfantais o ychwanegu fflworid at y cyflenwad dŵr cyhoeddus.

9 Mae copr(II) ocsid yn solid du anhydawdd, ond mae'n adweithio ag asid sylffwrig gwanedig cynnes i ffurfio hydoddiant copr sylffad. Disgrifiwch, **yn fanwl**, sut byddech chi'n gwneud rhai grisialau copr(II) sylffad pur yn y labordy o gopr(II) ocsid ac asid sylffwrig gwanedig.

10 Mae'r elfennau yn y tabl gyferbyn wedi'u trefnu yn ôl y gyfres adweithedd.

a Ysgrifennwch symbol yr elfen leiaf adweithiol.

b Ysgrifennwch symbolau ar gyfer **un** elfen na fydd yn adweithio ag asid sylffwrig gwanedig.

c Ysgrifennwch symbolau ar gyfer **dwy** elfen sydd yn yr un grŵp yn y Tabl Cyfnodol.

ch Rhowch symbol un elfen sy'n cael ei storio mewn olew, a rhowch reswm dros ddefnyddio'r dull hwn o storio.

Crynodeb

1 Mae atomau wedi'u gwneud o ronynnau sylfaenol: protonau, niwtronau ac electronau.

2 Mae màs atom wedi'i grynhoi yn y niwclews positif sydd wedi'i wneud o brotonau a niwtronau.

3 Enw nifer y protonau yn niwclews atom yw'r rhif atomig.

4 Enw nifer y protonau plws nifer y niwtronau yn y niwclews yw'r rhif màs.

5 Mae'r electronau negatif ysgafn yn amgylchynu niwclews atom mewn lefelau egni neu blisg.

6 Enw trefniant yr electronau yw'r ffurfwedd electronau.

7 Mae priodweddau cemegol elfen yn dibynnu ar ei ffurfwedd electronau.

8 Dmitri Mendeléev a luniodd y Tabl Cyfnodol cyntaf o'r elfennau, gan drefnu elfennau yn nhrefn màs atomig cymharol.

9 Mae'r Tabl Cyfnodol modern yn trefnu'r elfennau yn nhrefn eu rhifau atomig.

10 Enw colofn yn y Tabl Cyfnodol yw grŵp ac enw rhes yw cyfnod.

11 Mae priodweddau elfennau mewn grŵp yn debyg, ond maen nhw'n newid yn raddol wrth fynd i lawr y grŵp. Mae hyn i'w weld yn adweithiau dadleoli elfennau Grŵp 7.

12 Mae metelau adweithiol o'r enw metelau alcali yn ffurfio Grŵp 1.

13 Mae anfetelau adweithiol o'r enw halogenau yn ffurfio Grŵp 7.

14 Mae elfennau anadweithiol iawn o'r enw nwyon nobl yn ffurfio Grŵp 0.

15 Mae profion fflam yn gallu adnabod ïonau metelau, ac mae adweithiau dyddodi yn gallu adnabod cloridau a sylffadau mewn hydoddiant.

16 Mae'r ffyrdd cyffredin o ddefnyddio elfennau megis elfennau Grŵp 7 a Grŵp 0 yn dibynnu ar eu priodweddau.

17 Mae'r penderfyniad i ddefnyddio fflworid mewn dŵr yfed wedi'i seilio ar dystiolaeth ei fod yn atal pydredd dannedd, ond mae'r penderfyniad yn gallu bod yn ddadleuol.

18 Mae hafaliad cemegol yn grynodeb o adwaith cemegol.

19 Mae hafaliad cemegol cytbwys yn defnyddio fformiwlâu'r adweithyddion a'r cynhyrchion.

20 Mae asidau'n adweithio â basau i ffurfio halwyn a dŵr.

21 Ocsidau, hydrocsidau neu garbonadau o fetelau yw basau fel rheol.

22 Y term am hydoddiant o fas hydawdd mewn dŵr yw alcali.

23 Mae'n bosibl gwneud halwynau hydawdd trwy ditradiad neu adwaith bas neu garbonad anhydawdd ag asid.

Pennod 6 – Cyfraddau adwaith, cynhyrchu a defnyddio tanwyddau a gwyddor y Ddaear

Erbyn diwedd y bennod hon dylech:

- ddeall sut y gall cemegwyr reoli cyfradd newid cemegol wrth wneud defnyddiau newydd;
- deall natur nano-ronynnau;
- gwybod am gynhyrchu a hylosgi tanwyddau;
- gwybod sut mae defnyddiau defnyddiol yn cael eu hechdynnu o'r Ddaear;
- deall yr effeithiau buddiol yn ogystal â'r effeithiau niweidiol posibl sy'n deillio o ddefnyddio defnyddiau;
- deall ymateb y gymuned wyddonol i ddeall problemau sy'n codi a mynd i'r afael â nhw;
- gwybod am newidiadau yn arwyneb ac atmosffer y Ddaear dros amser daearegol.

Gwneud defnyddiau newydd a chyfraddau adweithiau cemegol

Mae defnyddiau crai ar gyfer y diwydiant cemegol yn dod o'r atmosffer, cramen y Ddaear a'r môr.

Enghreifftiau

Mae'r nwy nitrogen yn dod o'r atmosffer ac mae'n cael ei ddefnyddio i gynhyrchu amonia. Amonia yw'r defnydd cychwynnol ar gyfer gwrteithiau, neilon, asid nitrig a llawer o ddefnyddiau eraill. Mae petroliwm neu olew crai yn cael ei echdynnu o islaw arwyneb y Ddaear a'i brosesu i roi tanwyddau, plastigion, ffibrau polymer, ac yn y blaen.

Mae metelau'n dod o greigiau o'r enw **mwynau** sy'n bodoli yn arwyneb y Ddaear.

Mae'n bosibl echdynnu'r elfennau bromin a magnesiwm o ddŵr y môr.

Mae'r holl ddefnyddiau defnyddiol yn cael eu cynhyrchu trwy drin y defnyddiau crai â phrosesau cemegol a ffisegol.

Mae'r diwydiant cemegol yn ceisio sicrhau'r effeithlonrwydd mwyaf yn yr holl brosesau mae'n eu defnyddio i wneud cynhyrchion. Mae hyn yn cynnwys astudiaethau o:

- **cineteg** adweithiau cemegol (pa mor gyflym maen nhw'n digwydd); *mae amser yn golygu arian!*
- pa mor bell mae adweithiau cemegol yn mynd; po fwyaf o'r cynnyrch sy'n cael ei wneud, mwyaf fydd yr elw
- yr egni sydd ei angen neu sy'n cael ei ryddhau yn yr adwaith
- isgynhyrchion diwerth (eu gwaredu'n ddiogel i sicrhau'r perygl lleiaf i'r amgylchedd)
- sgil gynhyrchion (sef sylweddau defnyddiol sy'n cael eu ffurfio yr un pryd â'r prif gynnyrch ac y gellir eu gwerthu i gynyddu elw).

Materion adnoddau mwynol:
www.natural-resources.org

Wyddoch chi?

Wyddoch chi ei bod hi'n bosibl ychwanegu alcohol sydd wedi'i gynhyrchu trwy eplesiad planhigion at betrol i gynhyrchu 'gasohol', tanwydd ar gyfer ceir? Gan fod y planhigion yn defnyddio egni'r Haul i dyfu, mae'r alcohol hwn yn ffynhonnell egni adnewyddadwy. Er 1998, mae rhai ceir yr UD wedi cael eu dylunio i redeg ar gymysgedd 85% alcohol (ethanol) 15% petrol.

Tanwydd ethanol:
en.wikipedia.org

Wyddoch chi?

Gallwn ddefnyddio hydoddiant bariwm clorid i wneud prawf am ïonau sylffad mewn hydoddiant.

Mae hydoddiant bariwm clorid yn cael ei ychwanegu at hydoddiant y credir ei fod yn cynnwys ïonau sylffad, ac sydd wedi'i asidio ag asid hydroclorig gwanedig. Os bydd gwaddod gwyn yn ffurfio, yna mae ïonau sylffad yn bresennol.

Cyfraddau newid cemegol

Mae adweithiau cemegol yn digwydd dros gyfnod. Mae rhai adweithiau'n gyflym iawn. Mae'r rhain yn cynnwys adweithiau dyddodiad. Pan gaiff hydoddiant bariwm clorid ei ychwanegu at hydoddiant sodiwm sylffad, mae gwaddod gwyn yn ymddangos yn gyflym. Dyma oherwydd bod gwefrau dirgroes yr ïonau bariwm a'r ïonau sylffad yn atynnu ei gilydd i ffurfio bariwm sylffad anhydawdd.

$$\text{bariwm clorid} + \text{sodiwm sylffad} \rightarrow \text{bariwm sylffad} + \text{sodiwm clorid}$$
$$BaCl_2(d) + Na_2SO_4(d) \rightarrow BaSO_4(s) + 2NaCl(d)$$

Mae adweithiau eraill yn digwydd yn arafach o lawer. Mae ffurfio rhwd ar gar yn digwydd dros gryn amser. Mae eplesiad carbohydradau i ffurfio alcohol mewn cwrw a gwin yn digwydd dros gyfnod hir. Pan gaiff gwin ei adael yn agored i'r atmosffer, mae'r ethanol (alcohol) ynddo yn cael ei newid yn araf i finegr. *Mae finegr yn hydoddiant o asid ethanöig (asetig).*

Dilyn cyfradd adwaith

Gallwch chi ddilyn adweithiau drwy fesur **cyfradd** diflaniad y cemegion sy'n adweithio neu drwy fesur cyfradd ffurfio cynhyrchion gan ddefnyddio priodwedd arsylladwy, er enghraifft newid mewn cyfaint, newid mewn gwasgedd neu newid mewn lliw.

U

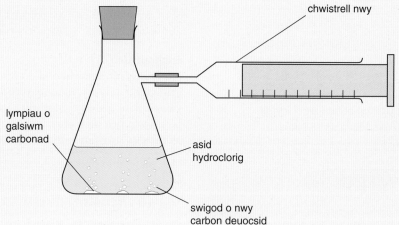

Ffigur 6.1 Yr adwaith rhwng calsiwm carbonad ac asid hydroclorig lle mae carbon deuocsid yn cael ei ffurfio: chwistrell nwy

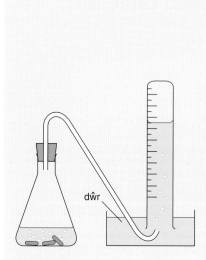

Ffigur 6.2 Adwaith: tiwb graddedig

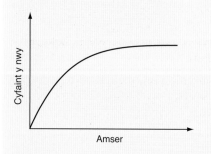

Ffigur 6.3 Cyfradd rhyddhau nwy

Gwaith ymarferol

Mesur cyfradd cynhyrchu nwy o adwaith cemegol

1 Gwisgwch sbectol ddiogelwch.

2 Ar amser penodol, arllwyswch yr asid hydroclorig yn gyflym i mewn i'r fflasg ar ben y calsiwm carbonad ac yna rhowch y caead yn ôl. (Gw. Ffigurau 6.1 a 6.2, a defnyddiwch un o'r ddau fath o gyfarpar. Mae un yn defnyddio chwistrell nwy, a'r llall yn defnyddio tiwb graddedig sy'n llawn dŵr ar y dechrau.)

3 Mesurwch gyfaint y nwy yn y chwistrell (neu diwb graddedig) bob 30 eiliad.

Cyfraddau adwaith:
www.gcsechemistry.com

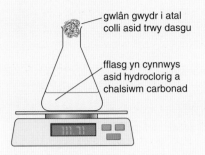

gwlân gwydr i atal
colli asid trwy dasgu

fflasg yn cynnwys
asid hydroclorig a
chalsiwm carbonad

Ffigur 6.4 Fflasg yn cael ei bwyso

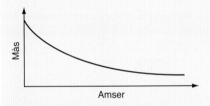

Ffigur 6.6 Graff o gyfanswm màs yn erbyn
amser

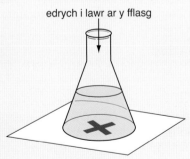

edrych i lawr ar y fflasg

Ffigur 6.7 Fflasg ar groes

Gellir casglu ynghyd ganlyniadau
arbrofion dosbarth lle mae nifer o
fyfyrwyr yn cynnal yr un arbrawf
gyda gwerthoedd gwahanol ar
gyfer un o'r newidynnau, ac yna
eu cofnodi ar daenlen. Mae'n
bosibl wedyn eu plotio'n graffigol
ar y cyfrifiadur.

4 Plotiwch eich canlyniadau ar bapur graff (gw. Ffigur 6.3).

5 Marciwch ar y graff
   a y pwynt lle mae'r adwaith ar ei gyflymaf
   b y pwynt lle mae'r adwaith yn gyflawn.

Cofnodi colli màs

Gellir dilyn yr adwaith uchod trwy gofnodi colli màs.

Dull

1 Ar glorian badell dop fanwl-gywir, cofnodwch ar gyfyngau rheolaidd gyfanswm màs fflasg, asid hydroclorig gwanedig, lympiau o galsiwm carbonad, a gwlân cotwm i atal colli màs trwy dasgu (gw. Ffigur 6.4).

2 Gallwch chi gysylltu cloriannau modern â chyfrifiadur sydd â'r rhyngwyneb a meddalwedd cywir, ac mae'n bosibl arddangos y canlyniadau ar yr uned arddangos weledol (gw. Ffigur 6.5).

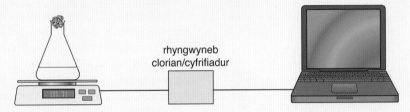

rhyngwyneb
clorian/cyfrifiadur

Ffigur 6.5 Logio data'r colli màs

3 Defnyddiwch eich canlyniadau i blotio graff o gyfanswm màs yn erbyn amser (gw. Ffigur 6.6).

4 Marciwch ar y graff
   a y pwynt lle mae'r adwaith ar ei gyflymaf
   b y pwynt lle mae'r adwaith yn gyflawn.

Y groes sy'n diflannu

1 Gwisgwch sbectol ddiogelwch.

2 Rhowch gyfaint wedi'i fesur o hydoddiant sodiwm thiosylffad (hylif di-liw) mewn fflasg.

3 Lluniadwch groes ar ddarn o bapur gwyn, a rhowch y fflasg wydr ar ben y groes (gw. Ffigur 6.7).

4 Ar amser penodol, ychwanegwch asid hydroclorig at yr hydoddiant sodiwm thiosylffad. Chwyrlïwch y fflasg a rhowch hi'n ôl dros y groes.

5 Mae gwaddod o sylffwr yn ffurfio'n araf. Mae hyn yn achosi i'r cymysgedd adwaith fynd yn gymylog ac yn y pen draw yn ddi-draidd.

6 Mae sylffwr deuocsid (sy'n wenwynig) yn cael ei gynhyrchu hefyd. Rhaid i chi beidio â mewnanadlu'r anweddau o'r adwaith hon.

7 Edrychwch i lawr ar y groes, a chofnodwch yr amser pan nad yw'n bosibl gweld y groes bellach. Po leiaf fydd yr amser hwn, cyflymaf mae'r adwaith yn digwydd. Brasamcan da yw dweud bod cyfradd yr adwaith mewn cyfranedd gwrthdro i'r amser.

Mae'n debygol y byddwch chi'n dod ar draws yr arbrawf hwn yn eich gwaith cwrs. Gallwch chi ddefnyddio'r holl arbrofion hyn i ymchwilio i'r ffactorau sy'n newid cyfradd adwaith cemegol:

- newidiadau mewn crynodiad
- newidiadau mewn tymheredd
- newidiadau yn arwynebedd arwyneb adweithyddion solet
- ychwanegu catalydd.

Sut mae adweithiau'n digwydd

Gall adwaith cemegol ddigwydd wrth i foleciwlau, atomau neu ïonau sy'n adweithio gyfarfod neu wrthdaro â'i gilydd. Nid yw pob gwrthdrawiad yn arwain at adwaith cemegol, ond pan fydd gan wrthdrawiad ddigon o egni i fondiau dorri a chael eu hailffurfio, yna mae adwaith yn digwydd. Mae'r fath wrthdrawiadau llwyddiannus yn rhan fach o gyfanswm y gwrthdrawiadau sy'n digwydd ar unrhyw amser penodol.

Yr adweithiau sy'n digwydd yn y cyflwr nwyol yw'r rhai mwyaf hawdd eu dangos ar ffurf weledol. Mae moleciwlau nwy yn symud yn afreolus yn barhaus, gan wrthdaro â'i gilydd a waliau'r llestr sy'n eu cynnwys. Mae Ffigur 6.9 yn cynrychioli'r adwaith nwyol sydd i'w gweld yn Ffigur 6.8.

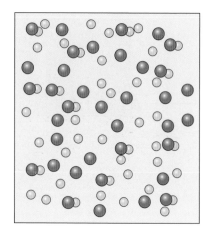

Ffigur 6.9 Mae gronynnau nwy sy'n symud yn gwrthdaro'n aml.

Ffigur 6.8 Mae moleciwlau'n adweithio wrth iddynt wrthdaro.

Mae adweithiau ïonig mewn hydoddiant yn digwydd yn gyflym iawn pan fydd ïonau o wefr ddirgroes yn dod at ei gilydd. Er bod cyfansoddion ïonig solet yn adweithio mewn hydoddiant, yn aml nid ydyn nhw'n adweithio yn y cyflwr solet.

Ffactorau sy'n effeithio ar gyfradd adwaith cemegol

Cyflwr ffisegol yr adweithyddion

Po fwyaf yr arwynebedd arwyneb, cyflymaf fydd yr adwaith! Mae solidau wedi'u rhannu'n fân yn adweithio'n gyflymach na lympiau o solid. Y rheswm dros hyn yw fod yr arwynebedd arwyneb sy'n agored i adwaith yn fwy yn y ffurf bowdr neu wedi'i rhannu'n fân. Mae hyn yn golygu bod mwy o wrthdrawiadau rhwng adweithyddion yn gallu digwydd mewn amser penodol, ac felly mae mwy o wrthdrawiadau llwyddiannus ac mae'r adwaith yn digwydd yn gyflymach.

mae gan un ciwb â lled ochr o 1cm arwynebedd arwyneb o 6 cm²

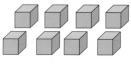

wedi'i rannu yn wyth ciwb llai, mae ganddo arwynebedd arwyneb o 12 cm²

mae rhannu eto yn 64 ciwb llai byth yn rhoi cyfanswm arwynebedd arwyneb o 24 cm²

Ffigur 6.10 Mae rhannu ciwb yn cynyddu ei arwynebedd arwyneb

Mae'r cynnydd mewn arwynebedd arwyneb wrth i ddefnydd gael ei rannu'n fân i'w weld yn Ffigur 6.10. Cyfrifwch beth fyddai cyfanswm yr arwynebedd arwyneb pe bai'r ciwb gwreiddiol yn cael ei rannu yn y ffordd hon bum gwaith.

Gall ffrwydradau fod yn berygl mewn melinau blawd. Mae blawd wedi'i wneud o startsh, ac mae startsh yn gallu llosgi. Wrth i ronynnau mân o flawd gael eu cymysgu ag aer, mae arwynebedd arwyneb mawr yn agored i'r ocsigen yn yr aer. Bu llawer o achosion o wreichion yn cychwyn adwaith hylosgiad, sydd wedyn yn troi'n ffrwydrol.

Nid yw llawer o solidau'n dangos adwaith yn y cyflwr solet ond byddan nhw'n adweithio mewn hydoddiant. Mae hyn yn arbennig o wir am gyfansoddion ïonig. Mewn hydoddiant, mae'r ïonau'n rhydd i symud a rhyngweithio.

Crynodiad yr adweithyddion

Po fwyaf y crynodiad, mwyaf fydd cyfradd yr adwaith! Pan fydd crynodiad adweithydd yn cael ei gynyddu, bydd mwy o ronynnau mewn cyfaint penodol. Felly, bydd mwy o wrthdrawiadau fesul uned amser, a mwy o wrthdrawiadau llwyddiannus, ac felly bydd y gyfradd adwaith yn cynyddu.

Wrth i ruban magnesiwm adweithio ag asid hydroclorig, mae'r adwaith canlynol yn digwydd.

> metel + asid hydroclorig → magnesiwm clorid + hydrogen
> magnesiwm
>
> $$Mg(s) + 2HCl(d) \rightarrow MgCl_2(d) + H_2(n)$$

U

Gwaith ymarferol

Cyfraddau adweithiau cemegol

Mae gennych chi rai hydoedd 3 cm o ruban magnesiwm ac ychydig o asid hydroclorig gwanedig. Dyfeisiwch arbrawf i ymchwilio i sut mae cyfradd yr adwaith hwn yn amrywio yn ôl crynodiad yr asid hydroclorig. Dylai eich cynllun gynnwys y cyfarpar y byddech chi'n ei ddefnyddio, a sut byddech chi'n cofnodi'ch canlyniadau.

Gwaith ymarferol

1 Mae'n hawdd astudio cyfraddau adwaith gartref. Mesurwch yr amser mae'n cymryd i dabled diffyg traul hydawdd hydoddi mewn:
   a gwydraid o ddŵr oer
   b gwydraid o ddŵr poeth.
2 Cymharwch yr amserau hyn â'r rheini ar gyfer hydoddi tabled powdr. (Ni ddylai neb yn y cartref yfed yr un o'r hydoddiannau hyn.)

Effaith codi'r tymheredd

Po uchaf y tymheredd, mwyaf fydd cyfradd yr adwaith cemegol! Mae'r gronynnau mewn nwyon a hylifau'n symud yn barhaus. Mae egni cyfartalog y gronynnau'n dibynnu ar y tymheredd; po ucha'r tymheredd, mwyaf fydd egni cyfartalog y gronynnau.

Nid oes gan bob gronyn yr un egni. Dim ond ychydig o'r gronynnau sydd â digon o egni i adweithio. Wrth i'r tymheredd godi, mae nifer y gronynnau sydd â digon o egni i adweithio'n cynyddu, mae mwy o wrthdrawiadau llwyddiannus ac mae'r adwaith yn mynd yn gyflymach. Mewn llawer o adweithiau, mae codiad tymheredd o 10 °C yn dyblu'r gyfradd adwaith.

Cwestiynau

1 Mae'r graff yn dangos cyfradd cynhyrchu carbon deuocsid wrth i lwmp o galsiwm carbonad gael ei ychwanegu at 100 cm^3 o asid hydroclorig. Pan nad oes rhagor o nwy'n cael ei ryddhau mae rhywfaint o'r calsiwm carbonad yn aros yn y fflasg.

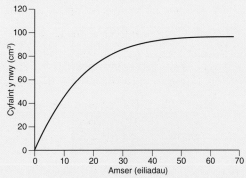

a Brasluniwch y graff y byddech chi'n ei ddisgwyl pe bai:
   i   yr un màs o galsiwm carbonad powdr wedi cael ei ddefnyddio gyda 100 cm³ o'r asid ar yr un tymheredd
   ii   yr asid wedi bod ar dymheredd uwch wrth i'r lwmp o galsiwm carbonad gael ei ychwanegu
   iii   50 cm³ o asid wedi cael eu defnyddio â'r un màs o galsiwm carbonad powdr.

b Marciwch ar y graff:
   i   y pwynt lle mae'r adwaith gyflymaf
   ii   y pwynt lle mae'r adwaith yn gyflawn.

Catalyddion

Mae **catalyddion** yn sylweddau sy'n cyflymu adwaith cemegol ond yn aros heb eu newid yn gemegol ar ddiwedd yr adwaith. Mae llawer o gatalyddion yn gweithio ar gyfer un adwaith arbennig yn unig.

Mae hydoddiant o hydrogen perocsid yn dadelfennu'n gyflym i ddŵr ac ocsigen wrth gyffwrdd â manganîs(IV) ocsid.

Sylwer nad yw'r catalydd manganîs(IV) ocsid yn ymddangos yn yr hafaliad.

hydoddiant hydrogen perocsid → dŵr + ocsigen
$$2H_2O_2(d) \rightarrow 2H_2O(h) + O_2(n)$$

Mewn systemau byw, mae catalyddion biolegol yn cael eu cynhyrchu gan gelloedd. **Ensymau** yw'r enw ar y catalyddion hyn. Mae'r ensymau a gynhyrchir gan furum yn cael eu defnyddio yn y diwydiannau bragu a phobi. Mae ensymau o furum yn newid carbohydradau yn alcohol (ethanol) a charbon deuocsid. Mae swigod o garbon deuocsid yn gwneud i'r toes godi. Yn y diwydiant llaeth, mae ensym o'r enw rennin (neu gymosin), sydd mewn cywair llaeth, yn cael ei ddefnyddio i gynhyrchu ceuled o'r llaeth. Dyma'r cam cyntaf wrth wneud caws.

Wrth i adweithiau sy'n cael eu catalyddu gan ensymau gael eu gwresogi, mae'r gyfradd adwaith yn codi ar y dechrau, ond yna mae'n lleihau oherwydd bod ensymau'n cael eu dinistrio ar dymereddau uwch (gw. Ffigur 6.11).

Mae catalyddion yn bwysig iawn mewn diwydiant, a cheir chwilio parhaus am gatalyddion newydd a gwell. Mae catalyddion yn galluogi adweithiau i fynd ymlaen ar gyfradd dda ar dymheredd is ac felly maen nhw'n arbed ynni.

Wyddoch chi?

Mae diwydiant yn defnyddio catalyddion yn helaeth. Maen nhw'n cael eu defnyddio wrth gynhyrchu amonia, asid sylffwrig, margarin, polythen, a llu o gemegion pwysig eraill.

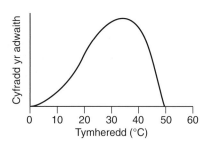

Ffigur 6.11 Adwaith wedi'i gatalyddu gan ensym

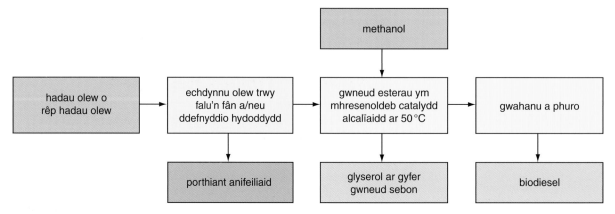

Ffigur 6.12 Mae angen catalydd ar yr adwaith sy'n torri olew llysieuol i lawr i fiodiesel a glyserol

Mae rhai catalyddion yn galluogi creu cynhyrchion o adnoddau adnewyddadwy, er enghraifft tanwydd sy'n cael ei gynhyrchu o ddefnydd llysieuol adnewyddadwy. Mae catalyddion yn aml yn galluogi ffurfio cynnyrch mewn llai o gamau. Mae cynhyrchu **biodiesel** o adnoddau adnewyddadwy (gw. Ffigur 6.12) yn defnyddio catalydd alcalïaidd yn un o'i gamau.

Nano-ronynnau

Mae nanometr (nm) yn 1.0×10^{-9} m, neu 0.000 000 001 m.

Mae gwyddonwyr wedi datblygu gronynnau bach o faint nanometr yn ddiweddar. Pan fyddan nhw'n cael eu lleihau i'r maint hwn, mae gronynnau'n aml yn dangos priodweddau newydd a gwahanol i rai'r un sylwedd ar ffurf swmp.

Un datblygiad newydd yn y maes hwn yw cynhyrchu gronynnau arian ar raddfa nano. Mae gan y gronynnau hyn briodweddau gwrthfacteriol, gwrthffyngol a gwrthfirysol. Mae gwyddonwyr yn credu eu bod nhw'n gweithio trwy gynhyrchu ïonau arian. Y gobaith yw y byddan nhw'n effeithiol yn erbyn MRSA (*Staphylococcus aureus* sy'n wrthiannol i fethisilin). Mae'r haint hwn yn wrthiannol i wrthfiotigau, ac mae'n cael ei ddal yn aml yn yr ysbyty. Mae'n gallu bod yn farwol.

Mae gronynnau arian maint nano yn cael eu defnyddio eisoes yn leininau rhewgelloedd fel y gallant hunanddiheintio.

Mae un cwmni wedi dweud iddo gynhyrchu dyfais i drin heintiau wrinol trwy fewnosod yn y llwybr wrinol ddyfais blastig fioddiraddadwy wedi'i gorchuddio â gronynnau arian maint nano.

Gwyddor newydd yw nano-wyddoniaeth, ac mae pryderon am ei chymwysiadau. Rhaid cymryd gofal, oherwydd bod gan sylwedd ar ei ffurf nano briodweddau gwahanol i'r un sylwedd ar ei ffurf swmp. Efallai bydd nano-ronynnau'n mynd trwy'r croen a chael effeithiau biolegol anffafriol. Mae'n bosibl bod gan nano-diwbiau carbon yr un priodweddau anffafriol â ffibrau asbestos. Gan fod nano-ronynnau mor fach, gallant gael eu gwasgaru i'r amgylchedd yn rhwydd. Dyfalu yw llawer sy'n cael ei ysgrifennu, ac mae ymchwil yn parhau er mwyn penderfynu pa beryglon sydd mewn gwirionedd.

Nano-wyddoniaeth: www.wellcome.ac.uk/bigpicture

Tanwyddau ffosil a hylosgiad

Mae tair ffurf o danwyddau ffosil: glo, olew a nwy naturiol. Cafodd y tri eu ffurfio gannoedd o filiynau o flynyddoedd yn ôl, yn ystod y Cyfnod Carbonifferaidd yn amser daearegol.

- **Glo**: Mae glo wedi'i wneud o garbon, hydrogen, ocsigen, nitrogen a symiau amrywiol o sylffwr. Mae tri phrif fath ar lo: glo carreg, glo rhwym a lignit. Cafodd glo ei ffurfio wrth i ddefnydd planhigol cynhanes ddadfeilio dan ddylanwad gwres a gwasgedd. Gallwn weld tystiolaeth o'r planhigion hyn mewn ffosiliau haenau glo (gw. Ffigur 6.13).

Ffigur 6.13 Pwll glo Cefn Coed, Cymru, 1930, y pwll glo carreg dyfnaf yn y byd ar y pryd

Ffigur 6.14 Purfa Olew Texaco, Penfro, Cymru

- **Olew**: Ffurfiodd petroliwm mewn sawl cam. Bu llawer o ddefnydd organig o organebau megis plancton, bacteria, anifeiliaid bach ac algâu. Cafodd y defnydd organig ei gladdu'n gyflym cyn i ocsidio ddigwydd. Gwnaeth adweithiau cemegol dan wres a gwasgedd drawsffurfio'r defnydd organig yn araf i'r hydrocarbonau sydd i'w cael ym mhetroliwm (gw. Ffigur 6.14).

- **Nwy naturiol**: Ffurfiodd hwn drwy'r un prosesau â phetroliwm, ond hefyd roedd yn gallu tryddiferu trwy graig fandyllog a chasglu mewn pocedi yng nghramen y Ddaear. Mae'n cynnwys methan (CH_4) yn bennaf.

Gan fod pob un o'r tri thanwydd ffosil wedi eu ffurfio gannoedd o filiynau o flynyddoedd yn ôl, **adnoddau meidraidd** ydyn nhw, ac eisoes mae cyflenwadau'n lleihau mewn gwahanol rannau o'r byd.

Distyllu ffracsiynol olew crai

Distyllu ffracsiynol:
www.schoolscience.co.uk

Mae petroliwm neu olew crai yn gymysgedd cymhleth o hydrocarbonau. Mae hydrocarbonau'n gyfansoddion sy'n cynnwys carbon a hydrogen yn unig. Er mwyn cael defnyddiau defnyddiol o olew crai, rhaid i'r olew fynd trwy nifer o brosesau. Y cyntaf o'r rhain yw **distyllu ffracsiynol**. Mae hyn yn golygu gwahanu'r cymysgedd cymhleth sydd mewn olew crai yn gymysgeddau symlach o hydrocarbonau (ffracsiynau), yn dibynnu ar eu berwbwyntiau (gw. Ffigur 6.15).

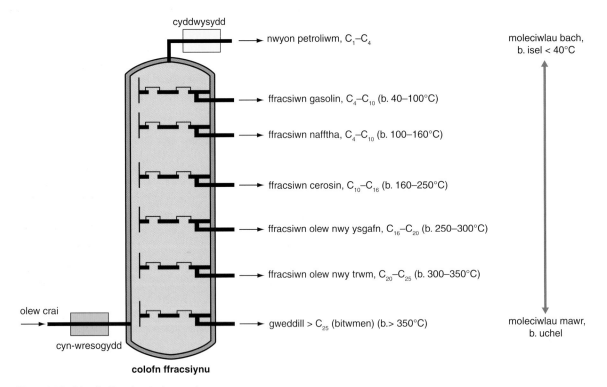

Ffigur 6.15 Distyllu ffracsiynol olew crai

Mae olew crai'n berwi wrth iddo fynd i mewn i waelod y golofn ffracsiynu. Mae tymheredd y golofn yn gostwng wrth fynd yn uwch. Wrth i'r olew crai wedi'i anweddu godi i fyny'r golofn ffracsiynu, mae'n pasio trwy blatiau cap swigod sy'n casglu hylif cyddwysedig ar y tymheredd hwnnw ac yn gadael i anweddau hylifau â berwbwyntiau is symud yn uwch yn y golofn. Mae pob plât yn cynnwys llawer o gapiau swigod fel yr un yn Ffigur 6.16.

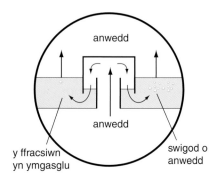

Ffigur 6.16 Mae platiau cap swigod yn casglu hylif a gadael i anwedd fynd heibio

Tabl 6.1 Pyllau glo yn ardal Llanelli, 1869

Bigyn	Great Mountain
Bryngwyn	Machynis
Cae	Maeardaffer
Caebad	Old Castle and Bres
Creswyddy	Pencoed
Cwm mawr	Talsarney
Gelli	

Mae tanwyddau ymhlith y cynhyrchion sy'n dod o ddistyllu ffracsiynol olew. Mae'r rhain yn cynnwys y ffracsiynau sydd â'r berwbwyntiau isaf, nwyon a gasolin.

Sut mae'r defnydd o danwyddau ffosil wedi newid dros amser

Glo

Cynyddodd y galw am lo yn y DU yn fawr ar adeg y Chwyldro Diwydiannol. Cafodd olew ei echdynnu'n bennaf o ffynonellau anifail a llysieuol. Dechreuodd mwyngloddio ar raddfa sylweddol ar ddechrau'r ddeunawfed ganrif. Roedd angen glo ar gyfer y diwydiannau haearn a dur datblygol, ar gyfer pŵer ager, ar gyfer y rheilffyrdd, ac fel tanwydd domestig rhad.

Cafwyd bod glo, wrth iddo gael ei wresogi heb aer, yn ffurfio tanwydd nwyol o'r enw **nwy glo**. Y gweddill yw **golosg**, a gafodd ei ddefnyddio yn y diwydiannau haearn a dur. Sgil gynnyrch arall oedd **col-tar**, oedd yn ffynhonnell bwysig o gemegion nes i olew gymryd ei le. Drwy'r bedwaredd ganrif ar bymtheg a'r ugeinfed ganrif, roedd nwy glo'n cael ei ddefnyddio fel y prif danwydd ar gyfer goleuo, ac i ryw raddau ar gyfer coginio domestig. Roedd hyn yn parhau tan y newid i nwy naturiol yn y 1960au.

Roedd dyddodion mawr o lo mewn sawl ardal yn y DU, a dim un yn fwy na Chymru. Ym 1889 roedd tua dwsin o byllau glo gweithio yn ardal Llanelli yn unig (gw. Tabl 6.1), ac roedd pyllau glo gweithio bach drwy Gymru gyfan.

Roedd bron pob pwll glo dwfn yn y DU wedi cael ei gau erbyn y flwyddyn 2000; mae gan hyd yn oed y rhai sy'n weddill ddyfodol ansicr. Mae cloddio glo brig yn digwydd mewn rhai ardaloedd. Yn y dull hwn, mae brigiadau o lo'n cael eu symud, ac mae'r uwchbridd yn cael ei roi'n ôl wrth adfer y dirwedd.

Olew

Er bod pobl yn gwybod am olew ers cyfnodau hynafol, doedd dim rhaid edrych am ffynonellau eraill o olew tan y 1850au pan fu prinder o olew morfilod yn UDA. Mewn rhai mannau, roedd petroliwm yn tryddiferu i'r arwyneb, ac yn cael ei ddefnyddio i wneud cerosin ar gyfer lampau olew. Dechreuodd drilio am olew yn Pennsylvania yn UDA yn y 1850au. Cafodd cynhyrchion eraill, megis gasolin (petrol), eu taflu.

Cafodd y diwydiant olew ei drawsnewid yn sgil dyfeisio'r peiriant tanio mewnol a'r car modur wedi'i yrru gan betrol. Rydym ni'n dibynnu bellach ar olew am y rhan fwyaf o'n hanghenion egni, ond rydym ni'n gwybod ei fod yn adnodd meidraidd a fydd yn rhedeg allan. Mae rhai pobl yn credu bod yr hydrocarbonau mewn olew yn rhy brin a defnyddiol i'w llosgi fel tanwyddau.

Mae cynhyrchion o burfeydd olew yn cael eu defnyddio i wneud plastigau a dillad synthetig.

Cwestiynau

2 Mae plastigau, sy'n cael eu gwneud o'r cynhyrchion o olew crai, yn cael eu defnyddio'n helaeth ar gyfer cynhyrchion domestig. Maen nhw'n cynnwys poteli plastig, defnyddiau lapio a beiros. Ysgrifennwch ddisgrifiad byr o **fanteision** y plastigau a ddefnyddir ar gyfer y cynhyrchion hyn, a thynnwch sylw at unrhyw **anfanteision** defnyddio'r fath ddefnyddiau hefyd.

Nwy naturiol

Dechreuodd darganfod ac ecsploetio cronfeydd nwy naturiol ar raddfa fawr yn y DU yn y 1960au. Mae gorsafoedd pŵer nwy naturiol wedi cymryd lle llawer o orsafoedd pŵer glo, ac mae'r galw am nwy'n uchel iawn. Mae nwy naturiol yn adnodd meidraidd. Cododd pris nwy'n fawr yn 2005 ac yn gynnar yn 2006.

Golwg arall ar adweithiau hylosgiad

Mae adwaith cemegol yn achosi ffurfio sylweddau newydd (y **cynhyrchion**) o'r sylweddau sy'n adweithio (yr **adweithyddion**). Adwaith tanwydd ag ocsigen yw **hylosgiad**.

Yn achos hylosgiad cyflawn hydrocarbonau, yr adweithyddion yw hydrocarbon ac ocsigen, a'r cynhyrchion yw carbon deuocsid a dŵr. Yn ystod adwaith hylosgiad mae'r bondiau yn yr adweithyddion yn cael eu torri ac yna mae bondiau'n ailffurfio i greu'r cynhyrchion. Mae moleciwl hydrocarbon yn cynnwys dim ond atomau carbon a hydrogen wedi'u bondio i'w gilydd. Yn ystod yr adwaith, mae'r atomau hyn yn ffurfio bondiau ag atomau ocsigen.

Ystyriwch hylosgiad methan (gw. Ffigur 6.17).

$$\text{methan} + \text{ocsigen} \rightarrow \text{carbon deuocsid} + \text{dŵr}$$
$$CH_4 + 2O_2 \rightarrow CO_2 + 2H_2O$$

yn dangos torri bond   yn dangos ffurfio bond

Ffigur 6.17 Yn ystod hylosgiad methan mae bondiau'n cael eu torri a'u hailffurfio

Mae **torri** bond yn **galw am** egni. Mae **ffurfio** bond yn **rhyddhau** egni. Mae'r gwahaniaeth rhwng yr egni sydd ei angen i dorri bondiau a'r egni sy'n cael ei ryddhau pan fydd y bondiau newydd yn cael eu ffurfio yn penderfynu a yw'r adwaith cyflawn yn ecsothermig neu'n endothermig.

Data egni bondiau

Mae Tabl 6.2 yn rhoi rhai gwerthoedd egni ar gyfer torri rhai bondiau cofalent. (Mae rhagor am fondiau cofalent ym Mhennod 7.)

Hylosgiad cyflawn methan:

$$CH_4(n) + 2O_2(n) \rightarrow CO_2(n) + 2H_2O(h)$$

Y bondiau sy'n cael eu torri yw pedwar bond C–H a dau fond O=O:

$(4 \times 412) + (2 \times 496) = 2640$ kJ

Y bondiau sy'n cael eu ffurfio yw dau fond C=O a phedwar bond O–H:

$(2 \times 743) + (4 \times 463) = 3338$ kJ

Felly mae mwy o egni'n cael ei ryddhau nag sy'n cael ei gymryd i mewn, ac mae'r adwaith yn ecsothermig. Rydym ni'n gwybod hyn oherwydd bod methan yn danwydd sy'n rhyddhau gwres wrth gael ei losgi.

Tabl 6.2 Gwerthoedd egni ar gyfer torri bondiau cofalent

Bond	Yr egni sydd ei angen i'w dorri, kJ/mol
O=O	496
C–H	412
H–H	436
C=O	743
O–H	463
C–C	348
N≡N	944
C=C	612
N–H	388

Enghraifft

Mae amonia yn cael ei wneud trwy gyfuno nwy nitrogen a nwy hydrogen. Darganfyddwch a yw'r adwaith isod yn ecsothermig neu'n endothermig.

$$N_2(n) + 3H_2(n) \rightarrow 2NH_3(n)$$

Y bondiau sy'n cael eu torri yw un bond $N\equiv N$ bond a thri bond H–H. Yr egni sydd ei angen yw:

$$944 + (3 \times 436) = 2252 \text{ kJ}$$

Y bondiau sy'n cael eu ffurfio yw chwe bond N–H, ac felly yr egni sy'n cael ei ryddhau yw:

$$(6 \times 388) = 2328 \text{ kJ}$$

Mae mwy o egni'n cael ei ryddhau wrth i'r amonia ffurfio nag wrth i'r moleciwlau nitrogen a hydrogen dorri. Felly mae'r adwaith yn ecsothermig.

Agweddau amgylcheddol o losgi tanwyddau ffosil

Hylosgiad anghyflawn

Os nad oes digon o aer ar gyfer hylosgiad cyflawn hydrocarbon, yna, yn ogystal â charbon deuocsid, gall **carbon** a **charbon monocsid** gael eu ffurfio. Huddygl yw carbon solet ac mae i'w gael mewn simneiau o ganlyniad i losgi glo. Mae dyddodion o huddygl i'w cael yn aml y tu mewn i bibell gwacáu car.

Gronynnau carbon mewn fflam cannwyll sy'n ei wneud yn felyn, a dyma pam mae cannwyll yn gadael dyddodyn du os caiff gyffwrdd ag arwyneb oer. Mae huddygl o fwg simneiau'n cael ei ddyddodi ar adeiladau, gan eu gwneud nhw'n frwnt. Yn y gorffennol pan oedd llawer o danau glo domestig, byddai mân ronynnau huddygl yn cyfrannu at ffurfio niwloedd trwchus, fel y rhai yn Llundain o'r enw 'pea-soupers'. Roedd gronynnau huddygl mewn mygdarthau gwacáu ceir yn gallu achosi problemau iechyd os oedd pobl yn eu mewnanadlu.

Mae carbon monocsid yn nwy gwenwynig, ac mae i'w gael mewn mygdarthau gwacáu o beiriannau petrol. Nid oes digon o aer yn y cymysgedd petrol–aer ar gyfer hylosgiad cyflawn yr holl foleciwlau hydrocarbon mewn petrol.

Os nad yw boeleri gwres canolog nwy yn cael eu cynnal a'u cadw'n rheolaidd, mae'n bosibl y byddan nhw'n allyrru carbon monocsid. Gan fod carbon monocsid yn ddi-liw ac yn ddiarogl, efallai na fydd yn cael ei ganfod, ac mae'n gallu achosi marwolaeth os caiff ei fewnanadlu dros gyfnod o sawl awr. Mae'r carbon monocsid yn cyfuno â'r haemoglobin yn y gwaed, gan atal y gwaed rhag cludo ocsigen o gwmpas y corff. Gall hyn achosi anawsterau anadlu. Mae gan lawer o dai ganfodyddion carbon monocsid sy'n rhoi rhybudd os ydy carbon monocsid yn bresennol.

Hylosgi sylffwr mewn tanwyddau ffosil

Mae'r rhan fwyaf o danwyddau ffosil yn cynnwys sylffwr. Mae rhai cronfeydd nwy naturiol yn cynnwys cymaint o sylffwr fel bod rhaid ei echdynnu cyn ei bod yn bosibl defnyddio'r nwy fel tanwydd. Mae'r sylffwr wedyn yn cael ei ddefnyddio'n ddiwydiannol i wneud asid sylffwrig. Mae'r sylffwr mewn tanwyddau ffosil yn llosgi i ffurfio sylffwr deuocsid.

$$\text{sylffwr} + \text{ocsigen} \rightarrow \text{sylffwr deuocsid}$$
$$S + O_2 \rightarrow SO_2$$

Wyddoch chi?

Os ydych chi wedi bod yn mewnanadlu carbon monocsid, efallai bydd pen tost gyda chi a byddwch chi'n teimlo'n niwlog. **Gweithredwch yn gyflym! Gwnewch yn sicr eich bod yn cael awyr iach ar unwaith.** Agorwch y drysau a'r ffenestri. Diffoddwch offer hylosgi, a gadewch yr adeilad.

Cwestiynau

3 Eglurwch ystyr **pob un** o'r canlynol, gan ddarlunio'ch ateb ag enghraifft addas:
  a distyllu ffracsiynol
  b tanwydd ffosil
  c glaw asid.

Unwaith ei fod yn yr atmosffer, mae'r sylffwr deuocsid yn adweithio ag anwedd dŵr ac ocsigen i ffurfio asid sylffwrig. **Glaw asid** yw glawiad sy'n cynnwys asidau.

- Mae glaw asid yn difrodi adeiladau. Mae hwn yn fater pwysig wrth ddiogelu adeiladau hanesyddol (gw. Ffigur 6.18).
- Mae glaw asid yn difrodi coed. Mae pH y dŵr yn y pridd yn gostwng, ac mae systemau'r gwreiddiau'n cael eu niweidio, gan droi'r dail yn felyn (gw. Ffigur 6.19).

Ffigur 6.18 Difrod i waith carreg wedi'i achosi gan law asid

Ffigur 6.19 Coed wedi'u difrodi gan law asid

Glaw asid yng Nghanada:
www.ec.gc.ca/acidrain

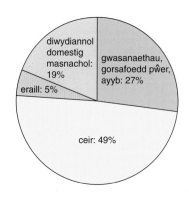

Ffigur 6.20 Mae pob talaith yn UDA yn cyhoeddi data amgylcheddol; dyma siart nodweddiadol ar gyfer ffynonellau o ocsidau nitrogen yn yr atmosffer

- Mae glaw asid yn niweidio bywyd mewn llynnoedd ac afonydd. Mae'n trwytholchi metelau niweidiol o'r pridd ac i'r dŵr. Un enghraifft yw alwminiwm. Os bydd crynodiad alwminiwm mewn dŵr yn rhy uchel, bydd pysgod a chreaduriaid eraill yn marw.

Mae'r rhan fwyaf o halogiad sylffwr deuocsid yn dod o orsafoedd pŵer. Cafwyd bod llygredd glaw asid yn Sgandinafia wedi deillio o orsafoedd pŵer mewn gwledydd eraill yn Ewrop.

Cynhyrchu ocsidau nitrogen

Mae ocsidau nitrogen yn cael eu cynhyrchu (gw. Ffigur 6.20):

- yn naturiol mewn stormydd mellt a tharanau
- pan fydd tanwyddau ffosil yn llosgi
- yn helaeth mewn peiriannau petrol ceir modur, wrth i wreichionen taniad drawsnewid nitrogen ac ocsigen yn yr aer wedi'u cymysgu â phetrol i ocsidau nitrogen.

Mae ocsidau nitrogen yn niweidio'r llwybr resbiradu. Wrth iddynt ryngweithio â dŵr yn yr atmosffer, maen nhw'n ffurfio asid nitrig, sy'n cyfrannu at law asid.

Effaith arall ocsidau nitrogen yw llygredd oson lefel isel a mwrllwch ffotocemegol. Mae mwrllwch ffotocemegol yn ffurfio pan fydd tri ffactor yn bresennol:

- ocsidau nitrogen
- hydrocarbonau
- heulwen ar ffurf pelydrau uwchfioled.

Y canlyniad yw cronni llygryddion fel oson yn yr atmosffer yn ogystal â thawch brown. Gall y mwrllwch hwn achosi cosi poenus yn y llygaid, niwed i'r ysgyfaint, a niwed i'r llwybr resbiradu. Mae pobl mewn iechyd gwael yn fwy agored byth i'w effeithiau. Gall mwrllwch ddifrodi celloedd planhigion hefyd.

Yng Nghaliffornia yn UDA, mae mwrllwch yn gyffredin, gan fod nifer mawr o ddefnyddwyr ceir yn gyrru mewn hinsawdd heulog. Mae'r ardal yn adnabyddus am wrthdroadau tymheredd, lle mae haen o aer cynnes yn eistedd ar ben aer oerach ar lefelau is. Mae hyn yn dal y mwrllwch.

Rhai atebion i broblemau amgylcheddol

Mae newid o danwydd sy'n llygru'n fwy i danwydd sy'n llygru'n llai yn fantais. Mae hyn wedi digwydd gyda'r newid yng ngwres domestig o nwy glo i nwy naturiol.

Mae gorsafoedd pŵer tanwydd ffosil yn cynhyrchu swm sylweddol o sylffwr deuocsid. Er ei fod yn tueddu i wneud cynhyrchu trydan yn ddrutach, mae'n bosibl symud y sylffwr deuocsid sydd yn y nwyon ffliw trwy wneud iddo adweithio â chalchfaen neu ei basio trwy hydoddiannau alcalïaidd fel dŵr y môr alcalïaidd.

Mae llygredd gan ocsidau nitrogen o allyriadau ceir wedi cael ei leihau gan drawsnewidyddion catalytig. Mae gan drawsnewidyddion catalytig adeiledd crwybr ceramig neu fetel wedi'i orchuddio â chyfuniad o blatinwm, rhodiwm a/neu baladiwm. Gallant drawsnewid hyd at 90% o hydrocarbonau, carbon monocsid ac ocsidau nitrogen o'r allyriadau peiriannau yn garbon deuocsid (CO_2), nitrogen ac anwedd dŵr llai niweidiol.

Gellir symud ocsidau nitrogen o lifoedd nwy trwy ddefnyddio amonia a chatalydd. Mae'r dull yn defnyddio amonia (NH_3) i rydwytho ocsidau nitrogen i nitrogen a dŵr ym mhresenoldeb arwyneb catalytig. Un math ar gatalydd sy'n cael ei ddefnyddio yw metel cyffredin sy'n cynnwys ocsidau o ditaniwm, molybdenwm, twngsten a fanadiwm. Mae amonia nwyol yn cael ei chwistrellu ag ager neu aer cywasgedig i'r nwy halogedig. Mae'r cymysgedd amonia-nwy yn mynd i mewn i'r catalydd, lle mae'r ocsidau nitrogen yn cael eu rhydwytho i nitrogen a dŵr.

Mae paent newydd wedi cael ei ddatblygu sydd, yn ôl pob sôn, yn gallu symud ocsidau nitrogen o'r aer. Mae bas polymer y paent wedi'i fewnblannu â gronynnau sfferig maint nano (tua 30 nm mewn diamedr) o ditaniwm deuocsid a chalsiwm carbonad.

Mae'r nwyon ocsidau nitrogen yn cael eu hamsugno i araen o'r paent ar arwyneb agored, ac maen nhw'n adlynu wrth y gronynnau titaniwm deuocsid. Mae'r titaniwm deuocsid yn defnyddio egni'r haul i gyfuno'r nitrogen ocsid a dŵr i wneud asid nitrig. Mae'r asid wedyn naill ai'n cael ei olchi i ffwrdd gan y glaw neu ei niwtraleiddio gan y gronynnau calsiwm carbonad i greu carbon deuocsid, dŵr a chalsiwm nitrad.

Cynhesu byd-eang a nwyon tŷ gwydr

Y tŷ gwydr

Ffigur 6.21 Tŷ'r palmwydd yng Ngerddi Kew

Mae'r gwydr mewn tŷ gwydr (gw. Ffigur 6.21) yn gadael i belydrau'r Haul fynd i mewn i'r adeilad a chynhesu'r cynnwys tu mewn. Yna mae'r cynnwys yn pelydru pelydriad isgoch â thonfedd sy'n rhy hir i fynd trwy'r gwydr, ac felly mae gwres yn cronni yn y tŷ gwydr.

Mae rhai moleciwlau'n ymddwyn mewn ffordd debyg i dŷ gwydr, ac felly rydym ni'n galw'r rheini yn foleciwlau nwy tŷ gwydr. Mae pelydriad o'r Haul yn cynhesu arwyneb y Ddaear, ond pan yw'r

Ddaear yn pelydru egni gwres yn ôl i'r gofod, mae ar ffurf pelydriad isgoch â thonfedd hirach. Mae moleciwlau megis carbon deuocsid yn amsugno rhywfaint o'r pelydriad tonfedd-hirach hwn, ac yn dal yr egni yn yr atmosffer. Dyma'r **effaith tŷ gwydr** (gw. Ffigur 6.22), sy'n broses naturiol.

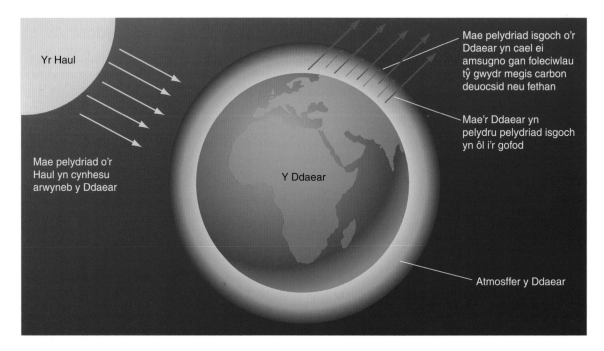

Yr Haul

Mae pelydriad o'r Haul yn cynhesu arwyneb y Ddaear

Mae pelydriad isgoch o'r Ddaear yn cael ei amsugno gan foleciwlau tŷ gwydr megis carbon deuocsid neu fethan

Mae'r Ddaear yn pelydru pelydriad isgoch yn ôl i'r gofod

Y Ddaear

Atmosffer y Ddaear

Ffigur 6.22 Yr effaith tŷ gwydr

Cynhesu byd-eang:
www4.nationalacademies.org/onpi/webextra.nsf/web/climate

Yr hyn sy'n newydd yw fod mwy a mwy o danwyddau ffosil wedi cael eu llosgi yn ddiweddar, gan ychwanegu mwy o garbon deuocsid at yr atmosffer. Po fwyaf yw nifer y moleciwlau tŷ gwydr sydd yn yr atmosffer, lleiaf yw'r gwres sy'n gallu cael ei belydru i'r gofod, a mwyaf mae'r Ddaear a'i atmosffer yn cynhesu. **Cynhesu byd-eang** yw'r enw ar y cynnydd hwn yn y tymheredd.

Mae'r cynnydd mewn carbon deuocsid wedi gwaethygu oherwydd datgoedwigo helaeth. Er enghraifft, mae ardaloedd mawr o goedwig law yr Amazonas wedi cael eu clirio. Mae planhigion gwyrdd yn amsugno carbon deuocsid yn ystod ffotosynthesis. Mae hylosgi tanwyddau a resbiradu'n cynyddu swm y carbon deuocsid yn yr atmosffer, ond mae ffotosynthesis yn lleihau swm y carbon deuocsid yn yr atmosffer.

$$\text{carbon deuocsid} + \text{dŵr} \xrightarrow{\text{heulwen a chloroffyl}} \text{carbohydradau} + \text{ocsigen}$$

Oherwydd bod llai o goed i gael gwared â charbon deuocsid, mae'r swm yn yr atmosffer yn cynyddu. Mae'r cynnydd yn y carbon deuocsid yn yr atmosffer wedi cael ei ddarganfod gan ymchwilwyr sydd wedi cymryd creiddiau iâ mewn ardaloedd pegynol ac astudio'r swigod aer sydd wedi'u dal yn yr iâ. Mae iâ dyfnach yn hŷn nag iâ sy'n agos at yr arwyneb, a gellir llunio llinell amser sy'n dangos bod swm y carbon deuocsid yn yr atmosffer wedi cynyddu dros y degawdau diwethaf.

Drwy'r byd, mae llawer o lywodraethau'n cymryd y bygythiad o gynhesu byd-eang o ddifrif, ac mae llawer wedi llofnodi cytundeb Kyōtō i leihau allyriadau carbon deuocsid. Un ofn ynghylch cynhesu byd-eang yw y bydd y capiau iâ ar y tir a rhewlifau yn ymdoddi, gan arwain at gynnydd yn lefelau'r môr a llifogydd. Byddai hyn yn effeithio ar fywyd gwyllt fel

U

(a)

(b)

Ffigur 6.23 Lluniau NASA o orchudd iâ môr yr Arctig yn a) 1979 a b) 2003

eirth gwyn. Dywedodd *National Aeronautics and Space Administration (NASA)* yr UD ym mis Medi 2005 fod iâ'r haf yn yr Arctig yn llai o ran arwyneb arwynebedd nag ar unrhyw bryd arall ers dechrau cadw cofnodion (gw. Ffigur 6.23).

Mae tywydd annarogan yn gallu digwydd yn sgil newidiadau hinsawdd sy'n ganlyniad i gynhesu byd-eang. Gan fod egni corwyntoedd a thornados yn deillio o'r môr, mae rhai'n credu y bydd eu dwysedd yn cynyddu os bydd tymheredd y môr yn codi. Mae'r pryderon hyn wedi cynyddu oherwydd y difrod a'r llifogydd yn New Orleans yn UDA gan Gorwynt Katrina.

Er bod y rhan fwyaf o wyddonwyr yn derbyn y ddamcaniaeth bod y cynnydd yn allyriadau carbon deuocsid yn gyfrifol am gynhesu byd-eang, mae rhai gwyddonwyr yn fwy gofalus ynghylch honiadau am gynhesu byd-eang. Mae rhai wedi tynnu sylw at y ffaith ei bod yn cymryd amser maith i batrymau hinsawdd gael eu sefydlu. Hefyd, gall y data cyfredol fod yn smotyn a dim mwy yn nhermau'r graddfeydd amser daearegol ac atmosfferig dros gannoedd a miloedd o flynyddoedd. Mae ansicrwydd am y rhan y mae'r cefnforoedd yn ei chwarae wrth amsugno carbon deuocsid.

Atal cynhesu byd-eang

Mae nifer o atebion wedi cael eu cynnig i leddfu cynhesu byd-eang. Maen nhw'n cynnwys y canlynol:

- Cyfyngu ar allyriadau carbon deuocsid gan ddefnyddio gwahanol fathau o ddeddfwriaeth, er enghraifft trethi uwch ar danwyddau ffosil.
- Defnyddio ffynonellau egni adnewyddadwy, fel pŵer gwynt a thonnau.
- Defnyddio tanwyddau sy'n adnewyddadwy. Mae biomas yn ddefnydd organig sydd wedi defnyddio egni'r Haul i dyfu. Gellir ei droi yn danwyddau, er enghraifft methan. Mae unrhyw allyriadau carbon yn garbon-niwtral, gan fod y carbon gymerodd y planhigion o'r atmosffer wrth iddynt dyfu yn mynd yn ôl i'r atmosffer wrth ei hylosgi.
- Defnyddio pŵer niwclear.
- Symud carbon deuocsid trwy ei ddal mewn cyfrwng alcalïaidd fel slyri calchfaen.

Mae rhai o'r materion am gynhesu byd-eang a defnyddio egni yn cael eu disgrifio ym Mhennod 10. Math arall posibl o lygredd atmosfferig yw mater gronynnol, megis gronynnau llwch yn yr atmosffer. Mae llwch weithiau'n mynd i'r atmosffer trwy ddigwyddiadau naturiol fel echdoriadau folcanig.

Pe bai gronynnau gwneud eraill yn cyrraedd yr atmosffer oherwydd llosgi tanwyddau a mwyngloddio, efallai byddai'r llwch yn atal yr heulwen rhag cyrraedd y Ddaear. Gallai hyn achosi gostyngiad mewn tymheredd, gan arwain at oeri byd-eang ac effeithiau niweidiol ar blanhigion ac anifeiliaid.

Cwestiynau

4 a Eglurwch beth yw ystyr **nwy tŷ gwydr** a **chynhesu byd-eang**.

  b Nodwch **ddau** o achosion cynhesu byd-eang.

  c Nodwch **ddau** ddull gweithredu a fyddai'n lleihau cynhesu byd-eang.

Prosesau daearegol a'r atmosffer

Tectoneg platiau

Mae arwyneb y Ddaear, neu'r lithosffer, wedi'i wneud o saith plât mawr a rhai llai, tua 70 km o drwch, sy'n symud rhai centimetrau y flwyddyn o gymharu â'i gilydd. Enw cyffredin am hyn yw **drifft cyfandirol**.

Alfred Wegener (1880–1930) a gynigiodd y syniad o ddrifft cyfandirol. Ceisiodd ganfod tystiolaeth a fyddai'n esbonio'r ffit rhwng arfordiroedd De America ac Affrica (gw. Ffigur 6.24). Astudiodd Wegener fathau o

Oedd y ddau ranbarth hyn unwaith yn agos at ei gilydd?

Ffigur 6.24 Siâp arfordiroedd Affrica a De America

greigiau a ffosiliau a ddangosodd ei bod yn bosibl fod y ddau gyfandir unwaith yn gysylltiedig â'i gilydd. Mynnodd beirniaid Wegener gael gwybod sut y gallai cyfandiroedd symud, ond ni allai roi eglurhad argyhoeddiadol. Ni chafodd ei ddamcaniaeth drifft cyfandirol ei derbyn ar y pryd.

Wrth i dystiolaeth newydd ymddangos, addasodd gwyddonwyr eraill y ddamcaniaeth. Yn y 1960au rhoddodd arolygon o lawr y cefnfor dystiolaeth ddaearegol gref bod llawr cefnfor newydd yn cael ei greu rhwng cyfandiroedd dros filiynau o flynyddoedd. Dangosodd seismolegwyr fod haen **fantell** o dan gramen y Ddaear. Hefyd dangosodd astudiaethau seismig i ddaeargrynfeydd ddigwydd mewn patrwm, a bellach rydym ni'n gwybod mai dyma'r ffiniau rhwng platiau (gw. Ffigur 6.25). Ers y 1960au mae gwyddonwyr wedi derbyn y ddamcaniaeth o blatiau'n symud. Y platiau mawr sy'n symud yw **platiau tectonig**. Mae damcaniaeth tectoneg platiau yn disgrifio symudiad llawr y cefnfor yn ogystal â symudiad y cyfandiroedd, ac mae'n cynnwys eglurhad o sut mae'r platiau yn symud.

Ni allai Wegener egluro'r grymoedd a allai symud tirfasau mawr. Heddiw mae gwyddonwyr yn meddwl bod **ceryntau darfudol** ym mantell y Ddaear yn achosi i'r platiau symud. Mae'r fantell yn gallu llifo'n araf, er ei bod yn solet. Mae defnydd creigiog poeth yn codi yn y fantell ac yna'n oeri wrth iddo nesáu at y gramen. Wrth iddo oeri, mae'r defnydd yn mynd yn fwy dwys ac yn dechrau suddo, gan greu cerrynt darfudol. Mae symudiadau i'r ochr tua brig y fantell yn llusgo a symud y platiau sydd uwchben. Mae pobl yn meddwl mai prif ffynhonnell y gwres sy'n gyrru'r ceryntau darfudol yw ymbelydredd sy'n ddwfn yn y Ddaear.

> Tectoneg platiau:
> www.moorlandschool.co.uk/earth

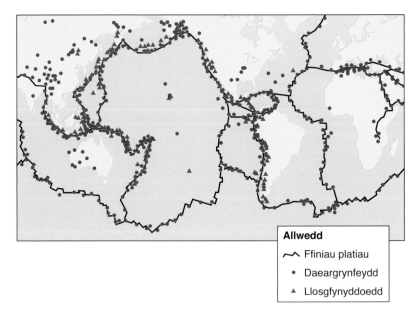

Ffigur 6.25 Mae patrwm daeargrynfeydd a llosgfynyddoedd yn diffinio ffiniau platiau. Er enghraifft, y cylch o losgfynyddoedd o amgylch y Cefnfor Tawel yw ffin plât y Cefnfor Tawel

Allwedd
- ⌐⌐ Ffiniau platiau
- ● Daeargrynfeydd
- ▲ Llosgfynyddoedd

Beth sy'n digwydd wrth ffiniau platiau?

Mae llawer o weithgaredd folcanig a daeargrynfeydd wrth y ffiniau rhwng platiau tectonig (gw. Ffigur 6.25). Hefyd maen nhw'n rhanbarthau lle mae creigiau newydd yn ffurfio a lle gall creigiau gael eu hanffurfio a'u hailgylchu.

Enw ar y broses pan fydd plât yn dechrau torri yw **hollti**. Mae mantell boeth sy'n codi yn gwthio'r gramen i fyny, ac mae'r gwasgedd yn gorfodi'r plât i dorri a gwahanu. Lle mae platiau'n symud oddi wrth ei gilydd, mae **magma** tawdd (craig hylifol o dan arwyneb y Ddaear) yn gallu codi yn y bwlch a ffurfio **creigiau igneaidd** newydd wrth iddo oeri. Mae'r gefnen yng nghanol yr Iwerydd yn rhanbarth lle mae dau blât yn symud oddi wrth ei gilydd, ac mae llosgfynyddoedd tanfor yn ffurfio llawr môr newydd. Mae ffurfio craig newydd yn raddol yn gwthio Affrica a De America yn bellach oddi wrth ei gilydd.

Wrth i blatiau wrthdaro, mae creigiau yn y gramen yn cael eu hanffurfio a naill ai eu gwthio i fyny neu eu gwthio i lawr i'r fantell. Lle mae dau blât cyfandirol yn gwrthdaro, mae'r creigiau'n cael eu plygu a'u ffawtio a'u gwthio i fyny i ffurfio cadwyni o fynyddoedd uchel, megis Mynyddoedd Himalaya a llwyfandir Tibet. Gall y gwrthdaro gynhyrchu daeargrynfeydd mawr.

Wrth i blât cefnforol wrthdaro â phlât cyfandirol, mae'r plât cefnforol dwysach yn cael ei orfodi i lawr i'r fantell – dyma **dansugno**. Mae'r creigiau'n dechrau cynhesu wrth iddynt nesáu at y fantell boethach, ac maen nhw o dan wasgedd cynyddol hefyd. Mae'r plât wedi'i dansugno yn ymdoddi'n rhannol ac mae'r magma'n codi'n raddol trwy'r gramen. Os bydd y magma'n oeri'n araf dan ddaear, bydd creigiau igneaidd fel gwenithfaen yn ffurfio. Os bydd y magma'n cael ei orfodi i'r arwyneb, bydd llosgfynyddoedd yn echdorri lafa tawdd sy'n oeri'n gyflym i ffurfio creigiau igneaidd fel basalt.

Cwestiynau

5 a Beth yw ystyr y term drifft cyfandirol?
   b Enwch **ddau** gyfandir sydd wedi symud oddi wrth ei gilydd dros filiynau o flynyddoedd.
   c Nodwch **ddau** beth a allai ddigwydd wrth i ddau blât cefnforol wrthdaro.

Y gylchred greigiau

Mae tectoneg platiau'n cysylltu creigiau igneaidd, metamorffig a gwaddod yn y **gylchred greigiau**. Mae creigiau sy'n cael eu ffurfio gan losgfynyddoedd neu sy'n agored oherwydd ymgodiad ac anffurfiad yn wynebu hindreulio. Mae gronynnau o graig wedi'i hindreulio yn cael eu cludo gan ddŵr a gwynt a'u dyddodi rywle arall. Wrth i drwch gwaddodion gynyddu mae'r gronynnau'n cael eu cywasgu a gall creigiau gwaddod ffurfio. Wrth i blatiau wrthdaro neu gael eu tansugno, mae **creigiau metamorffig** yn ffurfio gan fod y creigiau sy'n bodoli yn cael eu cynhesu a'u gwasgeddu ond heb eu toddi. Mae tansugno'n dychwelyd creigiau o'r gramen i'r fantell, ac mae'n ailgylchu defnydd cramen a mantell i ffurfio creigiau igneaidd newydd hefyd.

Yr atmosffer

Mae Tabl 6.3 yn dangos cyfansoddiad atmosffer y Ddaear yn ôl cyfaint.

Mae'r aer yn ffynhonnell nitrogen, ocsigen a'r nwyon nobl ac mae modd eu gwahanu trwy ddistyllu ffracsiynol aer hylifol (gw. Ffigur 6.26).

Tabl 6.3 Cyfansoddiad atmosffer y Ddaear yn ôl cyfaint

	Symbol cemegol	**Canran yn ôl cyfaint**
Nitrogen	N_2	78.08
Ocsigen	O_2	20.95
Carbon deuocsid	CO_2	0.036 (ond yn newidiol)
Dŵr	H_2O	Newidiol
Argon	Ar	0.93
Heliwm	He	0.0005
Crypton	Kr	0.00011
Neon	Ne	0.0018
Senon	Xe	9×10^{-6}

Yn ystod y distyllu ffracsiynol sydd i'w weld yn Ffigur 6.26, mae'r aer yn cael ei sychu, mae carbon deuocsid yn cael ei symud, ac yna mae'r aer yn cael ei hylifo. Mae'r nwyon amrywiol wedyn yn cael eu gwahanu yn ôl eu berwbwyntiau. Mae'r nwyon nobl mwy prin, neon (berwbwynt: −246 °C) a chrypton (berwbwynt: −152 °C), yn cael eu hechdynnu trwy ddistyllu ffracsiynol pellach.

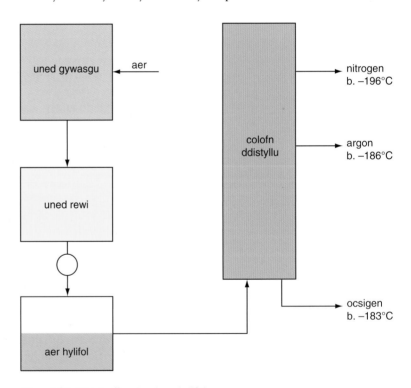

Ffigur 6.26 Distyllu ffracsiynol aer hylifol

Defnyddio nwyon yr atmosffer

Mae bywyd ar y Ddaear yn dibynnu ar ocsigen. Mae **ocsigen** hefyd yn cael ei ddefnyddio:

* mewn meddygaeth fel cymorth anadlu
* i gynhyrchu tymereddau uchel, er enghraifft weldio ocsi-asetylen

Cwestiynau

6 Rhowch **un defnydd diwydiannol** ar gyfer pob un o'r nwyon canlynol sydd i'w cael yn atmosffer y Ddaear:
  a ocsigen
  b nitrogen
  c heliwm
  ch argon
  d neon

- ar ffurf hylif fel ocsidydd mewn rhai rocedi
- i gyfoethogi'r cyflenwad aer mewn rhai prosesau gwneud dur
- mewn awyrennau uchder uchel.

Mae **nitrogen** yn cael ei ddefnyddio:

- i wneud amonia, ond mae'n cael ei gymryd yn uniongyrchol o'r aer ac nid o ddistyllu ffracsiynol aer hylifol
- ar ffurf hylif i oeri pethau mewn prosesau tymheredd isel
- fel nwy anadweithiol sy'n darparu atmosffer anadweithiol (un na fydd yn adweithio).

Mae **carbon deuocsid** yn cael ei ddefnyddio:

- wrth gynhyrchu diodydd byrlymog
- mewn diffoddwyr tân
- fel carbon deuocsid solet (iâ sych), sy'n cael ei ddefnyddio i gadw rhai pethau'n oer (mae carbon deuocsid solet yn solid gwyn sy'n newid yn syth yn ôl i'r nwy heb fynd trwy'r cyflwr hylifol).

Mae **argon** yn cael ei ddefnyddio:

- i lenwi bylbiau goleuo
- i ddarparu atmosfferau anadweithiol.

Mae **heliwm** yn cael ei ddefnyddio:

- i lenwi awyrlongau a balwnau tywydd (nid yw'r rhan fwyaf o'r heliwm sy'n cael ei ddefnyddio ar gyfer hyn yn dod o'r atmosffer, ond mae i'w gael dan ddaear mewn cydberthynas â nwy naturiol, a chredir ei fod yn deillio o ymbelydredd mewn creigiau).

Mae **neon** yn cael ei ddefnyddio:

- mewn tiwbiau fflwroleuol mewn arddangosiadau hysbysebu (gw. Ffigur 6.27).

Ffigur 6.27 Arwyddion neon yn Piccadilly Circus

Profion cemegol

Mae **ocsigen** yn ailgynnau prennyn sy'n mudlosgi.

Mae **carbon deuocsid** yn rhoi gwaddod gwyn pan gaiff ei basio trwy ddŵr calch. Os caiff y nwy ei basio am gyfnod hirach, mae'r gwaddod gwyn yn diflannu i adael hydoddiant di-liw.

Wyddoch chi?

Mae dŵr calch yn hydoddiant dirlawn o galsiwm hydrocsid.

Tarddiad yr atmosffer

Cafodd y Ddaear ei ffurfio tua 5 000 000 000 o flynyddoedd yn ôl. Diflannodd unrhyw hydrogen neu heliwm oedd yn bresennol yn atmosffer cynnar y Ddaear, oherwydd bod moleciwlau'r nwyon ysgafn hyn yn symud mor gyflym fel y gallant ddianc rhag tynfa disgyrchiant y Ddaear. Rhai o'r nwyon eraill, a gafodd eu hallyrru o du mewn y Ddaear gan weithgaredd folcanig, oedd methan, carbon deuocsid, carbon monocsid, anwedd dŵr a nitrogen. Doedd dim ocsigen. Rydym ni'n gwybod hyn oherwydd nad yw ffurfiannau craig cynnar yn cynnwys ocsidau. Wrth i'r Ddaear oeri, cyddwysodd dŵr o'r atmosffer gan ffurfio afonydd a chefnforoedd (yr hydrosffer).

Newidiadau yn yr atmosffer

Mae tystiolaeth ffosil yn dangos i **syanobacteria** esblygu tua 3 biliwn (3000 miliwn) o flynyddoedd yn ôl. Roedd y bacteria hyn yn gallu defnyddio egni'r Haul i gynhyrchu glwcos ac ocsigen o garbon deuocsid a dŵr trwy'r broses byddwn ni'n ei galw yn **ffotosynthesis**. Cynyddodd swm yr ocsigen yn yr atmosffer a gostyngodd swm y carbon deuocsid. Roedd yr ocsigen a gafodd ei gynhyrchu yn nwy 'llygru', ac roedd rhaid i'r organebau a esblygodd allu ymdopi ag ocsigen yn yr atmosffer. Tua biliwn o flynyddoedd yn ôl, ymddangosodd algâu syml, gan gynhyrchu mwy o ocsigen a defnyddio carbon deuocsid yn ystod ffotosynthesis. Esblygodd planhigion syml, ac yna anifeiliaid syml. Roedd pob un o'r organebau hyn yn **resbiradu**, gan ddefnyddio ocsigen ac yn rhyddhau carbon deuocsid. Cafodd carbon deuocsid ei drawsnewid yn greigiau carbonad, weithiau trwy anifeiliaid a gynhyrchodd cregyn a sgerbydau calsiwm carbonad (gw. Ffigur 6.28).

O'r diwedd tua 200 miliwn o flynyddoedd yn ôl sefydlogodd lefelau carbon deuocsid ac ocsigen yn yr atmosffer i'w gwerthoedd cyfredol (gw. y gylchred garbon, Ffigur 6.30 ar dudalen 142).

Wrth i lefelau ocsigen godi, adweithiodd amonia a methan â'r ocsigen, gan gynhyrchu mwy o ddŵr, mwy o garbon deuocsid a nitrogen. Gostyngodd swm yr amonia yn yr atmosffer.

Oson yn yr atmosffer

Gan fod ocsigen yn yr atmosffer, roedd pelydriad o'r Haul yn gallu rhyngweithio â rhai moleciwlau ocsigen (O_2) a'u rhannu yn ddau

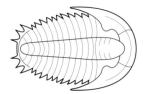

Ffigur 6.28 Braslun o ffosil trilobit

Wyddoch chi?

Mae llawer o strata o galchfaen yn cynnwys gweddillion ffosil o gwrel a sgerbydau organebau morwrol eraill. Dyma pam mai calsiwm carbonad yn bennaf yw calchfaen.

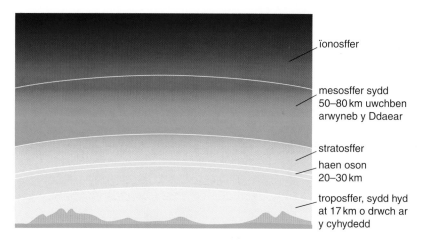

ïonosffer

mesosffer sydd 50–80 km uwchben arwyneb y Ddaear

stratosffer

haen oson 20–30 km

troposffer, sydd hyd at 17 km o drwch ar y cyhydedd

Ffigur 6.29 Adeiledd atmosffer y Ddaear

atom ocsigen. Mae atomau ocsigen yn enghraifft o ronynnau adweithiol iawn o'r enw radicalau rhydd. Gall un atom ocsigen gyfuno â moleciwl ocsigen i ffurfio moleciwl o oson (O_3). Dros gyfnod, datblygodd haen yn cynnwys moleciwlau oson yn y stratosffer. Dyma'r **haen oson** (gw. Ffigur 6.29).

Mae'r haen oson yn bwysig iawn, oherwydd ei bod yn hidlo pelydriad uwchfioled tonfedd-fer niweidiol o'r Haul. Gall hwnnw achosi canser y croen. Roedd cemegion megis **cloroflworocarbonau** (*CFCs*) yn arfer cael eu defnyddio mewn aerosolau ac oergelloedd. Ers y 1970au, rydym ni'n gwybod eu bod nhw'n adweithio â moleciwlau oson yn yr haen oson, gan achosi iddo fod yn llai effeithiol wrth hidlo pelydriad uwchfioled niweidiol.

Y gylchred garbon

Mae cydbwysedd ocsigen a charbon deuocsid yn yr atmosffer yn cael ei gynnal gan y gylchred garbon. Fel mae'r gylchred garbon yn ei ddangos (gw. Ffigur 6.30), mae carbon deuocsid yn cael ei ddefnyddio'n gyson yn ystod ffotosynthesis ac mae ocsigen yn cael ei ryddhau'n gyson. Hefyd mae carbon deuocsid yn cael ei ryddhau yn ystod resbiradu ac wrth hylosgi tanwyddau. Mae'n bosibl priodoli'r cynnydd yng ngharbon deuocsid yn yr atmosffer dros y 100 mlynedd diwethaf i gynnydd mewn llosgi tanwyddau ffosil ac, i raddau, i ddatgoedwigo mewn llawer rhan o'r byd (gweler yr adran ar gynhesu byd-eang a nwyon tŷ gwydr).

Cwestiynau

7 a Pan ffurfiodd yr atmosffer gyntaf roedd yn cynnwys nwyon hydrogen a heliwm. Nodwch pam y cafodd y nwyon hyn eu colli'n fuan gan yr atmosffer.

b Nodwch **ddwy** broses sy'n cynyddu swm y carbon deuocsid yn yr atmosffer.

c Eglurwch sut mae'r gylchred garbon yn cynnal swm cyson o ocsigen yn yr atmosffer.

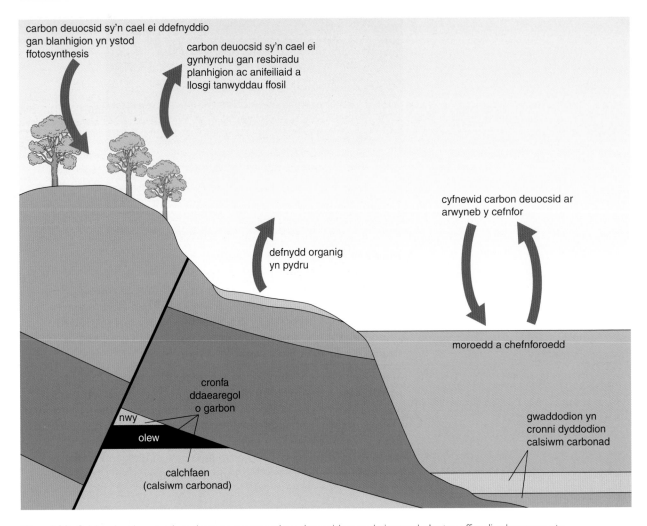

carbon deuocsid sy'n cael ei ddefnyddio gan blanhigion yn ystod ffotosynthesis

carbon deuocsid sy'n cael ei gynhyrchu gan resbiradu planhigion ac anifeiliaid a llosgi tanwyddau ffosil

cyfnewid carbon deuocsid ar arwyneb y cefnfor

defnydd organig yn pydru

moroedd a chefnforoedd

cronfa ddaearegol o garbon

nwy

olew

gwaddodion yn cronni dyddodion calsiwm carbonad

calchfaen (calsiwm carbonad)

Ffigur 6.30 Cylchred garbon syml, yn dangos sut mae carbon deuocsid yn cael ei symud o'r atmosffer a'i ychwanegu ato

Crynodeb

1 Gan ddefnyddio adnoddau'r ddaear, yr atmosffer a'r môr, gall gwyddonwyr gynhyrchu ystod eang o gemegion defnyddiol trwy gyfres o brosesau ffisegol a chemegol. Gall rhai prosesau achosi problemau amgylcheddol y mae'n rhaid mynd i'r afael â nhw.

2 Mae adweithiau cemegol yn digwydd dros amser. Mae rhai adweithiau'n gyflym iawn, fel adweithiau dyddodiad, ac mae eraill, fel rhydu, yn araf.

3 Mae adweithiau'n digwydd trwy ronynnau'n gwrthdaro. Nid yw pob gwrthdrawiad yn llwyddiannus. Dim ond canran fach o wrthdrawiadau sy'n arwain at adwaith. Pan fydd newidiadau mewn crynodiad, tymheredd neu faint gronynnau, mae nifer y gwrthdrawiadau llwyddiannus yn newid ac felly mae'r gyfradd yn newid. Mae catalyddion yn cyflymu adweithiau heb iddynt newid yn gemegol. Maen nhw'n bwysig mewn cemeg ddiwydiannol. Catalyddion biolegol yw ensymau.

4 Mae nifer cynyddol o gymwysiadau yn cael eu darganfod ar gyfer gronynnau bach iawn o'r enw nano-ronynnau. Gall fod

gan ronynnau bach iawn briodweddau gwahanol iawn i rai'r un defnydd ar ei ffurf normal.

5   Mae tanwyddau ffosil yn adnoddau meidraidd.

6   Mae olew crai neu betroliwm yn gymysgedd cymhleth o hydrocarbonau. Mae distyllu ffracsiynol yn cael ei ddefnyddio i wahanu olew crai yn gymysgeddau symlach o'r enw ffracsiynau yn ôl berwbwyntiau'r hydrocarbonau. Mae gan foleciwlau bach ag ychydig o atomau carbon ferwbwyntiau is na moleciwlau mawr â mwy o atomau carbon.

7   Mae nwy naturiol a rhai cynhyrchion o betroliwm yn cael eu defnyddio fel tanwyddau. Pan fydd hydrocarbonau'n llosgi'n gyflawn, byddan nhw'n ffurfio carbon deuocsid a dŵr. Gall hylosgi tanwyddau'n anghyflawn gynhyrchu'r nwy gwenwynig carbon monocsid.

8   Pan fydd bondiau cemegol yn cael eu torri, rhaid cyflenwi egni. Pan fydd bondiau cemegol yn cael eu ffurfio, bydd egni'n cael ei ryddhau. Mewn adweithiau cemegol, os caiff mwy o egni ei ryddhau wrth wneud bondiau newydd nag sy'n cael ei ddefnyddio wrth dorri bondiau yn yr adweithyddion, yna mae'r adwaith yn ecsothermig. Os y gwrthwyneb sy'n wir, mae'r adwaith yn endothermig.

9   Mae tanwyddau ffosil yn cynnwys sylffwr. Mae hwn yn ffurfio sylffwr deuocsid pan gaiff tanwyddau eu llosgi. Mae sylffwr deuocsid yn yr atmosffer yn ffurfio glaw asid, sy'n difrodi adeiladau a phlanhigion.

10 Mae llosgi tanwyddau ffosil a defnyddio ceir modur yn cynhyrchu ocsidau nitrogen sy'n cyfrannu at law asid, oson lefel isel a mwrllwch ffotocemegol.

11 Mae carbon deuocsid yn nwy tŷ gwydr. Mae moleciwlau carbon deuocsid yn amsugno pelydriad isgoch o'r Ddaear, gan ddal yr egni yn yr atmosffer. Mae hyn yn codi tymheredd y Ddaear a'r enw ar hynny yw cynhesu byd-eang.

12 Mae arwyneb y Ddaear wedi ei wneud o blatiau mawr sy'n symud yn araf. Eu henw yw platiau tectonig. Y platiau hyn yn symud a achosodd wahanu cyfandir De America a chyfandir Affrica filiynau o flynyddoedd yn ôl. Yr enw ar hyn yw drifft cyfandirol. Mae llawer o weithgaredd folcanig a daeargrynfeydd ar ffiniau platiau. Platiau'n symud sy'n gyrru'r gylchred greigiau.

13 Dyma gyfansoddiad atmosffer y Ddaear: tuag un rhan o bump yn ocsigen, pedair rhan o bump yn nitrogen, a rhywfaint o garbon deuocsid, anwedd dŵr a nwyon nobl. Mae'r atmosffer wedi newid dros filiynau o flynyddoedd. Ymddangosodd ocsigen pan wnaeth syanobacteria ac algâu gwyrddlas ddefnyddio ffotosynthesis. Roedd swm y carbon deuocsid yn fawr iawn i ddechrau, ond lleihaodd wrth i fwy o blanhigion ymddangos.

14 Mae cydbwysedd rhwng carbon deuocsid sy'n cael ei gymryd o'r atmosffer gan ffotosynthesis planhigion, a'r carbon deuocsid sy'n cael ei roi i mewn i'r atmosffer gan resbiradu a llosgi tanwyddau ffosil. Gellir dangos hyn ar ffurf cylchred garbon.

15 Mae cydbwysedd carbon deuocsid ac ocsigen yn cael ei aflonyddu gan losgi tanwyddau ffosil a datgoedwigo.

Cemeg

Pennod 7 Bondio ac adeiledd cemegol, priodweddau elfennau a chyfansoddion

Erbyn diwedd y bennod hon dylech:

- wybod sut mae atomau wedi'u huno mewn rhai elfennau a chyfansoddion;
- deall adeileddau rhai elfennau a chyfansoddion;
- deall sut mae'r bondio cemegol mewn sylwedd yn gysylltiedig â'i briodweddau ffisegol a chemegol (y ffordd mae'n ymddwyn).

Bondio ac adeiledd cemegol

Electronau mewn atomau

Cyn i ni ddechrau meddwl am y bondio sy'n dal atomau ynghyd, mae angen i ni ailedrych ar y ffordd mae'r electronau wedi'u trefnu mewn atom. Dyma'r **ffurfwedd electronau** (gw. Tabl 7.1). Mae'r electronau i'w cael mewn **lefelau egni** sydd weithiau'n cael eu galw yn **orbitau** neu **blisg**.

Fel y gwelsom ym Mhennod 5, weithiau rydym ni'n darlunio'r patrymau hyn o electronau ar ffurf diagram, fel yr un yn Ffigur 7.1.

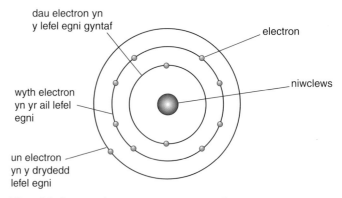

dau electron yn y lefel egni gyntaf

electron

wyth electron yn yr ail lefel egni

niwclews

un electron yn y drydedd lefel egni

Ffigur 7.1 Patrwm electronau mewn atom sodiwm

Wyddoch chi?

Mae gwyddonwyr yn gallu cynllunio defnyddiau â phriodweddau arbennig at bwrpasau penodol, er enghraifft:

- aloion fel dur gwrthstaen
- polymerau fel Kevlar
- tecstilau fel polyesterau
- cerameg fel llestri ffwrn-i'r-bwrdd.

Tabl 7.1 Ffurfweddau electronau

Rhif atomig	Elfen	Ffurfwedd electronau			
		Lefel egni $n = 1$	Lefel egni $n = 2$	Lefel egni $n = 3$	Lefel egni $n = 4$
1	Hydrogen	1			
2	Heliwm	2			
3	Lithiwm	2	1		
4	Beryliwm	2	2		
5	Boron	2	3		
6	Carbon	2	4		
7	Nitrogen	2	5		
8	Ocsigen	2	6		
9	Fflworin	2	7		
10	Neon	2	8		
11	Sodiwm	2	8	1	
12	Magnesiwm	2	8	2	
13	Alwminiwm	2	8	3	
14	Silicon	2	8	4	
15	Ffosfforws	2	8	5	
16	Sylffwr	2	8	6	
17	Clorin	2	8	7	
18	Argon	2	8	8	
19	Potasiwm	2	8	8	1
20	Calsiwm	2	8	8	2

Wyddoch chi?

Mae rhifau'r Grwpiau 1 i 7 yn y Tabl Cyfnodol o'r elfennau yn dangos nifer yr electronau allanol yn yr atomau sy'n ffurfio'r grŵp.

Wrth i atomau uno'n gemegol, yr electronau allanol yw'r rhai sy'n rhyngweithio. Mae sut y bydd yr atomau'n ymddwyn yn dibynnu ar drefn yr electronau yn yr atomau.

Cwestiynau

1 Lluniadwch ddiagramau i ddangos sut mae'r electronau wedi'u trefnu yn yr atomau canlynol:
a ffosfforws b calsiwm c clorin ch magnesiwm
d alwminiwm.

2 Ysgrifennwch ffurfweddau electronau atomau'r elfennau sydd â'r rhifau atomig canlynol:
a 12 b 17 c 19 ch 18 d 2.
Awgrym: Mae'r rhif atomig yn hafal i nifer yr electronau yn atom niwtral yr elfen.

									H								He
									1								2
Li	Be											B	C	N	O	F	Ne
3	4											5	6	7	8	9	10
Na	Mg											Al	Si	P	S	Cl	Ar
11	12											13	14	15	16	17	18
K	Ca	Sc	Ti	V	Cr	Mn	Fe	Co	Ni	Cu	Zn	Ga	Ge	As	Se	Br	Kr
19	20	21	22	23	24	25	26	27	28	29	30	31	32	33	34	35	36
Rb	Sr	Y	Zr	Nb	Mo	Tc	Ru	Rh	Pd	Ag	Cd	In	Sn	Sb	Te	I	Xe
37	38	39	40	41	42	43	44	45	46	47	48	49	50	51	52	53	54
Cs	Ba	La	Hf	Ta	W	Re	Os	Ir	Pt	Au	Hg	Tl	Pb	Bi	Po	At	Rn
55	56	57	72	73	74	75	76	77	78	79	80	81	82	83	84	85	86

Ffigur 7.2 Y Tabl Cyfnodol

Adeileddau metelig enfawr

Metelau yw'r rhan fwyaf o'r elfennau yn y Tabl Cyfnodol (gw. Ffigur 7.2; mae'r anfetelau'n felyn yno). Mae gan elfennau metelig briodweddau clir-ddiffiniedig. Mae priodweddau metelau ac anfetelau'n cael eu cymharu yn Nhabl 7.2.

> Metelau (ewch i *Elements* ac yna *Metals*:
> www.Chem4Kids.com

Tabl 7.2 Priodweddau metelau ac anfetelau

Metelau	Anfetelau
Dargludyddion da o drydan (dargludedd trydanol uchel)	Dargludyddion gwael o drydan (dargludedd trydanol isel)
Dargludyddion da o wres (dargludedd thermol uchel)	Dargludyddion gwael o wres (dargludedd thermol isel)
Hydrin (gellir ei guro yn llenni)	Heb fod yn hydrin (tueddu i fod yn frau yn y cyflwr solet)
Hydwyth (gellir ei dynnu yn wifrau)	Heb fod yn hydwyth
Gloyw (mae arwynebau sydd newydd eu datgelu yn sgleiniog)	Heb fod yn loyw
Ymdoddbwyntiau uchel	Ymdoddbwyntiau isel
Berwbwyntiau uchel	Berwbwyntiau isel

Ffigur 7.3 Mwgwd aur Tutankhamen

Rhaid bod adeiledd metelau'n egluro ymddygiad (priodweddau) metelau. Mae Ffigur 7.3 yn dangos mwgwd Tutankhamen o waith aur prydferth.

Y farn gyffredinol yw fod adeiledd metel yn batrwm trefnus o ïonau positif mewn 'môr' o electronau rhydd. Mae'r electronau'n ymddwyn fel math o lud sy'n dal yr adeiledd ynghyd (gw. Ffigur 7.4). Yr enw ar batrymau trefnus o atomau neu ïonau yw **dellten**. Mae'r electronau symudol yn dod o electronau allanol atomau'r metel.

Gan ddefnyddio'r ddamcaniaeth hon o adeiledd metelau, mae'n bosibl egluro'r canlynol:

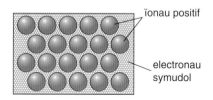

Ffigur 7.4 Cynrychioliad syml o ddellten fetelig

- **Dargludedd trydanol:** Pan gaiff metel ei gysylltu â therfynellau batri, mae'r electronau negatif yn rhydd i symud tuag at y derfynell bositif, ac mae cerrynt trydan yn llifo.

- **Hydrinedd:** Mae'r môr o electronau'n gallu gweithredu fel iraid rhwng yr haenau o ïonau positif. Pan gaiff darn o fetel ei guro â morthwyl, mae'r haenau o ïonau'n gallu llithro dros ei gilydd fel ei bod yn bosibl ffurfio'r metel yn llen. (Yn yr un ffordd, ceisiwch egluro pam mae'n bosibl tynnu metelau yn wifrau.)

- **Ymdoddbwyntiau metelau:** Yn gyffredinol, mae ymdoddbwyntiau metelau'n uchel, sy'n dangos bod y bondio mewn metelau'n gryf. Mae cryfder y bondio'n dibynnu ar nifer yr electronau allanol yn yr atomau. Caiff hwn ei ddangos yn Nhabl 7.3, sy'n rhoi ymdoddbwyntiau'r elfennau yng Ngrwpiau 1 a 2 yn y Tabl Cyfnodol.

Tabl 7.3 Ymdoddbwyntiau'r elfennau yng Ngrwpiau 1 a 2

Grŵp 1		Grŵp 2	
Elfen	Ymdoddbwynt (°C)	Elfen	Ymdoddbwynt (°C)
Li	181	Be	1278
Na	98	Mg	650
K	63	Ca	839
Rb	39	Sr	769
Cs	29	Ba	725

Wyddoch chi?

Y metel â'r ymdoddbwynt uchaf yw twngsten, sy'n cael ei ddefnyddio ar gyfer ffilamentau bylbiau goleuo. Ei ferwbwynt yw 3410°C.

Mae gan elfennau Grŵp 2 ddau electron allanol, ac mae gan elfennau Grŵp 1 un electron allanol yn unig. O ganlyniad, mae gan yr elfennau cyfatebol yng Ngrŵp 2 ymdoddbwynt llawer uwch nag sydd gan elfennau Grŵp 1 (gw. Tabl 7.3).

Mae magnesiwm yn fetel llawer caletach na sodiwm, sy'n gallu cael ei dorri'n hawdd â chyllell. Mae gan alwminiwm dri electron allanol, ac felly mae ei gryfder mecanyddol yn fawr iawn o'i gymharu â sodiwm metelig.

Aloion

Cymysgeddau o fetelau yw **aloion**. Mae dur gwrthstaen yn cael ei ddefnyddio i wneud sosbenni, cyllyll a ffyrc, a sinciau. Amrywiaeth o aloion sydd mewn fframiau sbectol metelig. Mae aloion nicel ac aloion titaniwm yn gyffredin, ac mae rhai fframiau modern wedi'u gwneud o aloi clyfar sy'n galluogi adfer y siâp ar ôl plygu neu anffurfio'r fframiau.

Wyddoch chi?

Mae dur gwrthstaen yn aloi o haearn, manganîs, cromiwm a nicel, gyda mymrynnau o'r anfetelau carbon, ffosfforws a silicon.

Amalgamau yw'r enw ar aloion sy'n cynnwys y metel mercwri. Mae un amalgam sy'n cynnwys mercwri, arian, tun a chopr wedi cael ei ddefnyddio ar gyfer llenwadau deintyddol ers 150 o flynyddoedd, er bod rhai wedi codi cwestiynau yn ddiweddar am ei wenwyndra.

Gwydrau metelig

Mae gan fetelau ddellten reolaidd lle mae patrwm yr atomau'n drefnus iawn. Rydym ni'n gwybod ers tro fod gan system â llai o drefn briodweddau mecanyddol a gwrthgyrydol gwell. Yn y blynyddoedd diwethaf, mae aloion wedi cael eu darganfod sy'n ffurfio solidau â mwy o hapbatrwm o atomau o'u cymharu ag aloion metelig grisialog arferol. Yr enw ar y rhain yw gwydrau metelig.

Mae nifer o aloion wedi cael eu cynhyrchu ar ffurf gwydr metelig ar gyfer eu defnyddio mewn cydrannau electronig, cymalau amnewid, gemwaith, racedi tennis, y diwydiant awyrofod, caledwedd milwrol a phennau ffyn golff. Mae'r aloion hyn yn aml yn cynnwys sirconiwm (er enghraifft mae un aloi'n cynnwys sirconiwm, titaniwm, copr, nicel ac alwminiwm). Bu adroddiad yn 2004 fod sirconiwm pur wedi cael ei gynhyrchu ar ffurf gwydr metelig.

Un o briodweddau gwydrau metelig yw gwell elastigedd wrth daro gwrthrych, sy'n ddelfrydol ar gyfer pen ffon golff. Mae gwydrau metelig nodweddiadol dair gwaith yn gryfach na dur a deg gwaith yn fwy 'sbringar'.

Gwyddor defnyddiau

Gwyddor defnyddiau yw'r astudiaeth o sylweddau sy'n cael eu defnyddio mewn adeiladu a gweithgynhyrchu. Mae llawer o fuddion defnyddiau newydd yn amlwg, ond mae'n bwysig deall unrhyw anfanteision. Yn hanesyddol, mae rhai defnyddiau wedi cael eu defnyddio'n helaeth cyn iddo ddod i'r amlwg eu bod yn peryglu iechyd. Un enghraifft oedd y defnydd helaeth o asbestos yn y diwydiant adeiladu yn yr ugeinfed ganrif.

Adeileddau ïonig enfawr

Mae ïonau yn atomau neu grwpiau o atomau sydd wedi'u gwefru'n drydanol. Ïonau positif yw **catïonau**. Ïonau negatif yw **anïonau** (gw. Tabl 7.4). Mae atomau'n ffurfio ïonau trwy golli neu ennill electronau.

Tabl 7.4 Ïonau positif ac ïonau negatif

Ïonau positif (catïonau)		
Gwefr		
+1	+2	+3
Sodiwm, Na^+	Magnesiwm, Mg^{2+}	Alwminiwm, Al^{3+}
Potasiwm, K^+	Calsiwm, Ca^{2+}	Haearn(III), Fe^{3+}
Lithiwm, Li^+	Bariwm, Ba^{2+}	Cromiwm(III), Cr^{3+}
Amoniwm, NH_4^+	Copr(II), Cu^{2+}	
Arian, Ag^+	Plwm(II), Pb^{2+}	
	Haearn(II), Fe^{2+}	
Ïonau negatif (anïonau)		
Gwefr		
−1	−2	−3
Clorid , Cl^-	Ocsid, O^{2-}	Ffosffad, PO_4^{3-}
Bromid, Br^-	Sylffad, SO_4^{2-}	
Ïodid, I^-	Carbonad, CO_3^{2-}	
Hydrocsid, OH^-		
Hydrogen carbonad, HCO_3^-		
Nitrad, NO_3^-		

Cwestiynau

3 Beth yw ystyr y term **aloi**? Enwch ddau aloi sy'n cael eu defnyddio'n gyffredin.

4 Nodwch briodweddau ffisegol metel nodweddiadol.

5 Pa rai o briodweddau copr sy'n ei wneud yn addas ar gyfer nwyddau trydan?

U

Mae atomau fel rheol yn colli neu'n ennill electronau i gyrraedd patrwm electronau nwy nobl. Ar wahân i heliwm, mae gan y nwyon nobl wyth electron, sef wythawd. Mae gan heliwm ddau electron allanol.

Wyddoch chi?

Mae mwy na 210 o filiynau o dunelli metrig o halen yn cael eu cynhyrchu drwy'r byd bob blwyddyn.

Y cyfansoddyn sodiwm clorid yw halen cyffredin, sy'n cael ei ddefnyddio i wella blas bwyd ac sy'n gynhwysyn hanfodol yn ein deiet. Mae gan atom sodiwm y ffurfwedd electronau 2.8.1 (gw. Ffigur 7.5). Mae gan atom clorin y ffurfwedd electronau 2.8.7 (gw. Ffigur 7.6).

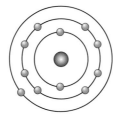 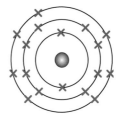

Ffigur 7.5 Atom sodiwm　　　　**Ffigur 7.6** Atom clorin

Os yw atom sodiwm yn colli ei electron allanol, bydd ei ffurfwedd electronau yn 2.8, fel y nwy nobl neon. Bellach nid yw'n atom niwtral ond ïon sodiwm wedi'i wefru'n bositif. Caiff hwn ei ysgrifennu fel Na$^+$. Yn yr un ffordd, os yw atom clorin yn ennill un electron, mae ei ffurfwedd electronau'n mynd yn debyg i'r nwy nobl argon. Bellach nid atom niwtral ydyw ond ïon clorin wedi'i wefru'n negatif (sef clorid). Caiff hwn ei ysgrifennu fel Cl$^-$. Gallwch chi weld y broses yn Ffigur 7.7. (Diagramau dot a chroes yw'r enw ar ddiagramau megis Ffigurau 7.5–7.7.)

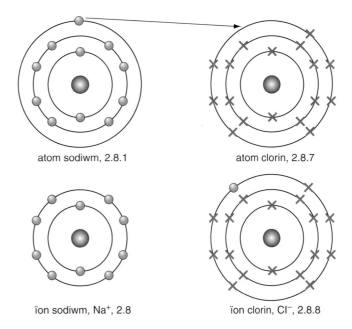

atom sodiwm, 2.8.1　　　　　　　atom clorin, 2.8.7

ïon sodiwm, Na$^+$, 2.8　　　　　　ïon clorin, Cl$^-$, 2.8.8

Ffigur 7.7 Ffurfio sodiwm clorid trwy drosglwyddo electronau

Mae sodiwm clorid yn cynnwys ïonau sodiwm ac ïonau clorid. Gan fod sodiwm clorid yn niwtral yn electronig, rhaid bod nifer cyfartal o ïonau sodiwm a chlorid. Mae'r gwefrau positif yn canslo'r gwefrau negatif. NaCl yw'r fformiwla ar gyfer sodiwm clorid.

Mae gwefrau positif yn atynnu gwefrau negatif yn gryf. Mae'r grisial lleiaf o sodiwm clorid yn cynnwys miliynau o ïonau sodiwm ac ïonau clorid wedi'u dal ynghyd mewn patrwm rheolaidd, neu ddellten, gan y grymoedd electrostatig cryf hyn (gw. Ffigur 7.9).

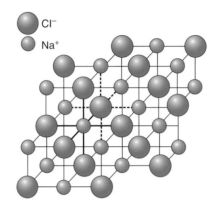

Ffigur 7.8 Grisialau o halen craig amhur; hyd yn oed yn y sampl amhur hwn, gallwch chi weld siâp ciwbig grisialau sodiwm clorid.

Mae'r ïonau mewn sodiwm clorid wedi'u trefnu mewn dellten giwbig, gyda phob ïon wedi'i amgylchynu gan chwe 'chymydog' agosaf o wefr ddirgroes. Mae hyn i'w weld yn Ffigur 7.9. Mae'r ffordd hawsaf i luniadu patrwm yr ïonau yn y ddellten i'w gweld yn Ffigur 7.10.

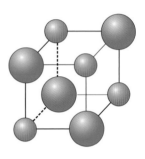

Ffigur 7.9 Dellten ïonau sodiwm clorid

Ffigur 7.10 Rhan o'r ddellten sodiwm clorid

Cwestiynau

6 Sut mae siâp y grisialau yn Ffigur 7.8 yn cysylltu â'r adeiledd dellten yn Ffigur 7.9?

Gweithgaredd

1 Dangoswch sut mae ïonau lithiwm, potasiwm, magnesiwm, calsiwm, ocsigen, sylffwr a fflworin yn cael eu ffurfio.

2 Ysgrifennwch y fformiwlâu ar gyfer ocsidau, fflworidau, cloridau a sylffidau Li, Na, K, Mg a Ca. (Edrychwch ar yr enghraifft isod.)

Enghraifft: calsiwm fflworid

Mae pob atom calsiwm yn colli ei ddau electron allanol i gyrraedd patrwm electronau'r nwy nobl argon, ac mae'r electronau hyn yn cael eu derbyn gan y ddau atom fflworin i gyrraedd patrwm electronau'r nwy nobl neon.

Y canlyniad yw un ïon calsiwm, Ca^{2+}, a dau ïon fflworid, F^- (gw. Ffigur 7.11). Felly, fformiwla calsiwm fflworid yw CaF_2. Mewn grisial o galsiwm fflworid, mae dwywaith cymaint o ïonau fflworid ag o ïonau calsiwm.

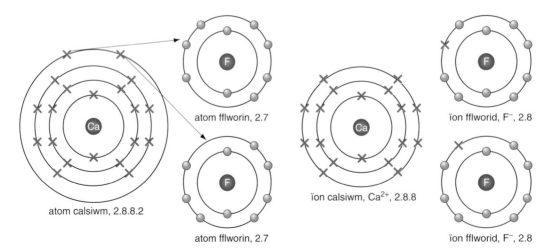

atom fflworin, 2.7

atom calsiwm, 2.8.8.2

atom fflworin, 2.7

ïon calsiwm, Ca^{2+}, 2.8.8

ïon fflworid, F^-, 2.8

ïon fflworid, F^-, 2.8

Ffigur 7.11 Ffurfio calsiwm fflworid trwy drosglwyddo electronau

Mae rhestr o rai o briodweddau cyfansoddion ïonig yn Nhabl 7.5.

Tabl 7.5 Priodweddau cyfansoddion ïonig

Priodwedd	Achos
Mae ymdoddbwyntiau cyfansoddion ïonig yn uchel.	Mae'r grymoedd rhwng yr ïonau'n rymoedd electrostatig cryf, y mae angen llawer o egni i'w torri.
Nid yw cyfansoddion ïonig solet yn dargludo trydan.	Mae'r ïonau'n cael eu dal mewn safleoedd penodol a dydyn nhw ddim yn rhydd i symud.
Mae cyfansoddion ïonig **yn** dargludo trydan os ydyn nhw'n dawdd neu wedi'u hydoddi mewn dŵr.	Mae'r ddellten yn torri i lawr, ac mae'r ïonau'n rhydd i symud a dargludo cerrynt trydan.

Sylweddau moleciwlaidd cofalent

Mae sylweddau moleciwlaidd cofalent yn bodoli fel gronynnau niwtral o'r enw **moleciwlau**. Caiff moleciwlau eu ffurfio o atomau trwy rannu electronau. Mae bond cofalent yn bodoli lle mae dau atom yn rhannu pâr o electronau.

Mae rhestrau o rai cyfansoddion ac elfennau cofalent cyffredin yn cael eu rhestru yn Nhablau 7.6 a 7.7.

Tabl 7.6 Rhai cyfansoddion moleciwlaidd cofalent cyffredin

Enw	Fformiwla
Hydrogen clorid	HCl
Dŵr	H_2O
Carbon monocsid	CO
Carbon deuocsid	CO_2
Amonia	NH_3
Sylffwr deuocsid	SO_2
Methan	CH_4

Tabl 7.7 Elfennau cofalent

Enw	Fformiwla
Ocsigen	O_2
Nitrogen	N_2
Clorin	Cl_2
Sylffwr	S_8

Ffurfio moleciwlau

Ffurfio moleciwl hydrogen clorid

Gan fod pâr o electronau'n cael ei rannu yn y moleciwl hydrogen clorid, mae gan hydrogen batrwm electronau heliwm, ac mae gan glorin batrwm electronau argon (gw. Ffigur 7.12).

Caiff y moleciwl o hydrogen clorid ei ysgrifennu fel H–Cl weithiau, lle mae'r llinell rhwng yr atomau'n cynrychioli'r bond cofalent (pâr o electronau wedi'i rannu).

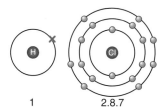

1   2.8.7

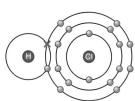

Ffigur 7.12 Ffurfio moleciwl hydrogen clorid trwy rannu electronau

U

Moleciwlau cofalent

Dyma ragor o ddiagramau dot a chroes o foleciwlau cofalent (yn aml mae'n gyfleus dangos yr electronau allanol yn unig yn y math hwn o ddiagram). Yn Ffigurau 7.13 a 7.14, mae'n bosibl gweld bod gan hydrogen reolaeth dros ddau electron, fel y nwy nobl heliwm, a bod gan ocsigen reolaeth dros wyth electron allanol, fel y nwy nobl neon.

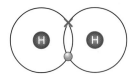

Ffigur 7.13 Moleciwl hydrogen

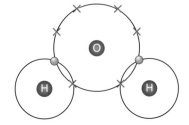

Ffigur 7.14 Moleciwl dŵr

Cwestiynau

7 Dangoswch sut mae pob un o'r moleciwlau yn Ffigurau 7.15–7.17 yn cael eu ffurfio o'u hatomau, a nodwch sut maen nhw'n cyrraedd adeiledd electronig nwy nobl.

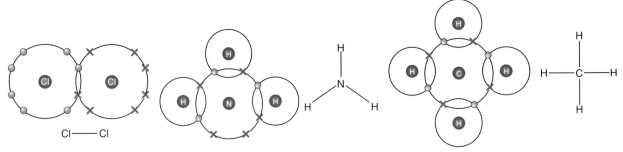

Ffigur 7.15 Moleciwl clorin   Ffigur 7.16 Moleciwl amonia   Ffigur 7.17 Moleciwl methan

Tabl 7.8 Priodweddau cyfansoddion moleciwlaidd cofalent

Ymdoddbwyntiau	Isel
Cyflwr ffisegol ar dymheredd ystafell	Nwyon neu hylifau â berwbwyntiau isel neu solidau ag ymdoddbwyntiau isel
Dargludedd trydanol	Ddim yn dargludo trydan
Hydoddedd mewn dŵr	Mae'r rhan fwyaf yn anhydawdd mewn dŵr

Cofiwch fod y bond cofalent yn bâr o electronau sydd wedi'i rannu gan ddau atom. Mae'r bond cofalent yn gryf iawn. Mae'n cymryd llawer o egni i'w dorri.

Mae'r atyniad rhwng y moleciwlau'n wan. Mae hyn yn golygu bod gan solidau ar dymheredd ystafell ymdoddbwyntiau isel, gan nad oes angen fawr o egni i rannu'r moleciwlau mewn solid ac i droi'r solid yn hylif (gw. Tabl 7.8). Mae gwendid y grymoedd rhyngfoleciwlaidd hyn yn egluro pam mae cymaint o gyfansoddion cofalent yn hylifau neu

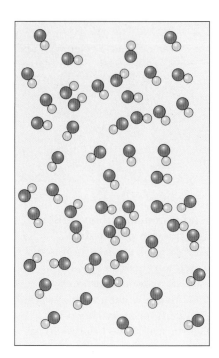

Ffigur 7.18 Nwy hydrogen clorid (mae'n anodd iawn gwahanu atomau hydrogen a chlorin; mae'r grymoedd rhwng y moleciwlau'n wan, ac felly mae pellter mawr rhwng y moleciwlau, ac mae hydrogen clorid yn berwi ar −85 °C)

nwyon ar dymheredd ystafell (gw. Ffigur 7.18). Gan fod y moleciwlau heb wefr, nid yw cyfansoddion cofalent yn dargludo trydan.

Cwestiynau

8 Beth yw ystyr y term **bond cofalent**?

9 Lluniwch dabl i gyferbynnu cyfansoddion ïonig a chyfansoddion moleciwlaidd cofalent yn nhermau'r priodweddau canlynol:
   a ymdoddbwyntiau
   b berwbwyntiau
   c dargludo trydan

10 Lluniadwch ddiagramau dot a chroes i ddangos sut mae'r canlynol yn cael eu ffurfio o atomau o'r elfennau perthnasol:
   a moleciwl hydrogen fflworid
   b moleciwl dŵr

Adeileddau cofalent enfawr

Mae rhai sylweddau cofalent yn bodoli fel adeileddau enfawr ag ymdoddbwyntiau uchel oherwydd bod yr holl atomau'n cael eu dal gan fondiau cofalent cryf. Mae silicon deuocsid (prif gyfansoddyn tywod) a graffit a diemwnt yn enghreifftiau o adeileddau cofalent enfawr. Mae diemwnt a graffit yn ffurfiau o garbon (gw. Ffigurau 7.19, 7.20 a 7.21).

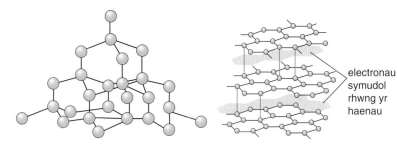

electronau symudol rhwng yr haenau

Ffigur 7.19 Adeiledd diemwnt   **Ffigur 7.20** Adeiledd graffit

Ffigur 7.21 Graffit o Borrowdale, Cumbria

U

Wyddoch chi?

Mae ffurfiau eraill o garbon. Un yw C_{60}, a'i enw yw fulleren fel rheol. Mewn fulleren mae'r atomau carbon wedi eu bondio'n gofalent i ffurfio siâp pêl droed (gw. Ffigur 7.22).

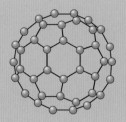

Ffigur 7.22 Adeiledd fulleren

Y mae adeiledd diemwnt wedi'i wneud o atomau carbon (y sfferau llwyd yn Ffigur 7.19), wedi'u dal ynghyd mewn dellten dri-dimensiwn gan fondiau cofalent cryf. Mae pob atom carbon wedi'i amgylchynu gan bedwar arall ar gorneli tetrahedron (gw. Ffigur 7.23). Mae graffit wedi'i wneud o haenau o atomau carbon sy'n gallu llithro dros ei gilydd (gw. Ffigur 7.24). Mae pob haen wedi'i gwneud o atomau carbon wedi'u bondio'n gofalent mewn cylchoedd hecsagonol. Mae Tablau 7.9 a 7.10 yn rhestru rhai o briodweddau graffit a diemwnt.

Ffigur 7.23 Adeiledd a bondio mewn diemwnt

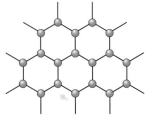

Ffigur 7.24 Adeiledd a bondio mewn graffit

Tabl 7.9 Priodweddau graffit

Golwg	Solid llwyd/du sgleiniog.
Caledwch	Meddal iawn. Fe'i defnyddir fel iraid. Fe'i defnyddir mewn pensiliau (po fwyaf meddal y pensil, mwyaf o graffit sydd yn y plwm).
Dargludedd	Mae'n anfetel sy'n dargludo trydan. Defnyddir graffit ar gyfer electrodau mewn rhai prosesau gweithgynhyrchu.
Ymdoddbwynt	Uchel iawn: dros 3600 °C.

Tabl 7.10 Priodweddau diemwnt

Golwg	Tryloyw a grisialog. Fe'i defnyddir fel gem mewn gemwaith.
Caledwch	Hynod galed. Fe'i defnyddir ar gyfer torri gwydr. Defnyddir diemwntau diwydiannol bach mewn ebillion dril ar gyfer chwilio am olew ayyb.
Dargludedd	Ynysydd trydan.
Ymdoddbwynt	Uchel iawn: dros 3500 °C.

Wyddoch chi?

Bellach mae'n bosibl trawsnewid graffit yn ddiemwntau. Mae graffit yn cael ei drin gan ddefnyddio gwres a gwasgedd uchel. Mae'r diemwntau'n fach ac nid ydynt yn addas ar gyfer gemau, ond mae llawer o ddefnyddiau diwydiannol iddynt.

Sut mae'r adeileddau'n pennu priodweddau graffit a diemwnt

Mae atomau carbon yn yr haenau graffit wedi'u dal ynghyd gan dri bond cofalent cryf. Mae gan garbon, Grŵp 4, bedwar electron allanol. Mae'r pedwerydd electron, nad yw'n cael ei ddefnyddio wrth fondio yn yr haenau, yn dod yn rhan o fôr o electronau rhydd rhwng yr haenau o atomau carbon. Felly mae graffit yn dargludo trydan. Mae'r haenau'n gallu llithro dros ei gilydd, gan roi i graffit ei deimlad llithrig a phriodweddau iro. Mae'r atomau carbon yn cael eu dal ynghyd gan fondiau cofalent cryf, ac felly nid yw gwres yn cael effaith ffisegol fawr ar graffit ac mae'r ymdoddbwynt yn uchel.

Mewn diemwnt, mae gan bob un o'r electronau allanol ran yn y bondio cofalent. Y canlyniad yw strwythur cofalent anhyblyg enfawr. Does dim electronau rhydd i ddargludo trydan. Mae hwn yn rhoi i ddiemwnt ei galedwch a'i ymdoddbwynt uchel, gan fod angen llawer o egni i dorri'r ddellten i lawr. Yn wahanol i graffit, mae diemwnt yn ddefnydd tryloyw.

Wyddoch chi?

Mae màs diemwnt yn cael ei fesur mewn caratau. Mae un carat yn hafal i fàs o 200 mg.

Nano-diwbiau carbon

Ym 1991, wrth gynnal arbrofion ar fulleren, C_{60}, darganfuwyd bod adeileddau carbon eraill yn cael eu ffurfio. Mae'r adeileddau hyn yn cynnwys nano-diwbiau carbon wedi'u gwneud o hecsagonau carbon rholiedig (gw. Ffigur 7.25).

Roedd y tiwbiau hyn yn debyg i haen graffit roliedig, ac roedden nhw'n gallu dargludo trydan. Maen nhw'n hynod fân mewn diamedr a thua 10 000 gwaith yn fwy tenau na blewyn dynol. Mae ymchwil diweddar wedi cynhyrchu tiwbiau â waliau tenau y mae'n bosibl tyfu grisialau metel y tu mewn iddynt.

Un o'r ffyrdd arfaethedig o ddefnyddio nano-diwbiau carbon yw ar gyfer cylchedau electronig ar raddfa fach. Wrth i gylchedwaith electronig fynd yn llai, nid yw cysylltiadau confensiynol yn ymarferol, ac efallai bydd technoleg nano-diwbiau'n cymryd drosodd.

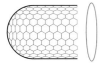

Ffigur 7.25 Rhan o nano-diwb carbon (sylwch ar yr adeiledd estynedig, yn union fel yr haenau mewn graffit)

Cwestiynau

11 Lluniwch eich tabl eich hun i gymharu priodweddau diemwnt a graffit.

12 Chwiliwch am **dri** defnydd o **bob un** o ddiemwnt a graffit.

13 Lluniadwch:

   a rhan o len o atomau carbon mewn graffit gan ddefnyddio 24 o atomau carbon

   b rhan o ddellten ddiemwnt gan ddefnyddio 8 atom carbon

14 Disgrifiwch adeiledd a bondio:

   a diemwnt

   b graffit

   c sodiwm clorid.

15 Eglurwch y termau **aloi** a **gwydr metelig**.

16 Lluniwch dabl i gymharu priodweddau nodweddiadol o gyfansoddion ïonig a chyfansoddion cofalent.

Crynodeb

1 Mae cyfansoddion ïonig yn cael eu ffurfio trwy drosglwyddo electronau o un atom i'r llall i ffurfio ïonau sydd ag adeiledd electronig nwy nobl.

2 Atom neu grŵp o atomau sydd wedi'u gwefru'n drydanol yw ïon.

3 Ïonau positif yw catïonau ac ïonau negatif yw anïonau.

4 Mae cyfansoddion ïonig yn cynnwys ïonau positif a negatif sy'n cael eu dal ynghyd mewn dellten enfawr gan rymoedd electrostatig cryf.

5 Mae gwefrau negatif yr anïonau'n niwtraleiddio gwefrau positif y catïonau.

6 Gellir egluro priodweddau cyfansoddion ïonig yn nhermau model y ddellten enfawr.

7 Mae bond cofalent yn cael ei ffurfio trwy rannu pâr o electronau, fel bod gan bob atom batrwm electronig nwy nobl.

8 Mae cyfansoddion cofalent yn bodoli fel moleciwlau niwtral.

9 Mae gan gyfansoddion cofalent ymdoddbwyntiau a berwbwyntiau isel ac nid ydynt yn dargludo trydan.

10 Nid yw'r rhan fwyaf o gyfansoddion cofalent yn hydoddi mewn dŵr.

11 Mae'r bond cofalent yn fond cryf sy'n dal yr atomau mewn moleciwl ynghyd yn gadarn iawn.

12 Mae grymoedd atyniad rhwng y moleciwlau'n wan iawn, ac felly mae cyfansoddion cofalent yn bodoli, ar dymheredd ystafell, fel nwyon, hylifau neu solidau ag ymdoddbwyntiau isel.

13 Mae dellt cofalent enfawr wedi'u gwneud o niferoedd mawr iawn o atomau wedi'u bondio â'i gilydd gan fondiau cofalent cryf.

14 Mae gan ddellt cofalent enfawr ymdoddbwyntiau uchel.

15 Mae carbon yn bodoli mewn dwy ffurf o ddellt cofalent enfawr: graffit a diemwnt.

16 Mae graffit yn adeiledd haenog o blanau o atomau carbon mewn cylchoedd hecsagonol.

17 Mae gan ddiemwnt adeiledd tetrahedrol.

18 Rydym ni'n gwybod am ffurfiau eraill o garbon, er enghraifft fulleren, C60.

19 Mae nano-diwbiau o garbon wedi cael eu gwneud. Mae'r tiwbiau wedi'u gwneud o lenni graffit rholiedig ac maen nhw'n debyg o gael eu defnyddio mewn cylchedau micro-electronig.

Cemeg

Pennod 8 Metelau, cyfrifiadau cemegol a chemeg werdd

Erbyn diwedd y bennod hon dylech:

- wybod bod metelau i'w cael mewn mwynau crai naturiol;
- gwybod ei bod fel rheol yn bosibl troi mwynau crai yn ocsidau ac o'r ocsidau hynny bod modd cynhyrchu metel;
- gwybod bod ocsid wedi cael ei rydwytho wrth iddo gael ei droi yn fetel;
- gwybod y gellir disgrifio rhydwytho fel colli ocsigen, ac ocsidio fel ennill ocsigen;
- gwybod bod adweitheddau metelau'n amrywio ac y gellir trefnu metelau mewn cyfres adweithedd;
- gwybod y gall un metel ddadleoli metel arall o hydoddiant o un o'i gyfansoddion;
- deall bod dull echdynnu metel yn dibynnu ar ei safle yn y gyfres adweithedd (mae alwminiwm a haearn yn enghreifftiau yma);
- deall cyrydu metelau, rhydu, ac atal hynny;
- deall sut mae cynnal cyfrifiadau cemegol gan ddefnyddio masau atomig cymharol;
- deall ystyr cemeg werdd;
- deall pwysigrwydd dŵr, ei buro, y cyflenwad dŵr cyhoeddus, a chaledwch dŵr.

Cynhyrchu a defnyddio metelau

Mwynau metelig

Dim ond y metelau lleiaf adweithiol sydd i'w cael heb eu cyfuno ar arwyneb y Ddaear. Yr un amlycaf yw aur, ac mae pobl yn gwybod am aur ers y cyfnod cynhanes gan ei fod yn fetel sy'n bodoli yn naturiol. Mae'r metelau eraill i'w cael fel mwynau wedi'u cyfuno ag elfennau eraill megis ocsigen a sylffwr (gw. Ffigur 8.1), ac mae Tabl 8.1 yn dangos rhai mwynau crai cyffredin. Mae metelau'n cael eu cynhyrchu o'u mwynau crai trwy broses o'r enw **rhydwythiad**.

Mae gan fetelau adweitheddau gwahanol, ac maen nhw'n cael eu rhoi mewn cyfres adweithedd yn aml.

Ffigur 8.1 Mae mwyn crai aren yn ffurf ar haematit.

GWYDDONIAETH YCHWANEGOL

Tabl 8.1 Enghreifftiau o rai mwynau cyffredin

Elfen	Mwyn	Fformiwla'r mwyn
Haearn	Haematit, mwyn ocsid	Fe_2O_3
Haearn	Pyrit haearn (aur ffyliaid), mwyn sylffid	FeS_2
Haearn	Siderit, mwyn carbonad	$FeCO_3$
Alwminiwm	Bocsit, mwyn ocsid	$Al_2O_3.2H_2O$
Plwm	Galena, mwyn sylffid	PbS
Magnesiwm	Epsomit (halwynau Epsom), mwyn sylffad	$MgSO_4.7H_2O$
Titaniwm	Rwtil	TiO_2

Cyfres adweithedd metelau

Echdynnu metelau:
www.gcsechemistry.com

Mae gan fetelau gwahanol adweitheddau gwahanol. Mae'n bosibl dangos hyn trwy edrych ar sut mae calsiwm a magnesiwm yn adweithio â dŵr.

Os caiff darn o galsiwm ei ychwanegu at ddŵr oer, yn syth mae'n rhyddhau swigod o nwy ac mae gwaddod gwyn yn ffurfio.

calsiwm + dŵr → calsiwm hydrocsid + nwy hydrogen

Nid yw magnesiwm yn dangos fawr o adwaith â dŵr oer, ond mae'n adweithio'n egnïol ag ager (gw. Ffigur 8.2).

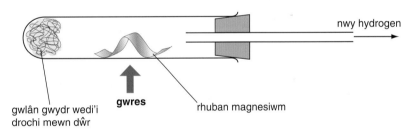

Ffigur 8.2 Mae'r gwres sy'n cael ei roi o dan y tiwb profi yn troi'r dŵr yn ager, sy'n pasio dros y magnesiwm poeth; fe welwch chi adwaith egnïol:

magnesiwm + dŵr → magnesiwm ocsid + hydrogen

Bydd metel mwy adweithiol yn symud ocsigen o ocsid metel llai adweithiol wrth i gymysgedd o'r ddau gael eu gwresogi. Un enghraifft ddiddorol o hyn yw'r **adwaith Thermit** (gw. Ffigurau 8.3 and 8.4).

Ffigur 8.3 Weldio cledrau gan ddefnyddio'r adwaith Thermit

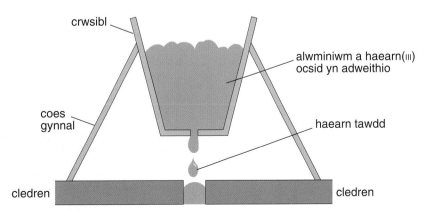

Ffigur 8.4 Adwaith Thermit

Ffigur 8.5 Mwynglawdd Mynydd Parys

Pan fydd cymysgedd o alwminiwm powdr a haearn(III) ocsid yn cael ei gynnau gan ffiws tymheredd uchel, bydd haearn tawdd yn ffurfio. Mae'r adwaith hwn yn cael ei ddefnyddio i weldio cledrau.

Dull arall o lunio cyfres adweithedd yw trwy ymchwilio i **adweithiau dadleoli**. Mewn adwaith dadleoli, mae un metel yn dadleoli metel arall o hydoddiant o un o'i gyfansoddion.

Wyddoch chi?

Mae'r dŵr sy'n rhedeg trwy domenni sbwriel o gwmpas hen fwyngloddiau copr yn cynnwys symiau bach o gopr toddedig. Os caiff y dŵr redeg dros haearn sgrap, mae symiau bach o fetel copr yn ffurfio. Dyma adwaith dadleoli.

Wyddoch chi?

Roedd copr yn arfer cael ei fwyngloddio mewn sawl ardal o Gymru. Yn y ddeunawfed ganrif, byddai copr o fwynglawdd Mynydd Parys ar Ynys Môn (gw. Ffigur 8.5) yn cael ei allforio i bedwar ban byd.

Gwaith ymarferol

Adweitheddau

1 Gwisgwch sbectol ddiogelwch.

2 Rhowch ychydig o ddarnau o fetel sinc mewn bicer o hydoddiant copr(II) sylffad, a gwyliwch beth sy'n digwydd.

3 Trowch yr hydoddiant. Mae lliw glas yr hydoddiant copr(II) sylffad yn colli lliw, ac mae'r darnau sinc yn cael eu gorchuddio â chopr brown (gw. Ffigur 8.6).

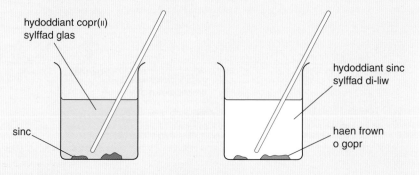

Ffigur 8.6 Mae sinc yn dadleoli copr o hydoddiant copr sylffad.

Mae'r sinc mwy adweithiol yn dadleoli'r copr o'r hydoddiant.

sinc + hydoddiant copr(II) sylffad → hydoddiant sinc sylffad + copr

$$Zn(s) + CuSO_4(d) \rightarrow ZnSO_4(d) + Cu(s)$$

4 Ailadroddwch yr arbrawf, ond rhowch haearn ac yna magnesiwm yn lle'r sinc.

5 Rhowch ddarn o ffoil copr mewn ychydig o hydoddiant arian nitrad, a gadewch iddo sefyll.

Mae arbrofion o'r math hwn yn arwain at y tabl adweitheddau yn Nhabl 8.2.

Tabl 8.2 Cyfres adweithedd metelau cyffredin

Elfen	Dull echdynnu	Adwaith ag asid
K mwyaf adweithiol	Electrolysis	*Rhy beryglus!*
Na		
Ca		Yn rhyddhau hydrogen ag asid hydroclorig gwanedig
Mg		
Zn	Rhydwytho cemegol	
Fe		
Sn		
Cu		Ddim yn rhyddhau hydrogen ag asid hydroclorig
Ag lleiaf adweithiol		

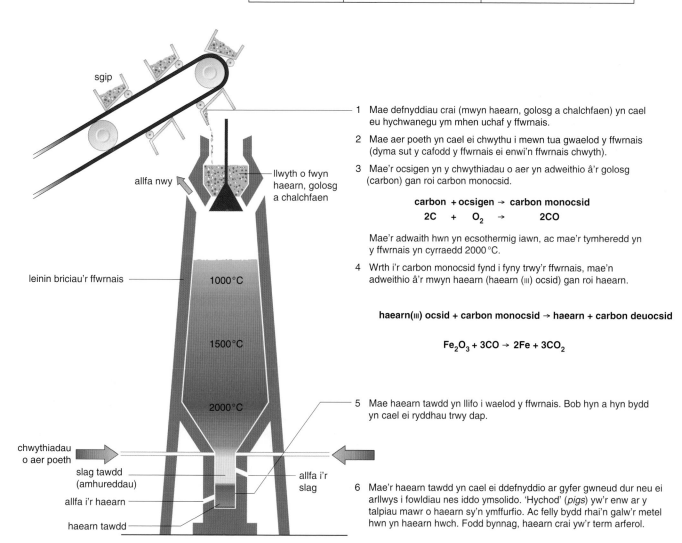

sgip

allfa nwy

llwyth o fwyn haearn, golosg a chalchfaen

leinin briciau'r ffwrnais

1000°C

1500°C

2000°C

chwythiadau o aer poeth

slag tawdd (amhureddau)

allfa i'r slag

allfa i'r haearn

haearn tawdd

1 Mae defnyddiau crai (mwyn haearn, golosg a chalchfaen) yn cael eu hychwanegu ym mhen uchaf y ffwrnais.

2 Mae aer poeth yn cael ei chwythu i mewn tua gwaelod y ffwrnais (dyma sut y cafodd y ffwrnais ei enwi'n ffwrnais chwyth).

3 Mae'r ocsigen yn y chwythiadau o aer yn adweithio â'r golosg (carbon) gan roi carbon monocsid.

carbon + ocsigen → carbon monocsid
$$2C + O_2 → 2CO$$

Mae'r adwaith hwn yn ecsothermig iawn, ac mae'r tymheredd yn y ffwrnais yn cyrraedd 2000 °C.

4 Wrth i'r carbon monocsid fynd i fyny trwy'r ffwrnais, mae'n adweithio â'r mwyn haearn (haearn (III) ocsid) gan roi haearn.

haearn(III) ocsid + carbon monocsid → haearn + carbon deuocsid

$$Fe_2O_3 + 3CO → 2Fe + 3CO_2$$

5 Mae haearn tawdd yn llifo i waelod y ffwrnais. Bob hyn a hyn bydd yn cael ei ryddhau trwy dap.

6 Mae'r haearn tawdd yn cael ei ddefnyddio ar gyfer gwneud dur neu ei arllwys i fowldiau nes iddo ymsolido. 'Hychod' (*pigs*) yw'r enw ar y talpiau mawr o haearn sy'n ymffurfio. Ac felly bydd rhai'n galw'r metel hwn yn haearn hwch. Fodd bynnag, haearn crai yw'r term arferol.

Ffigur 8.7 Ffwrnais chwyth

Ffigur 8.8 Diwydiant haearn a dur, de Cymru

Haearn

Echdynnu haearn

Mae haearn yn fetel sy'n cael ei echdynnu o'i fwynau trwy rydwytho cemegol â charbon, sy'n fwy adweithiol na haearn (gw. Ffigur 8.7). Er bod y diwydiant haearn a dur wedi lleihau yn y blynyddoedd diwethaf, yn enwedig yng Nghymru (gw. Ffigur 8.8), mae'n dal yn ddiwydiant pwysig iawn ledled y byd.

Mae'r echdynnu'n cael ei wneud mewn ffwrnais chwyth, fel mae Ffigur 8.7 yn ei ddangos. Mae mwyn haearn, golosg a chalchfaen yn cael eu gwresogi yn y ffwrnais chwyth i wneud haearn. Y broblem yw troi'r haearn(III) ocsid yn y mwyn haearn yn haearn. Mae hyn yn golygu colli'r ocsigen. Mae aer poeth yn cael ei chwythu i'r ffwrnais, lle mae'n cyfuno â'r golosg (carbon yn bennaf yw golosg) i ffurfio carbon monocsid a rhyddhau gwres. Mae'r carbon monocsid yn adweithio â'r mwyn haearn yn uchel yn y ffwrnais i ffurfio haearn tawdd, sy'n casglu yng ngwaelod y ffwrnais. Dyma'r adwaith:

carbon monocsid + haearn(III) ocsid → carbon deuocsid + haearn
$$3CO(n) + Fe_2O_3(s) \rightarrow 3CO_2(n) + 2Fe(h)$$

Gall y golosg ei hun gymryd rhan yn rhydwythiad yr haearn.

carbon + haearn(III) ocsid → carbon monocsid + haearn
$$3C(s) + Fe_2O_3(s) \rightarrow 3CO(n) + 2Fe(h)$$

Mae'r calchfaen yn tynnu defnyddiau tywodlyd (silica) o'r mwyn haearn i gynhyrchu slag tawdd o galsiwm silicad sy'n arnofio ar ben yr haearn tawdd. Mae'r slag yn cael ei ddefnyddio fel craidd caled ar gyfer ffyrdd ac adeiladu. Mae'r nwyon gwastraff o dop y ffwrnais yn cael eu defnyddio i ragboethi'r chwythiad o aer ar y gwaelod. Mewn rhai ffwrneisi mae'r aer hwn yn cael ei gyfoethogi ag ocsigen.

Enw cyffredin ar yr haearn sy'n cael ei gynhyrchu gan y ffwrnais chwyth yw **haearn crai**. Mae'n fetel brau gan ei fod yn cynnwys swm arwyddocaol o garbon, hyd at 4.5%.

Cwestiynau

1 Ysgrifennwch hafaliadau geiriau ar gyfer yr adweithiau canlynol yn y ffwrnais chwyth:
    a trawsnewid golosg (carbon) yn garbon monocsid
    b trawsnewid haearn ocsid yn haearn.
2 Pam mae calchfaen yn cael ei ychwanegu at y ffwrnais chwyth?

Gwneud dur (ewch i *Metals and alloys*):
www.schoolscience.co.uk

Ffigur 8.9 Y pum miliynfed Audi A6 yn gadael y llinell gynhyrchu

Ffigur 8.10 Aelod tîm yn cymryd samplau haearn o ffwrnais chwyth yng ngwaith dur Corus Port Talbot

Priodweddau dur a ffyrdd o'i ddefnyddio

Mae'r rhan fwyaf o'r haearn crai o'r ffwrnais chwyth yn cael ei thrawsnewid yn ddur, sy'n llawer mwy defnyddiol, trwy symud rhywfaint neu'r rhan fwyaf o'r carbon. Yr enw ar ddur â'r canran isaf o garbon (0.1–0.4%) yw **dur meddal**. Mae hwn yn cael ei ddefnyddio ar gyfer cyrff ceir (gw. Ffigur 8.9), tunplat (ar gyfer gwneud tuniau i gadw bwyd), peipiau, sgriwiau, a nytiau a bolltau. Mae datblygiad diwydiannol China wedi creu cynnydd yn y galw byd-eang am ddur meddal.

Mae **dur caled** yn cynnwys canran uwch o garbon, hyd at 1.5%. Mae'n cael ei ddefnyddio mewn offer peiriannau mewn diwydiant ac offer domestig sy'n cael eu gwerthu mewn siopau DIY.

Gellir newid priodweddau dur trwy ei drin â gwres neu wrth greu aloion ag elfennau eraill. Mae dur gwrthstaen yn cynnwys cromiwm a nicel. Mae ychwanegu twngsten yn cynhyrchu dur hynod galed y gellir ei ddefnyddio ar gyfer offer torri cyflymder uchel. Mae ychwanegu manganîs yn cynhyrchu dur gwydn caled sy'n cael ei ddefnyddio yn ymylon olwynion cerbydau rheilffordd.

Mae dur yn cael ei ailgylchu ar raddfa fawr gan ei fod yn ddefnydd mor bwysig. Mae ailgylchu dur yn:

- arbed hyd at 50% o gostau egni
- helpu i gynilo mwyn haearn
- lleihau allyriad nwyon tŷ gwydr.

Ar y dechrau tyfodd y diwydiant haearn a dur yng Nghymru (gw. Ffigur 8.10) oherwydd argaeledd defnyddiau crai, sef glo, mwyn haearn a chalchfaen. Ond mae wedi lleihau yn y blynyddoedd diwethaf, gyda nifer o weithiau'n cau.

Electrolysis

Mae **electrolysis** yn adwaith cemegol sy'n digwydd wrth i gerrynt trydan basio trwy hylif dargludol. Yr hylif dargludol yw'r **electrolyt**. Mae'r cerrynt yn mynd i'r electrolyt trwy ddau ddargludydd solet o'r enw **electrodau**. Yr enw ar yr electrod positif yw'r **anod**, a'r enw ar yr electrod negatif yw'r **catod**. Mae'r cerrynt yn cael ei gludo yn yr electrolyt trwy symudiad yr ïonau. Mae ïonau negatif yn symud tuag at yr anod a dyma'r **anïonau**. Mae ïonau positif yn cael eu hatynnu i'r catod a dyma'r **catïonau**.

Mae Ffigur 8.11 yn dangos cyfarpar nodweddiadol.

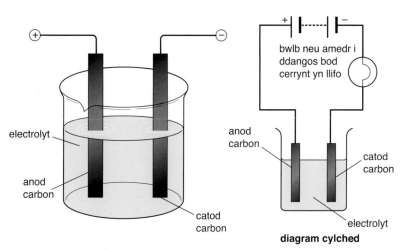

Ffigur 8.11 Cyfarpar electrolysis

Wyddoch chi?

Defnyddiodd Syr Humphrey Davy (gw. Ffigur 8.12) electrolysis i ddarganfod sodiwm a photasiwm.

Wyddoch chi?

Mae clorin yn cael ei weithgynhyrchu ar raddfa fawr trwy electroleiddio hydoddiant sodiwm clorid. Mae sodiwm hefyd yn cael ei weithgynhyrchu trwy electrolysis, ac mae clorin yn sgil gynnyrch.

Yr achos symlaf o electrolysis yw un lle mae'r electrolyt yn cynnwys dau ïon yn unig. Un enghraifft yw electrolyt o sodiwm clorid tawdd, NaCl. Mae sodiwm clorid yn ymdoddi ar dymheredd eithaf uchel. Felly mae angen crwsibl, a rhaid cymryd gofal wrth osod yr electrolysis. Mae electrodau carbon yn foddhaol. Mae sodiwm clorid tawdd yn cynnwys dim ond ïonau sodiwm (y catïonau) ac ïonau clorid (yr anïonau) (gw. Ffigur 8.13).

Pan gaiff sodiwm clorid ei hydoddi mewn dŵr, mae cynhyrchion yr electrolysis yn wahanol gan fod dŵr ei hun yn cynhyrchu symiau bach o ïonau hydrogen ac ïonau hydrocsid. Mae hydrogen yn cael ei ryddhau wrth y catod a chlorin wrth yr anod.

Ffigur 8.12 Syr Humphrey Davy

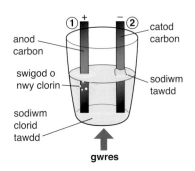

① mae ïonau clorid yn newid yn nwy clorin wrth iddynt golli electronau i'r anod
$2Cl^- \rightarrow Cl_2 + 2e$

② mae ïonau sodiwm yn cael eu newid yn atomau sodiwm wrth iddynt ennill electronau o'r catod
$Na^+ + e \rightarrow Na$

Ffigur 8.13 Electrolysis sodiwm clorid tawdd

Gwaith ymarferol

Electrolysis

1 Gwisgwch sbectol ddiogelwch.

2 Cofiwch fod clorin yn wenwynig. Os sylwch chi fod y sylwedd yn bresennol, diffoddwch y gylched. Mae mewnanadlu'r nwyon yn gallu achosi trafferthion anadlu.

3 Gosodwch arbrofion electrolysis ar gyfer y canlynol:
   a asid sylffwrig gwanedig
   b hydoddiant sodiwm clorid gwanedig
   c hydoddiant copr(ıı) sylffad gwanedig
   ch asid hydroclorig gwanedig.

Mae'r holl elfennau metelig adweithiol iawn yn cael eu hechdynnu o fwynau crai trwy electrolysis fel rheol, oherwydd nad yw'n bosibl eu dadleoli'n hawdd trwy adweithiau rhydwytho cemegol. Mae alwminiwm yn fetel adweithiol iawn, er y gellir ei ddefnyddio ar gyfer fframiau ffenestri a dibenion adeiladu eraill. Mae'n ymddangos fel nad yw'n adweithiol gan fod haen denau iawn o alwminiwm ocsid gwarchodol yn ymffurfio ar arwyneb y metel. Mae'r haen hon yn gwarchod y metel rhag unrhyw ymosodiad arall.

Wyddoch chi?

Mae'n bosibl ychwanegu at drwch yr haen denau o ocsid ar alwminiwm trwy broses o'r enw *anodeiddio*. Gellir trin yr haen ocsid newydd â llifynnau i roi lliw deniadol i'r metel.

Cwestiynau

3 Eglurwch beth yw ystyr y geiriau **anod, catod, electrolyt**.

4 Lluniadwch ddiagram syml wedi'i labelu o'r gell electrolysis ar gyfer echdynnu alwminiwm, gan ddangos yr anod, y catod a'r electrolyt.

Alwminiwm

Gweithgynhyrchu alwminiwm trwy electrolysis

Ffynhonnell arferol alwminiwm yw'r mwyn bocsit. Mae'r bocsit yn cael ei drin yn gemegol i gael gwared ag amhureddau, ac yn y diwedd mae'n cael ei drawsnewid i ffurfio'r solid gwyn alwminiwm ocsid.

Yr enw ar alwminiwm ocsid weithiau yw **alwmina**. Mae ganddo ymdoddbwynt uchel iawn. Er mwyn electroleiddio alwminiwm ocsid (gw. Ffigur 8.14), rhaid ei hydoddi mewn cryolit tawdd. Mae hyn yn dod â thymheredd gweithio'r electrolyt i tua 950 °C. Mae nwy ocsigen yn cael ei ffurfio ar yr anodau carbon, ac ar dymereddau uchel mae'r anodau'n adweithio ag ocsigen. Wrth wneud hyn mae'r anodau'n llosgi i ffwrdd ac mae rhaid eu newid o bryd i'w gilydd. Mae leinin carbon y gell hefyd yn gweithredu fel catod, ac mae alwminiwm yn ffurfio yma ar ffurf metel tawdd. Bob hyn a hyn, mae metel alwminiwm yn cael ei symud, mae'r gramen yn cael ei dorri, ac mae mwy o alwminiwm ocsid yn cael ei ychwanegu.

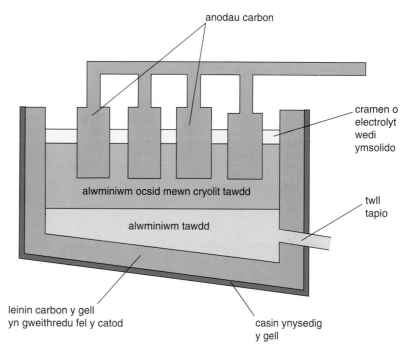

Ffigur 8.14 Electroleiddio alwminiwm ocsid

Mae'r ïonau alwminiwm yn cael eu hatynnu i'r catod ac yn ffurfio metel alwminiwm

$$Al^{3+} \qquad + 3e \quad \rightarrow \qquad Al$$
ïonau alwminiwm $\qquad\qquad\qquad$ atom alwminiwm

Mae'r ïonau ocsid yn cael eu hatynnu i'r anod ac yn ffurfio nwy ocsigen.

$$2O^{2-} \qquad - 4e \quad \rightarrow \qquad O_2$$
ïonau ocsid $\qquad\qquad\qquad$ moleciwl ocsigen

Lleoli gwaith alwminiwm

Wyddoch chi?

Ffigur 8.15 Ffwrnais fwyndoddi alwminiwm Anglesey Aluminium Metal, Ynys Môn

Mae angen llawer iawn o drydan i gynhyrchu alwminiwm trwy electrolysis. Mae'r gwaith mwyndoddi alwminiwm ar Ynys Môn (gw. Ffigur 8.15) yn defnyddio 250 MW, sy'n cynrychioli mwy na 12% o'r holl bŵer trydanol sy'n cael ei ddefnyddio yng Nghymru. Mae gweithiau alwminiwm yn aml yn cael eu lleoli lle mae pŵer yn rhad, er enghraifft ger ffynonellau pŵer trydan dŵr.

Mae nifer o ffactorau hollbwysig i'w hystyried wrth leoli gwaith alwminiwm. Yng Nghymru, cafodd y safle ar Ynys Môn ei ddewis oherwydd ei bod yn cynnig porthladd môr dwfn a chysylltau ffyrdd a rheilffyrdd da i gwsmeriaid yn y DU a'r Undeb Ewropeaidd. Mae mwyn alwminiwm (bocsit) a golosg yn cael eu mewnforio dros y môr, ac mae pŵer yn cael ei gyflenwi gan y Grid Cenedlaethol o orsaf bŵer niwclear leol.

Mae'r costau egni uchel sydd ynghlwm wrth gynhyrchu alwminiwm yn golygu bod ailgylchu'n ddarbodus iawn. Mae cost egni y dunnell o alwminiwm wedi'i ailgylchu tua 5% yn unig o gost egni y dunnell o alwminiwm sydd wedi ei gynhyrchu o focsit. Ar ben hyn, mae'r broses electrolytig yn treulio'r anodau carbon ac yn cynhyrchu ocsidau carbon.

Wyddoch chi?

Mae can alwminiwm yn denau iawn, ond mae gwasgedd y ddiod fyrlymog y tu mewn yn cryfhau'r can a'i sêl.

Ffigur 8.16 Caniau alwminiwm

Priodweddau alwminiwm a ffyrdd o'i ddefnyddio

Mae alwminiwm yn fetel ysgafn cryf. Ei ddwysedd yw 2.7 g/cm^3. Mae'n ddargludydd da o wres a thrydan. Er ei fod yn fetel adweithiol, mae'n gwrthsefyll cyrydu oherwydd yr haen warchodol o ocsid sy'n cronni ar ei arwyneb.

Dyma rai ffyrdd o ddefnyddio alwminiwm:

- ceblau pŵer foltedd uchel uwchben i'r Grid Cenedlaethol; oherwydd ei ysgafnder mae'r peilonau'n gallu bod yn adeileddau ysgafn
- sosbenni, ffoil coginio alwminiwm (yn gysylltiedig â'r ffaith y gall ddargludo gwres yn dda ac nad yw'n wenwynig); mae ei gryfder a'i ysgafnder yn golygu ei fod yn addas ar gyfer fframiau ffenestri ac adeiladu tai gwydr
- caniau diodydd (gw. Ffigur 8.16), oherwydd ei ysgafnder a diffyg gwenwyndra
- wrth weithgynhyrchu awyrennau a chyrff ceir, gan ei fod yn ysgafn ac mae ganddo gryfder tynnol uchel.

Cwestiynau

5 Nodwch **dair** o briodweddau ffisegol alwminiwm, a rhowch **dri** defnydd graddfa fawr o alwminiwm.

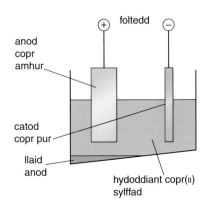

anod
copr
amhur

catod
copr pur

llaid
anod

foltedd

hydoddiant copr(ɪɪ)
sylffad

Ffigur 8.17 Puro copr trwy electrolysis

Ffigur 8.18 Tri ingot copr a fwyndoddwyd
yng Ngwaith Copr Hafod, Abertawe, 1890

Copr

Rhaid i gopr fod yn bur iawn er mwyn ei ddefnyddio ar gyfer llawer o bethau, er enghraifft peipiau copr a gwifren gopr. I gael y lefel o buredd sydd ei angen, mae copr amhur sydd wedi ei ffurfio trwy rydwytho cemegol yn cael ei buro trwy electrolysis (gw. Ffigur 8.17). Mae'r anod (electrod positif) yn lwmp o gopr amhur. Mae'r catod (electrod negatif) yn blât o gopr pur.

Pan gaiff y cerrynt ei gludo, mae atomau copr o'r anod yn mynd yn ïonau copr positif sy'n cael eu dyddodi fel atomau copr pur ar y catod.

- Mae'r anod yn mynd yn llai.
- Mae'r catod yn mynd yn fwy wrth i gopr pur gael ei ddyddodi arno.
- Mae'r amhureddau o'r anod yn ffurfio llaid ar waelod y gell. Mae llawer o arian, aur ac elfennau eraill yn y llaid hwn, ac mae'n bosibl ei drin mewn ffordd ddarbodus i adfer yr elfennau gwerthfawr hyn.

Wrth yr **anod** (yr electrod positif), mae atomau copr yn mynd yn ïonau copr trwy golli dau electron.

atomau copr – electronau → ïonau copr
$$Cu - 2e \rightarrow Cu^{2+}$$

Wrth y **catod** (yr electrod negatif), mae ïonau copr yn mynd yn atomau copr trwy ennill dau electron.

ïonau copr + electronau → atomau copr
$$Cu^{2+} + 2e \rightarrow Cu$$

Priodweddau copr a ffyrdd o'i ddefnyddio

Mae copr yn hen fetel ac mae i'w gael yn naturiol mewn cyflwr heb ei gyfuno, sef copr naturiol, er bod hyn yn brin. Gan ei fod yn anadweithiol, mae'n hawdd ei gynhyrchu o'i fwynau (gw. Ffigur 8.18). Fel aloi gyda thun, mae'n ffurfio efydd. Cafodd efydd ei ddarganfod yn gynnar mewn cynhanes, a dyna oedd y prif aloi fyddai'n cael ei ddefnyddio yn yr Oes Efydd.

Yr aloi pwysig arall o gopr yw pres, sy'n cynnwys copr a sinc.

Mae copr pur yn fetel deniadol o ran ei liw a'i loywedd, ac felly mae'n cael ei ddefnyddio ar gyfer gemwaith ac addurniadau. Mae'n cael ei ddefnyddio heddiw hefyd mewn gwaith plymio fel peipiau copr, ac fel gwifren gopr mewn cylchedau trydanol, moduron a nwyddau trydan eraill.

- Mae'n ddargludydd ardderchog o drydan a gwres.
- Mae ei hydrinedd a'i hydwythedd yn ei gwneud hi'n hawdd ffurfio llenni, gwifrau a pheipiau copr ohono.

Yn y bedwaredd ganrif ar bymtheg a'r ugeinfed ganrif peipiau plwm fyddai'n cael eu defnyddio mewn gwaith plymio. Bellach peipiau copr neu blastig yw'r dewis ar gyfer y cyflenwad dŵr yfed.

Mae llawer o sosbenni dur gwrthstaen yn cynnwys gwaelod copr i gynnig dargludiad gwres gwell.

U

U

Ffigur 8.19 Hofrennydd Sea King HU5

Ffigur 8.20 Platiau llawfeddygol titaniwm

Titaniwm

Mae titaniwm yn fetel modern pwysig. Ers llawer blwyddyn mae wedi cael ei wneud o ditaniwm deuocsid. Mae titaniwm deuocsid yn fwyn crai toreithiog sydd hefyd yn sail pigment gwyn mewn paentiau. Mae titaniwm yn fetel cryf, caled ag ymdoddbwynt uchel, ac mae'n gwrthsefyll cyrydu. Mae ganddo ddwysedd isel ac mae'n ddargludydd da o wres a thrydan.

Mae'n cael ei ddefnyddio yn y diwydiant awyrennau, yn enwedig mewn rotorau i hofrenyddion (gw. Ffigur 8.19). Oherwydd ei fod yn ysgafn, gwydn ac yn gwrthsefyll cyrydu mae'n addas ar gyfer cymwysiadau llawfeddygol fel cymalau clun a phinnau a phlatiau ar gyfer toresgyrn (gw. Ffigur 8.20). Ymhlith defnyddiau domestig eraill mae gemwaith a ffyn golff.

Canlyniadau echdynnu metel

Mae'r rhan fwyaf o fetelau'n cael eu hechdynnu o fwynau y mae'n rhaid eu mwyngloddio. Pan ddaw'r mwynau i ben, gall y gweithiau mwyngloddio gael eu gadael. Mae'r mwyngloddiau eu hunain a'r gweithiau segur yn gallu achosi dirywiad yn y dirwedd. Mae hen fwyngloddiau o hyd yng Nghernyw a rhannau o Gymru nad oes neb wedi gweithio ynddynt ers degawdau.

Ar y llaw arall, mae meddu ar fwynau y gellir eu hechdynnu yn bwysig iawn i economi gwlad. Bu bodolaeth cyflenwadau parod o fwyn haearn, glo a chalchfaen yn hanfodol ar gyfer twf economaidd Prydain Fawr yn ystod y Chwyldro Diwydiannol. Mae echdynnu a phrosesu mwynau metelig yn creu gwaith. Os oes rhaid i wlad fewnforio metelau, gall y gost fod yn fawr iawn a chael effaith ar fantol daliadau'r wlad. Mae prisiau byd-eang am fetelau amrywiol hefyd yn gallu effeithio ar gyllid y wlad.

Rhaid prosesu'r rhan fwyaf o fwynau, a gall hyn gael effaith niweidiol ar yr amgylchedd. Mae angen llawer iawn o drydan i gynhyrchu alwminiwm, er enghraifft, a gall hyn yn ei dro olygu bod nwyon tŷ gwydr yn mynd i'r amgylchedd. Mae llawer iawn o fwynau yn sylffidau ac mae rhaid eu mwyndoddi. Mae hyn yn cynhyrchu sylffwr deuocsid (y nwy sy'n achosi glaw asid). Weithiau mae metel penodol yn cael ei ddarganfod gyda metel llai defnyddiol a mwy gwenwynig. Er enghraifft, mae achosion wedi'u cofnodi o'r metel gwenwynig cadmiwm yn halogi tir ger gweithiau cemegol sy'n cynhyrchu sinc.

Cyrydiad metelau

Rydym ni'n gwybod nad yw metel fel aur yn cyrydu yn yr aer. Rydym ni hefyd yn gwybod bod ceir a phontydd wedi'u gwneud o ddur yn dangos arwyddion o rydu dros gyfnod (gw. Ffigurau 8.21 ac 8.22). Un ffordd o ddisgrifio cyrydu yw fel rhyngweithiad cemegol metel â'r atmosffer. Yr adwaith sylfaenol yw ocsidio gan yr ocsigen yn yr atmosffer.

Mae angen ocsigen a dŵr ar gyfer cyrydu haearn. Mae'n bosibl dangos hyn trwy osod yr arbrofion yn Ffigur 8.22.

Haearn(III) ocsid hydradol yw rhwd. Wrth i rwd ffurfio ar arwyneb gwrthrych haearn neu ddur, mae'n dod i ffwrdd mewn fflawiau gan adael mwy o'r metel yn agored. Mae hwn yn ei dro yn ffurfio mwy o rwd. Dyma pam mae rhaid trin smotiau rhwd ar gyrff ceir mor fuan â phosibl. Nid yw alwminiwm yn cyrydu mor rhwydd â haearn, er enghraifft, oherwydd bod yr haen ocsid yn sownd wrth arwyneb y metel ac nid yw'n dod i ffwrdd mewn fflawiau.

Ffigur 8.21 Mae ar geir a beiciau amddiffyniad cyson yn erbyn cyrydu, neu maen nhw'n dechrau rhydu.

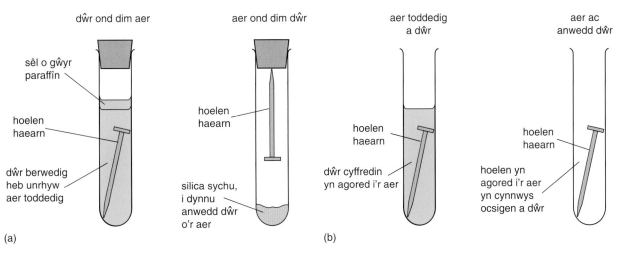

dŵr ond dim aer

sêl o gŵyr paraffîn

hoelen haearn

dŵr berwedig heb unrhyw aer toddedig

(a)

aer ond dim dŵr

hoelen haearn

silica sychu, i dynnu anwedd dŵr o'r aer

aer toddedig a dŵr

hoelen haearn

dŵr cyffredin yn agored i'r aer

(b)

aer ac anwedd dŵr

hoelen haearn

hoelen yn agored i'r aer yn cynnwys ocsigen a dŵr

Ffigur 8.22 Rhydu haearn: (a) yn y naill achos a'r llall does dim rhydu, (b) mae rhydu'n digwydd yn araf

Ffigur 8.23 Mae angen cynnal a chadw pontydd i atal cyrydu. Mae peintio pont yn atal yr adwaith rhydu.

Ffigur 8.24 Platfform olew enfawr yng Ngwlff México

Atal rhydu

Y ffordd fwyaf amlwg i atal haearn a dur rhag rhydu yw atal lleithder ac aer rhag cyrraedd arwyneb y metel.

- Un ffordd yw peintio gwrthrychau haearn a dur (gw. Ffigur 8.23). Mae hyn yn cau allan yr atmosffer ac yn atal rhydu.
- Os caiff arwyneb haearn ei orchuddio ag olew, yr un effaith yw'r canlyniad. Os caiff cadwyn beic ei iro'n dda, yna nid yw'n rhydu.
- Mae'n bosibl electroplatio gwrthrych dur â metel sy'n diogelu'r dur. Mae'r gwrthrych yn cael ei osod fel catod cell electrolysis, ac mae'r metel yn cael ei ddyddodi. Mae platio cromiwm yn cynnig amddiffyniad o'r fath, ac mae'r haen gromiwm wedi'i chaboli yn rhoi gorffeniad deniadol.
- Mae sinc yn fetel mwy adweithiol na haearn, ac mae'n cael ei ddefnyddio i amddiffyn gwrthrychau dur mewn proses o'r enw galfanu. Mae'r gwrthrych yn cael ei drochi mewn sinc tawdd fel bod yr arwyneb yn cael ei orchuddio â haen denau o sinc. Hyd yn oed os caiff y sinc ei grafu ac mae arwyneb yr haearn yn cael ei amlygu, nid yw'n rhydu. Gan fod sinc yn fwy adweithiol, mae'r aer yn ocsidio'r sinc yn gyntaf .
- Mae biniau sbwriel metel fel arfer wedi eu gwneud o ddur galfanedig. Mae rhai cyrff ceir yn cael eu hamddiffyn yn fwy trwy gael eu galfanu cyn cael eu peintio. Mewn galfanu, mae'r sinc yn gweithredu fel metel aberthol. Mae'r egwyddor hon yn cael ei defnyddio mewn llawer o gymwysiadau eraill. Mae peipiau tanddaearol, cyrff llongau a gosodiadau llwyfannau olew yn cael eu hamddiffyn gan fetel aberthol yn aml (gw. Ffigur 8.24). Mae'r adeiledd mewn cysylltiad trydanol â darn o fagnesiwm neu sinc. Mae'r metel mwy adweithiol (magnesiwm neu sinc) yn cyrydu'n gyntaf, ac mae hwn yn atal cyrydu'r haearn.

Gwaith ymarferol

Ceisiwch arbrawf gyda dwy hoelen haearn unfath mewn dŵr, ond lapiwch un â darn o ruban magnesiwm, a gwelwch pa hoelen sy'n rhydu'n fwy.

Economeg cyrydiad

Er bod araenau gwrthgyrydiad gan lwyfannau a phlatffformau olew, gellir eu hamddiffyn yn well trwy eu cysylltu â metelau aberthol tanddwr i atal cyrydu. Mae atal cyrydu, fel rheol, yn rheidrwydd economaidd.

Yn ôl adroddiad diweddar, mae'r gost flynyddol o gyrydu metelig yn UDA yn $300 biliwn. Cost y project i adfer Cerflun Rhyddid ym 1986 oedd mwy na $200 miliwn. Mae cyrydu yn achosi gwastraff, ac mae adnoddau'r Ddaear yn gyfyngedig. Mae'n bwysig sicrhau bod gweithgynhyrchion, megis ceir, yn para ac yn peidio â chyrydu, fel y bydd adnoddau'n para'n hirach ac y bydd llygredd gan nwyon tŷ gwydr cyn lleied â phosibl.

Cyfrifiadau cemegol

Mae masau gwahanol gan atomau elfennau amrywiol. Bach iawn yw masau atomau unigol, ac felly mae'n gyfleus nodi masau'r atomau amrywiol mewn perthynas â'i gilydd. Màs atomig cymharol elfen yw màs atom o'r elfen honno o'i gymharu â màs atom o garbon. Mae gan garbon chwe phroton a chwe niwtron yn ei niwclews, ac felly 12 yw'r gwerth sy'n cael ei roi i'r atom hwn o garbon. Y symbol ar gyfer màs atomig cymharol yw A_r (gw. Tabl 8.3).

Tabl 8.3 Gwerthoedd A_r ar gyfer rhai elfennau cyffredin

Elfen	A_r	Elfen	A_r
H	1.0	P	31.0
He	4.0	S	32.0
C	12.0	Cl	35.5
N	14.0	K	39.0
O	16.0	Ca	40.0
F	19.0	Fe	56.0
Na	23.0	Cu	64.0
Mg	24.0	Ag	107.0
Al	27.0	Pb	207.0

Os ydym ni'n gwybod masau atomig cymharol yr elfennau, yna mae'n bosibl i ni gyfrifo **masau moleciwlaidd cymharol** (M_r) cyfansoddion.

- **Dŵr** (H_2O): Yn y moleciwl hwn, mae dau atom hydrogen ac un atom ocsigen. Y màs moleciwlaidd cymharol yw $[(2 \times 1) + 16] = 18$.
- **Carbon deuocsid** (CO_2): Yn y moleciwl hwn, mae dau atom ocsigen ac un atom carbon. Y màs moleciwlaidd cymharol yw $[(2 \times 16) + 12] = 44$.

Gyda chyfansoddion ïonig, mae'n fwy cywir defnyddio'r term *màs fformiwla cymharol*, gan nad oes moleciwlau ar wahân mewn cyfansoddion ïonig.

- **Magnesiwm ocsid** (MgO): Yn y cyfansoddyn hwn, mae un ïon magnesiwm am bob un ïon ocsigen. Mae'r màs fformiwla cymharol yn hafal i $[24 + 16] = 40$.

Cwestiynau

6 Darganfyddwch fasau moleciwlaidd cymharol:
a amonia, NH_3
b methan, CH_4
c hydrogen sylffid, H_2S
a masau fformiwla cymharol:
ch calsiwm clorid, $CaCl_2$
d copr(II) ocsid, CuO.

- **Sodiwm carbonad** (Na$_2$CO$_3$): Yn y cyfansoddyn hwn, mae dau ïon sodiwm, ac un ïon carbonad sy'n cynnwys un atom carbon a thri atom ocsigen. Mae'r màs fformiwla cymharol yn hafal i [(2 × 23) + 12 + (3 × 16)] = [46 +12 + 48] = 106.

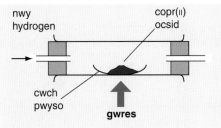

Ffigur 8.25 Rhydwytho copr(II) ocsid

Gwaith ymarferol

Darganfod fformiwla cyfansoddyn o ddata arbrofion

1 Rhydwythwch 4.0 g o gopr(II) ocsid mewn llif o hydrogen (gw. Ffigur 8.25).

2 Mae 3.2 g o gopr yn weddill.

Mae màs yr ocsigen yn y 4.0 g o gopr(II) ocsid yn (4.0 – 3.2) = 0.8 g.

I ddarganfod fformiwla copr(II) ocsid, cofnodwch eich canlyniadau yn Nhabl 8.4.

Tabl 8.4 Darganfod fformiwla copr(II) ocsid

Elfen	Màs yr elfen/g	A_r	Màs/A_r	Rhannwch â'r isaf	Darganfyddwch gymhareb rif cyfan
Cu	3.2	64.0	3.2/64.0 = 0.05	1	1
O	0.8	16.0	0.8/16.0 = 0.05	1	1

Y fformiwla yw CuO.

Dyma'r **fformiwla empirig**, gan ei fod yn dangos cymhareb symlaf atomau (neu ïonau) pob elfen yn y cyfansoddyn.

3 Rhydwythwch 7.2 g o gopr(I) ocsid mewn llif o hydrogen.

4 Mae 6.4 g o gopr yn weddill.

I ddarganfod fformiwla copr(I) ocsid, cofnodwch eich canlyniadau yn Nhabl 8.5.

Tabl 8.5 Darganfod fformiwla copr(I) ocsid

Elfen	Màs yr elfen/g	A_r	Màs/A_r	Rhannwch â'r isaf	Darganfyddwch gymhareb rif cyfan
Cu	6.4	64.0	6.4/64.0 = 0.10	2	2
O	0.8	16.0	0.8/16.0 = 0.05	1	1

Y fformiwla yw Cu$_2$O.

Weithiau mae'r data'n cael eu rhoi fel cyfansoddiad wedi'i fynegi fel canran yn ôl màs.

Enghraifft

Mae calsiwm clorid yn cynnwys 64% clorin yn ôl màs. Darganfyddwch ei fformiwla, gan ddefnyddio Tabl 8.6.

Tabl 8.6 Darganfod fformiwla calsiwm clorid

Elfen	Canran yr elfen/g	A_r	Canran/A_r	Rhannwch â'r isaf	Darganfyddwch gymhareb rif cyfan
Ca	36.0	40.0	36.0/40.0 = 0.9	1	1
Cl	64.0	35.5	64.0/35.5 = 1.8	2	2

Y fformiwla yw CaCl$_2$.

Defnyddio hafaliadau

Mae hafaliad cytbwys yn ffordd law-fer o grynhoi adwaith cemegol. Mae'n bosibl defnyddio hafaliad cytbwys i ragfynegi'r perthnasoedd rhwng masau cyfansoddion adweithiol a'r cynhyrchion maen nhw'n eu ffurfio.

Enghraifft

Darganfyddwch fàs y carbon deuocsid sy'n cael ei ffurfio wrth i 5.3 g o sodiwm carbonad adweithio'n gyflawn â gormodedd o asid hydroclorig.

$$Na_2CO_3(s) + 2HCl(d) \rightarrow 2NaCl(d) + H_2O(h) + CO_2(n)$$

sodiwm carbonad   carbon deuocsid
$M_r = 106$ $M_r = 44$

Wedi dewis y cyfansoddion sydd o ddiddordeb i ni, rydym ni'n defnyddio'r masau fformiwla neu foleciwlaidd i ysgrifennu cyfriflen:

- mae 106 g o sodiwm carbonad yn ffurfio 44 g o garbon deuocsid.
- mae 1 g o sodiwm carbonad yn ffurfio (44/106) g o garbon deuocsid.
- mae 5.3 g o sodiwm carbonad yn ffurfio [(44/106) × 5.3] g o garbon deuocsid.

Màs y carbon deuocsid sy'n cael ei ffurfio yw 2.2 g.

Enghraifft

Cyfrifwch fàs y carbon monocsid sydd ei angen i rydwytho 1000 g o haearn(III) ocsid yn gyflawn.

$$Fe_2O_3(s) \quad + \quad 3CO(n) \rightarrow 3Fe(h) + 3CO_2(n)$$

haearn(III) ocsid   carbon monocsid
$M_r = 160$ $M_r = 28$

- mae 160 g o haearn(III) ocsid yn cael ei rydwytho gan (3 × 28) g o garbon monocsid.
- mae 1 g o haearn(III) ocsid yn cael ei rydwytho gan (84/160) g o garbon monocsid.
- mae 1000 g o haearn(III) ocsid yn cael ei rydwytho gan [(84/160) × 1000] g = 525 g o garbon monocsid.

Defnyddiwch yr hafaliad i gyfrifo màs yr haearn sy'n cael ei ffurfio yr un pryd.

Economi atomau

Pan gaiff cynnyrch ei ffurfio o gyfansoddion adweithiol, mae'r cyfansoddion, ar wahân i'r cynnyrch sydd ei angen, yn wastraff. Weithiau mae syniad o effeithlonedd adwaith yn cael ei roi fel ei **economi atomau**, sy'n cael ei ddiffinio fel hyn:

$$economi\ atomau = \frac{màs\ y\ cynnyrch\ sydd\ ei\ angen}{cyfanswm\ màs\ yr\ adweithyddion} \times 100\%$$

Enghraifft

Edrychwch ar yr adwaith rhwng sodiwm hydrocsid ac asid hydroclorig i ffurfio sodiwm clorid.

$$NaOH \quad + \quad HCl \quad \rightarrow \quad NaCl \quad + \quad H_2O$$

sodiwm hydrocsid   asid hydroclorig   sodiwm clorid   dŵr
$M_r = 40.0$ $M_r = 36.5$ $M_r = 58.5$ $M_r = 18.0$

$$economi\ atomau = [58.5/(40.0 + 36.5)] \times 100 = 76.5\%$$

Nid yw holl atomau'r adweithyddion yn cael eu hymgorffori yn y cynnyrch sydd ei angen – mae rhai'n ffurfio sgil gynnyrch.

Cwestiynau

7 Cyfrifwch fàs y calsiwm ocsid sy'n cael ei ffurfio gan ddadelfennu cyflawn 5 kg o galsiwm carbonad.

$$CaCO_3 \rightarrow CaO + CO_2$$

8 Cyfrifwch fàs y sodiwm clorid sy'n gallu cael ei ffurfio trwy niwtraleiddio 8 g o sodiwm hydrocsid.

$$NaOH + HCl \rightarrow NaCl + H_2O$$

U

Yn draddodiadol roedd gweithgynhyrchu titaniwm o ditaniwm deuocsid yn golygu trawsnewid TiO_2 yn $TiCl_4$, ac yna ei rydwytho i ditaniwm gan fagnesiwm.

Dyma'r broses gyfan:

$$TiO_2 \quad + \quad 2Cl_2 \quad + \quad 2Mg \quad \rightarrow \quad Ti \quad + \quad 2MgCl_2$$
$$Mr = 79.9 \quad Mr = 142.0 \quad Mr = 48.0 \quad Mr = 47.9$$

Dyma economi atomau'r broses:

$$\text{economi atomau} = \frac{\text{màs y cynnyrch sydd ei angen}}{\text{cyfanswm màs yr adweithyddion}} \times 100\%$$

$$= \frac{47.9}{79.9 + 142.0 + 48.0} \times 100\%$$

$$= 17.7\%$$

Yn y proses echdynnu electrolytig modern, mae titaniwm deuocsid yn cael ei electroleiddio mewn calsiwm clorid tawdd. Mae hyn yn cynhyrchu'r un màs o gynnyrch ag yn yr enghraifft uchod ond nid oes sgil gynhyrchion, felly mae llai o wastraff. Dyma'r adwaith:

$$TiO_2 \rightarrow Ti + O_2$$

$$\text{economi atomau} = (47.9/79.9) \times 100\%$$

$$= 59.9\%$$

Cemeg werdd a dŵr

Cemeg werdd yw'r wyddor o weithgynhyrchu cemegion angenrheidiol gyda'r effaith leiaf ar yr amgylchedd. Mae'r rhan fwyaf o wneuthurwyr cemegion yn gyfrifol ac yn cael eu rheoleiddio'n dynn gan ddeddfwriaeth, ac mae ystyried materion gwyrdd er lles cwmnïau a'u cyfranddalwyr.

- Dylai gwneuthurwyr gadw gwastraff i leiafswm. Yn aml gellir defnyddio sgil gynnyrch proses i gynhyrchu cynnyrch gwerthadwy yn hytrach nag isgynnyrch diwerth. Er enghraifft, mae rhai diwydiannau'n cynhyrchu nwy gwenwynig clorin fel sgil gynnyrch, a gellir amsugno'r nwy i sodiwm hydrocsid dyfrllyd i ffurfio cannydd.

- Lle mae'n bosibl, dylai cwmnïau ddefnyddio adnoddau adnewyddadwy. Er enghraifft, mae cynhyrchwyr alwminiwm, sy'n defnyddio llawer o drydan, yn ceisio lleoli eu gweithiau ger cynlluniau trydan dŵr.

- Mae egni'n costio arian. Lle mae'n bosibl, dylid lleihau costau egni trwy ynysu ac ailddefnyddio. Er enghraifft, mae'r nwyon poeth o dop ffwrnais chwyth yn cael eu defnyddio i ragboethi'r aer sy'n cael ei chwythu i mewn ar y gwaelod.

- Mae catalyddion yn gyfansoddion sy'n gwneud i adweithiau fynd yn gyflymach ar yr un tymheredd, gan arbed egni ac arian.

- Mae'n well gan gwmnïau ddefnyddio adweithyddion diwenwyn lle bynnag mae'n bosibl. Lle mae cynnyrch yn wenwynig, caiff ymchwil ei gynnal i ganfod un llai gwenwynig.

- Dylai isgynhyrchion diwerth gael eu trin i greu defnyddiau diwenwyn na fyddan nhw'n niweidio'r amgylchedd. Yn ddiweddar, cafodd cyfryngau biolegol eu defnyddio i drin gwastraff peryglus. Gellir trin rhai defnyddiau organig peryglus â bacteria sy'n diraddio'r moleciwlau organig i fethan, a all gael ei ddefnyddio fel tanwydd.

Ffigur 8.26 Golygfa o'r lloeren Afristar, 35 774 km uwchben y Ddaear

Dŵr

Dŵr yw'r sylwedd mwyaf toreithiog ar arwyneb y Ddaear (gw. Ffigur 8.26). Mae'n hanfodol i fywyd ar ein planed. Mae rhai'n rhagfynegi y gall fod prinder o ddŵr yfadwy drwy'r byd yn y dyfodol. Yn y diwydiannau cemegol, mae dŵr yn ddefnydd crai pwysig sy'n cael ei ddefnyddio fel:

- hydoddydd (mae hydoddiannau o gyfansoddion mewn dŵr yn digwydd mewn llawer o brosesau); wrth weithgynhyrchu asid sylffwrig, mae sylffwr triocsid yn cael ei hydoddi mewn asid sylffwrig crynodedig i ffurfio olëwm, sydd wedyn yn cael ei wanedu â dŵr i ffurfio asid sylffwrig crynodedig

- oerydd (mae llawer o adweithiau cemegol yn cynhyrchu gwres ac mae rhaid symud hwnnw o'r peiriannau); mae dŵr yn oeri'r prosesau, ac yna mae'r dŵr ei hun yn cael ei oeri cyn cael ei ddychwelyd i'r amgylchedd

Y cyflenwad dŵr cyhoeddus a thrin dŵr

Mae glaw yn cael ei gasglu mewn llynnoedd neu gronfeydd dŵr lle mae'n cael ei storio. Cyflenwadau dŵr eraill yw afonydd a dŵr tanddaearol. Mae Ffigur 8.27 yn dangos argae Caban Coch yn nyffryn Elan; mae dŵr o ddyffryn Elan yn cael ei ddefnyddio gan ddinas Birmingham yn Lloegr. Cyn iddo gyrraedd ein tapiau, rhaid i ddŵr gael ei buro a'i drin (gw. Ffigur 8.28).

Ffigur 8.27 Argae Caban Coch

Mae solidau'n cael eu gadael i waddodi trwy ddisgyrchiant yn y gronfa ddŵr. Mae'r dŵr wedyn yn cael ei basio trwy haenau hidlo sy'n symud gronynnau llai a rhai bacteria. Ar gyfer dŵr o ansawdd yfed, mae clorin yn cael ei ychwanegu, sy'n lladd y bacteria sy'n weddill. Mae rhai awdurdodau dŵr yn ychwanegu cemegion eraill at ddŵr yfed. Er enghraifft mae llawer yn ychwanegu ïonau fflworid, sy'n atal pydredd dannedd ar lefelau rheoledig (gw. tud. 111).

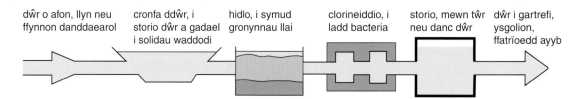

| dŵr o afon, llyn neu ffynnon danddaearol | cronfa ddŵr, i storio dŵr a gadael i solidau waddodi | hidlo, i symud gronynnau llai | clorineiddio, i ladd bacteria | storio, mewn tŵr neu danc dŵr | dŵr i gartrefi, ysgolion, ffatrïoedd ayyb |

Ffigur 8.28 Puro dŵr yn y cyflenwad cyhoeddus

Ffigur 8.29 Ceudwll calchfaen ym Mannau Brycheiniog, wedi'u ffurfio oherwydd bod dŵr wedi hydoddi'r creigiau calchfaen

Lle mae dŵr glaw yn llifo trwy greigiau (gw. Ffigur 8.29), mae'n codi ïonau calsiwm o galchfaen a chalsiwm sylffad, ac ïonau magnesiwm o greigiau eraill. Yr enw ar ddŵr sy'n cynnwys ïonau calsiwm a magnesiwm yw **dŵr caled**, gan nad yw'n creu trochion yn hawdd â sebon. Mae sebon yn halwyn sodiwm o asid organig sy'n deillio o olewau a brasterau. Mae sodiwm stearad yn sebon nodweddiadol. Pan gaiff dŵr caled ei siglo â sebon, mae'r ïonau calsiwm a magnesiwm yn adweithio â'r sebon i ffurfio calsiwm neu fagnesiwm stearad anhydawdd, sef llysnafedd. Nid yw hyn yn digwydd gyda dŵr meddal.

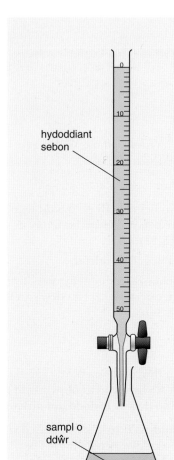

hydoddiant
sebon

sampl o
ddŵr

Ffigur 8.30 Cyfarpar ar gyfer cymharu
caledwch samplau dŵr

Gwaith ymarferol

Cymharu caledwch dŵr o wahanol ffynonellau

1 Gwnewch hydoddiant o sebon. (Gellir gwneud hyn trwy hydoddi fflochion sebon mewn dŵr; mae hydoddiannau masnachol ar gael.)

2 Rhowch yr hydoddiant sebon mewn bwred, a phibedwch gyfaint penodol (25 cm³ dyweder) o'r dŵr sy'n cael ei brofi i mewn i fflasg gonigol (gw. Ffigur 8.30).

3 Rhedwch yr hydoddiant sebon i mewn i'r dŵr ychydig o ddiferion ar y tro gan siglo'r fflasg yr un pryd.

4 Stopiwch y titradu pan fydd trochion sebon parhaol (yn parhau am 2 funud o leiaf) yn gorchuddio holl arwyneb y dŵr.

5 Ailadroddwch yr arbrawf gyda'r ystod o samplau dŵr sydd ar gael.

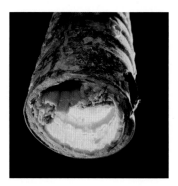

Ffigur 8.31 Effaith dŵr caled yn ffurfio cen (calsiwm carbonad) mewn peipen

Mathau o galedwch

Caledwch dros dro yw caledwch y mae'n bosibl ei waredu trwy ferwi. Mae'n cael ei achosi gan bresenoldeb calsiwm a magnesiwm hydrogencarbonadau. Pan gaiff y dŵr caled dros dro ei ferwi, mae'r hydrogencarbonadau'n dadelfennu, ac mae'r calsiwm neu'r magnesiwm yn cael ei waddodi fel calsiwm carbonad neu fagnesiwm carbonad anhydawdd. Mae hwn wedyn yn ymddangos fel 'cen tegell' neu 'cen boeler' (gw. Ffigur 8.31).

calsiwm hydrogencarbonad → calsiwm + carbon deuocsid + dŵr
carbonad

$$Ca(HCO_3)_2(d) \rightarrow CaCO_3(s) + CO_2(n) + H_2O(h)$$

Pan nad yw'n bosibl cael gwared â chaledwch dŵr trwy ferwi, mae'r dŵr yn cael ei ddisgrifio fel dŵr **caled parhaol**. Fel rheol mae'n cynnwys calsiwm sylffad a magnesiwm sylffad. Mae'n bosibl meddalu dŵr caled parhaol trwy ychwanegu sodiwm carbonad (soda golchi) neu drwy gyfnewid ïonau (gw. Ffigur 8.32).

Mae sodiwm carbonad yn gwaddodi'r ïonau calsiwm ar ffurf calsiwm carbonad.

sodiwm carbonad + calsiwm sylffad → calsiwm + sodiwm sylffad
carbonad

$$Na_2CO_3(d) + CaSO_4(d) \rightarrow CaCO_3(s) + Na_2SO_4(d)$$

Mae resinau cyfnewid ïonau yn rhoi ïonau sodiwm yn lle'r ïonau calsiwm sy'n achosi caledwch. Mae'r ïonau calsiwm yn aros ar y resin.

U

U

dŵr caled yn cynnwys ïonau calsiwm

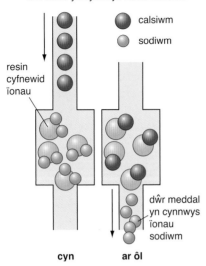

calsiwm

sodiwm

resin cyfnewid ïonau

dŵr meddal yn cynnwys ïonau sodiwm

cyn   ar ôl

Ffigur 8.32 Sut mae meddalydd dŵr cyfnewid ïonau yn gweithio

Ffigur 8.33 Elfen tegell wedi'i gorchuddio â chen o ddŵr caled

Ffigur 8.34 Cynnyrch meddalu dŵr sy'n cael ei ychwanegu gyda'r glanedydd i'r peiriant golchi

Cwestiwn

9 Eglurwch pam mae dau ïon sodiwm yn cael eu rhyddhau am bob un ïon calsiwm yn Ffigur 8.32.

Manteision ac anfanteision dŵr caled

Mae dŵr caled fel rheol yn blasu'n well na dŵr meddal. Wrth fragu cwrw, mae'r dŵr weithiau'n cael ei galedu'n artiffisial.

Dyma anfanteision dŵr caled:

- Mae cynhyrchu cen boeler a thegell yn lleihau effeithlonedd tegelli, boeleri, peiriannau coffi, ayyb, ac mae hyn yn golygu bod mwy o egni'n cael ei ddefnyddio (gw. Ffigur 8.33).
- Mae cael gwared â chen boeler a chen tegell yn ddrud.
- Mae dŵr caled yn defnyddio mwy o sebon, ac yn creu llysnafedd yn y golch. Dyna pam mae glanedyddion modern yn cael eu dewis yn lle sebon ar gyfer dŵr caled (gw. Ffigur 8.34).

Cromliniau hydoddedd

Os ydym ni'n ceisio hydoddi siwgr mewn dŵr, mae yna bwynt pan na fydd rhagor o siwgr yn hydoddi yn y dŵr a'r hyn sydd ar ôl yw'r hylif a siwgr heb ei hydoddi. Y term am yr hylif wedyn yw **hydoddiant dirlawn**.

Y sylwedd sy'n cael ei hydoddi yw'r **hydoddyn**. Yr hylif sy'n gwneud yr hydoddi yw'r **hydoddydd**. Mae swm yr hydoddyn sy'n gallu cael ei hydoddi'n amrywio yn ôl y tymheredd. Mae dŵr poeth fel rheol yn hydoddi mwy o hydoddyn na dŵr oer. Y term am fàs o hydoddyn sy'n hydoddi mewn màs penodol o hydoddydd yw'r **hydoddedd**. Mae hydoddedd fel rheol yn cael ei roi mewn gramau o hydoddyn y 100g o ddŵr.

Gellir dangos sut mae hydoddedd yn amrywio yn ôl y tymheredd fel cromlin hydoddedd. Mae Ffigur 8.35 yn dangos cromliniau ar gyfer sodiwm clorid a photasiwm clorad. Sylwch nad yw hydoddedd halen (sodiwm clorid) yn newid llawer wrth i'r tymheredd godi.

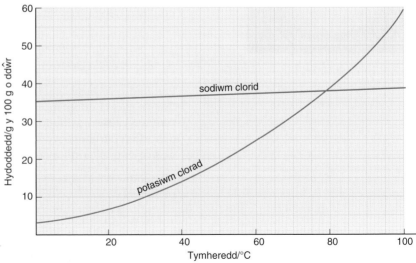

Ffigur 8.35 Cromliniau hydoddedd ar gyfer sodiwm clorid a photasiwm clorad

Tabl 8.7 Data hydoddedd ar gyfer potasiwm nitrad

Tymheredd (°C)	Hydoddedd (g/100 g o ddŵr)
0	13.9
10	21.2
20	31.6
30	45.3
40	61.4
50	83.5
60	106.0
70	135.0
80	167.0
90	203.0
100	245.0

Gweithgaredd

Ceisiwch blotio'r gromlin hydoddedd ar gyfer potasiwm nitrad, KNO_3. Mae'r data yn Nhabl 8.7.

Crynodeb

1 Mae haearn yn cael ei echdynnu o fwyn haearn trwy ei rydwytho mewn ffwrnais chwyth. Mae mwyn haearn (haearn(III) ocsid), golosg a chalchfaen yn cael eu llwytho ym mhen uchaf y ffwrnais. Mae aer poeth yn cael ei chwythu i mewn o waelod y ffwrnais. Mae gwres yn cael ei gynhyrchu gan ocsigen yn yr aer yn llosgi'r golosg. Mae carbon monocsid yn ffurfio ac mae hwn yn tynnu'r ocsigen o'r haearn(III) ocsid i ffurfio haearn tawdd.

2 Mae haearn crai o ffwrnais chwyth yn cynnwys llawer o garbon (hyd at 4%). Gellir trawsnewid yr haearn crai yn ddur mwy defnyddiol trwy dynnu rhywfaint o'r carbon. Mae'n bosibl gwneud aloion defnyddiol trwy ychwanegu elfennau eraill at ddur. Mae dur yn cael ei ailgylchu ar raddfa fawr.

3 Mae electrolysis yn effaith gemegol sy'n cael ei achosi gan gerrynt trydan. Enw'r hylif sy'n cael ei electroleiddio yw'r electrolyt. Mae'r trydan yn mynd i'r electrolyt trwy ddau electrod. Yr electrod positif yw'r anod a'r electrod negatif yw'r catod.

4 Mae alwminiwm yn fetel adweithiol sy'n cael ei gynhyrchu trwy electrolysis. Y defnyddiau crai yw bocsit a chryolit ar gyfer yr electrolyt a charbon ar gyfer yr anodau. Mae angen llawer iawn o drydan rhad ar gyfer y broses hon.

5 Mae alwminiwm yn fetel ysgafn â chryfder tynnol uchel. Mae ei briodweddau o ran dargludo gwres a thrydan yn ei wneud yn ddefnyddiol. Mae ailgylchu alwminiwm yn ddarbodus iawn.

6 Mae copr yn cael ei ddefnyddio'n helaeth oherwydd ei fod yn ddargludydd da iawn o wres a thrydan ac mae'n hawdd ei ffurfio yn wifrau a pheipiau.

7 Mae titaniwm yn fetel gwydn ysgafn sy'n gwrthsefyll cyrydu ac mae'n cael ei ddefnyddio mewn diwydiannau awyrennau a meddygaeth.

8 Mae canlyniadau amgylcheddol yn aml yn deillio o fwyngloddio ac echdynnu metelau.

9 Mae angen deall manteision ac anfanteision economaidd y fath brosesau.

10 Mae'n bosibl trefnu metelau yn ôl eu hadweithedd; **cyfres adweithedd** yw'r drefn hon. Mae'r metelau mwyaf adweithiol yn adweithio'n hawdd â'r atmosffer.

11 Adweithio â'r atmosffer yw sail cyrydu. Mae cyrydu'n costio arian. Mae haearn a dur yn cyrydu i ffurfio rhwd. Rhaid amddiffyn ceir, pontydd a phlatfformau olew i atal cyrydu. Mae llawer o ffyrdd i atal rhydu, gan gynnwys peintio, gorchuddio ag olew, a galfanu. Mae'n bosibl amddiffyn

adeileddau mawr, megis llwyfannau olew, trwy eu cysylltu â metel mwy adweithiol sy'n cyrydu'n aberthol, gan warchod haearn a dur y llwyfan.

12 Gellir gwneud cyfrifiadau cemegol trwy ddefnyddio gwerthoedd masau atomig cymharol. Mae gwybod am gyfansoddiad cyfansoddyn, yn ôl y màs, yn galluogi cyfrifo'r fformiwla empirig. Mae **economi atomau** adwaith yn bwysig wrth bennu pa mor effeithlon mae cynnyrch yn cael ei ffurfio o fasau'r holl adweithyddion.

13 Dylai pob proses gemegol gael yr effaith leiaf ar yr amgylchedd.

14 Mae'r cyflenwad dŵr cyhoeddus yn casglu dŵr o afonydd, cronfeydd dŵr a ffynhonnau, ac yn ei buro. Mae dŵr yfed yn cael ei ddiheintio trwy ychwanegu clorin. Mae rhai awdurdodau dŵr yn ychwanegu ïonau fflworid i atal pydredd dannedd.

15 Yr enw ar ddŵr sy'n cynnwys ïonau calsiwm a magnesiwm yw **dŵr caled**. Mae'n bosibl cael gwared â chaledwch dros dro trwy ferwi. Mae'n bosibl cael gwared â chaledwch parhaol trwy ychwanegu soda golchi (sodiwm carbonad) at y dŵr, neu drwy gyfnewid ïonau. Mae dŵr caled fel rheol yn blasu'n well na dŵr meddal, ac mae'n cael ei ddefnyddio yn y diwydiant bragu. Mae dŵr caled yn gwastraffu sebon, ac yn achosi cen tegell a chen boeler.

16 Mae sylweddau sy'n hydoddi mewn dŵr yn cael eu disgrifio fel hydawdd. Dŵr yw'r hydoddydd, a'r cyfansoddyn yw'r hydoddyn. **Hydoddedd** yw màs yr hydoddyn sy'n hydoddi mewn màs penodol o hydoddydd ar dymheredd penodol i ffurfio hydoddiant dirlawn. Fel rheol mae'n cael ei fesur mewn gramau o hydoddyn y 100 g o hydoddydd. Mae cromlin hydoddedd yn dangos sut mae hydoddedd sylwedd yn amrywio yn ôl y tymheredd.

Pennod 9 Amonia a gwrteithiau, hydrocarbonau a pholymerau, defnyddiau clyfar

Erbyn diwedd y bennod hon dylech:

- wybod bod nitrogen yn hanfodol er mwyn i blanhigion dyfu'n iachus;
- gwybod bod nitrogen yn elfen anadweithiol nad yw'n bosibl i blanhigion ei defnyddio'n uniongyrchol;
- gwybod bod angen gwrteithiau nitrogenaidd ar amaethyddiaeth fodern;
- gwybod bod rhai adweithiau'n gildroadwy;
- gwybod bod nitrogen yn cael ei drawsnewid yn amonia gan adwaith cildroadwy â hydrogen;
- deall bod cynnyrch amonia yn ystod y broses weithgynhyrchu yn dibynnu ar yr amodau;
- gwybod bod amonia yn hydawdd iawn mewn dŵr ac yn ffurfio alcali gwan;
- gwybod bod yr adwaith rhwng amonia ac asid sylffwrig yn creu'r gwrtaith amoniwm sylffad;
- gwybod bod gwrthdaro rhwng defnyddio gwrteithiau nitrogenaidd a rhai agweddau ar yr amgylchedd;
- deall rhai o adweithiau cyfansoddion amoniwm a'r nwy amonia;
- deall natur yr hydrocarbonau alcan ac alcen;
- deall hylosgiad alcanau;
- deall cracio alcanau i wneud moleciwlau mwy defnyddiol ac alcenau;
- gwybod natur rhai polymerau a sut maen nhw'n cael eu cynhyrchu;
- deall y gwahaniaeth rhwng polymerau thermoplastig a pholymerau thermosodol (thermosetiau);
- gwybod ym mha ffyrdd y mae rhai polymerau cyffredin yn cael eu defnyddio;
- gwybod am ddefnyddiau clyfar.

Amonia a gwrteithiau

Nitrogen, amonia a gwrteithiau

Wyddoch chi?

Datblygodd yr Almaenwr Fritz Haber (gw. Ffigur 9.1) y broses ar gyfer trawsnewid nitrogen yn amonia. Un o'r cynhyrchion sy'n cael ei wneud o amonia yw asid nitrig, ac o hwnnw mae'n bosibl gwneud ffrwydron. Oherwydd y dull newydd hwn o gynhyrchu cyfansoddion nitrogen nid oedd angen mewnforio solpitar Chile (sodiwm nitrad) a solpitar (potasiwm nitrad).

Ffigur 9.1 Fritz Haber

Ffigur 9.2 Gwenith yn dangos diffyg nitrogen

Y nwy nitrogen yw tua phedair rhan o bump o atmosffer y Ddaear. Mae nitrogen yn nwy anadweithiol, ac ni all planhigion ei ddefnyddio'n uniongyrchol. Mae planhigion yn cael nitrogen trwy amsugno nitradau trwy eu gwreiddiau. Mae nitrogen yn mynd i system y pridd yn naturiol trwy:

- stormydd mellt a tharanau pan fydd ocsigen a nitrogen yn cyfuno
- bacteria mewn planhigion codlysol megis meillion
- hindreuliad creigiau
- carthion anifeiliaid
- pydredd defnyddiau planhigol ac anifeilaidd.

I gael cynnyrch uchel o gnydau mewn amaethyddiaeth fodern, mae angen gwrteithiau nitrogen, ac mae rhaid gweithgynhyrchu'r rhain (gw. Ffigur 9.2). (Mae'n well gan ffermwyr organig ddefnyddio gwrteithiau naturiol yn hytrach na rhai synthetig.) Mae hyn yn golygu bod angen trawsnewid nitrogen o'r aer yn gyfansoddion nitrogen. Y term am drawsnewid nitrogen atmosfferig yn gyfansoddion nitrogen trwy unrhyw ddull yw **sefydlogiad nitrogen**.

Gwneud amonia

Mae rhai adweithiau'n gallu mynd i'r naill gyfeiriad neu'r llall, yn dibynnu ar yr amodau. Os caiff grisialau copr sylffad glas eu gwresogi'n raddol, yn y diwedd maen nhw'n troi'n wyn, ac mae dŵr yn cael ei ryddhau. Pan gaiff dŵr ei ychwanegu at y gweddill gwyn, mae'n troi'n las unwaith eto.

$$CuSO_4.5H_2O \rightleftharpoons CuSO_4 + 5H_2O$$
$$\text{glas} \qquad \text{gwyn}$$

(Yr arwydd sy'n dangos bod yr adwaith yn **gildroadwy** yw'r $\rightleftharpoons$.)

Mae'r adwaith rhwng nitrogen a hydrogen yn adwaith cildroadwy. Mae'r adwaith hwn yn bwysig iawn, gan ei fod yn golygu ei bod yn bosibl trawsnewid nitrogen o'r aer yn amonia, a dyma **broses Haber**. Amonia yw ffynhonnell llawer o gyfansoddion pwysig sy'n cynnwys nitrogen.

$$\text{nitrogen} + \text{hydrogen} \rightleftharpoons \text{amonia}$$
$$N_2(n) + 3H_2(n) \rightleftharpoons 2NH_3(n)$$

O'r atmosffer y daw'r nitrogen ar gyfer proses Haber. Ffynhonnell yr hydrogen fel rheol yw methan (nwy naturiol) neu'r ffracsiwn nafftha sy'n dod o ddistyllu ffracsiynol petroliwm. Mae angen amodau arbennig ar gyfer yr adwaith sy'n ffurfio amonia. Defnyddir gwasgedd o 200–300 atm (atmosfferau) ynghyd â thymheredd o tua 450 °C a chatalydd haearn. Mae'r amonia yn cael ei symud o'r system cyn gynted ag y mae'n ffurfio. Dim ond canran bach sy'n cael ei drawsnewid, a rhaid ailgylchu'r nwyon sydd heb eu defnyddio.

Yn ddiweddar, mae catalydd newydd wedi cael ei gyflwyno. Mae'r catalydd hwn wedi ei wneud o rwtheniwm sy'n cael ei gynnal ar arwyneb graffit. Mae hwn yn fwy effeithlon na chatalydd haearn, ac yn golygu bod modd defnyddio gwasgedd is. Mae un ffynhonnell o'r UD yn awgrymu y bydd yn bosibl defnyddio gwasgedd mor isel â 40 atm.

Gellir gweld y dewis o amodau yn ystod y broses o weithgynhyrchu amonia trwy edrych ar yr adwaith.

- Mae cynhyrchu amonia (gw. Ffigur 9.3) yn cynnwys adwaith cildroadwy lle mae llai o foleciwlau o gynnyrch nwyol nag o adweithyddion nwyol. Mewn achosion o'r fath, mae gwasgedd uchel o fantais i swm y cynnyrch. Fodd bynnag, rhaid cofio bod gweithfeydd cemegol gwasgedd-uchel yn ddrud iawn.

Ffigur 9.3 Gwaith amonia yn Trinidad

- Mae'r cyfuniad o hydrogen ac amonia yn ecsothermig. Mewn adweithiau cildroadwy ecsothermig o'r fath, mae tymheredd isel o fantais i swm uchel y cynnyrch. Mae tymereddau isel yn golygu bod adweithiau'n digwydd yn araf. Cyfaddawd yw'r tymheredd sy'n cael ei ddefnyddio (tua 450 °C).

- Mae catalydd yn cael ei ddefnyddio er mwyn i'r adwaith fynd yn gyflymach ar dymheredd penodol.

I grynhoi, er mwyn trawsnewid nitrogen a hydrogen yn amonia mae angen:

- gwasgedd uchel
- tymheredd mor isel â phosibl gyda chyfradd dda
- presenoldeb catalydd
- symud yr amonia wrth iddo gael ei ffurfio.

Rhai ffyrdd o ddefnyddio amonia

- **Amaethyddiaeth:** Mae amonia yn cael ei ddefnyddio i wneud gwrteithiau fel amoniwm sylffad ac amoniwm nitrad. Mae'n bosibl ei daenu'n uniongyrchol ar y pridd neu ei ddefnyddio i wneud wrea.
- **Gweithgynhyrchu asid nitrig:** Mae asid nitrig yn rhyngolyn pwysig wrth gynhyrchu ffrwydron a'r gwrtaith amoniwm nitrad.
- **Gweithgynhyrchu neilon:** Mae neilon yn bolyamid, ac mae cyfran sylweddol o'r amonia sy'n cael ei gynhyrchu yn mynd i weithgynhyrchu polyamidau.
- **Gweithgynhyrchu sodiwm carbonad:** Mae sodiwm carbonad, neu soda golchi, yn cael ei ddefnyddio mewn llawer o ddiwydiannau, gan gynnwys gwneud gwydr.

Gwrteithiau nitrogenaidd: manteision ac anfanteision

I gynyddu cynnyrch cnydau, mae ffermwyr yn ychwanegu gwrteithiau at y pridd i gymryd lle'r nitrogen sydd wedi cael ei ddefnyddio gan gnydau blaenorol. Mae gwrteithiau nitrogenaidd sy'n cael eu cynhyrchu o amonia yn gymharol rad. Yn aml, mae'r cyfansoddyn nitrogen yn cael ei gymysgu â chyfansoddion sy'n cynnwys ffosfforws a chyfansoddion sy'n cynnwys potasiwm i ffurfio gwrteithiau NPK cytbwys. Mae gorddefnyddio gwrteithiau nitrogenaidd yn gallu niweidio'r amgylchedd.

Mae gormodedd gwrtaith yn gallu cael ei hydoddi gan law a'i olchi i'r nentydd. Unwaith ei fod mewn nentydd, afonydd a llynnoedd, mae'n achosi **ewtroffigedd**. Mae cyfansoddion nitrogen yn hybu twf planhigion ac algâu yn y dŵr. Mae'r algâu'n tyfu'n gyflym i ffurfio carped glas-gwyrdd o'r enw blŵm algaidd. Er bod y planhigion dŵr a'r algâu yn cael eu bwyta gan rai creaduriaid dŵr, mae gormod o blanhigion ac algâu ac mae llawer yn marw. Mae'r algâu marw yn cael eu dadelfennu gan facteria sy'n defnyddio ocsigen yn y broses. Mae hyn yn golygu bod y dŵr yn colli ei ocsigen, ac mae pysgod ac anifeiliaid uwch eraill fel cramenogion yn marw trwy fygu.

Mae presenoldeb nitradau o wrteithiau nitrogenaidd mewn dŵr yfed yn beryglus iawn. Nid yw'r puro dŵr arferol yn cael gwared â'r nitradau. Mewn crynodiadau uchel, maen nhw'n ffurfio cemegion gwenwynig yn y corff sy'n gallu achosi canserau. Mae rhaid cymryd gofal i atal defnyddio gormod o wrteithiau.

Mae ffermwyr organig yn tueddu i osgoi gwrteithiau synthetig ac i ddibynnu'n fwy ar dail naturiol a chylchdro cnydau. Mae plannu caeau o feillion yn gallu adfer nitrogen trwy sefydlogiad bacteriol (gw. cylchred nitrogen, Pennod 4).

Gwrteithiau nitrogenaidd (gorddefnydd): www.bbc.co.uk/schools

Peidiwch â chymysgu'r geiriau *amonia* ac *amoniwm*. Amonia yw'r cyfansoddyn sydd â'r fformiwla NH_3, ac mae'n nwy. Amoniwm yw'r ïon amoniwm, NH_4^+, ac mae'n digwydd mewn cyfansoddion neu hydoddiannau yn unig.

Amonia a dŵr

Gwaith ymarferol

Arbrawf ffynnon

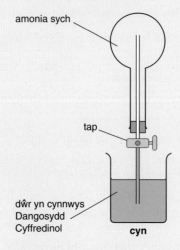

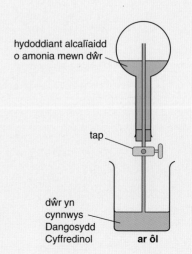

Ffigur 9.4 Arbrawf ffynnon

Mae amonia yn hynod hydawdd mewn dŵr. Gellir arddangos hyn trwy arbrawf o'r enw yr arbrawf ffynnon (gw. Ffigur 9.4).

Dull

1 Llenwch y fflasg uwch ag amonia sych, a chaewch y tap.

2 Trochwch ben y tiwb mewn dŵr sy'n cynnwys dangosydd cyffredinol, a bydd gan hwnnw liw gwyrdd hydoddiant niwtral.

3 Agorwch y tap.

4 Bydd rhywfaint o'r amonia yn dechrau hydoddi yn y dŵr. Gan ei fod yn hydawdd iawn, bydd hyn yn achosi i'r gwasgedd yn y fflasg leihau.

5 Yna bydd gwasgedd atmosfferig yn gorfodi hylif o'r bicer i fyny i'r fflasg ar ffurf ffynnon, gan hydoddi'r cyfan bron o'r amonia.

6 Ar yr un pryd, bydd lliw'r hylif yn y fflasg yn newid i las-porffor, gan ddangos bod yr hydoddiant yn y fflasg yn alcalïaidd.

Adwaith rhwng amonia a dŵr

Mae'r arbrawf ffynnon yn dangos bod hydoddiant dyfrllyd o amonia yn alcalïaidd. Mae alcalïau'n cynnwys ïonau hydrocsid, OH⁻. Felly mae rhaid i'r amonia adweithio â'r dŵr.

$$\text{amonia} \quad + \quad \text{dŵr} \quad \rightleftharpoons \quad \text{ïonau amoniwm} \quad + \quad \text{ïonau hydrocsid}$$
$$NH_3(n) \quad + \quad H_2O(h) \quad \rightleftharpoons \quad NH_4^+(d) \quad + \quad OH^-(d)$$

Rydym ni'n gwybod nad yw'r amonia i gyd yn adweithio, oherwydd bod gan hydoddiant o amonia bob amser arogl o nwy amonia. Yr enw ar alcalïau o'r math hwn yw *alcalïau gwan*.

Niwtraleiddio

Y term am yr adwaith rhwng asid ac alcali, neu fas, yw niwtraleiddio, a'r cynhyrchion yw halwyn a dŵr. Pan gaiff hydoddiant amonia ei niwtraleiddio gan asid, mae halwynau **amoniwm** yn ffurfio.

hydoddiant amonia + asid sylffwrig → amoniwm sylffad + dŵr
hydoddiant amonia + asid nitrig → amoniwm nitrad + dŵr

Mae amoniwm sylffad ac amoniwm nitrad yn cael eu cynhyrchu fel gwrteithiau masnachol.

Adnabod cyfansoddyn amoniwm

Mae pob cyfansoddyn amoniwm yn cynnwys yr ïon amoniwm NH_4^+. Pan gaiff ïonau amoniwm eu gwresogi gyda hydoddiant sodiwm hydrocsid, maen nhw'n ffurfio'r nwy amonia a dŵr.

sodiwm + amoniwm → sodiwm clorid + amonia + dŵr
hydrocsid clorid

Mae gan nwy amonia arogl cryf nodweddiadol. Yn gemegol, mae amonia'n cynhyrchu alcali wrth gael ei hydoddi mewn dŵr, ac felly mae'n bosibl ei ganfod trwy ei effaith ar bapur litmws coch **llaith**. Mae'r papur litmws coch yn troi'n las.

Mae amonia'n cael ei ffurfio o wrea mewn troeth, ac mae i'w ganfod pan gaiff cewynnau babanod eu newid.

Hydrocarbonau a pholymerau

Alcanau

Yn ein bywyd pob dydd rydym ni'n defnyddio llawer o ddefnyddiau sy'n bolymerau. Mae'r rhain yn gemegion sy'n deillio o betroliwm (olew crai) ac sy'n cael eu defnyddio i wneud ffibrau ar gyfer tecstilau a nifer mawr o weithgynhyrchion sy'n cael eu disgrifio'n llac fel 'plastigion'. Sail polymerau yw cemegion sy'n cael eu ffurfio o gydrannau olew crai o'r enw **alcanau**.

Mae'r alcanau yn hydrocarbonau, a gellir eu cynrychioli gan y fformiwla $C_nH_{(2n+2)}$, lle mae gan n y gwerth 1, 2, 3, 4, ayyb. Mae alcanau'n cael eu cynhyrchu gan ddistyllu ffracsiynol olew crai mewn purfa olew (gw. Ffigurau 9.5 a 9.6).

Ffigur 9.5 Purfa olew Texaco ym Mhenfro

Yn y cyfansoddion hyn, mae'r bondiau rhwng atomau carbon ac atomau hydrogen a rhwng dau atom carbon yn fondiau cofalent sy'n cynnwys pâr o electronau wedi'u rhannu. Gallwn gynrychioli pob moleciwl gan **fformiwla adeileddol** sy'n dangos y bondiau cofalent fel llinellau.

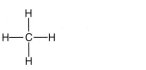

Ffigur 9.7 Methan, CH_4 Ffigur 9.8 Ethan, C_2H_6

Ffigur 9.6 Purfa olew Aberdaugleddau

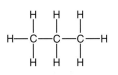

Ffigur 9.9 Propan, C_3H_8

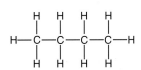

Ffigur 9.10 Bwtan, C_4H_{10}

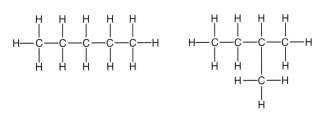

Ffigur 9.11 Pentan, C_5H_{12} (ar y chwith) a 2-methyl bwtan, C_5H_{12} (ar y dde)

Mae Ffigurau 9.5–9.9 yn dangos yr alcanau sydd ag 1–5 atom carbon. Sylwch fod yr alcan sydd â phum atom carbon yn cael ei ddangos gan ddwy fformiwla adeileddol wahanol. **Isomer adeileddol** yw'r term am y ddau hyn.

Hydrocarbonau dirlawn

Yr enw ar alcanau sy'n cynnwys un bond unigol rhwng atomau carbon yw **hydrocarbonau dirlawn**. Mae'r alcanau fel rheol yn hydrocarbonau anadweithiol. Y ffordd fwyaf cyffredin o'u defnyddio yw fel tanwyddau, ac felly maen nhw'n cael eu hylosgi.

Methan yw prif ansoddyn nwy naturiol. Mae hylosgiad cyflawn methan yn rhyddhau carbon deuocsid a dŵr.

$$\text{methan} + \text{ocsigen} \rightarrow \text{carbon deuocsid} + \text{dŵr}$$
$$CH_4 + 2O_2 \rightarrow CO_2 + 2H_2O$$

Mae bwtan yn cael ei ddefnyddio mewn nwy gwersylla

$$2C_4H_{10} + 13O_2 \rightarrow 8CO_2 + 10H_2O$$

Gwneud polymerau

Mae'n bosibl torri i lawr lawer o'r moleciwlau hydrocarbon alcan dirlawn sy'n dod o ddistyllu ffracsiynol mewn purfa olew yn foleciwlau llai, mwy defnyddiol. Caiff hyn ei wneud trwy wresogi'r moleciwlau ym mhresenoldeb catalydd, a'r term am hyn yw **cracio**. Ymhlith cynhyrchion cracio y mae moleciwlau bach (**alcenau**) sy'n cael eu defnyddio i wneud **polymerau**.

Mae decan yn alcan gyda'r fformiwla $C_{10}H_{22}$. Gellir dangos cracio decan (gw. Ffigur 9.12) fel hafaliad.

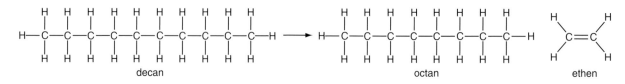

decan

octan   ethen

Ffigur 9.12 Cracio decan

$$\text{decan} \rightarrow \text{octan} + \text{ethen}$$
$$C_{10}H_{22}(h) \rightarrow C_8H_{18}(h) + C_2H_4(n)$$

Mae'n bosibl defnyddio octan wrth weithgynhyrchu petrol, a defnyddio ethen ar gyfer gwneud nifer mawr o gemegion, gan gynnwys polymerau. Mae'r galw diwydiannol am ethen ac octan yn fawr iawn, ac felly mae cracio yn gydran bwysig o'r diwydiant petrocemegol.

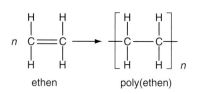

(a)   (b)

Ffigur 9.13 Ethen: (a) model o foleciwl, (b) fformiwla adeileddol

Mae ethen yn foleciwl adweithiol iawn oherwydd bod ganddo fond dwbl carbon–carbon (gw. Ffigur 9.13).

Mae'n cael ei ddisgrifio fel **annirlawn**.

Mae moleciwlau adweithiol bach fel ethen yn gallu adweithio i ffurfio moleciwlau mawr iawn o'r enw **polymerau**. Yr enw ar y moleciwlau bach sy'n cyfuno i ffurfio polymer yw **monomerau**.

Mae monomerau fel ethen yn ffurfio **polymerau adio**. Mae polymerau adio'n cael eu ffurfio o un math o fonomer. Mae'r monomer ethen yn ffurfio'r polymer poly(ethen) neu bolythen (gw. Ffigur 9.14).

$$nC_2H_4 \rightarrow (C_2H_4)_n$$

ethen   poly(ethen)

Ffigur 9.14 Ffurfio polymerau adio (mae n yn rhif mawr)

Mae polymerau adio eraill sy'n cael eu gwneud o gyfansoddion sy'n deillio o ethen, ac maen nhw i gyd yn bolymerau pob dydd defnyddiol.

Mae poly(tetrafflworoethen) neu PTFE yn anfflamadwy, a'r ffordd fwyaf cyffredin o'i ddefnyddio yw fel arwyneb gwrthlud ar gyfer sosbenni a phedyll ffrio (gw. Ffigur 9.15).

Mae poly(cloroethen) neu bolyfinylclorid neu PVC yn gryf ac ysgafn, ac mae'n cael ei ddefnyddio i wneud cafnau a fframiau ffenestri a drysau (gw. Ffigurau 9.16 and 9.17). Pan gaiff PVC ei gymysgu â chemegion eraill o'r enw plastigyddion, mae'n mynd yn hyblyg, ac yn gallu cael ei ddefnyddio i wneud lledr synthetig, haenen lynu, ac ynysiad ar gyfer ceblau trydan.

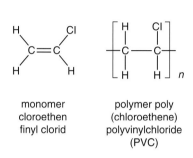

monomer tetrafflworoethen
polymer tetrafflworoethen (PTFE)

Ffigur 9.15 Poly(tetrafflworoethen)

monomer cloroethen finyl clorid
polymer poly (chloroethene) polyvinylchloride (PVC)

Ffigur 9.16 Poly(cloroethen) neu bolyfinylclorid

Ffigur 9.17 Cafn PVC

Polymerau cyddwyso

Yn wahanol i bolymerau adio, mae **polymerau cyddwyso** yn cael eu gwneud o ddau fonomer gwahanol. Mae hyn yn golygu bod eu hadeileddau o'r math canlynol.

–A–B–A–B–A–B–A–B–A–B–A–B–A–B–A–B–

Mae gan bolymerau adio, sy'n cael eu gwneud o un monomer, yr adeiledd canlynol.

–A–A–A–A–A–A–A–A–A–A–A–A–A–A–A–A–A–

Ymhlith y polymerau cyddwyso y mae polyamidau a pholyesterau, ac mae'n bosibl gwneud ffibrau ar gyfer tecstilau o'r ddau ohonynt. Pan fydd dau fonomer yn cyfuno i ffurfio polymer cyddwyso, bydd moleciwl bach megis dŵr yn ffurfio wrth i'r adwaith ddigwydd. Dywedwn fod y moleciwl dŵr yn cael ei ddileu.

Gwaith ymarferol

Gwneud neilon yn y labordy

Yr enw ar yr arbrawf hwn weithiau yw'r 'tric rhaff neilon'. (Gw. Ffigurau 9.18 and 9.19.) Fel rheol mae'n cael ei arddangos gan athro/athrawes, am resymau diogelwch.

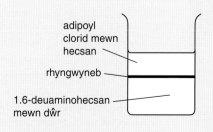

adipoyl clorid mewn hecsan
rhyngwyneb
1.6-deuaminohecsan mewn dŵr

Ffigur 9.18 Gwneud neilon 6,6 yn y labordy

Ffigur 9.19 Ffurfio neilon 6,6

Dull

1 Cymerwch ficer a rhoi ynddo hydoddiant o 1,6-deuaminohecsan wedi'i hydoddi mewn dŵr.

2 Ychwanegwch yn ofalus hydoddiant o adipoyl clorid mewn hecsan. (Fodd bynnag, nodwch fod yr hydoddiant hwn yn niweidiol ac yn fflamadwy iawn. Mae cylchohecsan yn hydoddydd llai peryglus na hecsan.) Nid yw hecsan a dŵr yn cymysgu, ac felly mae dwy haen. Y term am y pwynt lle mae arwynebau'r ddwy haen yn cwrdd yw'r rhyngwyneb.

3 Mae'r cemegion yn adweithio wrth y rhyngwyneb i ffurfio polymer, neilon-6,6. Mae modd tynnu hwn allan gan ddefnyddio rhoden wydr. Yna mae mwy o bolymer yn ffurfio, fel ei bod yn bosibl dirwyn llinyn o bolymer o gwmpas y rhoden wydr. Yr enw ar y polymer hwn yw neilon-6,6, oherwydd bod y ddau fonomer yn cynnwys chwe atom carbon y moleciwl.

Ffigur 9.20 Radios y 1950au gyda chasys Bakelite

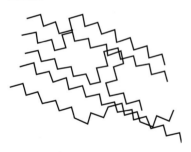

Ffigur 9.21 Cadwynau polymer mewn thermoplastig: does dim bondiau cryf rhwng y cadwynau.

Her defnyddiau:
www.sciencemuseum.org.uk/
on-line/challenge/

Ffigur 9.22 Cynwysyddion polythen

Mae'r neilonau a'r polyesterau yn bolymerau cyddwyso synthetig. Mae moleciwlau cadwyn-hir tebyg yn bodoli'n naturiol. Dwy enghraifft yw proteinau a startsh. Gellir ystyried proteinau fel polymerau cyddwyso o asidau α-amino, ac mae startsh yn gyfres hir o unedau carbohydrad yn cynnwys chwe atom carbon, $(C_6H_{10}O_5)_n$.

Effaith gwres ar blastigion

Mae'n bosibl eich bod wedi sylwi bod rhai polymerau, megis polythen, yn mynd yn feddal wrth gael eu gwresogi ac yn mynd yn galed eto wrth gael eu hoeri. Mae plastigion eraill, megis y rheini sy'n cael eu defnyddio i wneud coesau sosbenni, yn wrthiannol i wres. Yr enw ar blastigion sy'n meddalu wrth gael eu gwresogi yw plastigion thermofeddalu, neu **thermoplastigion**. Yr enw ar y plastigion hynny sy'n wrthiannol i wres yw plastigion thermosodol, neu **thermosetiau**. Mae thermoplastigion yn cael eu defnyddio'n helaeth ar gyfer cynwysyddion cartref megis powlenni a bwcedi, ac ar gyfer defnydd lapio. Mae thermosetiau'n cael eu defnyddio ar gyfer ffitiadau goleuadau trydan, coesau sosbenni, a chynhyrchion eraill lle mae gwrthiant i wres yn bwysig.

Gellir egluro'r gwahaniaeth yn ymddygiad y ddau fath hyn o bolymer yn nhermau eu hadeileddau. Mae thermoplastigion wedi eu gwneud o gadwynau polymer sy'n atynnu ei gilydd â grymoedd sy'n wannach na'r bondiau cofalent sy'n dal y cadwynau o atomau at ei gilydd. Gellir dychmygu bod y cadwynau'n annibynnol, ac wrth eu gwresogi, mae'r cadwynau'n gallu llithro dros ei gilydd, gan achosi meddalu (gw. Ffigur 9.21). Mewn thermosetiau, mae'r cadwynau polymer wedi eu cysylltu mewn adeiledd tri dimensiwn gan fondiau cofalent cryf. Nid yw gwres cymedrol yn effeithio ar yr adeiledd hwn, ac felly mae'r plastig yn wrthiannol i wres.

Ffyrdd o ddefnyddio poly(ethen), sef polythen

Mae polythen yn ddefnydd defnyddiol iawn. Dyma rai ffyrdd mae'n cael ei ddefnyddio:

- defnydd pacio, er enghraifft ffilm polythen ar gyfer bagiau brechdan a haenen lynu a defnydd lapio poeth
- cynwysyddion ar gyfer hylifau cartref, er enghraifft poteli meddal (gw. Ffigur 9.22)
- ynysiad trydanol
- rhwystrau lleithder mewn adeiladu.

Manteision ac anfanteision polymerau o'u cymharu â defnyddiau traddodiadol

Mae polymerau'n amlbwrpas fel y mae'r defnydd helaeth o blastigion yn ei ddangos. Maen nhw'n rhad, mae'n hawdd eu ffurfio yn siapiau cymhleth, nid yw dŵr yn effeithio arnynt, ac maen nhw'n ysgafn a chryf. Mae hyn yn golygu eu bod yn addas i'w defnyddio mewn amrywiaeth fawr o ffyrdd.

Yn wahanol i fetelau fel haearn, nid yw plastigion yn cyrydu, ac nid ydyn nhw'n dargludo trydan. Mae plastigion tryloyw fel Perspex yn llai brau na gwydr. Mae teganau a chyfarpar chwarae awyr agored yn aml yn cael eu gweithgynhyrchu o blastigion yn lle pren a metel.

Er bod plastigion yn deillio o gyfansoddion petroliwm, sy'n adnodd anadnewyddadwy, mae cyfanswm yr egni a ddefnyddir wrth weithgynhyrchu eitem blastig yn gallu bod yn llai na'r egni sydd ei angen wrth ddefnyddio defnydd traddodiadol. Mae hyn yn arbennig o wir mewn perthynas â photeli gwydr a phlastig.

Hyd yma, prif anfantais defnyddiau polymerig fu eu hirhoedledd yn yr amgylchedd. Mae rhai plastigion wedi cael eu gwneud sy'n diraddio dan ddylanwad golau uwchfioled yn yr heulwen. Fodd bynnag, mae polymerau fel rheol yn anfioddiraddadwy.

Mae sbwriel plastig ar hyd bron pob traethlin. Mae hyn yn broblem ledled y byd, ac mae'n lladd llawer o anifeiliaid (gw. Ffigur 9.23). Mae pren a chardbord yn cael eu diraddio'n gyflym gan ficro-organebau. Mae ailgylchu polymerau'n hanfodol er mwyn cynnal amgylchedd glân.

Ffigur 9.23 Sbwriel plastig yn rhoi draenog mewn perygl

Defnyddiau clyfar

Mae defnyddiau clyfar yn ddefnyddiau newydd sydd â phriodweddau sy'n newid yn gildroadwy wrth fod newid yn amgylchoedd y defnydd, er enghraifft anffurfiad mecanyddol a newidiadau mewn tymheredd, golau a pH.

- **Polymerau cofio-siâp:** Mae'r polymerau hyn rywle rhwng thermoplastigion a thermosetiau. Pan gaiff ei wresogi, mae'r polymer yn meddalu, ac mae'n bosibl ei estyn neu ei anffurfio. Wrth iddo oeri, mae'n aros yn y cyflwr anffurfiedig. Wrth iddo gael ei ail-wresogi, mae'n 'cofio' ei siâp gwreiddiol, ac yn mynd yn ôl iddo. Y term am y briodwedd hon yw *cadw'r siâp*. Mae cymwysiadau posibl yn cynnwys cyrff ceir plastig lle y gellir cael gwared â tholc trwy wresogi, a phwythau meddygol fydd yn addasu'n awtomatig i'r tyniant cywir a bod yn fioddiraddadwy, ac felly ni fydd angen eu tynnu allan yn llawfeddygol.

- **Paentiau a lliwiadau thermocromig:** Mae pobl yn gwybod am inc anweledig wedi'i wneud o hydoddiant cobalt(II) clorid ers amser maith. Wrth ei ddefnyddio ar bapur mae'r hydoddiant pinc bron yn anweladwy pan yw'n sych, ond mae'n troi yn las wrth ei wresogi. Yn fwy diweddar, mae moleciwlau organig cymhleth wedi cael eu gwneud sy'n gallu newid lliw dros amrediad tymheredd penodol. Cymwysiadau sydd eisoes yn cael eu cynhyrchu yw crysau T sy'n newid lliw yn ôl tymheredd y corff, a mygiau coffi sy'n gallu dangos tymheredd y ddiod maen nhw'n ei chynnwys.

- **Paentiau a lliwiadau ffotocromig:** Mae'r rhain yn cynnwys moleciwlau organig sy'n newid lliw wrth fod yn agored i olau, yn enwedig golau uwchfioled. Mae'r golau'n torri bond yn y moleciwl sydd wedyn yn ei aildrefnu ei hun yn foleciwl â lliw gwahanol. Pan gaiff ffynhonnell y golau ei symud, mae'r moleciwl yn mynd yn ôl i'w ffurf wreiddiol. Mae gwneuthurwyr fel rheol yn cynnig pedwar lliw sylfaenol, fioled, glas, melyn a choch, y mae'n bosibl gwneud lliwiau eraill trwy eu cymysgu.

- **Aloion cofio-siâp:** Mae gan rai aloion, yn enwedig rhai aloion nicel/titaniwm (a elwir NiTi neu nitinol yn aml) ac aloion copr/alwminiwm/nicel, ddwy briodwedd nodedig: ffug-elastigedd (maen nhw'n ymddangos fel eu bod yn elastig), a chof cadw'r siâp (pan fyddan nhw'n anffurfiedig, byddan nhw'n mynd yn ôl i'w siâp gwreiddiol ar ôl eu gwresogi). Mae cymwysiadau posibl yn cynnwys fframiau sbectol anffurfiadwy, platiau llawfeddygol ar gyfer uno toresgyrn (wrth i'r corff wresogi'r platiau, maen nhw'n rhoi mwy o dyniant ar y torasgwrn na phlatiau confensiynol), gwifrau llawfeddygol sy'n cymryd lle tendonau, thermostatau ar gyfer dyfeisiau trydanol fel potiau coffi, a'r diwydiant awyrennau (mae'n bosibl gwresogi gwifrau aloi cofio-siâp â cherrynt trydan a gwneud iddynt weithredu fflapiau adenydd fel dewis yn lle systemau hydrolig confensiynol).

- **Hydrogeliau:** Polymerau trawsgysylltiedig yw'r rhain. Maen nhw'n gallu amsugno neu allyrru dŵr dan ddylanwad ysgogiadau penodol, er enghraifft newid tymheredd, bod yn agored i belydriad isgoch, neu newid yn y pH. Mae natur agored yr adeiledd trawsgysylltiedig yn golygu bod dŵr (neu rai hydoddiannau dyfrllyd) yn gallu cael ei amsugno o fewn yr adeiledd gan achosi i'r adeiledd chwyddo. Mae newidiadau bach yn yr ysgogiadau yn rheoli maint y chwyddo neu'r crebachu. Mae cymwysiadau posibl yn cynnwys cyhyrau artiffisial, torbwynt dŵr tanddaear yn y diwydiant olew (gellir rheoli cyfaint y gel yn ôl y pH), ysgogiadau robotig (darganfuwyd eu bod yn fwy effeithiol nag aloion cofio-siâp mewn rhai achosion), a thai sy'n cael eu bygwth gan danau coedwigoedd (mae hydrogeliau'n gallu bod yn fwy effeithiol nag ewyn ymladd tân).

Aloion cofio-siâp (chwilio am *Shape memory alloys*):
www.cs.ualberta.ca

Cwestiynau

1 Enwch y broses isod.

Nodwch enwau **A** a **B**.

2 **Darllenwch hyn.** 'Mae amonia'n cael ei weithgynhyrchu o nitrogen a hydrogen. Mae'r adwaith yn un cildroadwy ac nid yw'r holl nitrogen a hydrogen yn adweithio. Mae nwyon sydd heb eu defnyddio'n cael eu hailgylchu. Mae angen tymheredd o tua 400 °C a gwasgedd o 200 o atmosfferau ar gyfer yr adwaith. Mae catalydd haearn yn cael ei ddefnyddio. Mae'r amonia'n cael ei symud wrth iddo ffurfio.'

a Nodwch ffynonellau'r hydrogen a'r nitrogen sy'n cael eu defnyddio wrth weithgynhyrchu amonia.

b Rhowch ystyron y canlynol:

i 'cildroadwy'

ii 'wedi'i ailgylchu'

iii 'catalydd'.

c Rhowch **ddwy** ffordd raddfa fawr o ddefnyddio amonia.

3 Enwch **dri** math o ddefnydd clyfar a rhowch **un** ffordd o ddefnyddio pob math o ddefnydd rydych chi'n ei ddewis.

Crynodeb

1 Mae angen nitrogen ar blanhigion iachus.

2 Mae nitrogen yn nwy anadweithiol, a rhaid ei 'sefydlogi' cyn y gall planhigion ei ddefnyddio.

3 Gall nitrogen gael ei sefydlogi gan nifer o brosesau naturiol a chan broses Haber.

4 Mae rhai adweithiau cemegol yn gildroadwy.

5 Mae'r adwaith rhwng nitrogen a hydrogen yn gildroadwy.

6 Mae angen amodau sy'n cael eu rheoli'n ofalus er mwyn cael y swm mwyaf o amonia ym mhroses Haber.

7 Mae amonia'n hydawdd iawn mewn dŵr ac yn ffurfio alcali.

8 Wrth fod alcalïau'n adweithio ag asidau, mae niwtraleiddio'n digwydd.

9 Mae'n bosibl adnabod halwynau amoniwm trwy eu gwresogi â hydoddiant sodiwm hydrocsid.

10 Mae nwy amonia yn troi papur litmws coch llaith yn las.

11 Mae alcanau yn hydrocarbonau dirlawn anadweithiol sy'n cynnwys bondiau unigol yn unig.

12 Mae alcenau yn hydrocarbonau annirlawn adweithiol sy'n cynnwys bond dwbl carbon–carbon.

13 Mae'n bosibl torri moleciwlau alcan mawr yn foleciwlau llai, mwy defnyddiol trwy gracio.

14 Mae cracio'n cynhyrchu alcenau y gellir eu defnyddio i wneud amrywiaeth fawr o gemegion, gan gynnwys polymerau.

15 Mae poly(ethen), PVC a PTFE yn bolymerau adio sy'n cael eu defnyddio'n gyffredin mewn llawer o ffyrdd.

16 Mae polymerau adio'n cael eu ffurfio o fonomer unigol, ond mae polymerau cyddwyso'n cael eu ffurfio o ddau fonomer gwahanol yr un pryd â dileu moleciwl bach, syml fel dŵr.

17 Mae rhai polymerau'n meddalu wrth gael eu gwresogi ac yn caledu wrth gael eu hoeri. Y term amdanynt yw thermoplastigion.

18 Y term am bolymerau nad ydynt yn cael eu meddalu gan wres yw thermosetiau. Mae'r polymerau hyn yn cael eu defnyddio mewn ffitiadau trydanol.

19 Mae defnyddiau modern o'r enw defnyddiau smart sy'n cael eu defnyddio mewn amrywiaeth o ffyrdd. Maen nhw'n cynnwys paentiau thermocromig, paentiau ffotocromig, aloion cofio-siâp, polymerau cofio-siâp, a hydrogeliau.

Pennod 10 Egni

Erbyn diwedd y bennod hon, dylech:

- ddeall pa fath o bethau sy'n dylanwadu ar y mathau o orsafoedd pŵer rydym ni'n eu hadeiladu;
- deall pwy sy'n penderfynu a ddylid adeiladu gorsafoedd pŵer newydd, er enghraifft ffermydd gwynt;
- gwybod pam mae angen peilonau a cheblau pŵer uwchben;
- gwybod pam mae pŵer yn cael ei drawsyrru ar folteddau uchel ond yn cael ei ddefnyddio ar folteddau isel;
- gwybod bod rhywfaint o'r egni a ddefnyddiwn yn cael ei wastraffu;
- gwybod y gallwn ddefnyddio llai o egni trwy wneud pethau mewn ffyrdd gwahanol;
- gwybod faint o egni trydanol rydym ni'n ei ddefnyddio yn y cartref;
- gwybod faint mae'n ei gostio;
- gwybod pa fath o wresogi yw'r mwyaf economaidd i'w ddefnyddio;
- gwybod a yw hi'n werth gosod ffynonellau egni amgen ar gyfer eu defnyddio yn y cartref;
- gwybod y gall gwres lifo o le i le;
- gwybod y gallwn helpu gwres i lifo ac y gall defnyddiau arbennig gadw'r gwres i mewn;
- gwybod y gallai fod yn gost effeithiol gosod gwydr dwbl ac ynysu'r atig.

Cynhyrchu trydan

Egni: gall defnyddio gormod ohono fod yn broblem

Mae gwyddonwyr a pheirianwyr wedi rhoi llawer o bethau i ni sy'n gwneud ein bywydau yn bleserus a chyffforddus. Rydym ni'n gynnes, ac mae gennym ddigon o fwyd. Mae teithio mewn car, ar y bws, ar y trên neu mewn awyren yn hawdd a rhad. I wneud hyn, rydym ni'n defnyddio egni, llawer iawn ohono, trwy losgi olew, glo a nwy. Mae llosgi'r tanwyddau hyn yn llygru'r amgylchedd a newid yr hinsawdd.

Beth sy'n digwydd i'r Ddaear?

Mae'r Ddaear yn cynhesu – yr enw ar hyn yw **cynhesu byd-eang**.

Gallai cynhesu byd-eang o tua 2 °C yn unig achosi problemau difrifol:

- Bydd mwy o ddiffeithdiroedd a bydd llai o dir ar gyfer tyfu bwyd: mae'r rhan fwyaf o dde Sbaen yn troi'n ddiffeithdir.
- Bydd ein tywydd yn fwy ffyrnig ac eithafol: mae llifogydd a sychder yn dod yn gyffredin.
- Bydd y gaeafau'n fwy cynnes. Mewn canolfannau sgïo yn yr Alpau, maen nhw'n gorfod defnyddio peiriannau gwneud eira yn llawer amlach. Cyn bo hir, ni fydd yna eira ar gyfer chwaraeon y gaeaf.

Adnoddau egni a throsglwyddo egni
www.bbc.co.uk/cymru/tgau/ffiseg

Ffigur 10.1 Siâp Prydain os bydd lefel y môr yn codi 10 m

* Mae'r capiau iâ yn Grønland, yr Arctig a'r Antarctig yn ymdoddi a lefelau'r môr yn codi. O ganlyniad, bydd llawer o ardaloedd isel y byd, gan gynnwys ardaloedd ym Mhrydain, yn mynd dan ddŵr (Ffigur 10.1).

* Gallai Prydain droi'n oer iawn. Cerrynt darfudiad enfawr yng Nghefnfor Iwerydd yw Llif y Gwlff, sy'n cadw Prydain tua 5–8 °C yn fwy cynnes na gwledydd eraill ar yr un lledred. Mae'n cario 27 000 gwaith yn fwy o wres na holl ffynonellau egni Prydain gyda'i gilydd. Os bydd y llenni iâ yn ymdoddi, byddan nhw'n gwanedu dŵr y môr a gallai hynny atal Llif y Gwlff yn llwyr. Petai hynny'n digwydd, gallai ein gaeafau ni fod cyn oered â Siberia.

Wyddoch chi?

Yn y deng mlynedd diwethaf, mae mwy nag un miliwn cilometr sgwâr o iâ yr Arctig wedi ymdoddi. Mae hynny'n ardal fwy na phum gwaith maint Prydain.

Beth sy'n achosi cynhesu byd-eang?

Tanwyddau ffosil yw olew, glo a nwy. Mae llosgi tanwyddau ffosil yn cynhyrchu carbon deuocsid ac yn cynyddu'r 'effaith tŷ gwydr' naturiol, gan wneud y Ddaear yn boethach (gw. yr adran am gynhesu byd-eang a nwyon tŷ gwydr ym Mhennod 6).

Yn y gorffennol, mae prosesau naturiol wedi cadw lefelau'r carbon deuocsid yn gytbwys. Ond, mewn ychydig ddegawdau, rydym ni wedi llosgi glo ac olew a fu'n ymffurfio am filiynau o flynyddoedd: mae hynny'n broblem. Rydym ni hefyd yn defnyddio mwy a mwy o danwyddau ffosil mewn gorsafoedd pŵer i gynhyrchu mwy o drydan.

Er mwyn lleihau cynhesu byd-eang, mae gwledydd diwydiannol wedi cytuno i leihau'r carbon deuocsid sy'n cael ei allyrru i 5% yn is na lefelau 1990 erbyn 2010. Ond mae hynny'n dasg anodd. Yn 2004 roedd cyfanswm yr allyriadau 26% yn uwch na lefelau 1990, sy'n gynnydd enfawr.

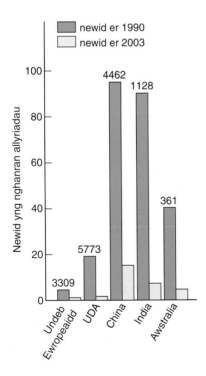

Ffigur 10.2 Mae allyrru carbon deuocsid (CO_2) yn cynyddu. Y rhif ar gyfer pob gwlad yw faint o garbon deuocsid a gafodd ei allyrru yn 2004, mewn miliynau o dunelli metrig.

Wyddoch chi?

Sut gallai teledu sgrin mawr fod yn ddrud iawn i'r Ddaear!

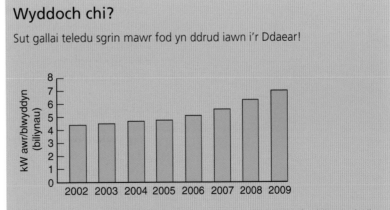

Ffigur 10.3 Cynnydd posibl yn faint o egni fydd yn cael ei ddefnyddio gan holl setiau teledu yr UDA, wrth i setiau newydd ddod yn fwy poblogaidd (yn ôl y *National Resources Defense Council*, sef sefydliad sy'n gweithredu dros yr amgylchedd yn America)

Gweithgareddau

1 Mae rhai pobl yn dadlau mai rhan o amrywiad naturiol mewn tymheredd yw'r newid yn nhymheredd y Ddaear. Rhannwch eich dosbarth yn ddau. Dylai un grŵp wneud ymchwil i gefnogi'r syniad mai newid naturiol yw hwn. Dylai'r grŵp arall ymchwilio er mwyn dadlau mai gorddefnyddio tanwyddau ffosil sy'n achosi'r newid. Gall y ddau grŵp ddefnyddio llyfrau a'r rhyngrwyd i ymchwilio. Yna rhaid paratoi a chyflwyno eich achos gan ddefnyddio uwchdaflunydd neu gyflwyniad PowerPoint. Peidiwch â defnyddio mwy na 400 gair.

2 Beth petai Llif cynnes y Gwlff yn diflannu? Beth allai ddigwydd i hinsawdd Prydain? A fydd yr hinsawdd yn cynhesu ynteu'n oeri? Beth fydd yn rhaid i ni ei wneud er mwyn cadw'n gynnes yn y gaeaf? Yn eich grŵp, eglurwch beth allai ddigwydd i fywyd ym Mhrydain petai cynhesu byd-eang yn parhau i gael mwy a mwy o effaith ar ein hinsawdd.

Cwestiynau

1 Beth sy'n achosi cynhesu byd-eang?

2 Pam mae'r byd yn defnyddio mwy a mwy o egni?

3 Edrychwch ar y graff yn Ffigur 10.2 ar dudalen 191 sy'n dangos allyriadau carbon deuocsid.
   a Pa wlad allyrrodd y mwyaf o garbon deuocsid yn 2004?
   b Pa wledydd sy'n dangos y cynnydd mwyaf o ran allyrru carbon deuocsid?
   c Ym mha wledydd y gallai'r cynhyrchu diwydiannol fod wedi cynyddu fwyaf?
   ch Er 1990 faint yw'r cynnydd yng nghanran allyriadau carbon deuocsid:
      i Awstralia?
      ii UDA?

Mae argyfwng egni ar ei ffordd

Rydym ni'n defnyddio mwy a mwy o danwyddau ffosil bob blwyddyn, ond yn y pen draw ni fydd dim ar ôl. Maen nhw'n **adnoddau anadnewyddadwy**. Os na allwn ni ddatblygu ffyrdd eraill o gynhyrchu trydan, bydd argyfwng egni.

- Erbyn 2020, bydd llawer o orsafoedd pŵer Prydain yn hen ac yn gorfod cau. Byddwn ni'n colli 45% o'n gallu i gynhyrchu trydan.

- Oherwydd cynlluniau'r Undeb Ewropeaidd (UE) i dorri allyriadau carbon deuocsid, erbyn 2012 bydd yn rhaid cau dwy ran o dair o'n gorsafoedd pŵer sy'n llosgi glo.

- Ar hyn o bryd mae gorsafoedd pŵer niwclear yn cynhyrchu 22% o'n trydan. Dydyn nhw ddim yn rhyddhau carbon deuocsid, ond maen nhw'n cynhyrchu gwastraff niwclear. Bydd pob un ond un wedi cau erbyn 2023. Nid oes gorsafoedd niwclear newydd ar y gweill ar hyn o bryd, ond mae'n bosibl y bydd y Llywodraeth yn penderfynu agor rhai newydd

- Mae disgwyl i nwy ddarparu 75% o drydan Prydain erbyn 2020, ond mae nwy Môr y Gogledd yn dod i ben. Yn y diwedd, bydd yn rhaid i 90% o'n cyflenwadau ddod o Rwsia ac Algeria. Mae'r bibell oddi yno yn hir ac mae perygl y gallai terfysgwyr ymosod arni.

- Gallai ffermydd gwynt gynhyrchu 20% o'n hanghenion trydan, ond nid yw'r gwynt yn ddibynadwy a byddai'n rhaid rhedeg gorsafoedd pŵer eraill drwy'r amser rhag ofn na fyddai'r gwynt yn chwythu.

Effeithlonrwydd egni

Un o'r pethau hawsaf y gallwn ei wneud i leihau faint o danwyddau ffosil sy'n cael eu llosgi yw defnyddio llai o egni a hefyd gynhyrchu trydan yn fwy effeithiol. Bob tro y mae egni'n cael ei drosglwyddo:

- Mae cyfanswm yr egni ar ôl trosglwyddo yn hafal i gyfanswm yr egni cyn y trosglwyddo. Dyma yw **deddf cadwraeth egni.**

- Yn aml, bydd rhywfaint o'r egni yn cael ei drosglwyddo i ffurf nad oes arnom ei hangen.

- Wrth ddefnyddio'r term **effeithlonrwydd egni**, rydym ni'n golygu pa mor effeithlon y mae'r egni yn cael ei drosglwyddo i'r math o egni rydym ni ei eisiau – **egni defnyddiol**.

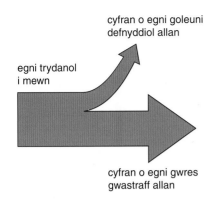

Ffigur 10.4 Diagram trosglwyddo egni (diagram Sankey) ar gyfer bwlb trydan cyffredin

Meddyliwch am lamp gyffredin. Rydym ni eisiau goleuni gan y lamp, ond mae'r lamp yn mynd yn boeth iawn. Mae llawer o'r egni yn cael ei drosglwyddo fel gwres. Dydym ni ddim eisiau'r gwres. Dywedwn fod yr egni gwres yn **egni gwastraff** (Ffigur 10.4).

Gallwn fesur pa mor effeithlon yw dyfais gan ddefnyddio'r fformiwla ganlynol.

$$\text{effeithlonrwydd egni} = \frac{\text{egni defnyddiol a drosglwyddir}}{\text{cyfanswm mewnbwn egni}} \times 100\%$$

Gorsafoedd pŵer thermol

Rydym ni'n cael y rhan fwyaf o'n trydan o orsafoedd pŵer thermol (Ffigurau 10.5–10.7). Maen nhw'n llosgi tanwyddau anadnewyddadwy sydd â dwysedd egni uchel, fel glo, nwy ac olew (neu'n defnyddio tanwydd niwclear). Maen nhw'n berwi dŵr i greu ager. Mae'r ager yn gyrru **tyrbinau** a **generaduron** sy'n cynhyrchu'r trydan. Mewn gorsaf bŵer niwclear, mae'r gwres i wneud yr ager yn dod o adweithydd niwclear (Ffigur 10.6). Yn y rhan fwyaf o orsafoedd pŵer mae llawer o'r egni yn cael ei wastraffu ac yn mynd i fyny'r simnai ar ffurf gwres.

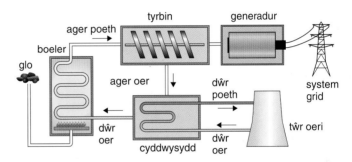

Ffigur 10.5 Gorsaf bŵer tanwydd ffosil. Yn aml bydd pobl yn meddwl mai mwg sy'n dod o'r tyrau oeri, ond ager ydyw.

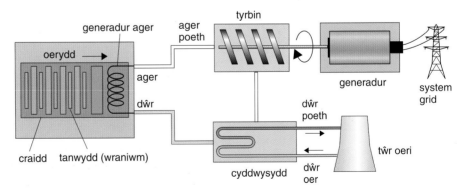

Ffigur 10.6 Gorsaf bŵer niwclear

Gallwch chi ddefnyddio dynamo llaw i ddangos sut mae gorsaf bŵer yn cynhyrchu trydan. Cysylltwch lamp wrth y dynamo i gynrychioli'r goleuadau yn eich tŷ chi.

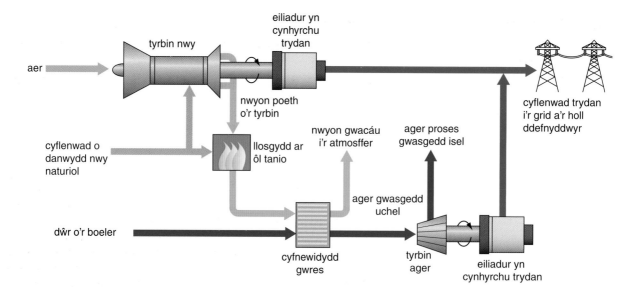

Ffigur 10.7 Mae rhai generaduron tyrbin nwy newydd yn llawer mwy effeithlon na'r hen orsafoedd pŵer. Mae generadur cylch cyfun fel hyn yn 60% effeithlon. Mae'n llosgi nwy naturiol (methan) mewn tyrbin nwy, tebyg i'r rhai sydd mewn awyrennau jet. Mae'n cynhyrchu trydan wrth i'r tyrbin nwy gylchdroi, yna mae'n defnyddio'r gwres o'r nwy poeth i gynhesu dŵr i wneud ager, fel mewn gorsaf bŵer arferol.

Unedau gwres a phŵer ar y cyd *(CHP: Combined Heat and Power)*

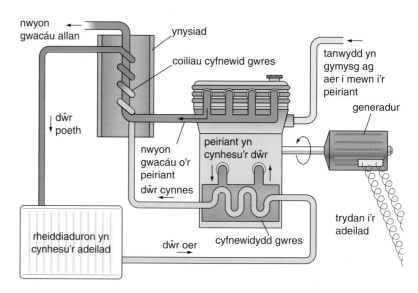

Ffigur 10.8 Gallai gwesty mawr ddefnyddio uned gwres a phŵer ar y cyd (*CHP*), er enghraifft peiriant cerbyd nwyddau trwm fel yn y Ffigur hwn.

Ffigur 10.9 Effeithlonrwydd trosglwyddo egni ar gyfer (a) system gynhyrchu trydan arferol, a (b) uned gwres a phŵer ar y cyd

Weithiau bydd gorsafoedd pŵer bach i'w cael mewn safleoedd sy'n defnyddio llawer o egni, megis ffatrïoedd, ysbytai a gwestai mawr. Mae'r rhain yn cynhyrchu trydan ac yna'n defnyddio'r gwres sy'n cael ei gynhyrchu ar gyfer cynhesu'r adeilad a chynhesu dŵr. Os oes pwll nofio yn y gwesty, bydd y nwyon gwacáu poeth yn mynd trwy gyfnewidydd gwres er mwyn cynhesu'r pwll. Nid yw'r gorsafoedd pŵer hyn yn well am gynhyrchu trydan. Ond maen nhw tua 80% effeithlon oherwydd y ffordd y mae gwres yn cael ei ddefnyddio.

Gweithgaredd

Defnyddiwch lyfrau neu'r rhyngrwyd i ddarganfod mwy am unedau gwres a phŵer ar y cyd (*CHP*), a faint o bŵer allai gael ei ddarparu gan unedau fel hyn yn y dyfodol.

Wyddoch chi?

Mae angen 2400 melin wynt yn lle un orsaf bŵer niwclear.

Cwestiynau

4 Gyda chymorth diagram bloc, eglurwch sut mae gorsaf bŵer sy'n llosgi glo yn gweithio.

5 Eglurwch y datganiad 'mae gorsaf bŵer sy'n llosgi nwy yn 60% effeithlon'.

Dewisiadau eraill yn lle gorsafoedd pŵer tanwyddau ffosil

Wrth ddefnyddio tanwyddau ffosil i gynhyrchu trydan, mae carbon deuocsid (un o'r nwyon 'tŷ gwydr') yn cael ei ryddhau. Mae'n achosi glaw asid hefyd oherwydd allyrru sylffwr deuocsid. Nid yw gorsafoedd pŵer niwclear yn rhyddhau carbon deuocsid na nwyon eraill sy'n llygru. Ond maen nhw'n ddrud eu hadeiladu (**comisiynu**) a'u cau yn ddiogel (**datgomisiynu**). Maen nhw'n cynhyrchu gwastraff ymbelydrol a rhaid storio hwnnw'n ddiogel am filoedd o flynyddoedd. Hefyd, mae'n bosibl y gallai damwain fel trychineb Chernobyl ryddhau symiau enfawr o ddeunydd ymbelydrol i'r atmosffer.

Gallwn ddefnyddio'r Haul, gwynt a thonnau yn ffynonellau adnewyddadwy heb lygredd. Hefyd gallwn losgi pethau rydym ni'n eu tyfu (tanwydd biomas).

Gadewch i ni edrych ar wahanol bethau sy'n effeithio ar y penderfyniadau ynghylch pa fathau o orsafoedd pŵer a ddylai gael eu hadeiladu yn y dyfodol.

Trydan o'r gwynt

Gallwn ddefnyddio melinau gwynt enfawr (tyrbinau gwynt) sydd hyd at 100 m o uchder a hyd at 30 m ar draws i gynhyrchu trydan (Ffigur 10.10). Fel arfer maen nhw i'w gweld mewn grwpiau o ddeg neu fwy, mewn ffermydd gwynt. Mae rhai ar ochrau bryniau, eraill allan yn y môr. Gall ffermydd gwynt fod yn ddadleuol.

Ffigur 10.10 Gall tyrbin gwynt gynhyrchu 2 MW o drydan ar ddiwrnod gwyntog

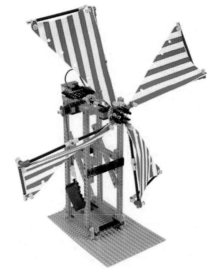

Ffigur 10.11 Defnyddiwch sychwr gwallt a model o dyrbin gwynt fel hyn i archwilio effaith buanedd y gwynt ar gynhyrchu trydan.

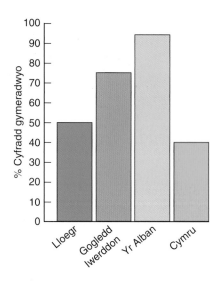

Ffigur 10.12 Cyfraddau cymeradwyo ym Mhrydain, fesul gwlad, ar gyfer ffermydd gwynt sy'n cynhyrchu 1 MW neu fwy o drydan

Pwy sy'n penderfynu a fydd fferm wynt yn cael ei hadeiladu yn fy ardal i?

Digon cymysg yw'r farn am ffermydd gwynt. Mae rhai pobl o blaid; eraill ddim. Un grŵp sy'n ymgyrchu yn erbyn ffermydd gwynt yw *Country Guardian*.

Os oes rhywun eisiau adeiladu fferm wynt fydd yn cynhyrchu llai na 50 MW, y cyngor lleol ar gyfer yr ardal fydd yn penderfynu. Yn fwy na 50 MW a bydd y Cynulliad Cenedlaethol yn penderfynu yng Nghymru, a'r llywodraeth yn Lloegr.

Mae'n ymddangos bod Gweithrediaeth yr Alban yn ffafrio ffermydd gwynt, fel y mae Ffigur 10.12 yn ei ddangos.

Yn Lloegr mae'r niferoedd sy'n cael eu cymeradwyo yn amrywio'n fawr o un awdurdod lleol i'r llall.

Gweithgaredd

Gwnewch restr o bryderon pobl ynghylch ffermydd gwynt. Mae modd rhoi prawf gwyddonol ar rai o'r pryderon hyn. Mae eraill yn bryderon anwyddonol neu'n farn gwahanol grwpiau o bobl.

1 Edrychwch ar eich rhestr a'u trefnu yn ôl y pryderon hynny y gellir eu profi'n wyddonol a'r rhai lle na ellir gwneud hynny.

2 Ar gyfer pob un, amlinellwch sut byddech chi'n profi a yw'r datganiad yn wir.

Gweithgaredd

Mae cynnig gerbron i agor fferm wynt yn eich ardal. Mae'r cyngor lleol wedi trefnu cyfarfod gyda phawb sydd â diddordeb. Yn eich grŵp, penderfynwch pwy fydd yn cynrychioli'r budd-ddeiliaid canlynol a chyflwyno eu polisi:

- y cwmni sydd eisiau agor fferm wynt

- y bobl leol sy'n pryderu am yr effeithiau ar yr amgylchedd yn lleol

- y cyngor lleol sydd dan bwysau oddi wrth y cynulliad rhanbarthol i gymeradwyo'r cynnig (maen nhw hefyd yn sylweddoli bod etholiad fis nesaf)

- y ffermwr sy'n berchen ar y tir fydd yn cael ei ddefnyddio ar gyfer y datblygiad.

Defnyddiwch bapurau newydd lleol a pheiriannau chwilio'r rhyngrwyd i ddod o hyd i wybodaeth am bryderon pobl leol mewn mannau lle digwyddodd hyn go iawn. Bydd angen i bwy bynnag sy'n cynrychioli'r cwmni a'r cyngor baratoi atebion ar gyfer pryderon y trigolion. Ar ôl ymchwilio, ewch ati i drefnu dadl yn eich dosbarth.

Trydan o bŵer trydan-dŵr a chynlluniau pwmpio a storio

Mae dŵr yn llifo trwy bibellau o gronfa uchel. Mae'n troi'r tyrbin, sydd wedi'i gysylltu wrth generadur. Mewn ardaloedd lle mae digonedd o ddŵr, mae'r dŵr yn llifo yn ei flaen, yn ôl i'w lwybr naturiol.

Yng nghynllun pwmpio a storio Dinorwig yng ngogledd Cymru mae yna ddwy gronfa. Pan fydd dŵr yn llifo i lawr o ben y mynydd, bydd yn cynhyrchu trydan. Yn y nos, pan fydd galw isel am drydan, bydd y dŵr yn cael ei bwmpio'n ôl i'r gronfa uchaf, gan ddefnyddio trydan o orsafoedd pŵer glo neu niwclear, oherwydd nad yw'n bosibl eu cynnau a'u diffodd yn hawdd.

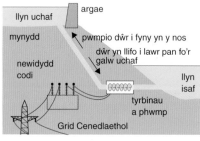

Ffigur 10.13 Cynllun pwmpio a storio

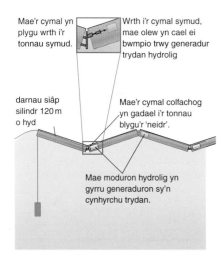

Ffigur 10.14 Y neidr, peiriant tonnau arbrofol

Trydan o'r tonnau

Mae peiriant tonnau'n trosglwyddo egni tonnau yn egni trydanol (Ffigur 10.14). Rhes o bum silindr yw'r peiriant, gyda diamedr pob un tua 3.5 m. Wrth i bob silindr symud i fyny ac i lawr ar y tonnau, mae'r peiriant yn pwmpio olew trwy generadur **hydrolig**. Mae'r cyfan wedi'i angori ar wely'r môr a gall gynhyrchu hyd at 750 kW o drydan.

Trydan o'r llanw

Mae gorsafoedd pŵer y llanw yn Ffrainc a Chanada. Rhaid codi argae ar draws aber afon. Wrth i'r llanw lifo i mewn, mae'r dŵr yn llifo dros dyrbinau tanddwr, tebyg i'r rhai mewn cynlluniau trydan dŵr, a bydd trydan yn cael ei gynhyrchu (Ffigur 10.15). Mae rhagor o drydan yn cael ei gynhyrchu wrth i'r llanw lifo'n ôl.

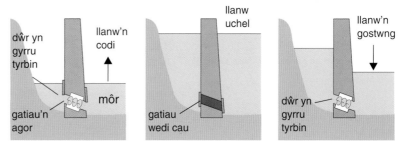

Ffigur 10.15 Bu'n fwriad rhoi bared llanw fel hyn ar draws aber Afon Hafren. Gallai gynhyrchu llawer iawn o anghenion egni Prydain, ond nid yw wedi cael ei adeiladu.

Trydan o fiomas

Biodanwydd yw'r enw ar danwydd sydd wedi'i dyfu. Mae llosgi biodanwyddau yn niwtral o ran carbon (nid yw'n cynyddu allyriad carbon deuocsid). Wrth losgi'r biodanwydd rydym ni'n rhyddhau'r carbon deuocsid a gafodd ei dynnu o'r aer gan y planhigyn wrth iddo dyfu. Mae llawer o gynhyrchion gwastraff ffermydd yn addas i'w llosgi'n danwydd. Yn Lloegr, mae un orsaf bŵer yn llosgi baw ieir. Mewn ardal arall, bydd llawer o wellt ar ôl ar ddiwedd y cynhaeaf grawn. Gall gorsaf bŵer arbennig losgi'r gwellt fel nad yw'r ffynhonnell egni hon yn mynd yn wastraff. Ond nid yw'r egni mewn biodanwyddau yn egni crynodedig iawn, ac felly mae angen llawer iawn, iawn ohonynt. Byddai gorsafoedd pŵer bach lleol yn gallu gwneud defnydd da ohonynt.

Os gallwn blannu yr un nifer o goed â'r nifer sy'n cael eu torri i'w llosgi, gallwn barhau i ddefnyddio'r adnodd hwn. Mae coed sy'n tyfu'n gyflym, fel coed helyg a phoplys yn ardderchog. Ar ôl eu torri, byddan nhw'n tyfu drachefn o'r un gwreiddiau. Mae angen tair coedwig ar gyfer trefn goedlannau fel hyn. Bydd y coed yn cael eu torri unwaith bob tair blynedd. Mae un yn barod eleni, un wedi'i thorri'r llynedd, a'r drydedd wedi'i thorri ddwy flynedd yn ôl. Bydd y coed yn cael eu llosgi mewn gorsaf bŵer fach neu'n cael eu cymysgu â glo, fel yng ngorsaf bŵer Aberddawan ym Mro Morgannwg. Mae'r coed yn cael eu troi'n flawd llif i'w chwythu i'r ffwrnais. Gellir defnyddio hyd at 5% o goed yn lle glo, yn ôl pwysau.

Wyddoch chi?

Yn 2002, cafodd nifer o yrwyr ceir eu harestio gan yr heddlu yn ne Cymru. Roedden nhw'n defnyddio olew llysiau rhad o'r siop sglodion leol yn eu ceir yn lle diesel. Doedden nhw ddim yn talu'r dreth o 45c y litr ar danwydd, felly roedden nhw mewn helbul. Roedd arogl sglodion ar y nwyon o'r ceir. Erbyn hyn, mae rhai heddluoedd yn defnyddio cymysgedd cyfreithlon o olew llysiau a diesel o'r enw biodiesel yn eu ceir eu hunain.

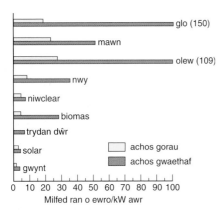

Ffigur 10.16 Y gost i'r amgylchedd wrth gynhyrchu trydan o wahanol ffynonellau egni

Costau amgylcheddol

Mae Tabl 10.1 a Ffigur 10.16 yn crynhoi'r effaith amgylcheddol os bydd gwahanol fathau o orsafoedd pŵer yn cael eu hadeiladu. Bydd effeithiau cymdeithasol hefyd, ni waeth sut y byddwn ni'n cynhyrchu trydan. Pan ddewisir safle ar gyfer gorsaf bŵer, bydd hynny'n effeithio ar gyflogaeth a thwristiaeth yn yr ardal, a gallai llygredd aer effeithio ar iechyd pobl.

A ellir lleihau allyriadau carbon deuocsid?

Gallai gorsafoedd pŵer ddal y CO_2 cyn iddo gael ei ryddhau i'r atmosffer. Gallent bwmpio'r nwy ar hyd pibellau i hen ffynhonnau olew neu nwy. Cafodd y nwy gwreiddiol ei storio'n ddiogel mewn meysydd olew a nwy fel hyn am filiynau o flynyddoedd. Amcangyfrif o gost ei wared fel hyn yw tua 30£/t (£30 y dunnell fetrig) o nwy.

Costau cynhyrchu trydan

Yn Ffigur 10.17 mae'n ymddangos bod adnoddau adnewyddadwy yn ffyrdd eithaf drud o gynhyrchu trydan, hynny yw heb ystyried cost allyriadau CO_2.

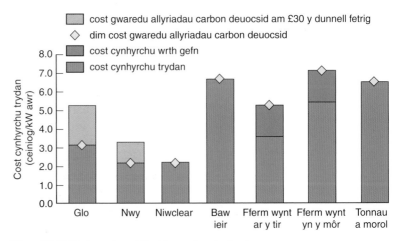

Ffigur 10.17 Cost gwahanol ffyrdd o gynhyrchu trydan

Ond, wrth ychwanegu costau gwaredu CO_2 am 30£/t, sef y bariau llwyd yn Ffigur 10.17, mae adnoddau adnewyddadwy yn ymddangos yn fwy cystadleuol.

Tabl 10.1 Manteision ac anfanteision defnyddio gwahanol ffynonellau egni i gynhyrchu trydan

Tanwydd	Manteision	Anfanteision	Ystyriaethau amgylcheddol	Cost adeiladu o'r newydd
Glo ac olew	Tanwydd cymharol rad; mae gan Brydain gronfeydd glo ac olew; cronfeydd mawr yn y byd, ond mae eu hechdynnu o'r ddaear yn mynd yn fwy anodd; pŵer uchel allan	Ffynhonnell anadnewyddadwy; llawer o wres yn cael ei wastraffu yn y nwyon poeth i fyny'r simnai; dim ond 38% effeithlon; araf ar y dechrau, ar ei orau pan fo'n gweithio drwy'r amser	Mae llosgi'n rhyddhau carbon deuocsid, ac yn cynyddu cynhesu byd-eang; rheolau'n golygu bod yn rhaid i adeiladau newydd gasglu a thynnu carbon deuocsid, sy'n ddrud iawn; rhyddhau sylffwr deuocsid, sy'n cynhyrchu glaw asid ac sy'n anodd cael gwared arno	£0.8 miliwn am bob megawat (MW) sy'n cael ei gynhyrchu
Nwy naturiol	Tanwydd cymharol rad; mae gan Brydain gronfeydd ym Môr y Gogledd; cronfeydd mawr yn Rwsia a'r Dwyrain Canol; pŵer uchel allan, 60% effeithlon	Ffynhonnell anadnewyddadwy, cronfeydd Prydain ym Môr y Gogledd yn prinhau; bydd y cyflenwad yn dibynnu ar bibellau hir, agored i ddifrod; rhai adnoddau mewn ardaloedd sy'n wleidyddol ansefydlog	Mae llosgi'n rhyddhau carbon deuocsid, sy'n cynyddu cynhesu byd-eang; ddim yn cynnwys sylffwr; gallu cynnau a diffodd gorsafoedd pŵer nwy yn gyflym, felly'n cael eu defnyddio yn ôl y galw yn unig	£0.5 miliwn/MW
Tanwyddau niwclear	Pŵer uchel iawn o swm bach o danwydd; dim yn cynyddu cynhesu byd-eang; pan fydd y gorsafoedd yn cael eu rhedeg yn iawn, ychydig neu ddim ymbelydredd yn cael ei ryddhau	Cynhyrchu gwastraff ymbelydrol sy'n aros yn ymbelydrol am amser maith a rhaid ei storio'n ddiogel am flynyddoedd, miloedd o flynyddoedd o bosibl; adnodd anadnewyddadwy; rhaid eu cadw'n gweithio drwy'r amser; dim ond 38% effeithlon	Mewn damwain, gallai deunydd ymbelydrol gael ei wasgaru dros ardal eang; agored i ymosodiadau gan derfysgwyr a gellid defnyddio'r gwastraff i wneud arfau niwclear	£1.7 miliwn/MW; cost uchel er mwyn adeiladu'r gorsafoedd a'u cau'n ddiogel; bydd gorsaf Dounreay yn costio cyfanswm o £30 miliwn ac yn cymryd 30 mlynedd i'w chau'n llwyr
Tyrbinau gwynt	Adnodd adnewyddadwy; costau rhedeg isel	Pŵer isel, angen llawer o dyrbinau i gael allbwn defnyddiol; rhai'n credu bod ffermydd gwynt yn hyll; gallu achosi llygredd sŵn; dim ond 40% effeithlon o ran troi egni cinetig y gwynt yn egni trydanol	Dim llygredd aer; mae'r trydan a gynhyrchir yn dibynnu ar y tywydd, allbwn ddim yn gyson; rhaid cael gorsafoedd pŵer eraill wrth gefn drwy'r amser	Dibynnu a ydyn nhw ar y tir neu yn y môr; Cymru am wario £700 miliwn er mwyn gallu cynhyrchu 200 MW alldraeth a 800 MW ar y tir
Trydan dŵr	Adnodd adnewyddadwy; costau rhedeg isel; cynlluniau storio a phwmpio ddim mor ddibynnol ar ddŵr glaw	Llawer o gynlluniau yn golygu boddi dyffryn afon gan golli tir ffermio a chynefinoedd bywyd gwyllt	Dim llygredd aer; dibynadwy; addas ar gyfer ardaloedd bryniog yn unig; trydan ar gael ar unwaith	Annhebygol y bydd rhai newydd yn cael eu hadeiladu ym Mhrydain gan nad oes safleoedd addas
Llanw	Adnodd adnewyddadwy; costau rhedeg isel	Rhaid codi argae llanw ar draws aber afon; problemau i longau a bywyd gwyllt y môr	Dim llygredd aer; llanw'n newid bob dydd a phob mis; ddim yn ffynhonnell gyson o egni trydanol	Ym 1981, cost Bared yr Hafren oedd £7500 miliwn am 7000 MW

Cwestiynau

6 Beth yw manteision gorsafoedd pŵer sy'n llosgi tanwyddau ffosil?

7 Pam nad yw plannu a llosgi coed yn cynyddu faint o CO_2 sydd yn yr atmosffer?

8 Eglurwch y canlynol:

    a Trwy gymysgu coed â glo yng ngorsaf bŵer Aberddawan mae'n lleihau lefelau CO_2.

    b Mae uned gwres a phŵer ar y cyd ar y cyfan yn fwy effeithlon na gorsaf bŵer arferol.

Cwestiynau

9 Pam mae angen cael generaduron eraill wrth gefn i gefnogi ffermydd gwynt?

Fferm wynt, Scarweather Sands, Bae Abertawe:
www.wwf.org.uk, chwiliwch am Scarweather

Cwestiynau cyffredin am gynhyrchu trydan:
www.aepuk.com

I gymharu adnoddau egni, teclyn cyfrifo ar lein:
about-gas-electricity.co.uk

Mynediad at lywodraeth wladol:
www.direct.gov.uk

Egni gwynt (ewch i *Wind farms of the UK* yna *Dynamic map of operational projects*):
www.bwea.com

Y Ganolfan Dechnoleg Amgen, Cymru:
www.cat.org.uk

Gweithgaredd

Cawsoch eich ethol yn arlywydd ar ynys yng Ngogledd Cefnfor yr Iwerydd. Mae tywydd ac adnoddau'r ynys yn debyg i rai Prydain. Rydych chi'n sylweddoli y bydd yr holl orsafoedd pŵer yn dod i ddiwedd eu hoes mewn ychydig flynyddoedd. Rhaid i'ch llywodraeth (eich grŵp gwaith) benderfynu ar bolisi egni: pa fath o orsafoedd pŵer y dylech chi eu hadeiladu, a faint? Rhaid cadw allyriad carbon deuocsid a'r costau sefydlu a rhedeg mor isel â phosib. Hefyd rhaid sicrhau y bydd gennych gyflenwad o hyd at 80 GW (1 GW = 1000 MW) drwy'r flwyddyn. Defnyddiwch y data yn y llyfr hwn ac unrhyw ffynonellau eraill ar gyfer costau. Rhaid i bob grŵp gyflwyno ei bolisi egni i'r dosbarth, gyda'r holl gostau. Cofiwch, os bydd eich etholwyr yn anhapus, ni chewch eich ethol yn yr etholiad nesaf.

Trawsyrru trydan

Y Grid Cenedlaethol a newidyddion

Rhwydwaith o geblau pŵer yw'r **Grid Cenedlaethol**. Mae'n cysylltu'r holl orsafoedd pŵer ac yn cyflenwi trydan i'n holl ffatrïoedd a threfi. Gyda rhwydwaith o'r fath, os bydd rhywbeth yn digwydd i un orsaf bŵer, bydd yn bosibl trefnu cael eich cyflenwad trydan o orsaf arall. Hefyd, mae'n golygu y gellir cau rhai gorsafoedd ar gyfnodau pan fo llai o alw am drydan.

Mae gorsafoedd pŵer yn cynhyrchu trydan ar ffurf cerrynt eiledol (c.e.). Nid yw'n bosibl storio cerrynt fel hyn i'w ddefnyddio yn ddiweddarach. Rhaid i'r cyflenwad bob tro gyfateb i'r galw gan gartrefi a diwydiant (Ffigur 10.18).

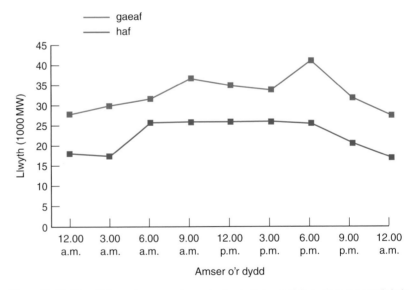

Ffigur 10.18 Cromliniau galw am egni yn ystod yr haf a'r gaeaf (sylwch ar y gwerth brig gyda'r nos)

Bydd peirianwyr y Grid Cenedlaethol yn dibynnu ar gyfrifiaduron i'w helpu i gadw golwg ar faint o bŵer sy'n cael ei ddefnyddio ac i rag-weld y galw. Bydd synwyryddion pell ledled y wlad yn rhoi data am y tywydd. Mae'r Swyddfa Dywydd yn anfon gwybodaeth am y tueddiadau a ddisgwylir yn y tywydd, y tymheredd, cyflymder y gwynt, ac ati. Mae rhwydwaith o 1500 bwi yn arnofio'n rhydd yn yr Iwerydd gan roi data tymor hir i ragfynegi'r tywydd. Bydd cwmnïau teledu yn anfon manylion y rhaglenni fydd yn cael eu darlledu a faint o gynulleidfa y maen nhw'n ei ddisgwyl i bob un. Bydd hyn i gyd, a gwybodaeth am yr allbwn pŵer sydd ar gael gan wahanol orsafoedd, yn cael ei fwydo i'r cyfrifiadur. Yna bydd y cyflenwad yn cael ei addasu ar gyfer y galw disgwyliedig.

Pŵer, foltedd a cherrynt

Pŵer trydanol yw pa mor gyflym y mae egni trydanol yn cael ei drosglwyddo yn ffurfiau egni eraill.

Uned pŵer yw'r wat (symbol W). Uned fach yw hon, felly yn aml byddwn ni'n defnyddio'r cilowat (symbol kW) (1 kW = 1000 W). Bydd y pŵer o orsafoedd pŵer yn aml yn cael ei fesur mewn megawatiau (symbol MW) (1 MW = 1 000 000 W).

Mae pŵer yn dibynnu ar foltedd y cyflenwad a'r cerrynt sy'n llifo. Mae'r cysylltiad rhwng cerrynt, foltedd a phŵer i'w weld yn y fformiwla ganlynol.

$$\text{pŵer (W)} = \text{foltedd (V)} \times \text{cerrynt (A)}$$

Enghraifft

Cerrynt o 10 A sy'n llifo trwy wresogydd trydan pan fydd foltedd o 230 V wedi'i gysylltu wrtho. Beth yw ei bŵer?

Yn gyntaf, y fformiwla:

$$\text{pŵer (W)} = \text{foltedd (V)} \times \text{cerrynt (A)}$$

Rhowch y rhifau ynddi:

$$\text{pŵer (W)} = 230\,\text{V} \times 10\,\text{A}$$

Yr ateb yw

$$\begin{aligned}\text{pŵer} &= 2300\,\text{W} \\ &= 2.3\,\text{kW}\end{aligned}$$

Pam cynhyrchu a thrawsyrru trydan ar foltedd uchel?

Mae ceblau pŵer yn cario trydan ar folteddau uchel iawn, hyd at 400 000 V (400 kV). Trydan ar 230 V sy'n cael ei ddefnyddio mewn tai a swyddfeydd. Gall folteddau uchel fod yn farwol, felly pam trawsyrru trydan ar folteddau mor uchel?

Pan fydd cerrynt trydan yn llifo trwy wifren bydd rhywfaint o'r egni yn cael ei drosglwyddo yn wres. Po fwyaf y cerrynt, mwyaf o wres sy'n cael ei gynhyrchu.

Cofiwch fod pŵer = cerrynt × foltedd. Gallai gorsaf bŵer fechan 250 kW drawsyrru trydan ar 25 000 V a 10 A, neu ar 250 000 V ac 1 A.

Pan fydd egni'n cael ei drawsyrru ar gerrynt isel, mae defnyddio foltedd uchel yn golygu bod llawer llai o egni'n cael ei golli ar ffurf gwres. Rhaid i'r Grid Cenedlaethol anfon trydan dros bellterau mawr. Petai'n trawsyrru ar 25 kV o'r orsaf bŵer, byddai tua 40% o'r trydan yn cael ei golli ar ffurf gwres. Byddai'r trydan yn ddrud iawn. Trwy drawsyrru ar 400 kV tua 1% yn unig sy'n cael ei golli fel gwres.

Mae peilonau tal ag ynysyddion mawr yn cael eu defnyddio i gario'r ceblau noeth. Gyda cherrynt is, mae'n bosibl defnyddio ceblau teneuach, ysgafnach ac nid oes angen i'r peilon fod mor gryf.

Copr a chynhyrchu trydan (ewch i fap y wefan, sef *Site map* yna *Copper and electricity*): www.schoolscience.co.uk

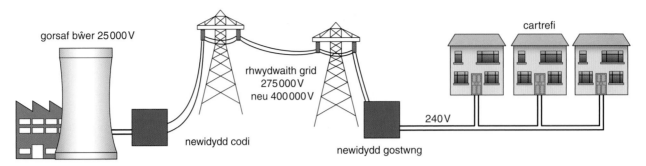

gorsaf bŵer 25 000 V

rhwydwaith grid 275 000 V neu 400 000 V

cartrefi

240 V

newidydd codi

newidydd gostwng

Ffigur 10.19 System drawsyrru'r Grid Cenedlaethol

Cwestiynau

10 Beth yw unedau foltedd, cerrynt a phŵer?

11 Beth yw'r cysylltiad rhwng pŵer, cerrynt a foltedd?

12 Mae gorsaf bŵer yn rhoi cerrynt o 10 000 A, ar foltedd o 25 000 V. Beth yw'r allbwn pŵer mewn megawatiau?

13 Pam mae trydan yn cael ei drawsyrru o amgylch y wlad ar foltedd uchel iawn?

14 Pam nad ydym ni'n defnyddio trydan foltedd uchel yn ein cartref?

15 Beth yw enw'r ddyfais sy'n newid y foltedd?

Defnyddir **newidydd** i gynyddu neu ostwng y foltedd. Yn yr orsaf bŵer, bydd newidydd codi'n cynyddu'r foltedd a lleihau'r cerrynt. Mewn is-orsafoedd trydan, bydd newidydd gostwng yn lleihau'r foltedd i lefel sy'n ddiogel. Ar y cyfan, mae'r Grid tua 92% yn effeithlon.

Effeithlonrwydd egni, gwresogi a'r cartref

Egni a phŵer

Mae pob math o offer trydanol yn ein cartrefi. Ar bob un, bydd cyfradd bŵer (Ffigur 10.20). Os nad yw'n dangos y pŵer, gallwch chi ei gyfrifo o'r foltedd × cerrynt.

Mae pŵer yn fesur o'r gyfradd trosglwyddo egni. Mae bwlb â watedd uchel yn fwy llachar am ei fod yn trosglwyddo egni trydanol yn egni gwres a goleuni yn fwy cyflym. Fel arfer, popty trydan fydd â'r gyfradd uchaf yn y cartref, hyd at 10 kW. Gall tân trydan fod yn 3 kW ar y mwyaf; ychydig watiau yn unig fydd cyfradd radio fach neu lamp.

Mae 1 W yn golygu trosglwyddo 1 joule yr eiliad (J/s) o egni. Mae lamp 60 W yn trosglwyddo 60 J/s o egni. Mae'r egni sy'n cael ei drosglwyddo gan ddyfais drydanol (ac felly'r egni trydanol rydych chi'n talu amdano) yn dibynnu ar ddau beth: ei bŵer ac am faint o amser mae'r pŵer yn cael ei ddefnyddio.

$$\text{egni a drosglwyddir (J)} = \text{pŵer (W)} \times \text{amser (s)}$$

Enghraifft

Mae lamp 100 W yn goleuo am 10 munud. Faint o egni trydanol sy'n cael ei drosglwyddo?

Yn gyntaf, y fformiwla:

$$\text{egni a drosglwyddir (J)} = \text{pŵer (W)} \times \text{amser (s)}$$

Rhowch y rhifau ynddi:

Newidiwch y munudau yn eiliadau.

$$\text{egni a drosglwyddir (J)} = 100 \times (10 \times 60)$$

Yr ateb yw

$$\text{egni a drosglwyddir (J)} = 6000 \text{ J}$$
$$= 6 \text{ kJ}$$

CLASS 1 LASER PRODUCT

ALBA DVD 70
DIGITAL VERSATILE DISC PLAYER
POWER SUPPLY:
AC 230 - 240V~50Hz
POWER CONSUMPTION
15 WATTS
CE

Ffigur 10.20 Mae'r label yn dangos ar ba gyfradd y mae'r offer yn trosglwyddo egni trydanol

Gweithgaredd

1 a Gwnewch restr o'r offer trydanol sydd gennych gartref. (Peidiwch â cheisio symud unrhyw offer trwm na bregus.)

b Yn ofalus, chwiliwch am gyfradd bŵer pob un.

2 Pa offer sydd â chyfradd bŵer:

a rhwng 1 kW a 3 kW

b rhwng 100 W a 500 W

c llai na 100 W?

3 Pa fathau o offer sy'n perthyn i bob categori?

Cost defnyddio egni yn y cartref

Rhaid talu am yr egni trydanol rydym ni'n ei ddefnyddio. Uned fach iawn yw joule, felly uned egni fwy sy'n cael ei nodi ar filiau trydan, sef cilowat awr (symbol kW awr). Ar eich bil trydan, 'uned' yw'r term a ddefnyddir ar gyfer un kW awr. Mae pŵer yn cael ei fesur mewn cilowatiau a'r amser yn cael ei fesur mewn oriau.

Bydd y cwmni trydan yn pennu pris pob cilowat awr neu bob uned o drydan sy'n cael ei defnyddio. Fel arfer, bydd y mesurydd trydan yn y cartref yn cael ei ddarllen bob tri mis, yna cewch fil neu adroddiad yn dangos faint o arian sydd i'w dalu.

Talu'r bil trydan

Faint mae hi'n ei gostio i ddefnyddio fy offer?

Yn gyntaf, y fformiwla:

nifer yr unedau a ddefnyddiwyd (kW awr) = pŵer (kW) × amser (oriau)

cost = nifer yr unedau × cost uned

(Fel arfer, mae pob uned yn costio tua 10c. Efallai y bydd angen trosi cyfanswm y gost o geiniogau i bunnoedd.)

Enghraifft

Rydych chi'n gadael i wresogydd 3 kW redeg yn eich ystafell. Rydych chi'n ei gynnau am 8 a.m., yna rydych chi'n anghofio amdano nes cyrraedd yn ôl am 4 p.m. Os yw uned (1 kW awr) yn costio 10c, beth fydd cost rhedeg y gwresogydd drwy'r dydd?

Yn gyntaf, y fformiwla:

nifer yr unedau a ddefnyddiwyd (kW awr) = pŵer (kW) × amser (oriau)

Rhowch y rhifau:

nifer yr unedau = 3 kW × 8 awr
= 24

Yn gyntaf, y fformiwla:

cost = nifer yr unedau × cost uned

Rhowch y rhifau:

cost = 24 × 10c
= £2.40

Ffigur 10.21 Bil trydan nodweddiadol

PŴER CYF.

Bil Trydan

Cyfrif cwsmer 660104-97013

Cost y trydan
a gyflenwyd 450 × 10c

Darlleniad presennol	Darlleniad blaenorol	Unedau a ddefnyddiwyd	c yr uned	Swm £
5396	4946	450	10c	£45.00

Cwestiynau

16 Mae Bethan yn poeni. Gadawodd y gwresogydd yn rhedeg yn ei hystafell, o 7.00a.m. tan 5.00p.m. Gwresogydd 3 kW yw hwn.

a Am sawl awr roedd y gwresogydd ymlaen?

b Faint o unedau trydan gafodd eu defnyddio?

c Os yw'r trydan yn costio 10c yr uned, faint mae ei chamgymeriad wedi'i ychwanegu at fil trydan y teulu?

17 Y tro diwethaf i Aled adael y tŷ oedd i fynd ar wyliau am wythnos gyfan. Gadawodd un golau wrth y drws heb ei ddiffodd. Bwlb 60 W oedd yn y golau. Faint gostiodd ei gamgymeriad?

18 Mae tad Aled yn cael bil trydan. Y darlleniad presennol yw 34 231, a'r darlleniad blaenorol oedd 33 571.

a Faint o unedau gafodd eu defnyddio?

b Mae'r cwmni trydan yn codi 10c yr uned am y 250 uned gyntaf a ddefnyddir, yna 7c yr uned ar ôl hynny.

i Ar y bil trydan, faint yw cyfanswm cost y 250 uned gyntaf?

ii Faint yw cost gweddill yr unedau?

iii Beth yw cyfanswm y bil?

Gwahanol adnoddau egni i wresogi'r cartref

Mae angen llawer o egni i wresogi ein cartrefi, ac mae costau trydan, nwy, olew a glo yn codi. Rhaid i ni ddefnyddio system effeithlon. Cofiwch ein bod yn mesur pa mor effeithlon y mae egni'n cael ei drosglwyddo gan ddefnyddio'r fformiwla ganlynol:

Talu am egni (ewch i *Amgylchedd* yna *Egni*) (Cymraeg a Saesneg): www.consumereducation.org.uk

$$\text{effeithlonrwydd egni} = \frac{\text{egni defnyddiol a drosglwyddir}}{\text{cyfanswm mewnbwn egni}} \times 100\%$$

Tabl 10.2 Effeithlonrwydd a chostau rhedeg gwahanol systemau gwresogi. Mae'r costau'n uchel os yw'r offer yn aneffeithlon. Mae'r costau rhedeg hefyd yn cynnwys silindrau ar gyfer nwy potel a chostau trin a newid systemau gwres canolog.

Offer sy'n gwresogi	Effeithlonrwydd wrth wresogi ystafell (%)	Costau rhedeg
Tân agored yn llosgi glo	28 (gwael)	Uchel
Tân caeedig yn llosgi glo caled	60 (canolig)	Isel
Tân trydan	100 (da)	Uchel
Tân nwy	60 (canolig)	Canolig
Gwresogydd darfudo nwy ar wal	73 (da)	Isel /Canolig
Gwresogydd nwy potel	60 (canolig)	Uchel
Gwresogydd paraffîn	15 (gwael)	Uchel
Systemau gwres canolog		
System gwres canolog yn llosgi glo caled	70 (da)	Isel /Canolig
Gwresogyddion trydan i storio gwres	90 (da)	Canolig
System gwres canolog nwy safonol	70 (da)	Isel
Gwres canolog nwy â boeler cyddwyso	85 (da)	Is
System gwres canolog olew	70 (da)	Canolig
System gwres canolog nwy petroliwm hylifedig	70 (da)	Canolig / Uchel

Sylwch: Mae boeler cyddwyso'n ychwanegu 15% at effeithlonrwydd system.

Wyddoch chi?

Am bob 1 kW awr o drydan sy'n cael ei ddefnyddio, mae 0.51 kg (cilogram) o garbon deuocsid yn cael ei gynhyrchu.

Ffigur 10.22 Lamp fflwroleuol fach

Yn Nhabl 10.2 mae yna ffigurau effeithlonrwydd a chostau ar gyfer gwahanol systemau gwresogi. Er enghraifft, gyda thân glo agored, am bob 100 uned o egni yn y glo, dim ond tua 28 uned sy'n gwresogi'r ystafell. Mae'r egni sy'n cael ei wastraffu wrth i aer poeth fynd i fyny'r simnai tua 72 uned. Felly, tua 28% yw effeithlonrwydd y tân.

Mae dwy anfantais fawr wrth ddefnyddio gwresogydd nwy potel neu baraffin. Yn gyntaf, nid oes ganddynt ffliw neu simnai i'r awyr iach. Maen nhw'n gollwng llawer o leithder i'r ystafell, sy'n cyddwyso a gwneud pethau'n llaith. Yn ail, maen nhw'n achosi perygl tân.

Mae prisiau egni'r byd yn newid drwy'r amser.

Arbed arian a bod yn wyrdd

Defnyddiwch lampau fflwroleuol arbennig yn lle bylbiau goleuni arferol (Ffigur 10.22). Maen nhw'n defnyddio chwarter egni bwlb goleuni cyffredin.

Trwy beidio â diffodd y teledu a'r fideo dros nos, mae'n costio £153 M (£153 miliwn) i ddefnyddwyr Prydain ac yn ychwanegu at allyriadau carbon deuocsid.

Peidiwch â gwastraffu arian trwy lenwi'r tegell er mwyn gwneud un gwpaned o de. Petai pawb yn berwi 'digon' o ddŵr a dim mwy, byddai'n bosibl cau un orsaf bŵer.

Ffigur 10.23 Weithiau, bydd celloedd solar yn rhoi pŵer i beiriant tocynnau parcio

A yw hi'n werth gosod systemau egni adnewyddadwy yn ein cartrefi?

Paneli solar ffotofoltaidd

Mae **cell ffotofoltaidd** (cell *PV*) neu gell solar (Ffigur 10.23) yn trawsnewid goleuni'r Haul yn drydan. Gellir cysylltu nifer o gelloedd bach i wneud panel solar. Gallant arbed tua 50% o'ch trydan. Mae paneli solar ffotofoltaidd yn gweithio orau ar do sy'n wynebu'r de. Byddant yn cynhyrchu trydan ar ddiwrnod cymylog a hyd yn oed yn y gaeaf. Bydd angen defnyddio tanwydd arall i wresogi eich cartref a'ch dŵr poeth.

Mae systemau solar ffotofoltaidd yn costio £8000–£18 000. Ar hyn o bryd mae llywodraeth Prydain yn cynnig grantiau i haneru'r gost.

Ymhen faint o amser y cewch chi'r gost wreiddiol yn ôl?

Dychmygwch eich bod yn gosod system solar ffotofoltaidd sy'n costio £4000 (ar ôl grant o 50%). Dywedwch fod eich bil trydan blynyddol yn £300. Os yw system ffotofoltaidd yn arbed 50% o hyn, byddech chi'n **arbed cost tanwydd** o £150 y flwyddyn. Felly byddai'n cymryd 4000/150 blwyddyn i gael cost y system yn ôl, sef tua 27 o flynyddoedd. Dyma'r **amser talu'n ôl**.

Ar ôl hynny, byddech chi'n arbed £150 y flwyddyn yn ôl prisiau heddiw. Ond bydd costau trydan wedi codi llawer erbyn hynny. Mae'n eithaf posibl y byddech chi'n arbed mwy.

Wyddoch chi?

Mae nifer o geir solar wedi cael eu hadeiladu. Teithiodd car solar gan Honda dros 3000 km ar draws Awstralia, rhwng Darwin ac Adelaide, mewn 35 awr 28 munud. Gall deithio'n esmwyth ar 90 km/awr; ei gyflymder uchaf yw 140 km/awr.

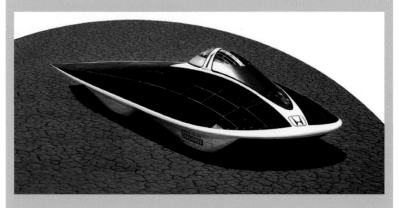

Ffigur 10.24 Car solar Honda

Cwestiynau

19 Gwnewch restr o offer sy'n defnyddio celloedd solar.

20 Rhestrwch unrhyw leoedd lle rydych chi wedi gweld celloedd solar ffotofoltaidd ar waith. Gallwch chi gynnwys mannau mewn ffotograffau, ar y teledu, neu ar y rhyngrwyd.

Paneli solar thermol

Dyma fath arall o banel solar sy'n cael ei wresogi gan belydrau'r Haul. Mae dros 96% o'r goleuni yn cael ei drawsnewid yn wres. Mae'r gwres yn cael ei amsugno gan y dŵr yn y pibellau copr, ac yn mynd trwy'r cyfnewidydd gwres i wresogi'r dŵr yn y system dŵr poeth (Ffigur 10.25). Gan fod y dŵr hwn wedi dechrau cael ei wresogi, bydd angen llai o drydan i'w godi i dymheredd defnyddiol a gall y paneli gynhyrchu hyd at 50% o'r anghenion gwresogi dŵr mewn cartref arferol. Mae'n costio rhwng £2000 a £4500 i'w gosod. Maen nhw'n boblogaidd iawn yn Japan gyda 1.5 miliwn o systemau yn Tokyo yn unig.

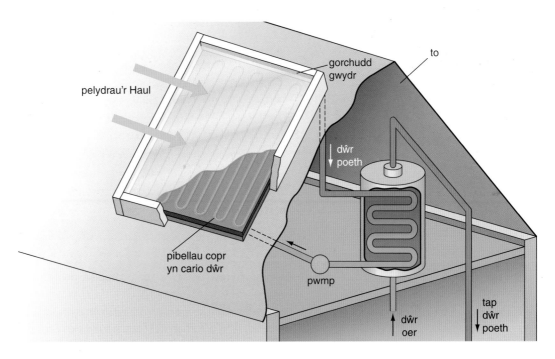

pelydrau'r Haul

gorchudd gwydr

to

dŵr poeth

pibellau copr yn cario dŵr

pwmp

dŵr oer

tap dŵr poeth

Ffigur 10.25 Casglydd thermol plât gwastad ar y to

Ffigur 10.26 System pŵer gwynt i'r cartref

Generaduron gwynt

Mae allbwn gwahanol dyrbinau (Ffigur 10.26) yn amrywio o ychydig gannoedd o watiau i 2–3 kW. Mae angen caniatâd cynllunio cyn eu hadeiladu. Bydd system yn costio £2500–£5000 i'w gosod.

Ymhen faint o amser y cewch chi'r gost wreiddiol yn ôl?

Gyda generadur 2 kW, petai'r gwynt yn chwythu'n gryf am 12 awr y dydd drwy'r flwyddyn, byddai'n cynhyrchu cymaint â hyn o egni:

$$2 \times 12 \times 365 = 8760 \text{ kW awr}$$

Mae allbwn fel hyn yn annhebygol iawn. Mae'n anghyffredin i'r tyrbinau tal masnachol gyrraedd chweched ran o'u hallbwn gorau. Efallai y byddai eich generadur yn cynhyrchu 1500 kW awr y flwyddyn. Ar 10c am bob uned o drydan, byddech chi'n arbed costau tanwydd o £150 y flwyddyn. Os oedd cost gosod eich system yn £2500, yr amser talu'n ôl neu nifer y blynyddoedd i gael eich arian gwreiddiol yn ôl fyddai 2500/150, sef tua 17 blwyddyn.

Un i bob cartref

Oherwydd y costau uchel ar y dechrau a'r ffaith fod trydan o'r Grid Cenedlaethol yn gymharol rad, mae hi'n ddrud iawn gosod offer solar a gwynt yn y cartref ar hyn o bryd. Ond, bydd costau egni'n codi'n fawr yn y dyfodol agos. Wrth i fwy a mwy o baneli solar ffotofoltaidd a thyrbinau gwynt gael eu cynhyrchu, bydd y costau'n gostwng – meddyliwch am y ffordd y cwympodd prisiau cyfrifiaduron a ffonau symudol.

Datblygiad arall sydd ar y gweill yw micro-uned gwres a phŵer ar y cyd (*CHP*). Bydd yn ddigon bach i'w ffitio dan gownter y gegin. Pan fydd system gwres canolog nwy yn gweithio yn y gaeaf, bydd yn cynhyrchu trydan hefyd am ddim cost ychwanegol.

Cwestiynau

21 Rydych chi'n rhoi system dŵr poeth solar ar eich to. Mae'n costio £2000 i'w gosod. Rydych chi'n arbed £200 y flwyddyn. Ymhen faint o amser y cewch chi gost ei gosod yn ôl?

22 Pam mae hi'n beryglus defnyddio gwresogydd paraffîn i wresogi eich cartref?

23 Pa system gwres canolog yw'r mwyaf economaidd ar gyfer eich cartref?

Gweithgaredd

Nodwch ddarlleniad eich mesurydd trydan heno ac yna ar yr un amser nos yfory.

1 Gweithiwch sawl uned o drydan gafodd ei defnyddio yn ystod y diwrnod hwnnw.

2 Os yw un uned (cilowat awr) o drydan yn cynhyrchu 0.5 kg o garbon deuocsid, faint o garbon deuocsid y bydd eich cartref yn ei gynhyrchu mewn:
  a diwrnod
  b wythnos
  c blwyddyn?

3 Sut gallech chi gael canlyniad cywirach ar gyfer un flwyddyn?

Costau tanwydd ac effeithlonrwydd boeleri hen a newydd:
www.boilers.org.uk

Cynhyrchu eich egni eich hun:
www.est.org.uk

Egni, tymheredd a throsglwyddo egni gwres

Trosglwyddo egni gwres

Mae egni gwres bob amser yn cael ei drosglwyddo o gorff poeth i gorff ar dymheredd is. Po fwyaf y gwahaniaeth tymheredd, mwyaf o egni gwres sy'n cael ei drosglwyddo. Mae'n bosibl trosglwyddo gwres trwy ddargludiad, darfudiad a phelydriad.

Trosglwyddo egni gwres trwy ddargludiad

Gwaith ymarferol

Cyfarpar i ddangos bod egni gwres yn llifo o dymheredd uchel i dymheredd isel

Mae'r pen agosaf at y gwresogydd Bunsen yn boethach na gweddill y bar. Oherwydd y gwahaniaeth tymheredd hwn, bydd egni gwres yn symud ar hyd y bar. Po fwyaf yw'r gwahaniaeth tymheredd, mwyaf o wres sy'n cael ei drosglwyddo. Enw'r broses yw **dargludiad**. Mae metelau'n dda iawn am ddargludo gwres.

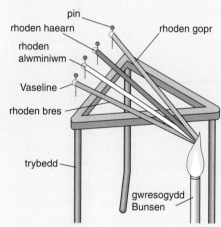

Ffigur 10.27 Mae'r matsys yn tanio wrth i'r gwres deithio ar hyd y bar

Mae rhai metelau'n well dargludyddion nag eraill (Ffigur 10.28)

- Casglwch rodenni metel sydd yr un maint ond o wahanol fetelau.
- Rhowch nhw ar drybedd gyda'u pennau yn agos at ei gilydd.
- Defnyddiwch Vaseline i ludio pin ar ben pellaf pob rhoden.
- Defnyddiwch wresogydd Bunsen i wresogi'r pennau eraill yn gyfartal.
- Nodwch faint o amser mae'n ei gymryd i bob pin ddisgyn.

Roedd pennau poeth y barrau i gyd ar yr un tymheredd uchel a'r pennau oer i gyd ar dymheredd ystafell, felly roedd y gwahaniaeth tymheredd yr un fath ar gyfer pob bar.

1 Y pin ar ba far metel ddisgynnodd gyntaf, a pha un oedd yr olaf?

2 Pa fetel oedd y dargludydd gorau, a pha un oedd y gwaethaf?

Ffigur 10.28 Cymharu dargludiad gwahanol fetelau

Defnyddio dargludyddion da

Rydym ni'n defnyddio sosbenni metel ar gyfer coginio. Mae egni gwres yn cael ei drosglwyddo o'r arwyneb poeth drwy'r sosban er mwyn coginio'r bwyd.

Wedi'u gwneud o fetel y mae'r rheiddiaduron sy'n gwresogi ystafelloedd. Mae egni gwres o'r dŵr poeth yn cael ei drosglwyddo i'r tu allan gan ddargludiad. Po boethaf y dŵr, mwyaf o egni gwres sy'n cael ei drosglwyddo.

Gweithgaredd

1 Defnyddiwch lyfrau, y rhyngrwyd neu bobl eraill i'ch helpu i wneud rhestr o bethau sy'n defnyddio dargludyddion da er mwyn gweithio'n effeithlon.

2 Pam mae dur yn cael ei ddefnyddio i wneud rheiddiaduron? A fyddai rheiddiaduron copr yn fwy effeithlon? A fydden nhw'n ddrutach?

Anfetelau a dargludo

Nid yw anfetelau fel plastig a phren yn dargludo gwres yn dda. Oherwydd hyn, mae plastig a phren yn cael eu defnyddio'n aml ar gyfer coesau ar sosbenni a phethau eraill sy'n mynd yn boeth.

Ynysyddion

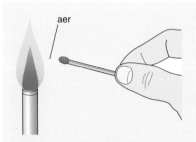

Ffigur 10.29 Dargludo gwres trwy aer

Gwaith ymarferol

Dangos bod aer yn ddargludydd gwael

1 Daliwch fatsen heb ei thanio tua 1 cm oddi wrth wresogydd Bunsen poeth iawn.

2 Nid yw'r fatsen yn tanio.

Mae hyn yn dangos bod aer yn ddargludydd gwael iawn. Mewn rhai defnyddiau, mae aer wedi'i ddal y tu mewn i'r defnydd. Maen nhw'n ddargludyddion gwael iawn. Yr enw ar ddefnyddiau fel hyn yw **ynysyddion**.

> ## Wyddoch chi?
>
> Yn America, mae *NASA (National Aeronautics and Space Administration)* wedi defnyddio technoleg y wennol ofod i gynllunio defnydd ynysu ysgafn. Mae'n sychu bum gwaith yn gyflymach na gwlân ac yn ynysu bedair gwaith yn well. Gellir ei ddefnyddio i wneud dillad ymladdwyr tân ac i ynysu oergelloedd, rhewgelloedd a phoptai.

Ffigur 10.30 Mae llenwad *duvet* yn dal aer yn gaeth; mae aer yn ynysydd felly nid oes llawer o wres yn gallu dianc ac mae'r *duvet* yn ein cadw'n gynnes.

Trosglwyddo egni gwres trwy ddarfudiad

Agorwch ddrws popty poeth ac fe deimlwch yr aer poeth yn rhuthro heibio i'ch wyneb. Enw'r broses hon yw **darfudiad**. Mae darfudiad yn digwydd pan fydd hylifau neu nwyon yn cael eu gwresogi.

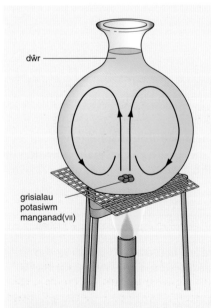
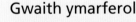

Ffigur 10.31 Cyfarpar i ddangos ceryntau darfudol

Gwaith ymarferol

Dangos llwybr cerrynt darfudol

1 Gwisgwch sbectol ddiogelwch.

2 Fe gewch chi risial bach o botasiwm manganad (VII) (permanganad) gan eich athro/athrawes. Gollyngwch y grisial yn ofalus i ficer o ddŵr oer.

3 Defnyddiwch fflam isel iawn i wresogi'r dŵr wrth ymyl y grisial.

Mae'r dŵr lliw yn dangos llwybr **cerrynt darfudol**. Mae egni gwres yn cael ei gario ar hyd y llwybr (Ffigur 10.31).

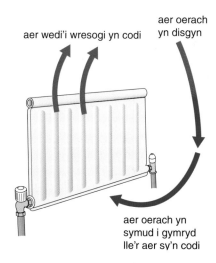

aer wedi'i wresogi yn codi

aer oerach yn disgyn

aer oerach yn symud i gymryd lle'r aer sy'n codi

Ffigur 10.32 Ceryntau darfudol sy'n trosglwyddo gwres o'r rheiddiadur i'ch ystafell

Po boethaf y bydd rheiddiadur, mwyaf o wres fydd yn cael ei drosglwyddo i'r ystafell.

Rhaid i geryntau darfudol gael hylif neu nwy i deithio trwyddynt.

Cwestiynau

24 Enwch ddau ddargludydd gwres da.

25 Enwch ddau ddargludydd gwres gwael.

26 Enwch ddau ddeunydd ynysu.

27 Beth sydd yna yn y rhan fwyaf o ynysyddion?

Gweithgaredd

Yn ôl tad Aled, mae copr yn well am ddargludo gwres nag yw haearn. Nid yw ei ffrind, Jo, yn cytuno. Mae'n dweud bod haearn yn gryfach ac felly y bydd yn well dargludydd.

Cynlluniwch (ar bapur) arbrawf i ddarganfod pwy sy'n iawn. Dywedwch:

- sut byddwch chi'n ei wneud yn brawf teg
- pa fesuriadau wnewch chi
- sut byddwch chi'n cofnodi eich canlyniadau.

Trosglwyddo gwres trwy belydriad

Mae pelydriad gwres yn fath o belydriad electromagnetig. Rydym ni'n ei alw yn **belydriad isgoch**. Mae'n teithio ar gyflymder goleuni. Mae popeth sydd ar dymheredd uwch na sero absoliwt yn allyrru pelydriad. Po uchaf yw'r tymheredd, mwyaf o egni thermol (gwres) sy'n cael ei drosglwyddo trwy belydriad.

Pa arwyneb sydd orau am allyrru pelydriad?

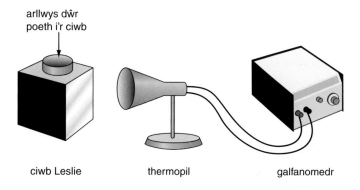

arllwys dŵr poeth i'r ciwb

ciwb Leslie   thermopil   galfanomedr

Ffigur 10.33 Cymharu'r pelydriad sy'n cael ei allyrru gan wahanol arwynebau

Mae'r thermopil a welwch chi yn Ffigur 10.33 yn cynhyrchu cerrynt trydan bach wrth i belydriad isgoch (gwres) ei daro. Yn eu tro, mae gwahanol wynebau'r ciwb yn cael eu troi i wynebu'r thermopil. Bydd y darlleniad mwyaf ar y mesurydd pan fydd yr arwyneb du, pŵl (dwl) yn wynebu'r thermopil. Bydd y darlleniad isaf gyda'r arwyneb lliw arian sgleiniog. Arwynebau du, pŵl sydd orau am allyrru pelydriad, ac arwynebau sgleiniog, metelig sydd waethaf.

Pa arwyneb sy'n amsugno'r mwyaf o belydriad?

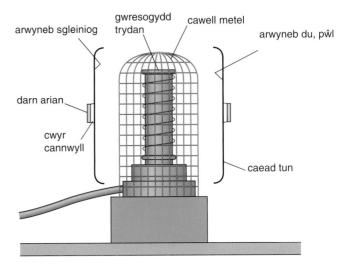

Ffigur 10.34 Cymharu pethau sy'n amsugno pelydriad

Yn Ffigur 10.34, y darn arian ar yr arwyneb du, pŵl sy'n syrthio gyntaf. Yr arwyneb du, pŵl sydd orau am amsugno gwres.

Dyna pam mai arwyneb tywyll sydd gan baneli gwres solar ar gyfer gwresogi dŵr i'r tŷ, er mwyn amsugno'r egni mwyaf posibl o'r Haul. Bydd paneli fel hyn yn gweithio ym Mhrydain; ar ddiwrnod llwyd byddan nhw'n gwresogi mymryn ar y dŵr, felly bydd angen llai o drydan i'w wneud yn boeth.

Gwaith ymarferol

Rhoi prawf ar wresogyddion dŵr solar wedi'u gwneud â thiwb plastig du.

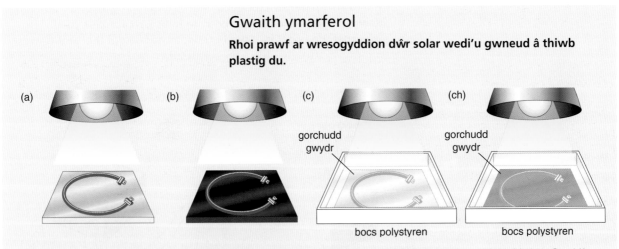

Ffigur 10.35 Pedwar gwresogydd solar syml: (a) tiwb A ar blât metel sgleiniog, (b) tiwb B ar blât metel du, (c) tiwb C ar blât metel sgleiniog gyda gorchudd gwydr, (ch) tiwb Ch ar blât metel du gyda gorchudd gwydr

1 Cymerwch bedwar darn o diwb plastig du o'r un maint, eu llenwi â dŵr a rhoi clipiau i gau pob pen.

2 Gosodwch y cyfan fel yn y diagram uchod.

3 Mesurwch dymheredd y dŵr oer yn y tiwbiau a gwneud hynny eto ar ôl i bob un fod o dan y gwresogydd am gyfnod penodol.

4 Dywedwch sut byddwch chi'n ei wneud yn brawf teg a sut byddwch chi'n cofnodi'r canlyniadau.

Mae blancedi alwminiwm arbennig yn ffordd syml o arbed bywydau (Ffigur 10.36). Maen nhw'n lleihau faint o wres sy'n cael ei golli o'r corff trwy belydriad, oherwydd bod arwyneb sgleiniog yn rhyddhau llai o belydriad isgoch. Hefyd, mae'r ffoil yn adlewyrchu unrhyw wres sy'n cael ei gynhyrchu gan y corff yn ei ôl at y corff, gan nad yw arwynebau sgleiniog yn amsugno pelydriad isgoch. Mae'n bosibl lleihau faint o wres sy'n cael ei golli o'r cartref hefyd trwy roi ffoil adlewyrchol ar y wal y tu ôl i reiddiaduron.

Ffigur 10.36 Defnyddir blancedi alwminiwm arbennig yn aml mewn argyfwng, rhag i bobl fynd yn oer.

Cwestiynau

28 Byngalo pren ar y bryniau sydd gan Beti. Bolltau dur sy'n dal y waliau at ei gilydd. Yn y gaeaf bydd pibonwy yn ymffurfio ar y bolltau y tu mewn i'r tŷ, ond bydd y pren yn teimlo'n gynnes. Eglurwch hyn.

29 Mae dargludedd gwydr yn uwch na dargludedd bricsen. Pam mae mwy o wres yn cael ei golli trwy waliau'r tŷ na thrwy'r ffenestri?

Tabl 10.3 Mae gan yr ynysyddion gorau y gwerthoedd dargludedd isaf

Defnydd	Dargludedd cymharol
Alwminiwm	8800.0
Dur	3100.0
Concrit	175.0
Gwydr	35.0
Dŵr	25.0
Bricsen	23.0
Bloc bris	9.0
Pren	6.0
Ffelt	1.7
Gwlân	1.2
Gwydr ffibr	1.2
Aer	1.0

Gweithgaredd

Nid yw tad Aled yn hoffi newid. Mae'n hoff iawn o'r hen debot du sydd ganddo ac yn dweud ei fod yn cadw te yn boethach na'r tebot sgleiniog modern a gafodd yn anrheg Nadolig. Cynlluniwch (ar bapur) arbrawf i weld a yw'n iawn. Eglurwch

1 pa fesuriadau wnewch chi
2 sut byddwch chi'n ei wneud yn brawf teg
3 sut byddwch chi'n cyflwyno eich casgliadau
4 sut byddwch chi'n penderfynu a yw tad Aled yn iawn ai peidio.

Ynysu'r cartref

Mae costau egni'n cynyddu drwy'r amser. Rydym ni'n colli egni o'n cartrefi trwy ddargludiad, darfudiad a phelydriad. Rhaid i bob tŷ newydd fod yn effeithlon o ran egni. Mae'r rheolau adeiladu yn mynnu bod defnyddiau ynysu mewn tai newydd. Rhaid iddynt fod yn ddefnyddiau gwael am ddargludo gwres, hynny yw, rhaid i'w gwerth **dargludedd** fod yn isel (Tabl 10.3).

Gallwn ni wella'r ynysu mewn hen dai hefyd. Edrychwch ar Ffigur 10.37 ar dudalen 214 i weld faint o arian y gallwn ei arbed. Hefyd mae'n dangos sut y gellir lleihau ein hallyriadau carbon deuocsid. Mae boeleri cyddwyso effeithlon iawn yn gallu lleihau costau egni hefyd.

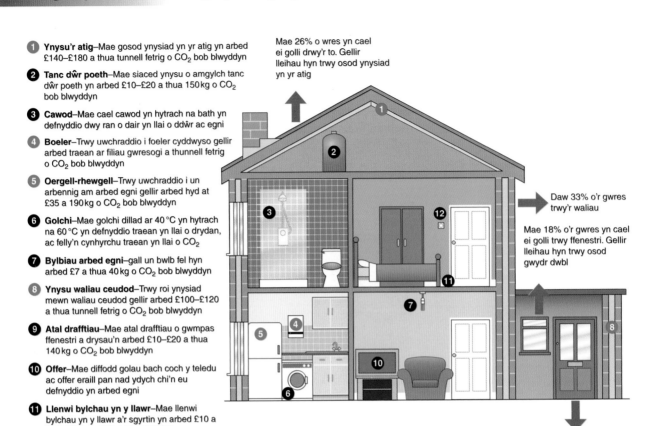

1 **Ynysu'r atig**–Mae gosod ynysiad yn yr atig yn arbed £140–£180 a thua tunnell fetrig o CO_2 bob blwyddyn

2 **Tanc dŵr poeth**–Mae siaced ynysu o amgylch tanc dŵr poeth yn arbed £10–£20 a thua 150 kg o CO_2 bob blwyddyn

3 **Cawod**–Mae cael cawod yn hytrach na bath yn defnyddio dwy ran o dair yn llai o ddŵr ac egni

4 **Boeler**–Trwy uwchraddio i foeler cyddwyso gellir arbed traean ar filiau gwresogi a thunnell fetrig o CO_2 bob blwyddyn

5 **Oergell-rhewgell**–Trwy uwchraddio i un arbennig am arbed egni gellir arbed hyd at £35 a 190 kg o CO_2 bob blwyddyn

6 **Golchi**–Mae golchi dillad ar 40 °C yn hytrach na 60 °C yn defnyddio traean yn llai o drydan, ac felly'n cynhyrchu traean yn llai o CO_2

7 **Bylbiau arbed egni**–gall un bwlb fel hyn arbed £7 a thua 40 kg o CO_2 bob blwyddyn

8 **Ynysu waliau ceudod**–Trwy roi ynysiad mewn waliau ceudod gellir arbed £100–£120 a thua tunnell fetrig o CO_2 bob blwyddyn

9 **Atal drafftiau**–Mae atal drafftiau o gwmpas ffenestri a drysau'n arbed £10–£20 a thua 140 kg o CO_2 bob blwyddyn

10 **Offer**–Mae diffodd golau bach coch y teledu ac offer eraill pan nad ydych chi'n eu defnyddio yn arbed egni

11 **Llenwi bylchau yn y llawr**–Mae llenwi bylchau yn y llawr a'r sgyrtin yn arbed £10 a thua 120 kg o CO_2 bob blwyddyn

12 **Thermostat**–Mae troi'r thermostat i lawr 1°C yn gallu arbed £30 a thua 300 kg o CO_2 bob blwyddyn

Mae 26% o wres yn cael ei golli drwy'r to. Gellir lleihau hyn trwy osod ynysiad yn yr atig

Daw 33% o'r gwres trwy'r waliau

Mae 18% o'r gwres yn cael ei golli trwy ffenestri. Gellir lleihau hyn trwy osod gwydr dwbl

Mae 11% o'r gwres yn cael ei golli trwy fylchau yn y drysau a'r lloriau

Ffigur 10.37 Sut i arbed egni yn eich cartref (mae'r cylchoedd glas yn dangos bod grantiau a chyngor ar gael gan yr Ymddiriedolaeth Arbed Egni, a'r cylchoedd du yn dangos pethau sy'n costio ychydig neu ddim o gwbl)

Gweithgaredd

Defnyddiwch lyfrau am grefftau'r cartref (*DIY*) neu'r rhyngrwyd i ddarganfod sut i

1 atal drafftiau yn eich cartref

2 rhoi siaced am y tanc dŵr poeth

3 llenwi'r bwlch rhwng y sgyrtin a'r llawr.

Arbed arian ar filiau gwresogi eich cartref:
www.est.org.uk

Yn aml bydd taflenni am arbed egni i'w cael mewn siopau mawr 'crefftau' cartref (*DIY*)

Ydy hi'n werth gwneud hyn?

Mae'n eithaf hawdd ynysu tŷ. Yn Nhabl 10.4 fe welwch chi'r arbedion ar gyfer tŷ modern arferol.

Tabl 10.4 Costau ac arbedion ar gyfer ynysu tŷ pâr modern

Math o ynysiad	Cost gosod (£)	Arbedion blynyddol ar y bil tanwydd (£)
Ynysiad waliau ceudod	260–380	100–120
250 mm o ynysiad yn yr atig, dim yno ar hyn o bryd	220–250	140–180
Rhoi siaced am y tanc dŵr poeth (gwneud eich hun)	10+	10–20
Atal drafftiau (gwneud eich hun)	40+	10–20
Ynysu'r llawr (gwneud eich hun)	100+	15–25
Llenwi'r bwlch rhwng y sgyrtin a'r llawr	25	5–10
Gwydr dwbl	3000+	40

Cwestiynau

30 Wrth ynysu eich tŷ, faint o amser mae'n ei gymryd cyn i chi ddechrau arbed arian? Defnyddiwch Dabl 10.4 i gyfrifo'r amser talu'n ôl ar gyfer pob math o ynysiad. Pa un yw'r lleiaf cost effeithiol?

31 Mae gwydr trebl yn cael ei ddefnyddio mewn gwledydd oer. Eglurwch fanteision gwydr trebl o'u cymharu â gwydr dwbl.

32 Mae gwres yn trosglwyddo o un lle i'r llall trwy brosesau **dargludiad, darfudiad** a **phelydriad**. Copïwch a llenwch y brawddegau isod gan nodi'r dull addas o drosglwyddo gwres.

   a Mae cwpanau polystyren yn ynysyddion da. Nid oes llawer o wres yn gallu pasio trwyddynt trwy _____.

   b Mae gwres yn pasio trwy fetelau oherwydd _____.

   c Mae aer yn ymyl nenfwd yr ystafell yn boethach na'r aer wrth y llawr oherwydd _____. Mae arwynebau du yn dda am ryddhau gwres trwy _____.

33 Mae gwyddonwyr yn bwriadu ymweld ag ynys bellennig am rai misoedd (diagram ar y chwith).

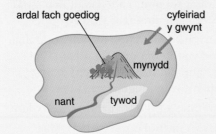

Bydd arnynt angen cyflenwad trydan. Gallai'r gwyddonwyr gynhyrchu trydan gan ddefnyddio:

   i pŵer solar

   ii egni gwynt

   iii pren.

   a Nodwch **ddwy** o anfanteision defnyddio pren o'r ynys i gynhyrchu trydan.

   b Rhowch **un** anfantais defnyddio pŵer solar.

   c Pa safle fyddai'r mwyaf addas ar gyfer melin wynt?

   ch Copïwch a llenwch y newid egni ar gyfer melin wynt: egni _____ → egni trydanol.

34 Mae trydan yn cael ei anfon trwy'r Grid Cenedlaethol ar folteddau uchel. Mae newidyddion yn rhan bwysig o'r Grid Cenedlaethol.

   a Beth yw'r Grid Cenedlaethol?

   b Rhowch reswm pam mae trydan yn cael ei gario ar folteddau uchel.

   c Eglurwch pam mae angen **dau** fath o newidydd yn system y Grid Cenedlaethol.

35 Mae'r tabl isod yn dangos gwybodaeth am ddau degell. Mae pob tegell yn cynnwys **yr un màs** o ddŵr.

	Egni i mewn (kJ)	Egni a amsugnir gan y dŵr (kJ)	Egni gwastraff (kJ)	Cynnydd mewn tymheredd (°C)
Tegell A	600	460		25
Tegell B		460	160	25

   a Copïwch a llenwch y tabl.

   b Ar y dechrau, tymheredd y dŵr oedd 17 °C. Beth oedd tymheredd y dŵr ar y diwedd?

   c Defnyddiwch y tabl i egluro pam mae tegell **A** yn fwy effeithlon na thegell **B**.

GWYDDONIAETH

Crynodeb

1 Mae llosgi tanwyddau ffosil yn rhoi llawer o garbon deuocsid yn yr aer.

2 Mae'r carbon deuocsid yn achosi i dymereddau godi drwy'r byd.

3 Mae gorsafoedd pŵer glo, olew a nwy yn llosgi tanwyddau ffosil.

4 Nid yw gorsafoedd pŵer niwclear yn allyrru carbon deuocsid, ond mae ganddynt anfanteision eraill.

5 Mae unedau gwres a phŵer ar y cyd (CHP) yn defnyddio tanwydd yn fwy effeithlon.

6 Cost adeiladu gorsafoedd pŵer (mewn trefn ddisgynnol): niwclear, glo ac olew, nwy.

7 Mae celloedd ffotofoltaidd yn trawsnewid goleuni'r Haul yn drydan a gellir eu defnyddio i roi pŵer i adeiladau neu, gyda batrïau wrth gefn, i roi pŵer i arwyddion ar y traffyrdd.

8 Gall ffermydd gwynt gynhyrchu trydan heb lygredd, ond mae rhai pobl yn dadlau eu bod yn difetha'r olygfa. Rhaid cael gorsaf bŵer niwclear neu danwydd ffosil wrth gefn drwy'r amser rhag ofn y bydd y gwynt yn gostegu.

9 Mae'n bosibl defnyddio tonnau a'r llanw i gynhyrchu trydan.

10 Mae llosgi tanwydd biomas yn niwtral o ran carbon. Mae carbon yn cael ei dynnu o'r atmosffer pan fydd y coed yn tyfu. Mae'n cael ei roi'n ôl wrth eu llosgi.

11 Uned pŵer yw'r wat (W).

12 Mae $1\,kW = 1000\,W$ ac $1\,MW = 1\,000\,000\,W$.

13 Pŵer (W) = foltedd (V) × cerrynt (A).

14 Mae system o geblau uwchben, o'r enw y Grid Cenedlaethol, yn cysylltu'r holl orsafoedd pŵer, ein cartrefi a'r ffatrïoedd.

15 Mae'r Grid Cenedlaethol yn cario trydan ar foltedd uchel iawn. Mae hyn yn lleihau faint o egni sy'n cael ei golli fel gwres.

16 Mae gorsafoedd pŵer yn cynhyrchu trydan cerrynt eiledol (c.e.).

17 Trosglwyddo $1\,J/s$ o egni y mae $1\,W$ o bŵer. Uned fach yw hon.

18 Egni a drosglwyddir (J) = pŵer (W) × amser (s).

19 Bydd mesurydd trydan neu nwy yn mesur faint o egni sy'n cael ei ddefnyddio yn y cartref.

20 Uned egni yw'r cilowat awr (kWawr). Nifer yr unedau sy'n cael eu defnyddio (kWawr) = pŵer (kW) × amser (oriau).

21 Gallwn ddefnyddio gwahanol ffynonellau egni i wresogi ein cartrefi. Mae rhai'n ddrutach eu rhedeg nag eraill. Mae cost gosod yr offer yn amrywio.

22 Un dewis yw defnyddio egni adnewyddadwy yn y cartref, ond mae'n gallu bod yn ddrud gosod yr offer ac mae'r amser talu'n ôl yn hir.

23 Po fwyaf y gwahaniaeth tymheredd, mwyaf o egni gwres sy'n cael ei drosglwyddo. Mae hyn yn wir am ddargludiad, darfudiad a phelydriad.

24 Dargludiad yw'r broses sy'n trosglwyddo egni gwres trwy bethau solid.

25 Mae metelau'n ddargludyddion gwres da ac mae anfetelau'n wael am ddargludo gwres.

26 Mae defnyddiau sy'n cynnwys aer wedi'i ddal yn gaeth yn wael iawn am ddargludo. Fe'u gelwir yn ynysyddion.

27 I gael dargludiad, rhaid cael defnydd i'r egni gwres deithio trwyddo.

28 Darfudiad yw'r brif broses sy'n trosglwyddo gwres mewn llifyddion (hylifau a nwyon). Wrth i'r llifydd poethach godi, mae'n cario egni gwres i fyny hefyd.

29 I gael darfudiad, rhaid cael hylif neu nwy i gario'r egni gwres.

30 Pan fydd gwres yn cael ei drosglwyddo gan belydriad, mae'n teithio ar ffurf pelydriad electromagnetig. Gall deithio ar draws gwactod ar gyflymder goleuni.

31 Arwynebau du, pŵl yw'r gorau am allyrru ac amsugno pelydriad. Arwynebau sgleiniog, arian yw'r gwaethaf.

32 Gall panel solar thermol ddechrau gwresogi dŵr poeth yn y cartref.

33 Gellir arbed arian ac egni trwy ynysu tŷ.

34 Gall llawer o bethau syml, fel atal drafftiau, a selio bylchau yn y llawr, helpu i arbed arian.

35 Gyda rhai pethau fel gosod gwydr dwbl drud, gall gymryd blynyddoedd i gael y gost wreiddiol yn ôl.

Pennod 11 Tonnau a phelydriad electromagnetig

Erbyn diwedd y bennod hon, dylech:

● wybod sut i ddisgrifio siâp tonnau ac i fesur eu buanedd;

● gwybod am y gwahanol fathau o donnau electromagnetig;

● gwybod sut rydym ni'n defnyddio tonnau electromagnetig a pha fathau sy'n beryglus;

● gwybod am ffyrdd o ddefnyddio ffibrau optegol, microdonnau a lloerenni i gyfathrebu;

● deall peryglon posibl mastiau ffonau symudol.

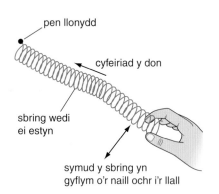

Ffigur 11.1 Gwneud ton mewn sbring Slinky

Tonnau:
www.bbc.co.uk/cymru/tgau/ffiseg

Nodweddion tonnau

Buanedd, amledd a thonfedd tonnau

Mae tonnau'n cario egni a gwybodaeth. Mae ton tsunami yn cario swm enfawr o egni. Mae tonnau goleuni a sain sy'n cyrraedd ein llygaid a'n clustiau yn cario egni a gwybodaeth am y byd o'n cwmpas.

I gynhyrchu ton mewn sbring Slinky wedi ei estyn, ffliciwch un pen y sbring yn gyflym o ochr i ochr. Bydd ton yn teithio ar hyd y sbring.

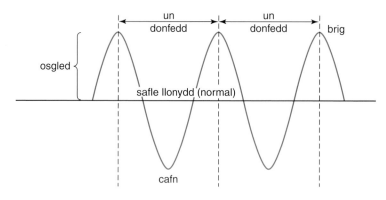

Ffigur 11.2 Mesuriadau ton

Ffliciwch y sbring drososdd a thro ac fe gewch chi gyfres o donnau. Edrychwch ar eu **tonfedd** (λ); dyma'r pellter o ddechrau i ddiwedd un gylchred gyflawn, sef y pellter rhwng brig un don a brig y don nesaf. Mae tonfedd yn cael ei mesur mewn metrau (m).

Ffliciwch y sbring yn gyflymach a bydd mwy o donnau bob eiliad. Rydych chi wedi cynyddu **amledd** y tonnau. Yr amledd yw'r nifer o donnau cyflawn sy'n mynd heibio i bwynt arbennig bob eiliad. 'Nifer yr eiliad' yw hwn, ac mae'n cael ei fesur mewn unedau o'r enw hertz (Hz).

Buanedd ton yw'r pellter y mae ton yn ei deithio mewn 1 eiliad (s) (Ffigur 11.3). Mae'n cael ei fesur mewn metrau yr eiliad (m/s).

$$\text{buanedd ton (m/s)} = \frac{\text{pellter (m)}}{\text{amser (s)}}$$

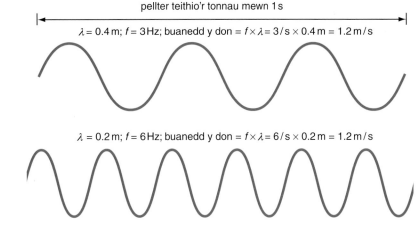

pellter teithio'r tonnau mewn 1 s

$\lambda = 0.4\,\text{m}; f = 3\,\text{Hz};$ buanedd y don $= f \times \lambda = 3/\text{s} \times 0.4\,\text{m} = 1.2\,\text{m/s}$

$\lambda = 0.2\,\text{m}; f = 6\,\text{Hz};$ buanedd y don $= f \times \lambda = 6/\text{s} \times 0.2\,\text{m} = 1.2\,\text{m/s}$

Ffigur 11.3 Mae'r tonnau hyn yn teithio ar yr un buanedd, felly mae tonfedd fyrrach gan y don sydd â'r amledd mwyaf.

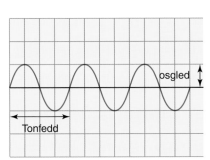

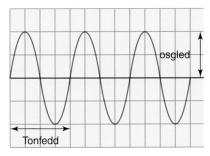

Ffigur 11.4 Dyma ddwy don sydd â'r un amledd a thonfedd ond gwahanol osgled.

Osgled tonnau

Cadwch amledd y tonnau yn gyson a gwnewch donnau ysgafn. Yna gwnewch donnau cryfach. Mae'r amledd a'r donfedd yn aros yr un fath, ond mae'r **osgled** yn cynyddu (Ffigur 11.4).

Osgled ton yw pellter mwyaf y sbring o'i safle llonydd. Sylwch fod osgled yn hanner y pellter rhwng brig a chafn y don.

Gwaith ymarferol

Mesur buanedd tonnau ar hyd sbring

1 Gweithiwch mewn grŵp o dri neu fwy.

2 Rhaid i chi a'ch partner estyn y sbring rhyngoch.

3 Ffliciwch y sbring unwaith i un ochr i wneud yn sicr y gall y don gyrraedd y pen sefydlog a chael ei hadlewyrchu'n ôl mewn cyfnod rhesymol.

4 Mesurwch hyd y sbring wedi ei estyn.

5 Pan fydd pawb yn barod, dechreuwch wneud y don a'i hamseru dros lwybr mor hir â phosibl.

6 Cyfrifwch fuanedd y don o'r fformiwla ganlynol.

$$\text{buanedd (m/s)} = \frac{\text{pellter (m)}}{\text{amser (s)}}$$

7 Cofiwch ei bod hi'n well amseru'r don dros nifer o deithiau wedi'u hadlewyrchu. Lluoswch y pellter yn ôl nifer yr adegau y teithiodd y don y pellter hwn.

8 Nawr ceisiwch ddarganfod sut mae buanedd y don yn newid wrth i chi estyn y sbring yn fwy byth (h.y. os yw'n newid o gwbl).

9   Penderfynwch sut i gyflwyno eich canlyniadau.

10 Plotiwch graff i ddarganfod a oes perthynas rhwng buanedd a thensiwn (faint rydych chi wedi estyn y sbring).

Yn eich barn chi, beth fyddai'n digwydd i'r don petaech chi'n rhoi'r sbring ar garped? Rhagfynegwch, ac os oes amser, rhowch brawf ar eich rhagfynegiad.

Darganfod beth sy'n effeithio ar fuanedd tonnau mewn dŵr

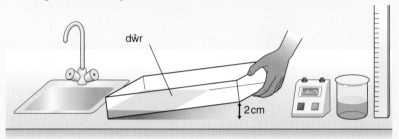

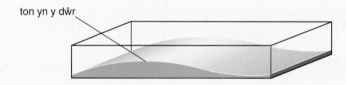

Ffigur 11.5 Cyfarpar ar gyfer mesur tonnau

1   Yn eich grŵp, meddyliwch am y canlyniadau a gawsoch wrth edrych ar fuanedd y tonnau Slinky a gwnewch restr o bethau a allai effeithio ar fuanedd tonnau ar ddŵr.

2   Penderfynwch pa gyfarpar i'w ddefnyddio.

3   Meddyliwch am:
    a   y math o gynhwysydd sydd ei angen i ddal y dŵr (rhaid i'r dŵr yn y cynhwysydd beidio â bod yn ddyfnach na 1 cm)
    b   sut byddwch chi'n gwneud y tonnau
    c   pa fath o fesuriadau a wnewch chi ar gyfer y tonnau
    ch sut byddwch chi'n mesur y rhain
    d   pa gyfarpar fydd ei angen i wneud y mesuriadau
    dd pa bethau y byddwch chi'n eu newid neu eu cadw'n gyson
    e   pa bethau y byddwch chi'n eu mesur o ganlyniad i'ch newidiadau
    f   sut byddwch chi'n cofnodi eich mesuriadau
    ff sut byddwch chi'n arddangos a chyflwyno eich casgliadau.

Ysgrifennwch adroddiad yn dweud sut gwnaethoch chi gynnal yr ymchwiliad. Beth oedd eich canlyniadau?

Hafaliad ar gyfer tonnau

Mae'r fformiwla ganlynol yn cysylltu buanedd ton â'i hamledd a'i thonfedd.

buanedd ton (m/s) = tonfedd (m) × amledd (Hz)

Gellir aildrefnu'r fformiwla fel hyn.

$$\text{amledd (Hz)} = \frac{\text{buanedd ton (m/s)}}{\text{tonfedd (m)}}$$

hefyd:

$$\text{tonfedd (m)} = \frac{\text{buanedd ton (m/s)}}{\text{amledd (Hz)}}$$

Fformiwla arall sydd gennym yw hon:

$$\text{buanedd (m/s)} = \frac{\text{pellter (m)}}{\text{amser (s)}}$$

Enghraifft

Mae gan don amledd o 3 Hz a thonfedd o 10 cm. Beth yw ei buanedd?

Yn gyntaf, y fformiwla:

buanedd ton = tonfedd × amledd

Newidiwch y centimetrau i fetrau (10 cm = 0.1 m).

Rhowch y rhifau:

buanedd ton = 0.1 m × 3 Hz
= 0.3 m/s

Weithiau, wrth ysgrifennu rhifau mawr iawn neu rifau bach iawn, mae angen defnyddio sero nifer fawr iawn o weithiau. Mae ffordd fer o ysgrifennu'r rhifau hyn, trwy gyfrif sawl sero sydd yn y rhif. Er enghraifft, mil = 1000 = 1×10^3 a miliwn = 1 000 000 = 1×10^6.

Milfed ran = $\frac{1}{1000}$ = 0.001
= 1×10^{-3} a miliynfed ran
= $\frac{1}{1\,000\,000}$ = 0.000 001
= 1×10^{-6}.

Tonnau:
www.gcse.com

Cwestiynau

1 **a** Gwnewch ddiagram ton. Ar y diagram, nodwch
   i y donfedd
   ii yr osgled.
   b Ar yr un diagram, mewn gwahanol liw, tynnwch lun ton sydd ag amledd uwch ac osgled llai.

2 Mae gan don amledd o 50 Hz a thonfedd o 20 cm. Cyfrifwch fuanedd y don mewn metrau yr eiliad.

3 Mae ton sain yn teithio ar 330 m/s gydag amledd o 220 Hz. Beth yw ei thonfedd?

4 Copïwch a llenwch y tabl isod.

	Buanedd (m/s)	Amledd (Hz)	Tonfedd (m)
Tonnau sain mewn aer	340	170	
Tonnau sain mewn dŵr	1500		3
Tonnau sain mewn dur		2000	3

Y sbectrwm electromagnetig

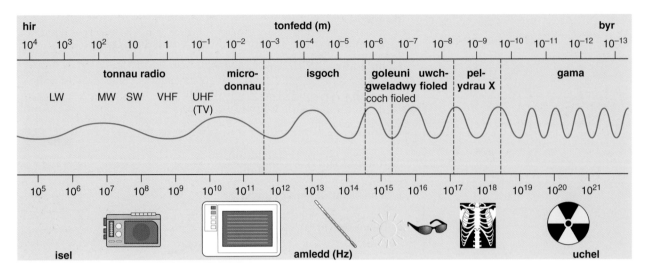

Ffigur 11.6 Y sbectrwm electromagnetig

Bydd prism yn hollti goleuni gwyn yn sbectrwm o liwiau'r enfys. (**Gwasgariad** yw'r enw ar yr effaith hon.) Mae tonfedd goleuni un lliw yn wahanol i donfedd goleuni lliw arall. Mae'r sbectrwm hwn o liwiau gweladwy yn rhan o sbectrwm llawer mwy o **donnau electromagnetig** sydd ag amrediad enfawr o donfeddi.

Mae pob ton electromagnetig:

- yn teithio ar yr un buanedd mewn gwactod, sef buanedd goleuni: 300 000 000 m/s
- yn trosglwyddo egni o le i le
- yn codi tymheredd y defnydd sy'n ei hamsugno
- yn gallu cael ei hadlewyrchu a'i phlygu.

Cofiwch fod cysylltiad rhwng buanedd, tonfedd ac amledd ton. Ond, mae buanedd pob ton electromagnetig yr un fath, felly yn Ffigur 11.6, y tonnau sydd â'r donfedd fyrraf fydd â'r amledd uchaf.

Ymchwilio i'r tonnau yn y sbectrwm electromagnetig

Tonnau radio a theledu

Tonnau radio sydd â'r tonfeddi hiraf. Mae tonnau radio hir a chanolig yn cael eu trawsyrru o amgylch y byd trwy gael eu hadlewyrchu gan rannau uchaf yr atmosffer (yr ïonosffer). Tonnau awyr yw'r enw ar donnau radio sydd wedi'u hadlewyrchu fel hyn.

Mae'r tonnau sy'n cael eu defnyddio gan radio FM a theledu yn fyrrach nag 1 m. Nid yw'r tonnau daear hyn yn gallu cael eu hadlewyrchu gan yr atmosffer. Er mwyn derbyn signal, mae'n rhaid cael nifer fawr o drawsyryddion a'r cyfan yn gallu 'gweld ei gilydd' ar hyd y llwybr at erial eich teledu. Hefyd, mae'n bosibl aildrawsyrru signalau teledu trwy gyfrwng lloerenni i rannau pell o'r byd (mae rhagor am ddefnyddio lloerenni i gyfathrebu yn yr adran ar gyfathrebu dros bellter). Nid yw tonnau radio a theledu yn beryglus gan mai ychydig iawn o egni sy'n cael ei gario ganddynt.

Ffigur 11.7 Gall tonnau radio deithio ar hyd gwahanol lwybrau

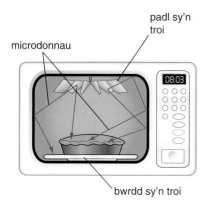

Ffigur 11.8 Popty microdon

Microdonnau

Mae eich popty microdon yn defnyddio microdonnau (Ffigur 11.8). Mewn popty o'r fath mae'r tonnau'n dod o'r pen uchaf ac yn cael eu hadlewyrchu oddi ar yr ochrau metel ar y bwyd sy'n cael ei goginio. Mae rhwyllen fetel yn y drws sy'n atal y tonnau rhag dianc, oherwydd gallai hynny fod yn beryglus. Rhaid dewis amledd lle bydd y microdonnau'n treiddio i'r bwyd a bydd egni'r tonnau'n cael ei drosglwyddo i'r moleciwlau dŵr y tu mewn iddo. Felly bydd y bwyd yn coginio'n gyflym a chyson o'r tu mewn. Wrth goginio bwyd mewn popty arferol, mae'r gwres yn teithio o'r tu allan ac mae'n cymryd amser iddo gyrraedd canol y bwyd.

Wyddoch chi?

Cafodd y popty microdon ei ddarganfod wrth i wyddonwyr ymchwilio ym maes radar. Adeg yr Ail Ryfel Byd, cafodd trawsyryddion microdonnau eu dyfeisio i anfon signalau (radar) er mwyn dod o hyd i awyrennau'r gelyn. Ar ddiwedd y rhyfel, aeth yr ymchwil yn ei flaen. Un diwrnod, roedd peiriannydd yn cerdded heibio i drawsyrrydd radar pan sylwodd fod y bar siocled yn ei boced wedi dechrau ymdoddi.

Tonnau radio tonfedd fer (ac felly amledd uchel) yw'r microdonnau sy'n cael eu defnyddio i goginio. Felly, mae'r tonnau radio a theledu sy'n cael eu defnyddio i gyfathrebu trwy loerenni yn ficrodonnau. Mae ffonau symudol hefyd yn defnyddio microdonnau. Yn debyg i drawsyrwyr teledu, rhaid i signalau ffôn symudol gael llwybr clir. Mae rhagor am hyn yn yr adran ar gyfathrebu dros bellter.

Tonnau isgoch

Gallwn deimlo pelydriad isgoch; dyna yw pelydriad gwres. Mae popeth sydd uwchben tymheredd sero absoliwt (−273 °C) yn allyrru pelydriad isgoch. Nid yw pelydriad isgoch yn beryglus ynddo'i hun, ond mae'n bwysig peidio â chael gormod ohono. Os byddwch chi'n sefyll o flaen coelcerth am gyfnod hir, bydd yr egni sy'n cael ei belydru yn eich cynhesu a gallai eich llosgi.

Ffigur 11.9 Gall offer canfod isgoch ddangos lle mae gwres yn cael ei golli o adeiladau, gan helpu i ddod o hyd i bobl mewn ystafelloedd yn llawn mwg.

Mae camerâu isgoch yn canfod gwres (Ffigur 11.9). Mae'r gwasanaeth tân yn eu defnyddio i ddod o hyd i bobl mewn adeiladau sy'n llawn mwg, a bydd hofrennydd yr heddlu'n eu defnyddio i ddod o hyd i bobl sy'n ceisio cuddio oddi wrthynt yn y nos. Gall camera isgoch ddangos pa dai sydd wedi'u hynysu'n dda a pha dai sy'n colli llawer o wres.

Goleuni gweladwy

Yr Haul yw ein prif ffynhonnell ar gyfer goleuni a gwres. Mae ei egni yn ein cadw'n gynnes ac mae'n hanfodol ar gyfer cynnal bywyd. Mae planhigion yn defnyddio goleuni gweladwy ar gyfer ffotosynthesis i wneud bwyd ac ocsigen. Dyma'r unig ran o'r sbectrwm y gallwn ei gweld â'n llygaid.

Pelydriad uwchfioled

Mae'r tonnau yn y pen hwn o'r sbectrwm electromagnetig yn mynd yn fwyfwy peryglus. Mae'r donfedd yn mynd yn fyrrach a byrrach. Wrth i'r amleddau gynyddu, mae'r egni a'r perygl i bethau byw yn cynyddu hefyd. Mae pelydriad uwchfioled yn niweidio eich croen oherwydd bod digon o egni yn y pelydriad i ïoneiddio atomau mewn celloedd. Mae lliw haul yn arwydd bod eich croen eisoes wedi'i niweidio. Weithiau gall pelydriad sy'n ïoneiddio achosi mwtanu mewn celloedd. Gall hyn arwain at ganser (Ffigur 11.10).

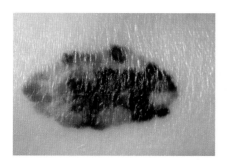

Ffigur 11.10 Gall treulio gormod o amser yn yr heulwen gynyddu'r perygl o ddatblygu canser y croen

Ffigur 11.11 Mae peiriant angiograffi'n defnyddio pelydrau X i archwilio cyflwr calon claf.

Tudalennau NASA am y sbectrwm electromagnetig:
http://imagine.gsfc.nasa.gov/docs/science

Y sbectrwm electromagnetig ac Arsyllfa Awyr Kuiper (ewch i *Space* yna *The electromagnetic spectrum*):
vathena.arc.nasa.gov

Pelydrau X

Mae dod i gysylltiad â phelydrau X yn gallu achosi canser. Ond, mae pelydrau X yn ddefnyddiol iawn ym maes meddygaeth, lle mae'r buddion yn llawer mwy na'r peryglon (Ffigur 11.11). Dan amodau gofalus iawn gellir eu defnyddio i drin canserau. Bydd pelydrau X cryf iawn yn cael eu defnyddio i ganfod diffygion mewn metelau.

Pelydrau gama

Daw pelydriad gama o niwclysau defnyddiau ymbelydrol fel wraniwm. Mae pelydrau gama'n beryglus iawn i bopeth byw. Gallant achosi canser neu ladd celloedd. Fel gyda phelydrau X, gellir eu defnyddio i ganfod diffygion mewn metelau. Hefyd mae'n bosibl eu defnyddio i drin canser, ac i ddiheintio offer meddygol (edrychwch ar yr adran am ddefnyddio ymbelydredd a'i beryglon ym Mhennod 13).

Cwestiynau

5 Gwnewch siart o brif nodweddion y sbectrwm electromagnetig. Rhestrwch brif adrannau'r sbectrwm. Ar gyfer pob adran, rhowch
   a amrediad y tonfeddi
   b sut mae'n cael ei defnyddio a'r peryglon.

Gweithgaredd

1 Yn eich grŵp, rhaid i bob un ohonoch ddewis adran o'r sbectrwm electromagnetig.
2 Defnyddiwch lyfrau neu'r rhyngrwyd i ddod o hyd i fwy o fanylion am ffyrdd o ddefnyddio'r rhan honno o'r sbectrwm.
3 Rhannwch eich canlyniadau gyda'ch grŵp neu'r dosbarth.

Adlewyrchu a phlygu goleuni

Gall goleuni basio trwy wydr. Hefyd gall goleuni adlewyrchu oddi ar arwyneb y gwydr a gall y pelydrau goleuni newid cyfeiriad (Ffigur 11.12).

Ffigur 11.12 Adlewyrchiad mewn ffenestr siop

Gwaith ymarferol

Mesur pelydrau plyg ac adlewyrch

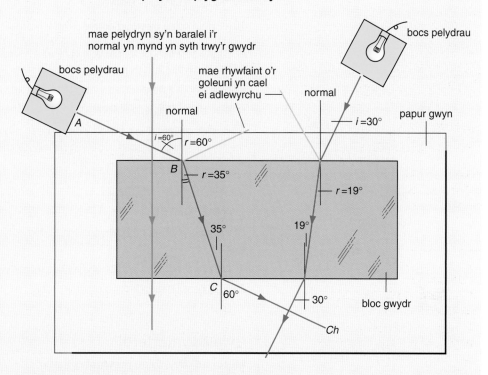

mae pelydryn sy'n baralel i'r
normal yn mynd yn syth trwy'r gwydr

bocs pelydrau

bocs pelydrau

mae rhywfaint o'r
goleuni yn cael
ei adlewyrchu

normal

normal

papur gwyn

$i = 30°$

$i = 60°$ $r = 60°$

A

B $r = 35°$

$r = 19°$

$35°$ $19°$

C $60°$ $30°$ bloc gwydr

Ch

Ffigur 11.13 Plygiant pelydrau goleuni trwy floc gwydr

1 Rhowch floc gwydr ar ddalen o bapur gwyn.

2 Tynnwch linell o'i amgylch.

3 Defnyddiwch y bocs pelydrau i anfon pelydryn o oleuni i'r bloc gwydr.

4 Nodwch lwybr y pelydryn sy'n mynd i mewn i'r bloc (pelydryn trawol)
   a'r pelydryn sy'n dod o'r bloc (pelydryn allddodol).

5 Marciwch safle'r pelydryn adlewyrch gwan.

6 Tynnwch y bloc a rhowch linell rhwng y pwyntiau i farcio llwybr y
   pelydryn gwreiddiol.

7 Defnyddiwch onglydd i dynnu llinell normal yn y pwynt lle mae'r
   pelydrau'n mynd i mewn i'r bloc gwydr a'i adael.

Fe welwch chi'r pethau hyn:

- Mae yna **belydryn adlewyrch** gwan.

- Mae'r pelydryn allddodol yn baralel i'r pelydryn trawol. Mae wedi'i
  ddadleoli i'r ochr.

- Mae'r pelydryn **plyg** yn cael ei blygu tuag at y normal wrth iddo symud
  o aer i wydr.

- Mae'r pelydryn allddodol (wrth symud o wydr i aer) yn cael ei blygu
  oddi wrth y normal.

- Enw'r ongl rhwng y pelydryn trawol a'r normal yw'r **ongl drawiad**.

- Enw'r ongl rhwng y pelydryn plyg a'r normal yw'r **ongl blygiant**.

- Enw'r ongl rhwng y pelydryn adlewyrch gwan a'r normal yw'r **ongl
  adlewyrchiad**.

8 Nawr rhowch y bloc gwydr yn ôl ar ei farc.

9 Newidiwch ongl drawiad y pelydryn ac edrychwch beth sy'n digwydd i'r pelydryn plyg a'r pelydryn adlewyrch.

10 Cyfeiriwch y pelydryn ar hyd llinell y normal.

• Os yw pelydryn yn teithio ar hyd llinell y normal, nid yw'n cael ei blygu. Mae'n teithio'n syth trwodd.

• Mae'r ongl adlewyrchiad yn hafal i'r ongl drawiad.

• Mae'n bosibl i oleuni gael ei adlewyrchu a'i blygu gan arwyneb y gwydr.

Gwnewch grynodeb o'r ffordd y cafodd eich arbrawf ei gynnal a rhestrwch eich casgliadau. Cofiwch gynnwys canlyniadau eich arbrawf.

Gweithgaredd

Defnyddiwch lyfrau neu'r rhyngrwyd i ddod o hyd i eglurhad am y pethau hyn:

1 Mae pwll nofio yn edrych yn fwy bas nag ydyw mewn gwirionedd.

2 Mae pensil mewn bicer o ddŵr yn edrych fel petai wedi plygu.

Gwaith ymarferol

Mesur adlewyrchiad mewnol cyflawn

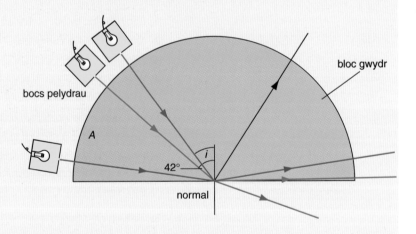

Ffigur 11.14 Plygiant ac adlewyrchiad mewn bloc gwydr

1 Rhowch floc gwydr hanner cylch ar ddalen o bapur gwyn a thynnwch linell o'i amgylch.

2 Tynnwch lun llinell normal hanner ffordd ar hyd yr ochr syth.

3 Cyfeiriwch belydryn o oleuni ar ongl fach i'r normal.

4 Marciwch a mesurwch y pelydryn allddodol.

Fe welwch chi hyn:

- Mae'r pelydryn trawol bob amser ar ongl sgwâr i'r bloc gwydr felly nid yw'n cael ei blygu.
- Mae'r pelydryn allddodol yn cael ei blygu oddi wrth y normal.
- Mae pelydryn adlewyrch gwan iawn yn ôl i mewn i'r bloc gwydr (i'w weld yn ddu yma).

5 Yn araf, dechreuwch gynyddu'r ongl drawiad.

Fe welwch chi hyn:

- Mae'r ongl blygiant yn cynyddu a'r pelydryn allddodol yn mynd yn nes at ochr syth y bloc.
- Ar ongl drawiad arbennig, mae'r pelydryn yn dod allan ar hyd ymyl y bloc (glas).

6 Pan fydd hyn yn digwydd, marciwch safle'r pelydryn trawol.

7 Gwnewch yr ongl drawiad yn fwy.

- Mae'r pelydryn bob amser yn cael ei *adlewyrchu* yn ôl i'r bloc ar gyfer pob ongl sy'n fwy na'r un a farciwyd gennych (gwyrdd).
- Yr enw ar hyn yw **adlewyrchiad mewnol cyflawn** gan fod yr *holl* oleuni (100%) yn cael ei adlewyrchu'n ôl i'r gwydr.
- Enw'r ongl a farciwyd gennych yw'r **ongl gritigol**.
- Mae'r ongl drawiad yn hafal i'r ongl adlewyrchiad pan fydd adlewyrchiad mewnol cyflawn yn digwydd.

Dyma rai pwyntiau pwysig i'w cofio am adlewyrchiad mewnol cyflawn.

- Yr unig adeg y mae'n digwydd yw pan fydd pelydryn goleuni yn teithio o gyfrwng dwys yn optegol (gwydr neu ddŵr) i gyfrwng sy'n llai dwys, fel aer.
- Rhaid i'r ongl drawiad fod yn fwy na'r ongl gritigol.
- Ongl gritigol gwydr yw 42°.
- Ongl gritigol dŵr yw 49°.

Gwnewch grynodeb o'r ffordd y cafodd eich arbrawf ei gynnal a rhestrwch eich casgliadau. Cofiwch gynnwys canlyniadau eich arbrawf.

Cwestiwn

6 Eglurwch y termau hyn:
  a ongl gritigol
  b adlewyrchiad mewnol cyflawn.

Gweithgaredd

Defnyddiwch lyfrau neu'r rhyngrwyd i ddarganfod sut mae adlewyrchiad mewnol llwyr yn cael ei ddefnyddio mewn

1 perisgop

2 adlewyrchyddion ar gar

3 ysbienddrych.

Ym mhob achos, gwnewch ddiagramau i egluro sut maen nhw'n gweithio.

Ffibrau optegol

Gwaith ymarferol

Archwilio ffibr optegol

1 Archwiliwch ffibr optegol fel y mae'r llun yn ei ddangos.

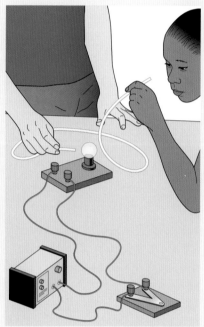

Ffigur 11.15 Goleuni'n teithio trwy ffibr optegol

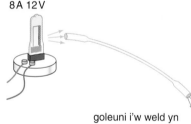

goleuni o ffynhonnell gymhlan 8A 12V

goleuni i'w weld yn wyrdd oherwydd amhureddau haearn/copr yn y gwydr

Ffigur 11.16 Gellir gwneud ffibr optegol fel hyn o roden wydr.

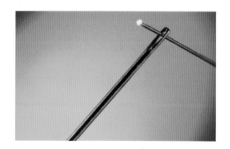

Ffigur 11.17 Ffibrau optegol trwy lygad nodwydd

Rydym ni'n gwybod bod goleuni'n teithio mewn llinell syth, felly sut mae'r goleuni yn dod o ben arall y ffibr hyd yn oed pan fydd y ffibr yn cael ei blygu? Mae angen i ni ddarganfod sut mae ffibrau optegol yn cael eu gwneud.

Ffibr optegol 'cartref'

Efallai y bydd eich athro/athrawes yn gwneud ffibr optegol. Rhaid:

- gwresogi rhoden wydr mewn fflam Bunsen nes ei bod yn feddal iawn
- estyn y rhoden yn gyflym er mwyn ei thynnu'n ffibr tenau iawn heb ei thorri
- ar ôl i'r gwydr oeri, cyfeiriwch oleuni cryf iawn ar hyd y ffibr crwm.

Os bydd bysedd seimllyd yn cyffwrdd â'r rhoden, bydd goleuni i'w weld yn dianc yn y mannau seimllyd.

Ffibrau optegol masnachol

Gwydr pur iawn sy'n cael ei ddefnyddio i wneud ffibrau optegol. Ar y dechrau, bydd y gwydr yn rhoden â diamedr o tua 15 mm. Bydd y gwydr yn cael ei wresogi nes y bydd yn ymdoddi, yna bydd yn cael ei dynnu yn ffibr tenau iawn tua'r un trwch â blewyn o wallt. Mae 1 km o'r gwydr pur hwn yn amsugno yr un faint o oleuni â haen o wydr ffenestr.

Am y ffibr tenau, rhoddir haen o wydr pur iawn sydd ag indecs plygiant ychydig yn is (mae'n llai dwys yn optegol). Yna bydd y ffibr cyfan yn cael ei orchuddio â haen i'w gadw rhag crafiadau a tholciau.

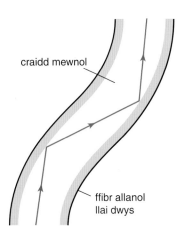

Ffigur 11.18 Mae goleuni'n symud ar hyd ffibrau optegol trwy adlewyrchiad mewnol cyflawn

Sut mae ffibrau optegol yn gweithio?

Mae goleuni'n mynd i mewn i un pen y ffibr optegol. Mae'n teithio ar ei hyd, ond buan iawn y bydd yn taro'r haen allanol o wydr llai dwys. Mae'n ei daro ar ongl sy'n fwy na'r ongl gritigol ac mae'r cyfan yn cael ei adlewyrchu'n fewnol. Mae'n teithio at yr ochr arall, lle bydd adlewyrchiad mewnol cyflawn yn digwydd eto. Mae'n parhau ar hyd y ffibr fel hyn nes cyrraedd y pen arall (Ffigur 11.18).

Cyfathrebu dros bellter hir

Ffibrau optegol

Mae ffibrau optegol yn llawer gwell am drosglwyddo gwybodaeth na gwifrau copr. Gall un ffibr gario dros 1.5 miliwn sgwrs ffôn, o'i gymharu â 1000 sgwrs trwy wifren gopr. Mae'r rhan fwyaf o alwadau ffôn, ffacs, rhyngrwyd ac yn y blaen, yn mynd ar hyd llinellau ffibrau optegol. Gall y ffibrau gario deg sianel deledu. Mae llawer iawn o ffibrau mewn ceblau optegol rhwng cyfandiroedd, felly gellir trosglwyddo swm enfawr o wybodaeth. Mae'n gost-effeithiol iawn.

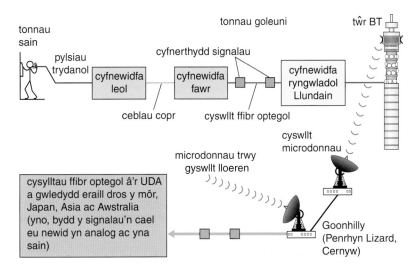

Ffigur 11.19 Llwybr galwad ffôn ryngwladol wrth adael y wlad

Pan fyddwn ni'n ffonio dros bellter mawr, bydd y signalau trydanol yn cael eu troi'n guriadau digidol (ymlaen/i ffwrdd) yn y gyfnewidfa. Yna bydd y signal digidol yn cael ei droi'n guriadau goleuni gan **laser**. Mae laser isgoch yn fflachio'n gyflym iawn. Defnyddir isgoch oherwydd ei fod yn teithio trwy'r gwydr yn well na goleuni gweladwy. Rhaid cyfnerthu'r signal bob 30 km ar hyd y ffibr. Yn y pen draw, rhaid trosi'r signal digidol o'r laser yn foltedd newidiol a bydd hwnnw yn ei dro yn cael ei drosi'n sŵn o'r ffôn wrth eich clust.

Dyma fanteision eraill o'u cymharu â gwifren gopr.

• Mae llinellau ffibrau optegol yn defnyddio llai o egni.
• Mae angen llai o orsafoedd cyfnerthu.
• Does dim ymyriant â cheblau cyfagos.
• Mae'n anodd eu bygio.
• Maen nhw'n pwyso llai ac felly'n haws eu gosod.

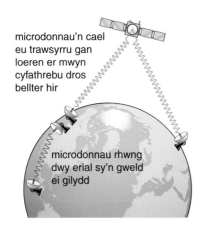

microdonnau'n cael eu trawsyrru gan loeren er mwyn cyfathrebu dros bellter hir

microdonnau rhwng dwy erial sy'n gweld ei gilydd

Ffigur 11.20 Rhaid i drawsyrrydd a derbynnydd microdonnau fod mewn llinell uniongyrchol â'i gilydd.

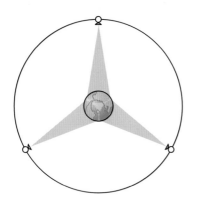

Ffigur 11.21 Y Ddaear o safle uwchben Pegwn y Gogledd; gall tair lloeren geosefydlog anfon signalau i'r Ddaear gyfan bron.

Ffigur 11.22 Dysgl loeren yn Goonhilly Down, Cernyw

Microdonnau

Microdonnau sy'n cario signalau ffonau symudol, teledu a radio FM. Mae microdonnau yn signalau diwifr – does dim angen cebl copr neu ffibr optegol. Un anfantais wrth ddefnyddio microdonnau yw fod yn rhaid cael llwybr clir rhwng y trawsyrrydd ac erial eich teledu. Er mwyn gwasanaethu'r ardal fwyaf bosibl, bydd trawsyryddion teledu fel arfer yn dal ac ar ben bryniau.

Oherwydd bod wyneb y Ddaear yn grwm, rhaid cael gorsafoedd aildrawsyrru i anfon signal microdonnau at drawsyrwyr sy'n bell i ffwrdd. Rhaid defnyddio lloerenni i gyfathrebu o amgylch y byd.

Yn ddamcaniaethol, tair lloeren yn unig sydd eu hangen er mwyn gallu anfon signalau o amgylch y byd. Mewn gwirionedd, mae mwy yn cael eu defnyddio. Mae'r lloerenni mewn orbit, 36 000 km uwchben wyneb y Ddaear. Maen nhw'n troi o gwmpas y Ddaear ar yr un buanedd ag y mae'r Ddaear ei hun yn cylchdroi. Felly maen nhw uwchben yr un lle ar wyneb y Ddaear drwy'r amser. Enw orbit fel hyn yw **orbit geosefydlog**.

Ym Mhrydain, mae signalau teledu, ffôn, ffacs a data yn cael eu hanfon at loerenni gan un o dair gorsaf BT. Mae gorsaf ddaear Goonhilly Down yng Nghernyw. Mae yno dros 60 dysgl loeren, yn amrywio o erialau bach sy'n 'derbyn yn unig' i ddysglau lloeren â diamedr o dros 30 m. Mae'r signalau sy'n cael eu derbyn yn llawer gwannach na'r signalau a gafodd eu hanfon.

Wyddoch chi?

Roedd y signal o'r lloerenni cynnar yn wan iawn. O ran egni, roedd yn debyg i faint o wres y byddech chi'n ei deimlo ar eich wyneb ar y Ddaear petai tân trydan un bar ymlaen ar y Lleuad.

Ffibrau optegol neu ficrodonnau?

Mae ffibrau optegol (isgoch) a lloerenni (microdonnau) yn cael eu defnyddio ar gyfer galwadau ffôn rhyngwladol a darllediadau teledu. Mae'n cymryd amser i'r signalau deithio o orsaf ar y ddaear i fyny i loeren ac yn ôl drachefn (Ffigur 11.23). Gadewch i ni gymharu'r oediad amser wrth anfon signal o A i B.

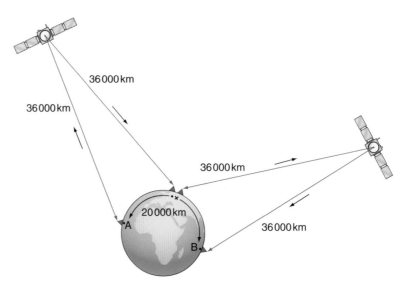

36 000 km
36 000 km
36 000 km
36 000 km
20 000 km
A
B

Ffigur 11.23 Rhaid i signal y lloeren deithio llawer ymhellach

Mae'r lloerenni mewn orbit ar uchder o 36 000 km. Felly, hyd y llwybr yw 4 × 36 000 km, neu 144 000 km. Mae hyn o stiwdio i stiwdio trwy'r lloeren. Defnyddiwch y fformiwla hon:

$$\text{buanedd (km/s)} = \frac{\text{pellter teithio (km)}}{\text{amser a gymerwyd (s)}}$$

Yn gyntaf, y fformiwla:

$$\text{amser teithio} = \frac{\text{pellter}}{\text{buanedd goleuni}}$$

Rhowch y rhifau:

$$\text{amser teithio} = \frac{144\,000\,\text{km}}{300\,000\,\text{km/s}}$$

$$= 0.5\,\text{s yn fras}$$

Petai yna ddarllediad allanol, gallai'r pellter teithio fod yn 200 000 km, gan achosi oedi o tua 0.7 s wrth i'r tonnau deithio. Byddai'n bosibl sylwi ar oediad amser fel hyn mewn adroddiad newyddion neu sgwrs ffôn. Efallai eich bod chi wedi sylwi ar hyn wrth wylio'r teledu.

Petai ffibrau optegol yn cysylltu'r ddwy stiwdio, efallai mai 20 000 km yn unig fyddai'r pellter teithio.

Yn gyntaf, y fformiwla:

$$\text{oediad amser} = \frac{\text{pellter teithio}}{\text{buanedd signal mewn gwydr}}$$

Rhowch y rhifau:

$$\text{oediad amser} = \frac{20\,000\,\text{km}}{200\,000\,\text{km/s}}$$

$$= 0.1\,\text{s}$$

Gyda ffibrau optegol, bydd yr oediad amser yn 0.1 s yn unig, sy'n llawer llai amlwg.

A ddaw ffibrau optegol yn lle lloerenni?

Gall ffibrau optegol ymdrin â llawer iawn o alwadau llais a data. Oherwydd eu bod yn gallu ymdrin â chymaint o wybodaeth, am nad oes oediad amser amlwg ac nad oes angen gorsafoedd aildrawsyrru, mae yna symudiad tuag at ddefnyddio ffibrau optegol i anfon signalau dros bellteroedd mawr ledled y byd. Ond, ni fydd microdonnau a lloerenni'n diflannu o'r herwydd. Yn aml, bydd angen cysylltiadau microdonnau i gario traffig ffibrau optegol pan fydd y cebl yn cael ei atgyweirio.

Cwestiynau

7 Rhestrwch fanteision defnyddio ffibrau optegol yn hytrach na gwifrau copr ar gyfer cyfathrebu.

8 Gwnewch ddiagram o ffibr optegol. Ar eich diagram dangoswch lwybr un pelydryn trawol wrth iddo basio trwy'r ffibr.

9 Eglurwch pam mae angen gorsafoedd aildrawsyrru wrth ddefnyddio microdonnau i gyfathrebu dros bellter.

10 Rhaid defnyddio lloerenni ar gyfer cyfathrebu trwy ficrodonnau o amgylch y byd. Gwnewch ddiagram syml i ddangos sut mae hyn yn bosibl.

Hanes telegyfathrebu (ewch i *Galleries* yna *From buttons to bytes*): www.connected-earth.com

Ffibrau optegol: en.wikipedia.org

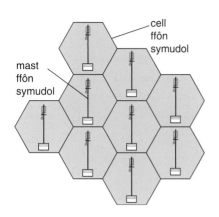

Ffigur 11.24 Mae pob ardal wedi'i rhannu yn gelloedd siâp hecsagon sydd pob un yn cynnwys gorsaf. Mae pob gorsaf wedi'i chysylltu â chanolfan reoli (*MTSO*).

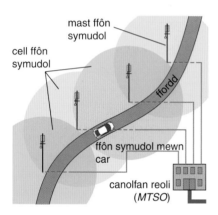

Ffigur 11.25 Wrth i chi deithio, bydd signal y ffôn symudol yn cael ei symud o gell i gell.

Ffonau symudol

Mae miliynau o ffonau symudol (ffonau cell) yn cael eu defnyddio ledled y byd. Mae pob ffôn symudol yn radio sy'n gallu trawsyrru a derbyn yr un pryd.

Mae cwmnïau celloedd ffonau symudol (cwmnïau cario) yn rhannu eich ardal yn nifer o gelloedd (Ffigur 11.24). Mae pob cell tua $25\,km^2$.

Mae gorsaf ar gyfer pob cell. Tŵr a bocs neu adeilad bach i ddal yr offer electronig yw'r orsaf. Oherwydd bod llawer iawn o gelloedd, gall ffonau symudol ddefnyddio pŵer llawer yn is i drosglwyddo negeseuon, fel arfer tua 0.6–1.0 W. Mae swyddfa ganolog gan bob cwmni cyflenwi ym mhob dinas, sef swyddfa switsio ffonau symudol (*MTSO: Mobile Telephone Switching Office*).

Dyma sy'n digwydd pan fyddwch chi'n rhoi'r ffôn ymlaen ac mae rhywun yn ceisio'ch ffonio.

- Bydd eich ffôn yn gwrando am god yr orsaf. Os na all ddod o hyd i'r cod, bydd neges 'dim gwasanaeth'.
- Bydd eich ffôn a chod yr orsaf yn cysylltu a chymharu codau.
- Bydd eich ffôn yn anfon cais cofrestru. Rhyw fath o signal 'Rydw i yma os bydd rhywun yn galw'.
- Bydd yr *MTSO* yn cadw golwg ar eich lleoliad ar ei gronfa ddata.
- Pan fydd eich ffrind yn ffonio, bydd yr *MTSO* yn chwilio ei chronfa ddata i weld ym mha gell rydych chi.
- Bydd yr *MTSO* yn dewis pâr amledd i'ch ffôn ei ddefnyddio i gymryd yr alwad. Bydd eich ffôn a'r tŵr yn newid i'r amleddau hyn.
- Mae'r ddau ffôn wedi'u cysylltu. Rydych chi'n siarad ar radio dwyffordd.
- Wrth i chi symud tuag at ymyl eich cell, bydd yr orsaf yn sylweddoli bod eich neges yn mynd yn wannach. Bydd yr orsaf nesaf yn sylwi bod eich neges yn cryfhau. Ar ryw bwynt, bydd eich ffôn yn cael signal gan yr *MTSO* i newid amleddau. Bydd eich ffôn yn switsio i'r gell newydd.

Ffonau symudol ac iechyd

Mae rhai pobl yn poeni y gallai ffonau symudol effeithio ar eu hiechyd. Maen nhw'n meddwl bod defnyddio ffôn symudol yn cynyddu'r perygl o ganser yr ymennydd, oherwydd bod y defnyddiwr yn dal yr erial drawsyrru mor agos i'w ben.

Hyd yma, mae'r holl ymchwil yn dangos nad yw tonnau radio a microdonnau yn achosi canser. Mae tonnau radio i'w cael ym mhen egni isaf y sbectrwm electromagnetig. Nid ydyn nhw'n belydriadau sy'n achosi ïoneiddio, fel uwchfioled a phelydrau X, sy'n gallu achosi canser. Gall microdonnau achosi i feinwe dynol gynhesu (yn union fel mewn popty microdon). Mae'n bosibl fod effaith dymor hir yn sgil hyn. Dyma un maes lle na all gwyddoniaeth roi ateb pendant un ffordd neu'r llall bob tro. Bydd astudiaeth ryngwladol dymor hir yn asesu iechyd tua 250 000 o bobl sy'n defnyddio ffôn symudol, ond ni fydd y canlyniadau ar gael tan 2020.

Flynyddoedd yn ôl, pan ddechreuodd pobl ysmygu, nid oedd yr effeithiau i'w gweld yn syth. Erbyn hyn, rydym ni'n gwybod bod ysmygu yn lladd. Efallai y bydd defnyddio ffonau symudol yn effeithio arnom yn y tymor hir. Yn anffodus, os byddwn ni'n darganfod eu bod yn beryglus, bydd biliynau o bobl wedi eu heffeithio.

Mae'n bosibl fod perygl i blant oherwydd y gallai esgyrn meddal eu penglog adael mwy o donnau radio i'w hymennydd. Mae Bwrdd Diogelwch Radiolegol Cenedlaethol y DU (*NRPB*) wedi argymell na ddylid rhoi ffonau symudol i blant.

Ceisiwch bob amser:

- gadw eich galwad mor fyr â phosibl
- defnyddio darn i'r glust/cebl microffon er mwyn cadw'r trawsyrrydd oddi wrth eich pen
- ffonio cyn lleied â phosibl o'r tu mewn i adeiladau (lle mae'n rhaid i'ch ffôn drawsyrru ar bŵer uwch), a defnyddiwch fannau agored hyd y bo modd.

Profion diogelwch

Rhaid profi ffonau symudol ar gyfer pelydriad. Mae'r gyfradd amsugno sbesiffig (*SAR: Specific Absorption Rate*) yn nodi faint o egni sy'n cael ei amsugno wrth i'r microdonnau fynd i mewn i'ch pen. Er mwyn cael trwydded i'w werthu, rhaid i ffôn fod â gwerth *SAR* sy'n llai na 2 W/kg yn y DU ac 1.6 W/kg yn UDA.

Mae'r taflenni gwerthu fel arfer yn rhoi gwybod am holl nodweddion cyffrous pob model. Ond holwch am y gyfradd *SAR* hefyd. Yn aml iawn, bydd mewn print bach yng nghefn y daflen.

nodweddion	model A	model B
Radio	nac oes	nac oes
Darseinydd	oes	nac oes
GPRS	oes	nac oes
Sync ML	oes	nac oes
Lefel SAR (W/kg)	0.8	0.67
'Lifeline' Talu'n fisol	2	1

Ffigur 11.26 Cyfraddau *SAR* ar gyfer ffonau symudol

> Lloerenni (ewch i *Electronics, Telecommunications* yna *How satellites work*): www.howstuffworks.com
>
> Peirianneg celloedd (ewch i *Electronics, Gadgets* yna *How cell phones work*): www.howstuffworks.com
>
> Pelydriad ffonau cell (ewch i *Radiation, Radio wave surveys* yna *Mobile telephony and health*): www.hpa.org.uk

Radio daearol pell (Tetra)

Tetra yw'r system fodern breifat sy'n darparu radio symudol digidol i'r heddlu, yr ambiwlans a'r gwasanaethau tân. Mae'n defnyddio mastiau trawsyrru tebyg i rai ffonau symudol (Ffigur 11.27). Ar bob set radio mae erial i dderbyn a thrawsyrru. Fel gyda ffonau symudol, mae pryderon am iechyd.

Gofynion cynllunio ar gyfer mastiau cyfathrebu

Mae'r gofynion cynllunio yn gallu amrywio mewn gwahanol rannau o'r DU. Bydd rheolaeth gynllunio lawn dros bob mast newydd ar y ddaear. Mae yna gyfyngiadau technegol o ran maint, uchder a nifer y mastiau ar unrhyw adeilad. Mewn ardaloedd cadwraeth ac ardaloedd arbennig o hardd mae'r rheolau'n fwy caeth.

Bydd y gofynion ymgynghori cyhoeddus yn cynyddu, yn arbennig ar gyfer mastiau o dan 15 m o uchder, lle nad oedd angen caniatâd yn wreiddiol. Rhaid ymgynghori â llywodraethwyr ysgolion ynghylch cynigion i godi mastiau ger ysgolion. Hefyd, gall yr awdurdod cynllunio wrthod ceisiadau ar sail amwynder.

Mae llawer o bryder am fastiau ffonau symudol a Tetra.

Ffigur 11.27 Mast trawsyrru ffôn Tetra (**Te**rrestrial **tr**unked **ra**dio)

> ## Gweithgaredd
>
> **1** Ymchwiliwch i'r dadleuon o blaid ac yn erbyn yr honiadau am beryglon y rhain i iechyd:
>   **a** setiau llaw ffonau symudol
>   **b** mastiau ffonau symudol
>   **c** mastiau Tetra
>   **ch** deddfau cynllunio ynghylch lleoli ac adeiladu'r mastiau, neu ddiffyg deddfau o'r fath.
>
> **2** Enwebwch siaradwr ar gyfer pob ochr.
>
> **3** Defnyddiwch gyflwyniad PowerPoint i egluro eich achos.
>
> **4** Dewiswch gadeirydd diduedd i roi cyfle teg i bob ochr.
>
> **5** Gwnewch eich cyflwyniadau i'r dosbarth.

Cwestiynau

11 Mae saith rhanbarth o donnau yn y sbectrwm electromagnetig.

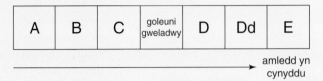

Yn rhanbarth **A** y mae'r tonnau â'r amledd **isaf** ac yn **E** y mae'r tonnau â'r amledd **uchaf**.

a Enwch ranbarth **Dd**.

b Enwch ranbarth **C**.

c Enwch y rhanbarth sydd fwyaf peryglus i bobl.

ch Rhowch **un** briodwedd sydd yr un fath ar gyfer yr holl donnau electromagnetig.

12 Mae'r diagram yn dangos pelydryn o oleuni yn taro arwyneb uchaf bloc gwydr.

a Copïwch a chwblhewch y diagram gan ddangos y pelydryn cywir **yn unig**, y tu mewn a'r tu allan i'r bloc.

b Ar eich diagram, rhowch groes (X) i ddangos yr ongl drawiad ar arwyneb uchaf y bloc.

c Rhowch reswm pam **nad** yw'r pelydryn goleuni yn cael ei adlewyrchu'n gyflawn y tu mewn i'r bloc.

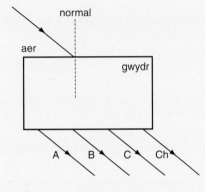

13 Mae'r diagram yn dangos cylch o loerenni o amgylch y Ddaear.

Mae'r lloerenni mewn **orbit geosefydlog** 36 000 km uwchben y cyhydedd. Mae signal ag amledd 4.0×10^9 Hz yn cario sgyrsiau ffôn, ar fuanedd o 3.0×10^8 m/s, rhwng y ddaear a'r lloerenni.

a Beth yw ystyr orbit geosefydlog?

b Nodwch **ddwy** fantais o roi lloerenni cyfathrebu mewn orbit geosefydlog.

c Eglurwch ystyr yr ymadrodd 'signal ag amledd 4.0×10^9 Hz'.

ch Ni all gorsaf ddaear **A** gyfathrebu'n uniongyrchol â gorsaf ddaear **B**. Eglurwch beth yw cyfraniad lloerenni **2**, **3** a **4** wrth i **A** gyfathrebu â **B**.

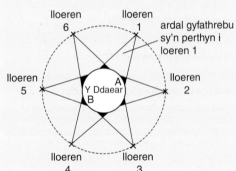

Crynodeb

1 Mae tonnau'n symud egni o un lle i'r llall. Wrth wneud ton mewn Slinky, mae pob rhan o'r Slinky yn dirgrynu, gan symud yn ôl ac ymlaen wrth i'r don basio trwyddo.

2 Mae tonfedd, amledd ac osgled gan bob ton.

3 Buanedd ton (m/s) = tonfedd (m) × amledd (Hz).

4 Buanedd (m/s) = pellter (m) / amser (s).

5 Mae'r holl donnau yn y sbectrwm electromagnetig yn teithio ar yr un buanedd, sef buanedd goleuni. Y rhannau o'r sbectrwm electromagnetig sydd â'r egni mwyaf (tonfedd fyrraf) yw'r mwyaf peryglus gan eu bod yn ïoneiddio.

6 Yn nhrefn tonfedd lai ac amledd uwch mae'r sbectrwm electromagnetig yn cynnwys: radio, teledu, microdon, isgoch, goleuni gweladwy, uwchfioled, pelydrau X, pelydrau gama.

7 Gall pelydrau goleuni gael eu hadlewyrchu a'u plygu gan floc gwydr.

8 Os bydd pelydryn o oleuni yn teithio o gyfrwng sy'n optegol ddwys i gyfrwng llai dwys ar ongl sy'n fwy na'r ongl gritigol, bydd adlewyrchiad mewnol cyflawn.

9 Mae goleuni laser yn cael ei anfon ar hyd ffibrau optegol er mwyn cyfathrebu dros bellter. Mae'r goleuni yn teithio trwy adlewyrchiad mewnol cyflawn.

10 Defnyddir microdonnau hefyd mewn ffonau symudol ac wrth gyfathrebu dros bellter. Oherwydd bod wyneb y Ddaear yn grwm, rhaid cael gorsafoedd aildrawsyrru ar y ddaear. Gyda lloerenni geosefydlog mae'n bosibl cyfathrebu o amgylch y byd. I wneud hyn, rhaid adeiladu trawsyryddion a derbynyddion mawr, drud.

11 Mae'n bosibl fod ffonau symudol a chyfathrebu trwy Tetra yn achosi peryglon i iechyd. Perygl i blant a phobl ifanc fyddai hyn yn bennaf.

12 Mae deddfau cynllunio yn rheoli mastiau ffôn.

Pennod 12 Y Bydysawd

Erbyn diwedd y bennod hon, dylech:

- wybod am Gysawd yr Haul, y pethau sy'n rhan ohono a sut maen nhw'n symud;
- gwybod o beth y mae sêr wedi'u gwneud;
- gwybod sut gwnaethom ni ddarganfod beth yw sêr;
- gwybod am darddiad yr elfennau sydd yn ein cyrff;
- deall sut ffurfiodd y sêr a Chysawd yr Haul;
- deall o ble y daw egni'r sêr a beth sy'n digwydd iddynt yn y pen draw;
- gwybod sut daethom i ddeall bod y Bydysawd yn ehangu;
- gwybod sut daethom o hyd i oed y Bydysawd.

Y Ddaear a'r tu hwnt
www.bbc.co.uk/cymru/tgau/ffiseg

Cysawd yr Haul

Gall gwyddoniaeth fodern roi gwybodaeth fanwl iawn i ni: rydym ni'n gwybod maint y Ddaear ac uchder y mynyddoedd mwyaf. Ond, nid yw hyn yn wir am rai mesuriadau ym maes seryddiaeth, er ein bod yn dod i wybod mwy am y Bydysawd gyda chymorth llongau gofod a thelesgopau pwerus. Ychydig flynyddoedd yn ôl, roeddem ni'n gwybod bod ein Haul yn seren a bod system o blanedau o'i chwmpas ond nid oeddem ni'n gwybod am unrhyw seren arall oedd â phlanedau fel hyn. Bellach, rydym ni'n gwybod am 196 o sêr sydd â phlanedau mewn orbit o'u hamgylch. Erbyn i chi ddarllen hwn, mae'r nifer yn sicr o fod yn uwch.

Beth sydd yng Nghysawd yr Haul?

Ffigur 12.1 Meintiau cymharol yr Haul a'r planedau (gan gynnwys Plwton sydd erbyn hyn yn cael ei ystyried yn gorblaned)

Mae **Cysawd yr Haul** yn cynnwys yr Haul a'r holl blanedau, lleuadau, asteroidau a chomedau sydd mewn orbit o amgylch yr Haul.

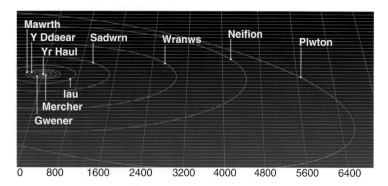

Ffigur 12.2 Pellter cymharol y planedau o'r Haul (miliynau o gilometrau)

Yn Ffigur 12.2 a Thabl 12.1 mae rhai ffeithiau a ffigurau am y planedau yng Nghysawd yr Haul.

Tabl 12.1 Y planedau

Planed	Diamedr y blaned (km)	Pellter cyfartalog y blaned o'r Haul (km $\times 10^6$)	Amser i fynd o amgylch yr Haul (blynyddoedd)	Tymheredd cyfartalog ar ochr heulog y blaned (°C)
Mercher	4 900	58	0.24	350
Gwener	12 000	108	0.62	450
Y Ddaear	12 800	150	1.00	15
Mawrth	6 800	228	1.88	−30
Iau	143 000	780	12.00	−150
Sadwrn	120 000	1 430	29.00	−180
Wranws	52 000	2 800	84.00	−210
Neifion	49 000	4 500	165.00	−220
(Plwton)	3 000	5 900	248.00	−230

Gweithgaredd

1 Gan ddefnyddio'r wybodaeth yn Nhabl 12.1, lluniadwch naw cylch, un ar gyfer pob planed. Gwnewch ddiamedr y Ddaear yn 1 centimetr. Yna lluniadwch y gweddill wrth yr un raddfa.

2 Nawr gweithiwch mewn grŵp o ddeg. Bydd un ohonoch yn cynrychioli'r Haul. Ar yr un raddfa, byddai diamedr yr Haul tuag un metr. Rhaid i'r naw arall ddewis planed bob un.

3 Gan ddefnyddio graddfa o 1 cm = 1 miliwn cilometr (1 Gm), mesurwch a marciwch safleoedd y planedau oddi wrth yr Haul. Bydd angen gwneud hyn ar goridor hir neu yn yr awyr iach.

4 Ar ôl gwneud yr holl fesuriadau, rhaid i bawb sefyll yn safle ei blaned. Ar raddfa fel hyn, byddai'r seren agosaf 430 km i ffwrdd.

5 Meddyliwch yn ofalus. Mae'r diamedrau a'r pellteroedd yn y gweithgaredd wedi'u llunio wrth wahanol raddfa. Petai maint a phellter pob planed wrth yr un raddfa, byddai'n rhaid i bob planed fod tua 80 gwaith yn bellach i ffwrdd. Cyfrifwch bellter wrth raddfa eich planed a'r un agosaf atoch. Pa mor bell i ffwrdd fydden nhw?

6 Lluniwch graff o dymheredd arwyneb yn erbyn pellter oddi wrth yr Haul. Beth yw'r patrwm cyffredinol?

7 Rhagfynegwch: Petai planed newydd 1100 miliwn cilometr oddi wrth yr Haul, beth fyddai tymheredd yr arwyneb?

8 Lluniwch graff o amser orbit yn erbyn pellter oddi wrth yr Haul. Beth yw'r patrwm cyffredinol?

Ffigur 12.2 Y planedau yng Nghysawd yr Haul, a'r Lleuad

Ffigur 12.3 Planedau Cysawd yr Haul

Sut le sydd ar y planedau eraill?

(a) **Mercher**: dim atmosffer, agosaf at yr Haul; dim cylchoedd; creigiog; tymheredd arwyneb 350 °C yn y dydd, −180 °C yn y nos

(b) **Gwener**: atmosffer trwchus, dwys o asid sylffwrig a charbon deuocsid; effaith tŷ gwydr yn cadw'r gwres i mewn; creigiog; tymheredd 450 °C; dim lleuad; dim bywyd

(c) **Y Ddaear**: planed las gyda chymylau'n chwyrlïo; yn cynnal bywyd; yr unig blaned sydd â dŵr ac ocsigen; creigiog; tymheredd 15 °C; un lleuad

(ch) **Mawrth**: creigiog; arwyneb coch llychlyd; dŵr ar y blaned yn y gorffennol o bosibl, ond gwyddonwyr yn anghytuno; tymheredd −30 °C; dim bywyd wedi'i ganfod hyd yma; dwy leuad

(d) **Iau**: y blaned fwyaf, gallai'r holl blanedau eraill ffitio y tu mewn i Iau; nwy yw'r arwyneb i gyd; atmosffer o hydrogen hylifol a heliwm; smotyn coch yn storm enfawr sydd dair gwaith yn fwy na'r Ddaear; tymheredd −150 °C; gwybod am 28 lleuad hyd yma

(dd) Sadwrn: cawr nwy fel Iau; cylchoedd, nid rhai solid ond wedi'u gwneud o biliynau o ronynnau creigiog bach wedi'u dal mewn iâ; tymheredd –180 °C; o leiaf 30 lleuad

(e) Wranws: cawr nwy; lliw gwyrdd golau; cylchoedd a gwybod am 21 lleuad hyd yma; tymheredd –210 °C; yr echel fel petai'n gorwedd ar ei hochr wrth iddi droi o amgylch yr haul

(f) Neifion: tebyg iawn i Wranws; lliw glas; wyth lleuad o leiaf; tymheredd –220 °C

(ff) Plwton: corblaned; 0.2 × maint y Ddaear yn unig; creigiog; y rhan fwyaf o'r amser mae ei horbit y tu hwnt i Neifion, ond o 1979 tan 1999 roedd ei horbit y tu mewn i un Neifion; un lleuad; tymheredd –230 °C

Planed arall?

Planed arall o bosibl, neu gall fod yn graig neu dalp o rew siâp sigâr. Yn ddiweddar, fe wnaeth seryddwyr ddarganfod gwrthrych tua 1–1.5 gwaith mor fawr â Phlwton, sy'n bellach na Phlwton ac o'r enw 2003 EL61. I amcangyfrif ei faint, rhaid mesur pa mor llachar ydyw. Mae hynny'n newid bob 3 i 4 awr, sy'n anghyffredin. Petai'r gwrthrych yr un siâp â sigâr, byddai'n adlewyrchu mwy o oleuni'r Haul pan fyddai'r ochr hir yn wynebu'r Haul. Os yw 2003 EL61 yn hir a chul, fe fydd yn gwneud i ni gwestiynu sut rydym ni'n diffinio planed.

Cysawd yr Haul
http://pds.jpl.nasa.gov/planets/

Cwestiynau

1 Enwch y pedair planed fewnol.

2 Enwch y planedau allanol.

3 Gan ba blanedau y mae cylchoedd ac o beth y gwneir y cylchoedd?

4 Mae Mercher yn agosach at yr Haul na Gwener. Pam mae Gwener yn boethach na Mercher?

5 Disgrifiwch batrwm safleoedd y planedau creigiog a'r planedau o nwy a hylif.

Asteroidau

Mae'r **gwregys asteroidau** yn gasgliad o ddarnau o graig o wahanol feintiau sy'n troi o amgylch yr Haul rhwng Mawrth ac Iau. Mae orbit rhai o'r asteroidau yn gwneud iddynt deithio'n agos at y Ddaear (Ffigur 12.4). Weithiau maen nhw'n taro yn erbyn ei gilydd a gall disgyrchiant y Ddaear eu tynnu'n nes. Ambell waith bydd asteroid yn taro'r Ddaear. Mae ambell asteroid mawr iawn wedi achosi crater mawr ar wyneb y Ddaear. Wrth i ni adeiladu telesgopau mwyfwy pwerus, rydym ni'n darganfod mwy a mwy o asteroidau. Mae seryddwyr yn chwilio am y rhai a allai daro'r Ddaear.

Ffigur 12.4 Ida, asteroid tua 56 km o hyd. Mae ganddo leuad neu loeren naturiol fach, tua 1.5 km ar ei thraws.

Wyddoch chi?

Yn ddiweddar, darganfuwyd crater hen iawn iawn oddi ar arfordir gogledd-orllewin Awstralia. Efallai mai dyma fu'n gyfrifol am ddifodiant llawer o rywogaethau'r Ddaear yn y gorffennol. Tua 250 miliwn o flynyddoedd yn ôl, lladdwyd tua 90% o fywyd y moroedd a 70% o'r rhywogaethau ar y tir. Mae'n bosibl mai asteroid arall yn taro Gwlff Mecsico a laddodd y dinosoriaid tua 65 miliwn o flynyddoedd yn ôl.

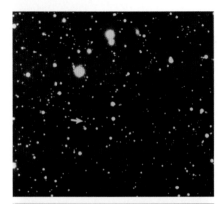

Ffigur 12.5 Dyma'r ffotograffau gafodd eu defnyddio wrth ddarganfod Plwton. Mae 6 diwrnod rhwng y lluniau ac mae'r saeth yn dangos safle Plwton ar y ddau ddiwrnod. Fe welwch fod Plwton wedi symud yn erbyn y cefndir o sêr.

Sut ydym ni'n canfod asteroidau a phlanedau aneglur, pell?

Mae planedau ac asteroidau'n symud o amgylch yr Haul. Mae'r gair 'planed' yn deillio o'r gair Groeg am grwydryn, oherwydd bod y planedau fel petaen nhw'n crwydro ar draws yr awyr o'u cymharu â'r sêr yn y cefndir (Ffigur 12.5).

Po bellaf y blaned, arafaf y bydd yn symud yn erbyn y cefndir o sêr. Trwy dynnu ffotograffau ar wahanol gyfnodau mae'n bosibl canfod pethau'n symud, ond mae'n broses araf iawn. Trwy ddefnyddio cyfrifiaduron i brosesu'r data, mae llawer mwy o wrthrychau yng Nghysawd yr Haul wedi dod i'r fei, a phlanedau newydd mewn orbit o amgylch sêr eraill hefyd. Gall seryddwyr ddefnyddio cyfrifiaduron i gyfrifo effaith disgyrchiant y Ddaear ar lwybrau asteroidau a allai daro'r Ddaear.

Comedau

Cymysgedd rhewllyd o lwch ac iâ yw **comedau.** Maen nhw'n dod o ddau le: Cwmwl Oort , sef lleugylch sfferig o gomedau sy'n amgylchynu Cysawd yr Haul, a Gwregys Kuiper sy'n gylch o wrthrychau rhewllyd y tu hwnt i orbit Neifion.

Oherwydd bod siâp orbit y comedau mor eliptigol, maen nhw'n teithio i rannau allanol Cysawd yr Haul ac yna'n dod yn ôl yn agos iawn at yr Haul. Mae pelydriad heulog yn gwresogi'r iâ a'i anweddu. Mae **gwasgedd y pelydriad heulog** yn gwthio'r gronynnau llwch oddi wrth y gomed. Felly bydd cynffon lwch y gomed bob amser yn anelu draw oddi wrth yr Haul. Pan fydd y gomed yn gadael ardal fewnol Cysawd yr Haul, bydd y gynffon o'i blaen. Gall y gynffon fod yn filiynau o gilometrau o hyd. Mae'n llachar am ei bod yn adlewyrchu goleuni'r Haul.

U

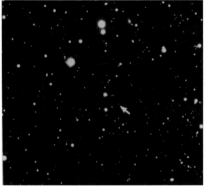

Ffigur 12.6 Fe wnaeth comed Hale–Bopp daro planed Iau ym 1997.

mae grym disgyrchiant ar ei fwyaf pan fo'r gomed agosaf at yr Haul

orbit y gomed

yr Haul

bydd buanedd comed ar ei fwyaf pan fo'r gomed agosaf at yr Haul

Ffigur 12.7 Llwybr eliptigol iawn (siâp hirgrwn) sydd gan gomed o amgylch yr Haul.

Ffigur 12.8 Bwriad lloeren Deep Impact UDA oedd darganfod beth sydd mewn comed. Tarodd y lloeren yn erbyn comed Tempel 1. Tynnwyd y llun cyntaf ychydig cyn y gwrthdrawiad, ac mae'r ail yn dangos beth ddigwyddodd wedyn.

Ffigur 12.9 Arwyneb Titan, lleuad Sadwrn. Mae talpiau o ddŵr wedi rhewi, sy'n edrych fel creigiau, yma ac acw ar yr arwyneb oren. Mae'n bosibl mai cramen o laid neu glai yw'r arwyneb. Mae'n debygol mai hylif methan rhewedig yw rhannau eraill o arwyneb Titan.

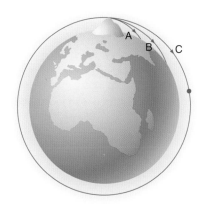

Ffigur 12.10 Lloeren artiffisial yw'r Orsaf Ofod Ryngwladol sy'n troi o gwmpas y Ddaear.

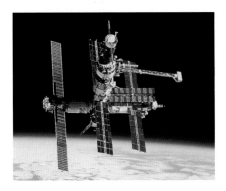

Ffigur 12.11 Mewn theori, petaech chi'n tanio bwled yn ddigon cyflym (C) ni fyddai'n disgyn at y llawr ond yn mynd mewn orbit o gwmpas y Ddaear.

Lleuadau

Y Lleuad yw **lloeren naturiol** y Ddaear. Mae'n troi o gwmpas y Ddaear bob 28 diwrnod. Pan aeth llongau gofod UDA i'r Lleuad, casglwyd creigiau a ddangosodd fod y Lleuad wedi'i ffurfio tua'r un adeg â'r Ddaear. Mae lleuadau gan lawer o blanedau eraill Cysawd yr Haul.

Lleuad fwyaf Sadwrn yw Titan (Ffigur 12.9). Teithiodd llong ofod Cassini–Huygens tuag at Titan, gan ddefnyddio tyniad disgyrchiant y planedau i'w chyflymu ar ei thaith yno. Ar ôl teithio am 7 mlynedd, anfonodd chwiliwr Huygens i lawr at arwyneb Titan. Arno roedd camerâu ac offer gwyddonol.

Lloerenni artiffisial

Defnyddir rocedi pwerus i lansio **lloerenni artiffisial**; mae'r lloerenni hyn yn troi o gwmpas y Ddaear er mwyn anfon signalau teledu a galwadau ffôn, ac i fesur rhannau o'r Ddaear o'u horbit (Ffigur 12.10). Mae lloerenni nodi safle byd-eang (*GPS: Global Positioning System*) yn helpu llongau, awyrennau a cherddwyr hyd yn oed, i ddod o hyd i'w safle. Cyn bo hir, byddan nhw'n cael eu defnyddio i godi ffi ar bobl mewn ceir am ddefnyddio rhai ffyrdd.

Disgyrchiant

Disgyrchiant yw'r grym atynnol sydd rhwng pob darn o fater. Mae grym disgyrchiant rhwng pethau arferol yn fach iawn. Er mwyn i ni sylwi ar ddisgyrchiant, rhaid i fàs un o'r gwrthrychau fod yn fawr iawn. Gallwn deimlo tyniad y Ddaear oherwydd bod ei màs mor fawr. Grym disgyrchiant y Ddaear yn tynnu arnoch yw eich pwysau.

Dychmygwch fod gennych wn neu ddryll mawr ar ben mynydd uchel iawn. Po gyflymaf y byddwch chi'n tanio'r bwled, pellaf y bydd yn teithio cyn disgyn yn ôl i'r Ddaear. Os gallwch chi ei danio hyd yn oed yn gyflymach, bydd yn dal i syrthio tuag at y Ddaear ond oherwydd siâp crwm y Ddaear ni fydd yn llwyddo i gyrraedd y llawr. Byddai'n parhau ar yr un uchder uwchben y llawr ac yn troi o gwmpas y Ddaear (edrychwch ar lwybr C yn Ffigur 12.11). Mae'r bwled mewn **orbit**.

Mae màs yr Haul yn fawr iawn. Dyna yw 98% o fàs holl Gysawd yr Haul. Grym atyniad rhwng yr Haul a holl blanedau Cysawd yr Haul sy'n eu cadw mewn orbit o gwmpas yr Haul. Disgyrchiant y Ddaear sy'n cadw lloerenni artiffisial mewn orbit.

Mae grym disgyrchiant yn mynd yn llai gyda phellter (Ffigur 12.12). Felly, mae cryfder disgyrchiant yr Haul yn llai ar gyfer y planedau pellaf oddi wrtho. Oherwydd siâp orbit eliptigol y comedau, weithiau maen nhw'n bell iawn oddi wrth yr Haul a thro arall yn agos iawn. Wrth iddynt ddod yn nes at yr Haul, mae grym disgyrchiant yn cynyddu a'r comedau'n cyflymu.

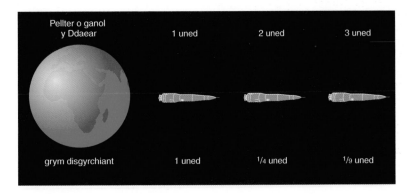

Ffigur 12.12 Os yw'r pellter yn dyblu, mae grym disgyrchiant bedair gwaith yn llai; os yw'r pellter yn treblu, mae'r grym yn nawfed ran o'r grym gwreiddiol.

Cwestiynau

6 Beth sy'n cadw'r planedau mewn orbit o gwmpas yr Haul?

7 Er mwyn cadw lloeren mewn orbit ar uchder o 800 km uwchben wyneb y Ddaear, mae'n rhaid i fuanedd ei horbit fod yn 27 600 km/awr.

   a Os yw radiws y Ddaear yn 6400 km, pa mor bell y bydd y lloeren yn teithio wrth wneud un orbit cyflawn? (Cylchedd cylch yw $2\pi r$, os yw radiws y cylch yn r.)

   b Cyfrifwch yr amser ar gyfer un orbit ar uchder o 800 km uwchben wyneb y Ddaear.

8 Mae'r graff isod yn dangos sut mae cyfnod orbitol lloerenni'n dibynnu ar eu huchder orbitol uwchben y ddaear.

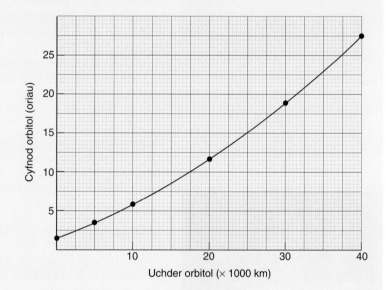

   a Beth yw cyfnod orbitol lloerenni ar uchder o:
     i 1000 km
     ii 5000 km
     iii 30 000 km?

   b Sut mae'r cyfnod orbitol yn dibynnu ar uchder?

   c A yw'r cyfnod orbitol mewn cyfrannedd â'r uchder uwchben y ddaear? Eglurwch eich ateb.

   ch Beth yw uchder lloeren sy'n troi o gwmpas y Ddaear mewn 24 awr?

Gweithgaredd

Defnyddiwch lyfrau neu'r rhyngrwyd i ddarganfod nifer o wahanol ffyrdd o ddefnyddio lloerenni.

Sut y ffurfiodd Cysawd yr Haul?

Ffurfiodd y planedau, y lleuadau a'r asteroidau tua'r un pryd â'r Haul, tua 4500 miliwn o flynyddoedd yn ôl. Mae mwy nag un ddamcaniaeth ynghylch sut y ffurfiodd Cysawd yr Haul. Nid ydym ni'n gallu cynnal arbrofion i brofi'r damcaniaethau hyn, oherwydd bod cyn lleied o systemau planedol eraill, a'r rheiny mor bell fel na allwn weld planedau ar wahanol gamau yn ystod eu ffurfio. Mae cysylltiad rhwng ffurfio Cysawd yr Haul a ffurfio'r Haul ei hun. Yn ôl seryddwyr, mae'n debyg mai dyma a ddigwyddodd (Ffigur 12.13):

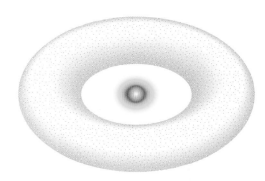

1 4500 miliwn o flynyddoedd yn ôl daeth ton sioc yn un o freichiau sbiral ein galaeth, gan achosi i gwmwl nwy fewngwympo. Datblygodd yn siâp toesen fel hyn, yna aeth yn fwy fflat.

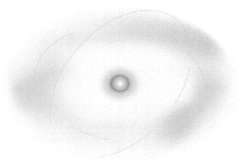

2 Casglodd digon o hydrogen yn y canol nes i ymasiad ddechrau yn yr Haul. Dechreuodd gronynnau solid daro a glynu yn ei gilydd. Yn raddol dechreuodd y malurion hyn ffurfio planedau a'u lleuadau.

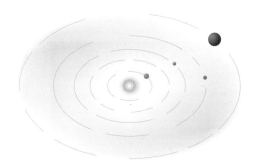

3 Yn y diwedd, roedd y rhan fwyaf o'r nwy a'r llwch yng Nghysawd yr Haul yn sownd wrth blaned. Aeth unrhyw lwch dros ben neu nwyon wedi'u rhewi i ffurfio'r comedau.

Ffigur 12.13 Un ddamcaniaeth ynghylch ffurfio Cysawd yr Haul

Ganwyd seren – yr Haul

Yn y gofod, mae cymylau enfawr o nwy o'r enw **nifylau**. Hydrogen a heliwm yw'r nwy yn bennaf, a gall aros fel hyn am filiynau o flynyddoedd. Tua 4500 miliwn o flynyddoedd yn ôl, dechreuodd nifwl o nwy a llwch ymffurfio. Hwn fyddai dechrau ein Haul ni. Am ryw reswm – ton sioc o uwchnofa, efallai – dechreuodd y nifwl gylchdroi a mewngwympo.

Roedd màs gan yr holl ronynnau nwy a llwch, ac oherwydd disgyrchiant roedd atyniad rhwng y gronynnau. Yr enw ar hyn yw **cwymp disgyrchol**. Wrth i'r cwmwl fynd yn llai, aeth yn boethach ac yn y pen draw trodd y cwmwl yn seren.

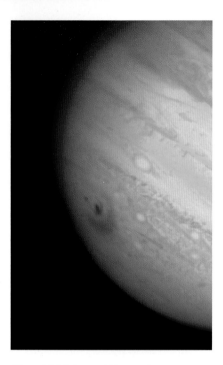

Ffigur 12.14 Iau, ar ôl i gomed Shoemaker–Levy ei tharo; mae diamedr y 'llygad ddu' yn 2500 km, a'r cylch allanol yn lletach na'r Ddaear

Deep Impact a chomedau:
deepimpact.jpl.nasa.gov

Planedau'n ymffurfio

Ar ôl i'r Haul ymffurfio, roedd rhywfaint o nwy a llwch yn dal mewn orbit ar ffurf disg. Dechreuodd y defnyddiau hyn lynu wrth ei gilydd gan ffurfio cylch o falurion o amgylch yr Haul. Yn raddol daeth y rhain yn blanedau.

Ar y planedau agosaf at yr Haul cafodd peth o'r nwy ei anweddu gan belydriad heulog. Ffurfiwyd y planedau creigiog mewnol, fel y Ddaear. Yn rhannau allanol Cysawd yr Haul, roedd gronynnau'n parhau i daro a glynu yn ei gilydd. Oherwydd eu bod yn bellach o'r Haul a'u tymheredd yn llawer is, ni ddiflannodd eu hydrogen a'u heliwm. Dyma'r cewri nwy mawr, fel Iau a Sadwrn.

Ymhen amser, bu gwrthdrawiad pan darodd rhywbeth mor fawr â Mawrth yn erbyn y Ddaear gynnar. Cafodd talp o'r Ddaear ei golli, sef y Lleuad. Mae'n debyg fod yr asteroidau'n falurion planed greigiog a fethodd ag ymffurfio rhwng Mawrth ac Iau. Mae'n bosibl mai darnau dros ben ers adeg ffurfio Cysawd yr Haul yw'r comedau – iâ a nwyon oedd yn rhy bell o'r Haul i gael eu tynnu'n blanedau gan ddisgyrchiant.

Mae'r ddamcaniaeth hon yn egluro'r gwahaniaeth rhwng y planedau mewnol a'r rhai allanol, a pham mae'r Ddaear a'r Lleuad yn debyg ac wedi ymffurfio yr un adeg. Ond sut daeth yr holl ddŵr ar y Ddaear? Wel, efallai iddo ddod o gomedau rhewllyd. Ym 1994 fe wnaeth comed Shoemaker–Levy daro Iau (Ffigur 12.14). Petai comed yn taro'r Ddaear, byddai'r iâ yn y gomed yn ymdoddi. Dros gyfnod o amser, gallai miliynau o gomedau fod wedi taro'r Ddaear.

Cwestiynau

9 O ble y daeth y dŵr ar y Ddaear, tybed?

10 Beth yw'r dystiolaeth sy'n cysylltu'r modd y ffurfiodd Cysawd yr Haul â'r modd y ffurfiodd yr Haul?

11 Defnyddiwch ddiagram i'ch helpu i egluro sut y ffurfiodd Cysawd yr Haul ym marn seryddwyr.

Sêr

Beth sydd mewn sêr, a sut ydym ni'n gwybod?

Wrth i oleuni fynd trwy brism, mae **sbectrwm** yn cael ei gynhyrchu. Mae seryddwyr yn gosod **sbectromedrau** arbennig ar eu telesgopau i archwilio goleuni o'r Haul a'r sêr. Wrth edrych ar atmosffer yr Haul, maen nhw'n gweld sbectrwm di-dor gyda rhai llinellau tywyll yn ei groesi (Ffigur 12.15).

Mae'r llinellau tywyll yn cyfateb i linellau llachar elfennau y gallwn eu hastudio yn y labordy. Tua 140 o flynyddoedd yn ôl, llwyddodd seryddwyr i adnabod llinellau gwahanol elfennau a thrwy hynny adnabod yr elfennau oedd yn atmosffer yr Haul – sef hydrogen yn bennaf. Ond roedd un set o linellau ar ôl, nad oedd yn cyfateb i ddim ar y Ddaear ar y pryd. Galwyd yr elfen yn 'heliwm' ar ôl y gair Groeg 'helios', sef haul. Yn nes ymlaen, cafodd heliwm ei ddarganfod ar y Ddaear. Dyma'r nwy ysgafnach nag aer sy'n cael ei ddefnyddio mewn balwnau adeg parti.

Mae'r Haul a'r sêr wedi eu gwneud o hydrogen a heliwm yn bennaf, ynghyd ag ychydig bach o elfennau eraill, sef carbon, nitrogen ac ocsigen gan mwyaf.

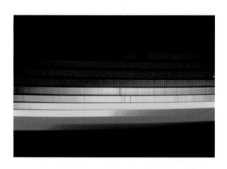

Ffigur 12.15 Sbectrwm goleuni gweladwy o'r Haul; mae'r llinellau tywyll fertigol yn dangos pa elfennau sy'n bresennol yn haenau allanol yr Haul.

O ble y daw egni sêr fel ein Haul ni?

Seren yw ein Haul ni, yn union fel biliynau o sêr eraill yn y bydysawd. Ers talwm, roedd gwyddonwyr yn credu bod yr Haul yn llosgi'n debyg i dân. Ai glo oedd yn cael ei losgi – gan gynhyrchu gwres trwy adwaith cemegol? Bu gwyddonydd yn yr Almaen yn cyfrifo am faint o amser y byddai'r Haul yn llosgi petai wedi'i wneud o lo a bod digonedd o ocsigen ar gael. Yr ateb oedd ychydig filoedd o flynyddoedd yn unig. Aeth yn ei flaen i gynnig bod egni'r Haul yn dod o gyflenwad diddiwedd o ronynnau solid o'r gofod pell oedd yn syrthio ar yr Haul.

Roedd gwyddonydd Prydeinig, yr Arglwydd Kelvin, yn amheus o'r syniad hwn. Dywedodd ef a Hermann von Helmholtz nad oedd màs yr Haul yn cynyddu. Yn hytrach, roedd maint yr Haul yn lleihau'n raddol a byddai ymgwympo fel hyn yn achosi gwresogi. Roedden nhw'n credu y gallai'r Haul ddal i ryddhau egni am rai miliynau o flynyddoedd o leiaf. Ond roedd problem gyda hyn hefyd, gan fod daearegwyr wedi dod o hyd i dystiolaeth fod y Ddaear yn llawer hŷn na hyn – miloedd o filiynau o flynyddoedd oed. Sut gallai'r Ddaear fod wedi cynnal bywyd am filiynau o flynyddoedd a hynny cyn i'r Haul ymffurfio yn ôl pob golwg? Ni chafodd y broblem ei datrys nes i ni ddod i wybod am ffynonellau egni niwclear.

Erbyn hyn, rydym ni'n gwybod bod yr Haul a'r sêr eraill yn debyg i fom hydrogen enfawr. Mae canol neu graidd yr Haul ar dymheredd o 14 miliwn °C a gwasgedd uchel iawn. Ar dymheredd fel hyn, mae'r atomau hydrogen yn uno neu'n ymasio i wneud heliwm. Enw'r broses yw **ymasiad niwclear**. Bob tro y mae'n digwydd, mae rhywfaint o fàs yn cael ei golli. Mae'r màs coll yn ymddangos fel egni – llawer o egni. (Mae hafaliad enwog Einstein yn berthnasol yma, sef $E = mc^2$. Mae E = egni yn cael ei fesur mewn jouleau, m yw'r màs a gollwyd (kg) ac c yw buanedd goleuni.)

Mae ymasiad niwclear yn cynhyrchu egni: mae'r seren yn rhyddhau goleuni.

hydrogen → heliwm + egni

Geni seren a seren ganol oed

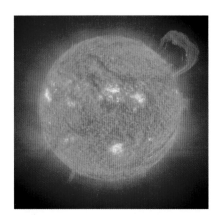

Ffigur 12.16 Yr Haul, cydag alldafliad enfawr yn plygu ym maes magnetig yr Haul

Wyddoch chi?

Mae'r Haul yn colli màs ar gyfradd o 4 miliwn tunnell yr eiliad. Bu hyn yn digwydd ers 4500 miliwn o flynyddoedd. Mae'r Haul hanner ffordd drwy ei oes.

Ffigur 12.17 Mae sêr yn ymffurfio y tu mewn i rai o'r cymylau nwy hyn yn nifwl yr Eryr.

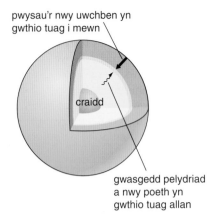

pwysau'r nwy uwchben yn gwthio tuag i mewn

craidd

gwasgedd pelydriad a nwy poeth yn gwthio tuag allan

Ffigur 12.18 Mae gwasgedd pelydriad a nwy tuag allan yn cydbwyso pwysau'r defnyddiau sy'n gwasgu tuag i mewn

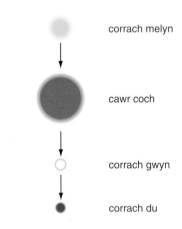

corrach melyn

cawr coch

corrach gwyn

corrach du

Ffigur 12.19 Patrwm oes seren gorrach felyn

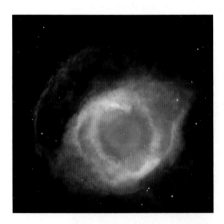

Ffigur 12.20 Corrach gwyn yn nifwl Helics; mae sêr tebyg i'r Haul yn taflu eu haenau allanol i'r gofod wrth farw.

Fel y cofiwch o'r adran ar ffurfio Cysawd yr Haul, mae sêr yn ymffurfio wrth i gymylau enfawr o nwy, o'r enw nifylau, fewngwympo a chynhesu.

Mae egni disgyrchiant yn cael ei droi'n egni gwres. Mae'n digwydd dros gyfnod hir o amser, ond yn y pen draw bydd y canol yn dechrau tywynnu'n wan. **Proto-seren** yw hi bryd hynny. Llawer iawn yn ddiweddarach bydd y tymheredd wedi codi'n uchel. Bydd adweithiau niwclear yn dechrau wrth i'r hydrogen ymasio a throi'n heliwm. Nawr, mae'n seren go iawn.

Mae lliw sêr yn amrywio, gan ddibynnu ar ba mor boeth ydynt. Sêr corrach melyn, fel ein Haul ni, yw'r math mwyaf cyffredin. Mae tymheredd eu harwyneb rhwng 3000 °C a 6000 °C.

Beth sy'n digwydd i sêr fel yr Haul yn y pen draw?

Y tu mewn i seren, mae grymoedd yn gweithio mewn cyfeiriadau dirgroes. Mae grym disgyrchiant holl fàs y nwyon a'r llwch yn gwasgu tuag at ganol y seren. Mae'r grymoedd eraill yn cael eu hachosi gan wasgedd nwy a gwasgedd pelydriad. Gwasgedd nwy yw'r gwasgedd tuag allan sy'n cael ei greu wrth i'r nwy gael ei gywasgu i gyfaint llai. Mae gwasgedd pelydriad yn digwydd oherwydd bod yr adweithiau niwclear yn y craidd yn alldaflu pelydriad sy'n achosi grym tuag allan. Pan fydd y grymoedd tuag allan a thuag i mewn yn cydbwyso, bydd y seren mewn cyflwr sefydlog – ddim yn crebachu nac ehangu (Ffigur 12.18). Gall sêr corrach melyn (Ffigur 12.19) fod yn sefydlog am gyfnod hir iawn, tua 10 000 miliwn o flynyddoedd. Yn ystod y cyfnod hwnnw, bydd hydrogen yn cael ei drawsnewid yn heliwm. Yn y diwedd, ni fydd hydrogen ar ôl. Bydd yr adweithiau niwclear yn arafu a dod i ben, a bydd y craidd yn ymgwympo wrth i rym disgyrchiant fynd yn fwy na'r gwasgedd pelydriad.

Wrth i'r craidd grebachu bydd y seren yn gwresogi nes cyrraedd tymheredd llawer uwch. Bydd hyn yn achosi mwy o ymasiad niwclear. Mae niwclysau heliwm yn ymasio i wneud elfennau trymach fel carbon a nitrogen.

Nawr, bydd y gwasgedd pelydriad o'r craidd yn fwy. Bydd hyn yn achosi i rannau allanol y seren ehangu – **cawr coch** yw'r enw arni bellach. Bydd hyn yn digwydd i'n Haul ni. Bydd yn ehangu, a bydd Mercher, Gwener a'r Ddaear yn llosgi a throi'n rhan o'r Haul.

Yn ddiweddarach, bydd y cawr coch yn colli ei haenau allanol; bydd gwasgedd pelydriad yn eu chwythu i ffwrdd nes i'r craidd gwreiddiol ddod i'r golwg, **Corrach gwyn** yw'r enw ar y seren erbyn hyn (Ffigur 12.20). Ymhen amser hir iawn, bydd y corrach gwyn yn oeri gan droi'n gorrach coch ac yn olaf, yn gorrach du.

Cwestiynau

12 Faint o egni sy'n cael ei ryddhau pan fydd màs o 1 kg yn cael ei droi'n egni?

13 Mae'r Haul mewn cyfnod sefydlog ar hyn o bryd. Eglurwch ystyr hyn, yn nhermau'r grymoedd sy'n gweithredu ar yr Haul.

14 Eglurwch sut mae seren yn cael ei hegni.

Sêr gorgawr ac uwchnofâu

Ffigur 12.21 Gwahanol gamau ym mywyd sêr glas. De uchaf: cwmwl rhyngserol tywyll yn ymgwympo. Canol chwith: clystyrau ifanc o sêr masfawr (glas) hynod o boeth a fydd yn ffrwydro fel uwchnofâu. Chwith uchaf: gorgawr glas ger diwedd ei oes yw'r clwstwr hwn sydd â chylch glas o'i amgylch

Mae sêr glas yn llawer mwy a llawer poethach na'n Haul ni. Mae tymheredd yr arwyneb yn amrywio rhwng 6000 °C a 25 000 °C. Maen nhw tua 5 i 25 gwaith yn fwy a thua 15 000 gwaith yn fwy llachar na'r Haul. Oherwydd bod y sêr mawr hyn yn fwy llachar, maen nhw'n 'llosgi' yn gynt a defnyddio eu hydrogen yn gyflymach. Dim ond am tua 100 miliwn o flynyddoedd y mae'r sêr glas masfawr yn sefydlog. Pan fydd eu tanwydd yn dod i ben, byddan nhw'n ehangu gan ffurfio **gorgawr** coch. Ond bydd eu craidd erbyn hyn yn llawer mwy ac yn llawer poethach na chawr coch – hyd at tua 300 miliwn °C. Ar dymereddau fel hyn, gall niwclysau heliwm gyfuno i wneud elfennau trymach, sy'n ymgasglu yng nghraidd y seren. Bydd mwy a mwy o egni yn cael ei ryddhau trwy'r ymasiad niwclear. Bydd y seren yn mynd yn boethach ac yn fwy llachar. (Edrychwch ar Ffigurau 12.21 a 12.22.)

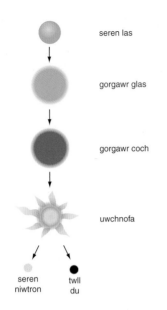

Ffigur 12.22 Patrwm oes seren las fasfawr

Ffigur 12.23 Cyn (top) ac ar ôl (gwaelod) ffrwydrad uwchnofa 1987A

Yn y diwedd, bydd yr adweithiau niwclear yn dod i ben a'r seren fasfawr yn dechrau ymgwympo. Bydd y tymheredd yn codi wrth i'r craidd gyfangu a gwresogi. Yn gyflym iawn, bydd popeth yn cwympo i mewn i'r craidd ar gyflymder aruthrol, gan achosi i'r seren gyfan ffrwydro. Bydd yr haenau allanol yn cael eu taflu i'r gofod gan greu **uwchnofa** llachar. Wrth ffrwydro fel hyn, mae'r seren mor llachar am gyfnod nes gall y goleuni fod bron mor llachar â galaeth gyfan o 100 000 miliwn o sêr (Ffigur 12.23).

Wyddoch chi?

Mae adweithyddion niwclear yn rhyddhau'r egni a gafodd ei gloi yn yr elfennau trwm pan fu farw sêr enfawr yn y gorffennol. Cafodd wraniwm ei greu pan drodd seren gyfagos yn uwchnofa rai biliynau o flynyddoedd yn ôl.

Yn ystod y ffrwydrad, bydd elfennau trwm fel aur ac wraniwm yn cael eu ffurfio wrth i egni'r ffrwydrad adael i niwclysau elfennau fel haearn a nicel ymasio. Bydd yr elfennau'n cael eu taflu ar draws y gofod fel llwch, yn barod i ffurfio sêr newydd. Mae'r Haul, y Ddaear a phopeth byw ar wyneb y Ddaear wedi ei gwneud o elfennau a gafodd eu ffurfio a'u rhyddhau gan y sêr ffrwydrol hyn. Wrth i ragor o sêr glas droi'n uwchnofâu, bydd cyfran yr elfennau trwm yn y Bydysawd yn cynyddu gydag amser.

Y cam nesaf: sêr niwtron a thyllau duon

Gan ddibynnu ar ei màs, gall yr uwchnofa ymgwympo yn seren **niwtron** neu'n **dwll du**. Mae'n bosibl mai tua 25 km o led fydd y seren niwtron, ond bydd y màs yn debyg i fàs yr Haul, sef tua 10^{27} tunnell fetrig. Nid yw sêr niwtron yn disgleirio, ond maen nhw'n troelli'n gyflym gan ryddhau paladr o allyriadau radio, fel y daw goleuni o oleudy. Wrth i'r seren niwtron gylchdroi, gall telesgopau radio ganfod yr allyriadau hyn ar ffurf curiadau neu bylsiau. Yr enw ar seren fel hyn yw **pylsar**.

O uwchnofâu'r sêr mwyaf y daw tyllau duon, ac mae rhai ohonynt yn ddeg gwaith mwy na'n Haul ni. Os yw craidd uwchnofa a ymgwympodd yn fwy na thri màs solar, bydd yn crebachu i ffurfio twll du. Petai gennych dwll du â màs chwe gwaith yn fwy na'r Haul, gallai ei ddiamedr fod cyn lleied â 35 km. Mae cymaint o fàs wedi ymgwympo i le mor fach nes bod y grym disgyrchiant yn enfawr. Ni all unrhyw beth ddianc rhag tyniad twll du, hyd yn oed goleuni. Yng nghanol y twll du, bydd gweddillion yr hen seren wedi eu gwasgu yn bwynt â dwysedd anfeidrol – o'r enw hynodyn. Ni allwch chi weld tyllau duon, ond gallwch chi weld eu heffaith ar y sêr a'r nwyon o'u hamgylch (Ffigur 12.24 gyferbyn).

Wrth i'r nwy chwyldroi i mewn i'r twll du, mae'n cael ei wresogi i filiynau o raddau nes rhyddhau pelydrau X. Mae arsyllu â lloeren wedi galluogi seryddwyr i ganfod nifer o fannau lle gallai fod yna dwll du. Wrth edrych ar y dystiolaeth mewn ffotograffau pelydrau X, mae llawer o seryddwyr yn credu bod twll du gor-fasfawr ar ganol pob galaeth, gan gynnwys y Llwybr Llaethog.

Cwestiynau

15 Beth a ddefnyddiodd seryddwyr i ganfod o beth y mae'r Haul a sêr eraill wedi eu gwneud?

16 Mae llawer o elfennau trwm ar y Ddaear. O ble y daethant?

17 Disgrifiwch batrwm oes
  a sêr corrach melyn
  b sêr cawr glas.

Gweithgaredd

Gan ddefnyddio'r rhyngrwyd neu gyfeirlyfrau, ysgrifennwch baragraff am bob un o'r rhain:

1 sêr corrach melyn

2 uwchnofâu

3 tyllau duon.

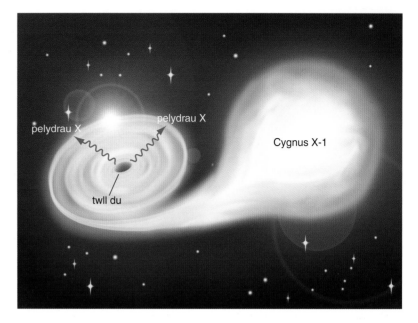

Ffigur 12.24 Llun gan artist o Cygnus X-1, sef seren las fasfawr. Y gred yw fod twll du yn sugno mater o'r seren, gan ei thynnu'n ddarnau

Y Bydysawd

Blwyddyn goleuni: uned newydd ar gyfer pellter

Mae'r Bydysawd mor fawr fel nad ydym ni'n hollol sicr pa mor fawr ydyw. Petaem ni'n ei fesur mewn cilometrau, byddai angen rhifau ofnadwy o fawr. Dewis arall yw defnyddio **blwyddyn goleuni**. Dyma yw'r pellter y mae goleuni yn ei deithio mewn blwyddyn. Mae goleuni'n teithio ar 300 000 km/s.

1 flwyddyn goleuni yn fras = 10 000 000 000 000 km (10 miliwn miliwn cilometr = 10^{13} km)

Edrych yn ôl i'r gorffennol

Y seren agosaf atom (heblaw'r Haul) yw Alpha Centauri. Mae'n 4.31 blwyddyn goleuni i ffwrdd, hynny yw mae angen 4.31 blwyddyn i oleuni'r seren ein cyrraedd. Bob tro y byddwn ni'n edrych arni, byddwn ni'n ei gweld fel yr oedd 4.31 blwyddyn yn ôl.

Ffigur 12.25 Galaeth y Llwybr Llaethog

Galaethau

Edrychwch yn ofalus ar yr awyr ar noson glir dywyll, ddileuad, ac fe welwch chi fand llydan, gwan o sêr. Fe fyddwch chi'n edrych ar ein galaeth ni o'i hochr, sef y Llwybr Llaethog.

Mae ein galaeth yn enfawr, cymaint â 100 000 o flynyddoedd goleuni ar ei thraws. Mae'n cynnwys cannoedd o biliynau o sêr, tua biliwn o blanedau a miliwn o dyllau duon.

Sawl galaeth sydd yn y Bydysawd?

Nid ein galaeth ni yw'r unig un yn y Bydysawd. Yr un agosaf atom yw galaeth Andromeda. Mae hi 2.2 miliwn o flynyddoedd goleuni i ffwrdd.

Ffigur 12.26 Galaeth Andromeda

Dyma ddwy alaeth. Ond mae can mil miliwn a mwy o alaethau. Yn ôl rhai, mae mwy o sêr yn y Bydysawd nag sydd o ronynnau tywod ar holl draethau'r byd.

Cwestiynau

18 Mae seryddwyr yn defnyddio'r term Llwybr Llaethog i ddisgrifio rhan o'r Bydysawd. Beth yw'r Llwybr Llaethog?

19 Pam gallwch chi ddweud eich bod yn edrych i'r gorffennol wrth edrych ar awyr y nos?

20 Mae seryddwyr yn dod o hyd i seren orgawr goch. Mae'r seren 4.9×10^{15} km o'r Ddaear. Faint o amser mae'n ei gymryd i'w goleuni gyrraedd y Ddaear? (Buanedd goleuni = 300 000 km/s.)

Mae'n anodd ateb y cwestiwn 'Pa mor fawr yw'r Bydysawd?' ond yn ôl yr amcangyfrifon diweddaraf, neu yn ôl yr wybodaeth o'n telesgopau gorau, mae'r ymyl allanol 12–15 biliwn o flynyddoedd goleuni oddi wrthym.

Edrych ar oleuni o sêr pell

Mae cyfres o linellau tywyll yn croesi sbectrwm y pelydriad electromagnetig o'r Haul (edrychwch ar Ffigur 12.15, ar dudalen 244). Bu seryddwr o America, Edwin Hubble, yn defnyddio telesgop mawr iawn i edrych ar oleuni o alaethau pell. Ar ei delesgop, roedd sbectromedr pwerus. Sylwodd fod yr un llinellau tywyll gan y sêr hefyd, ond nad oedd y llinellau yn yr un man yn union. Roedden nhw wedi symud ychydig tuag at ben coch y sbectrwm (Ffigur 12.27).

Edrychodd Hubble drwy'r telesgop i'r cyfeiriad dirgroes. Yr un effaith a welodd. Yn wir, roedd yr un set o linellau tywyll gan yr holl sêr mewn galaethau pell, ac roedd pob llinell wedi symud ychydig tuag at ben coch y sbectrwm.

Pam mae'r llinellau wedi symud at y pen coch lle mae'r tonfeddi hirach?

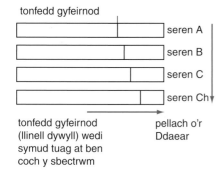

Ffigur 12.27 Mae sbectra o sêr pell yn dangos 'rhuddiad'.

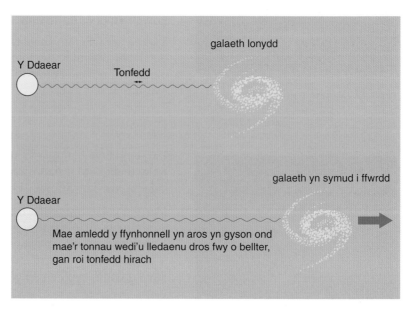

Ffigur 12.28 Os oes pelydriad yn dod o ffynhonnell sy'n symud i ffwrdd ar fuanedd uchel, mae'r donfedd yn cael ei 'hestyn' felly mae'n dangos rhuddiad.

Meddyliwch am y Ddaear ac un seren. Tybiwch nad ydyn nhw'n symud at ei gilydd nac oddi wrth ei gilydd. Mae llinell dywyll o'r seren yn cyfateb i belydriad sydd ag amledd neilltuol f a thonfedd λ.

Os bydd y seren yn symud i ffwrdd o'r Ddaear, bydd y llinell dywyll yn dal i gyfateb i belydriad ar yr un amledd ag sy'n cael ei allyrru gan y seren, ond bydd pob ton wedi gorfod teithio pellter ychwanegol i gyrraedd y Ddaear. Bydd tonfedd y tonnau hyn yn hirach. Ar ben coch y sbectrwm y mae'r tonfeddi hiraf. Felly, os yw'r seren yn symud oddi wrthym, bydd y llinell dywyll yn symud tuag at y coch. Mae **rhuddiad** fel hyn yn dangos bod y galaethau'n symud oddi wrthym (Hen air am 'coch' yw 'rhudd'.). Ni waeth i ba gyfeiriad yr edrychwn, mae'r galaethau'n symud oddi wrthym. Mae'r Bydysawd yn ehangu i bob cyfeiriad. Meddyliwch am falŵn: dychmygwch eich bod wedi rhoi marciau arno i gynrychioli sêr. Wrth chwythu aer i'r balŵn, bydd y marciau'n symud oddi wrth ei gilydd wrth i'r balŵn ehangu.

Mae'r galaethau pellaf yn symud i ffwrdd hyd yn oed yn gynt

Aeth Hubble yn ei flaen i archwilio sêr o alaethau pellach. Fel y mae Ffigur 12.29 yn ei ddangos: po bellaf yr alaeth, mwyaf yw'r rhuddiad. Mae'r holl alaethau'n symud oddi wrth ei gilydd (Ffigur 12.30). Po bellaf y maen nhw, mwyaf cyflym y maen nhw'n symud. Dywedodd Hubble fod y Bydysawd yn ehangu a'i fod wedi bod yn gwneud hynny ers miliynau o flynyddoedd.

Mae rhai o'r galaethau pellaf yn symud i ffwrdd ar 90 000 km/s, sef tua un rhan o dair o fuanedd goleuni. Cofiwch, nid yw'r galaethau hyn yn symud drwy'r gofod oddi wrthym. Mae'r gofod ei hun yn ehangu.

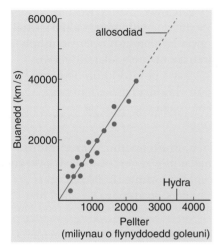

Ffigur 12.29 Plotiodd Hubble graff fel hyn a darganfod bod buanedd y galaethau mewn cyfrannedd â'u pellter oddi wrthym.

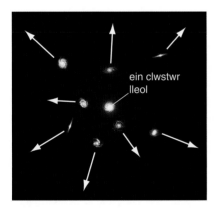

Ffigur 12.30 Mae'r galaethau'n symud oddi wrth ei gilydd.

Cwestiynau

21 Edrychwch ar Dabl 12.2. Mae Rhys wedi copïo'r tabl oddi ar y bwrdd gwyn, ond am ei fod yn siarad mae wedi colli rhai o'r rhifau. Defnyddiwch y graff yn Ffigur 12.29 i gyfrifo pellter galaeth Ursa Major a Hydra.

Table 12.2 Buanedd a phellter galaethau

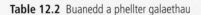

Y cytser lle mae'r alaeth	Pellter yr alaeth (blynyddoedd goleuni × 10⁶)	Buanedd yr alaeth (km/s)
Virgo	72	1 200
Perseus	400	
Ursa Major		15 000
Corona	1200	20 000
Boötes	2400	40 000
Hydra		60 000

1 flwyddyn goleuni = 10 miliwn miliwn (10¹³) km. Dyma'r pellter y mae goleuni'n ei deithio mewn 1 flwyddyn.

22 Defnyddiwch Dabl 12.2 a Ffigur 12.29 i gyfrifo buanedd galaeth Perseus.

23 Beth yw ystyr 'rhuddiad'? Beth sy'n achosi rhuddiad?

24 Pam mae llinellau sbectrol rhai sêr â mwy o ruddiad na'r lleill?

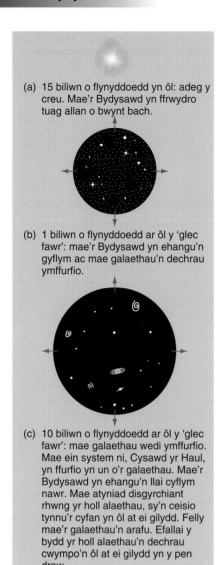

(a) 15 biliwn o flynyddoedd yn ôl: adeg y creu. Mae'r Bydysawd yn ffrwydro tuag allan o bwynt bach.

(b) 1 biliwn o flynyddoedd ar ôl y 'glec fawr': mae'r Bydysawd yn ehangu'n gyflym ac mae galaethau'n dechrau ymffurfio.

(c) 10 biliwn o flynyddoedd ar ôl y 'glec fawr': mae galaethau wedi ymffurfio. Mae ein system ni, Cysawd yr Haul, yn ffurfio yn un o'r galaethau. Mae'r Bydysawd yn ehangu'n llai cyflym nawr. Mae atyniad disgyrchiant rhwng yr holl alaethau, sy'n ceisio tynnu'r cyfan yn ôl at ei gilydd. Felly mae'r galaethau'n arafu. Efallai y bydd yr holl alaethau'n dechrau cwympo'n ôl at ei gilydd yn y pen draw . . .

Ffigur 12.31 Ffurfio'r Bydysawd

Cwestiynau

25 Beth yw damcaniaeth y 'glec fawr'? Beth mae'n ei ragfynegi am faint y Bydysawd?

26 Pa mor hen yw'r Bydysawd?

Sut dechreuodd y cyfan?

Mae rhuddiad yn dangos bod y Bydysawd yn ehangu i bob cyfeiriad. Os yw popeth sydd yn y Bydysawd yn symud oddi wrth ei gilydd, yna mae'n dilyn:

- Ar ryw adeg yn y gorffennol, bod y galaethau yn llawer nes at ei gilydd.
- Mae'n rhaid bod rhywbeth wedi achosi iddynt ddechrau symud ar wahân yn y lle cyntaf.

Petai'n bosibl i ni droi'r cloc yn ôl filiynau a miliynau o flynyddoedd, tybed a fydden ni'n darganfod beth a achosodd i'r galaethau symud i ffwrdd fel hyn?

Mae'n ymddangos yn ddigon rhesymol dyfalu mai ffrwydrad enfawr a achosodd hyn. Un enw arno yw '**y glec fawr**'. Nid ffrwydrad cyffredin oedd hwn o gwbl ond ffrwydrad a daflodd ar wahân yr holl 100 000 miliwn a mwy o alaethau, gyda 1000 miliwn o sêr ym mhob un, heb anghofio'r planedau, y llwch a'r nwyon a allai fod mewn orbit o amgylch yr holl sêr ac, wrth gwrs, y gofod ei hun. Dyna yw damcaniaeth y 'glec fawr'. Wrth fesur rhuddiad galaethau pell, ar hyn o bryd, credir bod y 'glec fawr' wedi digwydd tua 12–15 mil miliwn o flynyddoedd yn ôl.

Wrth i bethau gael eu cywasgu, maen nhw'n poethi. Yn yr un ffordd yn union, wrth i bethau ehangu, maen nhw'n oeri. Bu'r Bydysawd yn oeri drwy'r amser ers y ffrwydrad enfawr hwnnw 15 000 miliwn o flynyddoedd yn ôl, i 2.7 gradd uwchben sero absoliwt yn unig. Mae hyn yn cynhyrchu pelydriad cefndir.

Mae'n ymddangos bod canlyniadau'r arsylwadau hyn yn cadarnhau bod 'y glec fawr' wedi digwydd. Hefyd, mae'n rhoi amcangyfrif o oed y Bydysawd, sef 13.7 biliwn o flynyddoedd, sy'n cytuno ag amcangyfrifon cynharach telesgop gofod Hubble.

Beth sydd yn y Bydysawd?

Gyda thriliynau o sêr a galaethau, hawdd credu bod hynny'n ddigon. Ond, erbyn hyn, mae gwyddonwyr yn credu bod 23% o'r Bydysawd wedi'i wneud o sylwedd arall, o'r enw **mater tywyll**.

Beth yw mater tywyll? Does neb yn gwybod. Ni all neb ddod o hyd iddo ychwaith. Mae **egni tywyll** yn fwy o ddirgelwch hyd yn oed, ac, mae gwyddonwyr yn credu bod y math hwn o egni yn ffurfio 73% o'r Bydysawd. Mae'n ymddangos bod y grym rhyfedd hwn yn gwthio'r Bydysawd ar wahân yn gynt a chynt. Wrth gwrs, dylai tyniad disgyrchiant fod yn gwneud iddo arafu neu gyfangu.

Y paradocs oedran: a fydd yn rhaid i ni newid y ddamcaniaeth eto?

Yn y 1950au, roedd Fred Hoyle a seryddwyr eraill yn credu bod sêr yn cael eu geni, yn byw a marw drwy'r amser – damcaniaeth cyflwr sefydlog. Yna dechreuodd yr holl dystiolaeth awgrymu mai damcaniaeth y 'glec fawr' oedd yn gywir.

Mae rhai gwyddonwyr yn bryderus am ddamcaniaeth y 'glec fawr'. Maen nhw'n dadlau bod y goleuni o'r galaethau pellaf wedi cymryd miloedd o filiynau o flynyddoedd i'n cyrraedd. Byddech chi'n disgwyl i'r galaethau hyn fod yn llawn sêr newydd. O arsylwi, gellir gweld bod sêr hŷn yn y galaethau pell hyn. Ni all y sêr hynaf fod yn hŷn na'r bydysawd lle maen nhw'n byw. Maen nhw'n dweud bod problemau gyda'r syniad o fater tywyll yn y Bydysawd. Mae'r syniadau'n rhai dadleuol, a phwy a ŵyr beth fydd y stori go iawn?

Taith wedi'i hanimeiddio trwy'r 'glec fawr':
www.superstringtheory.com

Newyddion am ddarganfyddiadau yn y gofod:
www.bbc.co.uk/sciencehubblesite.org

Peiriant amser y 'glec fawr':
www.schoolscience.co.uk

Cwestiynau

27 Rydych chi'n edrych ar seren. Mae hi'n union 100 blwyddyn goleuni i ffwrdd. Rhowch y dyddiad a'r amser, i'r awr agosaf, pryd y gadawodd y goleuni'r seren.

28 Beth yw enw ein galaeth ni? Pa mor fawr yw hi?

29 Ysgrifennwch baragraff i ddweud sut dechreuodd y Bydysawd.

30 Tybiwch fod y rhuddiad yn cael ei achosi gan rywbeth arall. Beth petaem ni'n darganfod nad yw'r galaethau yn symud oddi wrthym? Sut byddai hyn yn effeithio ar ein gwybodaeth am y Bydysawd?

31 Mae sêr yn fasfawr iawn. Mae grym disgyrchiant cryf iawn yn tynnu ynghyd y mater sy'n gwneud y sêr. Mae tymheredd uchel o fewn y sêr yn creu grymoedd sy'n gweithredu mewn cyfeiriad dirgroes i rym disgyrchiant.
    a Enwch y mater (deunyddiau) sydd yn y sêr.
    b Eglurwch yn nhermau'r grymoedd sy'n gweithredu ar seren:
        i   beth mae 'cyfnod sefydlog' seren yn ei olygu i chi
        ii pam mae seren yn mynd yn gawr coch.
    c Disgrifiwch o dan ba amgylchiadau y bydd seren niwtron yn cael ei ffurfio.

32 Darllenwch y darn hwn yn ofalus cyn darllen y cwestiynau sy'n dilyn. 'Mae gwyddonwyr, wrth edrych ar oleuni o alaethau pell, wedi darganfod bod y tonnau goleuni a dderbynnir wedi cael eu "hymestyn". Mae hyn yn achosi i'r tonnau symud tuag at ben coch y sbectrwm gweladwy. Enw'r effaith hon yw **rhuddiad**. Trwy fesur maint y rhuddiad sy'n cael ei gynhyrchu gan yr alaeth, gall gwyddonwyr gyfrifo ei buanedd. Trwy gyfrifo buanedd y galaethau, mae gwyddonwyr bellach yn credu bod y Bydysawd wedi dechrau 15 000 miliwn o flynyddoedd yn ôl ar ffurf crynodiad o fater ac egni tua maint un atom.'
    a Nodwch sut mae symudiad galaeth yn effeithio ar donfedd y goleuni sy'n cael ei dderbyn.
    b Po bellaf yw'r galaethau, mwyaf yw'r rhuddiad. Eglurwch beth mae hyn yn ei awgrymu am y ffordd y mae galaethau yn symud.
    c Dechreuodd y Bydysawd â 'chlec fawr'. Rhowch resymau pam mae'r rhuddiad yn cefnogi'r datganiad hwn.

Crynodeb

1 Mae Cysawd yr Haul yn cynnwys planedau, lleuadau, lloerenni, asteroidau a chomedau.

2 Mae'r planedau mewn orbit o gwmpas yr Haul ac mae siâp eu horbitau bron yn grwn. Mae pob un yn troi yn yr un cyfeiriad.

3 Grym disgyrchiant yr Haul sy'n dal y planedau yn eu horbit.

4 Po fwyaf yw'r pellter oddi wrth yr Haul, mwyaf fydd amser yr orbit o amgylch yr Haul.

5 Atyniad disgyrchiant sy'n cadw lleuadau a lloerenni mewn orbit o gwmpas planed.

6 Cafodd Cysawd yr Haul ei ffurfio yr un pryd â'r Haul, tua 4500 miliwn o flynyddoedd yn ôl. Ymffurfiodd o gwmwl o nwy, iâ a llwch a ymgasglodd dan rym disgyrchiant.

7 Planedau creigiog yw'r planedau mewnol oherwydd i'r rhan fwyaf o'u nwy anweddu yng ngwres yr Haul. Nwy a hylif yw'r planedau allanol yn bennaf, oherwydd iddynt ymffurfio ymhellach oddi wrth yr Haul.

8 Pethau dros ben ar ôl ffurfio planedau yw comedau ac asteroidau.

9 Mae cynffonnau comedau yn llachar am eu bod yn adlewyrchu goleuni'r Haul. Mae'r gynffon yn pwyntio oddi wrth yr Haul oherwydd gwasgedd pelydriad o'r Haul.

10 Petai'r Haul yn cynhyrchu goleuni a gwres trwy adweithiau cemegol, byddai hyn yn mynd yn groes i'r pethau rydym ni'n eu gwybod am oed mawr Cysawd yr Haul.

11 Gellir defnyddio sbectromedr i ddadansoddi goleuni o'r sêr. Fel hyn gallwn ddweud o beth y mae'r sêr wedi eu gwneud.

12 Ffynhonnell egni seren yw ymasiad hydrogen yn heliwm.

13 Mae seren yn sefydlog pan fydd grymoedd disgyrchiant tuag i mewn yn cyfateb i'r gwasgedd pelydriad tuag allan.

14 Yn ystod eu hoes, mae gan sêr bach fel ein Haul ni gyfnod sefydlog hir. Yna, bydd seren gorrach felen yn mynd trwy gyfnodau o fod yn gawr coch a chorrach gwyn, cyn troi'n gorrach du yn y pen draw.

15 Mae sêr â màs mawr neu sêr cawr glas yn llawer mwy ac yn boethach. Nid yw eu cyfnod sefydlog mor hir ag un ein Haul ni. Maen nhw'n ffrwydro yn uwchnofâu. Yna byddan nhw'n ymgwympo nes ffurfio sêr niwtron; bydd y rhai mawr iawn yn ymgwympo gan ffurfio tyllau duon.

16 Mae'r elfennau sy'n drymach na heliwm wedi dod o adweithiau ymasiad niwclear mewn sêr ac o uwchnofâu.

17 Mae cyfran yr elfennau trwm yn y Bydysawd yn cynyddu'n raddol.

18 Rydym ni'n mesur pellterau seryddol mewn blynyddoedd goleuni. Dyna'r pellter y mae goleuni yn ei deithio mewn un flwyddyn. Mae tua 10 000 000 000 000 km.

19 Mae ein galaeth yn cynnwys cannoedd o biliynau o sêr.

20 Mae tua chan mil miliwn o alaethau yn y Bydysawd.

21 Mae llinellau yn sbectra sêr pell yn symud tua phen coch y sbectrwm electromagnetig. Mae hyn yn dangos bod y sêr yn symud i ffwrdd oddi wrthym. Po bellaf yw'r seren, mwyaf yw'r rhuddiad a chyflymaf y maen nhw'n symud oddi wrthym.

22 Mae mesuriadau rhuddiad yn dystiolaeth bod y Bydysawd wedi dechrau gyda 'chlec fawr' enfawr a hynod o boeth.

Pennod 13 Ymbelydredd

Erbyn diwedd y bennod hon, dylech:

- wybod bod pelydriad yn cael ei gynhyrchu gan sylweddau ymbelydrol;
- gwybod bod y pelydriad hwn yn dod o niwclysau atomig ansefydlog lle nad yw'r protonau a'r niwtronau mewn cydbwysedd;
- deall y gwahaniaethau rhwng pelydriad alffa, beta a gama;
- deall peryglon pelydriad ïoneiddio;
- deall bod pelydriad cefndir yn bodoli'n naturiol o'n cwmpas ym mhobman;
- deall sut i'ch diogelu eich hun rhag pelydriad ïoneiddio, yn enwedig peryglon nwy radon yn y cartref;
- gallu trafod peryglon a rhagofalon pwysig ar gyfer triniaethau ymbelydrol mewn ysbytai;
- gwybod am faint y mae defnydd ymbelydrol yn aros yn ymbelydrol;
- gwybod sut rydym ni'n defnyddio ymbelydredd, er enghraifft wrth drin canser, dyddio carbon ac mewn diwydiant;
- gwybod am y problemau wrth geisio cael gwared ar ddefnyddiau ymbelydrol.

Yr Haul

Mae'r Haul – 'bom hydrogen' – wedi bod yn anfon pelydriad at y Ddaear ers 4500 miliwn o flynyddoedd.

Daw pelydrau cosmig o'r gofod pell.

Mae planhigion yn amsugno ychydig o belydriad. Mae anifeiliaid yn bwyta planhigion a phobl yn bwyta planhigion ac anifeiliaid.

Daw cyfran fach o brofion niwclear yn y 1960au.

gorffennol

presennol

Mae pawb yn derbyn pelydriad o'r ddaear. Daw pelydriad hefyd o greigiau a'r defnyddiau sy'n gwneud tai.

Ffigur 13.1 Mae pawb yn derbyn dosiau o belydriad cefndir yn ystod eu bywyd.

Allyriadau ymbelydrol

Ymbelydredd a phelydriad

Ni allwn weld pelydriad, na'i deimlo, ei arogli, ei gyffwrdd na'i flasu. Mae pob math o belydriad yn cario egni a gall achosi niwed i gelloedd yn y corff, ond mae rhai mathau o belydriad yn fwy peryglus nag eraill. Rydym ni'n gwybod bod pelydriad isgoch o dân poeth yn gallu llosgi croen, ond mae pelydriad fel pelydrau gama yn gallu achosi canser.

Nid yw pob pelydriad yn dod o sylweddau ymbelydrol, ond erbyn hyn rydym ni'n gwybod bod y pelydriad o sylweddau ymbelydrol (sef ymbelydredd) yn niweidiol oherwydd ei fod yn **belydriad ïoneiddio**.

Daw **ymbelydredd** o atomau sydd â niwclysau ansefydlog. Bydd y **niwclews** ansefydlog yn rhyddhau pelydriad nes dod yn sefydlog. Yna bydd y pelydriad yn dod i ben.

Dos o belydriad

Mae pelydriad yn effeithio ar eich corff. Mae dosiau o belydriad yn cael eu mesur mewn sievert (symbol Sv). Mae hon yn uned fawr ac yn ddos mawr o belydriad. Yn ymarferol, byddwn ni'n defnyddio'r milisievert (symbol mSv), sef milfed ran o sievert.

Pelydriad cefndir: yno erioed

O ddarllen y papur a gwylio'r teledu, hawdd fyddai credu bod yr holl belydriad a gawn ni yn dod o orsafoedd pŵer niwclear a bomiau. Nid yw hyn yn wir: mae pelydriad cefndir yn bodoli yn naturiol (Ffigur 13.1 ar dudalen 255). Daw'r rhan fwyaf o belydriad cefndir o'r ddaear. Mae'r creigiau a'r pridd oddi tanom a'r aer rydym ni'n ei anadlu yn ymbelydrol. Mae gronynnau cyflym o'r Haul a'r gofod pell, o'r enw **pelydrau cosmig**, yn rhan o belydriad cefndir. Ers talwm, roedd ein hynafiaid yn derbyn dros 85% o'r pelydriad cefndir rydym ni'n ei gael heddiw. O ran y 15% arall, daw 14% o belydrau X meddygol a deintyddol. Mae llai nag 1% yn dod o ddiwydiant.

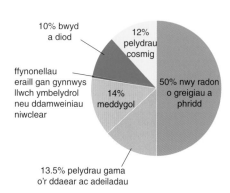

10% bwyd a diod

12% pelydrau cosmig

ffynonellau eraill gan gynnwys llwch ymbelydrol neu ddamweiniau niwclear

14% meddygol

50% nwy radon o greigiau a phridd

13.5% pelydrau gama o'r ddaear ac adeiladau

Ffigur 13.2 Ffynonellau pelydriad cefndir

Cwestiynau

1 Beth yw 'pelydriad cefndir? O ble mae'n dod?

2 Beth yw prif ffynhonnell pelydriad i chi?

Gweithgaredd

Cynnyrch i'w ddefnyddio yn lle halen yw LoSalt. Mae'n cynnwys rhywfaint o botasiwm clorid, yn ddewis iachach na halen. Os yw potasiwm clorid ychydig yn ymbelydrol, pa mor iach yw LoSalt mewn gwirionedd? Yn eich grŵp, archwiliwch a thrafodwch fanteision y ddau ddewis.

Wyddoch chi?

Bydd tua 100 000 o belydrau cosmig o'r gofod pell yn mynd trwy eich corff bob awr. Rydych chi'n cael dos uwch mewn awyren oherwydd bod llai o aer rhyngoch chi a'r gofod i'w hamsugno. Wrth hedfan am tuag 1 awr, byddwch chi'n cael dos 0.005 mSv yn fwy.

Pelydriad o fwyd

Mae rhywfaint o belydriad yn dod o'n bwyd hefyd. Wrth i blanhigion dyfu, maen nhw'n amsugno carbon deuocsid sy'n cynnwys ychydig bach o garbon ymbelydrol. Un isotop, sef potasiwm-40, sy'n gyfrifol am y rhan fwyaf o'r pelydriad yn ein bwyd. Bydd mwy o belydriad mewn bwydydd sy'n uchel mewn potasiwm. Mae llawer mewn cregyn gleision, cocos a gwichiaid. Wrth fwyta llawer iawn ohonynt, fe gewch chi fwy o belydriad.

Sut le sydd mewn atom?

Fe ddylech chi gofio bod niwclews atom yn cynnwys **protonau** a **niwronau** gydag **electronau** mewn orbit o'u cwmpas (gw. Cemeg, Pennod 5). Mae'r niwclews yn fach iawn, iawn o'i gymharu â'r atom.

Dychmygwch eich bod yn gallu chwyddhau'r niwclews i tua'r un maint â set deledu 0.5 m (50 cm) yng nghanol Llundain. Mae'r atom 100 000 gwaith yn fwy na'r niwclews, felly byddai diamedr yr atom tua 50 000 m neu 50 km. Wrth raddfa fel hyn, byddai electron yn wrthrych bach iawn yn teithio mewn cylch ar draffordd yr M25.

Fel arfer, mae atomau'n sefydlog iawn. O niwclysau ansefydlog y daw ymbelydredd. Mae niwclysau ansefydlog neu ymbelydrol yn rhyddhau gronynnau neu belydriad er mwyn eu gwneud eu hunain yn fwy sefydlog.

U

Dadfeiliad ymbelydrol niwclysau ansefydlog

Cofiwch mai un ffordd ddefnyddiol o ddangos cyfansoddiad y niwclews yw defnyddio'r **rhif atomig** (nifer y protonau yn y niwclews) a'r **rhif màs** (nifer y protonau a niwtronau yn y niwclews). Dyma sut mae dangos cyfansoddiad y niwclews hydrogen yn Ffigur 13.3:

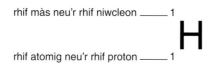

rhif màs neu'r rhif niwcleon —— 1

H

rhif atomig neu'r rhif proton —— 1

Mae gan heliwm ddau broton a dau niwtron yn ei niwclews. Mae dau electron mewn orbit o'i gwmpas. Dyma'r ffordd i ysgrifennu niwclews heliwm, $^4_2$He (Ffigur 13.4).

Ffigur 13.3 Atom hydrogen

Ffigur 13.4 Atom heliwm

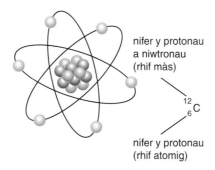

nifer y protonau a niwtronau (rhif màs)

$^{12}_6$C

nifer y protonau (rhif atomig)

Ffigur 13.5 Atom carbon

Gallwn ysgrifennu carbon fel hyn: $^{12}_6$C. Mae ganddo chwe phroton a 12 – 6, sef 6 niwtron (Ffigur 13.5).

Mewn rhai elfennau, mae gwahanol nifer o brotonau a niwtronau. Lithiwm yw $^7_3$L. Beryliwm yw $^9_4$Be. Mewn aur, sef $^{197}_{79}$Au, mae llawer mwy o niwtronau na phrotonau. Mae ganddo 79 proton a 118 niwtron ac mae'n sefydlog. Nid yw'n ymbelydrol.

Isotopau

Rhaid i wahanol elfennau fod â gwahanol rifau atomig (proton). Ni all dwy elfen fod â'r un nifer o brotonau. Ond mae'n bosibl cael atomau o'r un elfen gyda gwahanol niferoedd o niwtronau yn eu niwclews. Bydd eu rhif màs (**niwcleon**) yn wahanol.

Mewn ocsigen cyffredin, $^{16}_{8}O$, mae wyth proton ac wyth niwtron. Mae gan rai atomau ocsigen naw niwtron a rhaid eu hysgrifennu fel hyn, $^{17}_{8}O$. Ocsigen yw hwn hefyd, oherwydd yr wyth proton. Ond mae un niwtron ychwanegol yn ei niwclews. Mae $^{16}_{8}O$ a $^{17}_{8}O$ yn **isotopau** ocsigen.

Mae mwy nag un isotop gan bob elfen. Yn aml iawn, bydd isotopau â mwy nag un niwtron ychwanegol yn ansefydlog. Mae'r niwclews yn chwalu yn ddarnau llai. Mae atomau mawr iawn fel wraniwm, $^{238}_{92}U$, yn ansefydlog. Pan fydd atom ansefydlog yn chwalu, bydd yn rhyddhau pelydriad. Gall hwn fod ar ffurf pelydriad alffa (α), beta (β) neu gama (γ). Yr enw ar hyn yw **dadfeiliad ymbelydrol**.

Pa mor ymbelydrol yw eich tŷ chi?

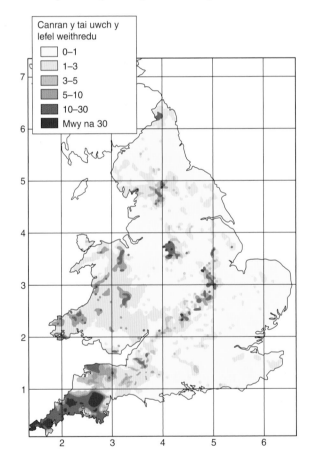

Ffigur 13.6 Allyriadau radon mewn tai yng Nghymru a Lloegr

Mae rhai creigiau yn fwy ymbelydrol nag eraill, yn enwedig creigiau sydd â tharddiad folcanig. Y rhai mwyaf ymbelydrol yw creigiau gwenithfaen yng Nghernyw a rhannau o'r Alban. Mae'r map yn Ffigur 13.6 yn dangos bod rhannau o Gymru a Lloegr yn fwy ymbelydrol nag eraill. Mae wraniwm yn y creigiau yn cynhyrchu radon, sy'n nwy ymbelydrol.

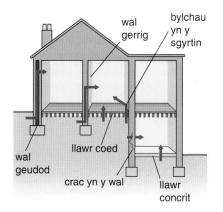

Ffigur 13.7 Gall radon fynd i'r tŷ mewn nifer o ffyrdd.

Radon

Mae radon yn bodoli'n naturiol ac i'w gael ym mhobman. O radon y daw'r rhan fwyaf o'n pelydriad cefndir. Y dos cyfartalog ym Mhrydain yw 2.5 mSv, ond yng Nghernyw mae'n codi i 7.8 mSv.

Pan fydd atomau wraniwm yn dadfeilio, byddan nhw'n troi yn atomau radiwm. Wrth i radiwm ddadfeilio, mae'n troi yn radon. Mae hwn yn nwy ymbelydrol a gallwn ei anadlu. Yn yr awyr iach, mae'r radon yn gwasgaru ond gall y nwy ymgasglu mewn tai.

Sut mae radon yn cyrraedd y tŷ ac a yw hyn yn broblem?

Gall nwy radon fynd i'r tŷ mewn nifer o wahanol ffyrdd (gw. Ffigur 13.7). Yn y rhan fwyaf o dai, nid yw nwy radon yn broblem. Ond, mae lefelau radon yn gallu amrywio o un cartref i'r llall. Os yw'r crynodiad yn uchel, gall achosi problem iechyd ddifrifol. Gall radon achosi canser yr ysgyfaint.

Mae Llywodraeth Prydain wedi cynghori bod angen gweithredu os yw'r lefel yn uwch na 200 Bq/m^3. Mae un becquerel (symbol Bq) yn cyfateb i un atom ansefydlog yn dadfeilio bob eiliad.

Mae Ffigur 13.8 yn dangos mai bychan iawn yw'r perygl oes o ddod i gysylltiad â lefelau cyfartalog. Rydych chi dair gwaith fwy tebygol o farw o ganlyniad i ddamwain yn eich cartref. Ond, fel y gwelwch chi yn Ffigur 13.9, wrth i grynodiad radon godi, mae'r peryglon yn cynyddu hefyd.

Mae Ffigur 13.9 yn dangos y peryglon ar gyfer pobl nad ydyn nhw'n ysmygu. Os ydych chi'n ysmygu 15 sigarét y dydd, mae'r perygl yn cynyddu 10 gwaith.

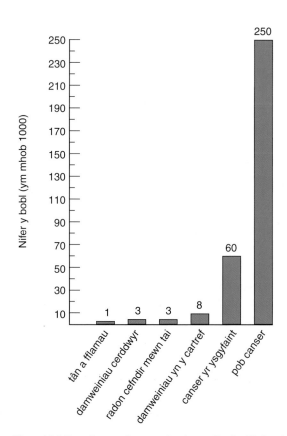

Ffigur 13.8 Perygl oes o farw o achosion cyffredin (Cyfartaledd Prydain ar gyfer ysmygwyr a phobl nad ydyn nhw'n ysmygu)

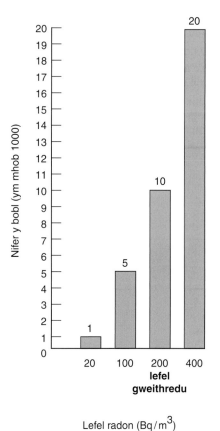

Ffigur 13.9 Perygl oes o ganser yr ysgyfaint oherwydd radon (i rai nad ydyn nhw'n ysmygu)

Ffigur 13.10 Pecyn profi radon

Gweithgaredd

Mae mam Megan yn pryderu am radon. Gwelodd fap radon ar gyfer Prydain. Mae hi'n credu ei bod yn byw mewn ardal yng Nghymru sydd 'mewn perygl'. Rhowch gyngor iddi ynghylch y camau gorau er mwyn canfod y perygl ac, os bydd angen, sut i wneud ei chartref yn fwy diogel.

Mapiau lefelau radon:
www.hpa.org.uk

Ffynonellau pelydriad cefndir:
www.defra.gov.uk/environment/statistics/

Cyngor ynghylch diogelwch radon:
www.defra.gov.uk/environment/radioactivity/background/radon.htm

Chwiliwch am gysylltau eraill, er enghraifft 'radon mewn cartrefi', 'canfod radon', ac yn y blaen.

Beth os ydw i'n byw mewn ardal lle mae 'perygl' radon?

Y peth symlaf yw cynnal prawf radon yn eich tŷ. Gall y llywodraeth ddarparu pecyn canfod radon (Ffigur 13.10). Yn y pecyn, mae dau ganfodydd. Darn o lens sbectol blastig mewn casyn plastig yw'r canfodydd, a'r cyfan tua'r un maint â dolen drws. Rhaid gosod un yn yr ystafell fyw, a'r llall mewn llofft lle mae rhywun yn cysgu. Ar ôl tri mis, rhaid eu hanfon i gael eu dadansoddi. Mae'r plastig yn cofnodi lefelau'r radon. Mae'r nwy yn gadael ei ôl yn y plastig a gellir mesur hynny yn y labordy.

Cwestiynau

6 Pam mae dosiau mawr o radon yn beryglus?

7 Sut gallwch chi ddarganfod a oes problem nwy radon yn eich tŷ?

8 O ble y daw radon?

9 Sut mae radon yn mynd i'ch tŷ?

Beth os yw lefelau radon y tŷ yn uwch na'r lefel gweithredu?

Os yw eich tŷ ychydig yn uwch na'r lefel gweithredu, gallwch chi wneud y pethau hyn:

- Gwella'r awyru yn y tŷ.
- Os oes gennych lawr pren, gwella'r awyru o dan y llawr trwy osod brics aer ychwanegol.
- Os yw'r lefel yn uwch, gosod bricsen aer gyda gwyntyll.
- Os oes gennych lawr concrit, selio pob twll a bwlch i rwystro nwy rhag codi o'r pridd.

Mewn achosion mwy difrifol, gellir gosod system awyru arbennig, lle mae gwyntyll awyru yn chwythu aer i'r tŷ. Gellir gosod swmp radon o dan y llawr hefyd.

I gael y wybodaeth ddiweddaraf, edrychwch ar wefan yr Asiantaeth Gwarchod Iechyd (*HPA*) ac Adran yr Amgylchedd, Bwyd a Materion Gwledig (*DEFRA*).

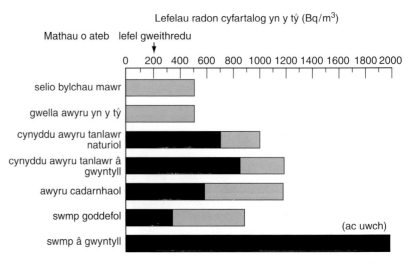

Ffigur 13.11 Effeithlonrwydd mesurau cael gwared ar radon (bar du: llwyddiant mawr; bar llwyd: peth llwyddiant)

Pelydriad alffa, beta a gama

Mae tri gwahanol fath o belydriad yn cael ei allyrru gan sylweddau ymbelydrol: **alffa** (α), **beta** (β) a **gama** (γ) (Ffigur 13.12). Mae'r cyfan yn dod o niwclews yr atom. Pelydriad electromagnetig yw pelydrau gama, ond gronynnau yw pelydriad alffa a beta. Mae'n cael ei alw yn belydriad am fod y cyfan yn cael ei fwrw allan i bob cyfeiriad o niwclews ansefydlog, fel adenydd olwyn beic.

Mae pwerau **treiddio** – hynny yw, pa mor bell y mae'r pelydriad yn teithio cyn cael ei rwystro – yn wahanol ar gyfer pelydriad alffa, beta a gama.

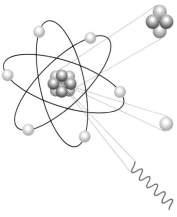

Pelydriad alffa (α)
Gronynnau yw'r rhain, nid pelydrau. Maen nhw'n teithio ar tua 10% o fuanedd goleuni. Niwclews heliwm (He^{2+}) yw gronyn α, sef atom heliwm wedi colli ei ddau electron.

Pelydriad beta (β)
Electronau cyflym sy'n dod o'r niwclews yw'r rhain. Maen nhw'n teithio ar tua 50% o fuanedd goleuni.

Pelydriad gama (γ)
Ton electromagnetig yw pelydriad gama. Mae'n teithio ar fuanedd goleuni (3×10^8 m/s). Mae ganddo egni uchel iawn.

Ffigur 13.12 Pelydriad alffa, beta a gama

Wyddoch chi?

Rydym ni'n defnyddio rhifydd Geiger i ganfod pelydriad o sylweddau ymbelydrol. Ynddo, mae tiwb Geiger-Müller a mesurydd cyfradd sy'n cyfrif y gronynnau sy'n cael eu canfod. Fel arfer, bydd y rhifydd yn cynnwys darseinydd sy'n gwneud sŵn clicio – po gyflymaf yw'r clicio, uchaf yw lefelau'r pelydriad.

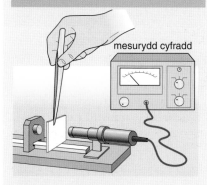
mesurydd cyfradd

Ffigur 13.13 Profi i weld pa ddefnyddiau fydd yn rhwystro pelydriad

Gwaith ymarferol

Ymchwilio i bwerau treiddio pelydriad alffa, beta a gama

Rhaid i athro/athrawes arddangos yr arbrawf hwn.

Cydosodwch yr offer sydd yn Ffigur 13.13 a mesurwch y pelydriad cefndir.

Pelydriad alffa

1 Dim ond pelydriad α sy'n dod o'r ffynhonnell (americiwm-241).

2 Gyda gefel fach, gosodwch y ffynhonnell yn agos at y tiwb Geiger-Müller, a mesurwch y gyfradd gyfrif.

3 Gyda gefel fach, yn ofalus, gosodwch ddarn o gerdyn rhwng y ffynhonnell pelydriad α a'r tiwb.

4 Mesurwch y gyfradd gyfrif.

Pelydriad beta

5 Dim ond pelydriad β sy'n dod o'r ffynhonnell (strontiwm-90).

6 Gwnewch yr arbrawf eto. Ceisiwch atal y pelydriad gyda'r cerdyn.

7 Yna ceisiwch atal y pelydriad â haen alwminiwm, yna haenau alwminiwm eraill mwyfwy trwchus.

Pelydriad gama

8 Rhaid cael ffynhonnell (cobalt-60) sy'n allyrru pelydriad γ yn unig.

9 Gwnewch yr arbrawf eto. Ceisiwch atal y pelydriad trwy ddefnyddio'r cerdyn yna'r alwminiwm.

10 Yna ceisiwch atal y pelydriad â haenau plwm.

Os oes ffynhonnell radiwm yn yr ysgol, gallwch chi ddefnyddio'r arbrawf hwn i ddangos bod radiwm yn allyrru pelydriad alffa, beta a gama.

Mae'r arbrofion hyn yn dangos gallu treiddio cymharol y tri math o belydriad (Ffigur 13.14).

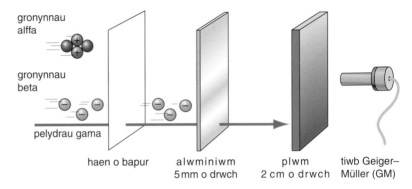

Ffigur 13.14 Pa mor bell mae pelydriad alffa (α), beta (β) a gama (γ) yn treiddio

Cwestiynau

10 Pam mae'n rhaid i chi fesur y gyfradd gyfrif gefndirol wrth wneud mesuriadau gyda ffynonellau ymbelydrol?

11 Copïwch a chwblhewch y tabl canlynol.

Pelydriad	Gronyn	Ton	Gwefr	Yr hyn sy'n ei atal
Alffa				
Beta				
Gama				

Peryglon gwahanol fathau o belydriad

Gronynnau alffa (α)

Mae gronynnau alffa yn cael eu hatal gan ychydig gentimetrau o aer. Oni bai eich bod yn agos iawn at y ffynhonnell, ni fydd y rhan fwyaf yn eich cyrraedd. Mae papur neu groen yn atal y gronynnau. Fodd bynnag, maen nhw'n beryglus os byddan nhw'n mynd y tu mewn i chi.

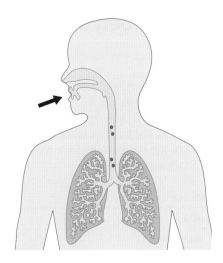

Ffigur 13.15 Gall nwy radon fynd i'r ysgyfaint.

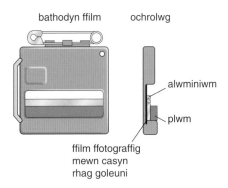

Ffigur 13.16 Bathodyn ffilm i fesur dos

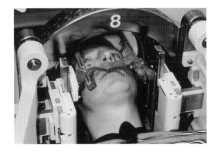

Ffigur 13.17 Gellir defnyddio pelydrau gama i ddinistrio celloedd canser; canser y nodau lymff sydd gan y claf hwn.

Dyna pam mae nwy radon yn beryglus. Gallwch chi anadlu nwy radon ymbelydrol i'ch ysgyfaint (Ffigur 13.15). Wrth iddo ddadfeilio, mae'n rhyddhau gronynnau alffa y tu mewn i'r ysgyfaint. Mae gronynnau alffa yn drwm (cofiwch eu bod yn niwclysau heliwm mawr) a gallant achosi i atomau ïoneiddio mewn celloedd dynol. Gall pelydriad alffa achosi 20 gwaith yn fwy o niwed na phelydriad beta neu gama.

Pelydriad beta (β) a gama (γ)

Gall pelydriad beta dreiddio trwy haenau alwminiwm tenau. Gall pelydriad gama deithio trwy blwm hyd yn oed. Mae pelydriad beta a gama yn niweidiol. Gallant achosi llosgiadau pelydriad. Mae'r croen yn troi'n goch a briwiau'n ymddangos. Gall effeithiau eraill ymddangos yn nes ymlaen, fel cataract yn y llygaid a chanser.

Diogelwch rhag pelydriad

Mae ffynonellau ymbelydrol yr ysgol yn cael eu cadw mewn bocs sydd â leinin plwm (castell), mewn storfa wedi'i chloi a'i labelu'n eglur. Mae hyn yn wir am bob defnydd ymbelydrol. Mewn diwydiant, lle mae'r ffynonellau yn rhai cryfach, mae'r bocsys plwm yn llawer mwy ac yn fwy trwchus. Hefyd, bydd eich athrawon yn defnyddio gefel hir er mwyn cadw'n ddigon pell oddi wrth y ffynhonnell.

Defnyddir llawer o ddefnydd ymbelydrol mewn ysbytai a diwydiant. Rhaid i'r gweithwyr wisgo bathodyn â ffilm arbennig arno (mesurydd dos) (Ffigur 13.16). Os bydd rhywun wedi derbyn mwy na'r dos derbyniol, ni fydd yn cael gweithio mewn ardal lle mae pelydriad.

Hyd yn oed os yw cleifion yn cael triniaeth â phelydriad ar gyfer canser, rhaid eu hamddiffyn. Mae pelydriad yn cael ei ddefnyddio i ladd celloedd canser. Mae'n lladd celloedd normal hefyd. Mae yna bob amser berygl gydag unrhyw driniaeth.

Rhaid ffocysu paladr y pelydriad yn fanwl ar y canser. Yna bydd y paladr yn cael ei symud o amgylch y claf, fel mai'r canser yn unig, ar ganol y paladr, fydd yn cael dos llawn. Bydd y rhannau eraill yn cael dos llai o lawer, na fydd yn achosi canser. Rhaid i'r radiograffydd weithio y tu ôl i sgriniau â gwydr plwm rhag cael gormod o ddos ei hun.

Cwestiynau

12 Disgrifiwch arbrawf i ddarganfod pŵer treiddio y tri math o belydriad.

13 Eglurwch pam mae'n rhaid cadw ffynonellau ymbelydrol mewn 'cestyll plwm'.

14 Rhaid trin ffynonellau ymbelydrol yn ddiogel. Sut dylid gwneud hynny?

Gweithgaredd

A ddylai meddygon roi radiotherapi i glaf sâl a gafodd lawdriniaeth ar gyfer canser? Maen nhw'n gwybod y bydd radiotherapi yn gwneud i'r claf deimlo'n sâl; bydd y driniaeth yn ymestyn ei oes; ond gallai achosi cymhlethdodau ychwanegol. Trefnwch grŵp trafod i ddadlau'r achos o blaid ac yn erbyn y penderfyniad.

Hanner oes defnyddiau ymbelydrol

Beth yw hanner oes?

Wrth i ddefnydd ymbelydrol ddadfeilio mae'n rhyddhau pelydriad. Mae hon yn broses ar hap. Ni allwn ragweld pryd y bydd atom yn dadfeilio. Mae biliynau ohonynt mewn sampl o ddefnydd ymbelydrol. Er hynny, hyd yn oed mewn sampl bychan iawn, mae hi'n debygol y bydd rhai atomau'n dadfeilio. Dywedwn mai'r **hanner oes** yw'r amser i hanner yr atomau ddadfeilio (Tabl 13.2).

Table 13.2 Hanner oes rhai defnyddiau ymbelydrol defnyddiol

Elfen	Hanner oes	Defnyddiau
Americiwm-241	460 blwyddyn	Mewn larwm mwg/tân
Carbon-14	5730 blwyddyn	Yn bodoli'n naturiol yn yr atmosffer; planhigion ac anifeiliaid yn ei amsugno; yn cael ei ddefnyddio i ddyddio carbon
Technetiwm-99	6 awr	Mewn meddygaeth, i olrhain pethau yn y corff
Plutoniwm-239	24000 blwyddyn	Artiffisial, yn cael ei ddefnyddio yn y diwydiant pŵer niwclear

Mae hyn braidd yn debyg i rolio mwy nag un dis yr un pryd. Bydd ambell ddis yn rhoi chwech, eto ni allwn ni ddweud pryd yn union y bydd un dis penodol yn rhoi chwech. Ond, fe allwn ni ddweud hyn: po fwyaf o'r dis sydd gennych, mwyaf o chwechau gewch chi.

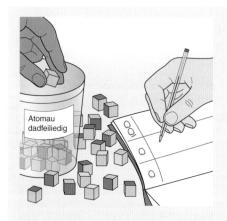

Atomau dadfeiliedig

Ffigur 13.18 I ganfod 'hanner oes' 100 dis

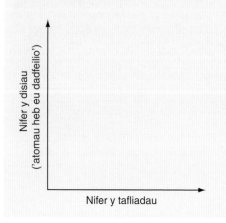

Nifer y disiau ('atomau heb eu dadfeilio')

Nifer y tafliadau

Gwaith ymarferol

Hanner oes y dis

Gallwn defnyddio 100 dis, neu giwbiau pren gyda marc arbennig ar un ochr, i gynrychioli atomau'n dadfeilio dros hanner oes.

1 Copïwch y tabl isod.

Nifer y tafliadau	Nifer y disiau (atomau) dadfeiliedig	Nifer y disiau (atomau) sydd yn weddill
0	0	100
1		

2 Rhowch bob dis yn y bicer. Taflwch nhw'n ofalus ar y bwrdd.

3 Rhifwch y rhai sy'n glanio â'r ochr arbennig at i fyny. Mae'r rhain yn cynrychioli atomau sydd wedi 'dadfeilio'. Tynnwch y rhain a chofnodi'r canlyniad (Ffigur 13.18).

4 Rhowch weddill y disiau yn ôl yn y bicer. Ysgydwch nhw, eu taflu ar y bwrdd, cyfrif y rhai sydd wedi 'dadfeilio' a'u tynnu, fel o'r blaen.

5 Parhewch nes bod yr holl ddisiau wedi 'dadfeilio'.

6 Gwnewch graff gyda'i echelinau fel yr un ar y chwith.

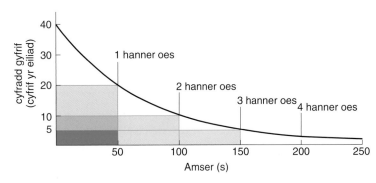

Ffigur 13.19 Dadfeiliad defnydd ymbelydrol

Hanner oes yw'r amser i hanner yr atomau (neu'r disiau) ddadfeilio. Ar ôl un hanner oes, bydd yr **actifedd** (nifer y niwclysau sy'n dadfeilio mewn un eiliad) wedi dadfeilio i hanner ei werth gwreiddiol. Ar ôl yr ail hanner oes, bydd yr actifedd wedi dadfeilio i hanner y gwerth hwn neu chwarter y gwerth gwreiddiol. Ar ôl y trydydd hanner, bydd yn dadfeilio i wythfed ran o'r gwerth gwreiddiol.

Mae actifedd unrhyw sylwedd ymbelydrol yn cael ei fesur yn ôl **cyfrif yr eiliad** (neu gyfrif y funud) â rhifydd Geiger. Ar y graff yn Ffigur 13.19, y gyfradd gyfrif wreiddiol oedd 40 cyfrif/s. Mae'n cymryd 50 s i'r gyfradd gyfrif ddisgyn i 20 cyfrif/s, hynny yw, hanner ei werth gwreiddiol. Mae'n cymryd 50 s arall i haneru eto yn 10 cyfrif/s. Yr hanner oes yw 50 s.

Cwestiynau

15 Yn Ffigur 13.19, beth yw'r gyfradd gyfrif ar ôl:
  a tri hanner oes
  b pedwar hanner oes?

16 Mae gan radioisotop actifedd o 3200 Bq. Ei hanner oes yw 6 awr.
  a Beth yw ei actifedd ar ôl 6 awr?
  b Beth yw ei actifedd ar ôl 12 awr?
  c Beth yw ei actifedd ar ôl 24 awr?

17 Yn eich arbrawf gyda'r disiau yn y gwaith ymarferol uchod, sawl gwaith y bu'n rhaid taflu'r disiau er mwyn i hanner ohonynt 'ddadfeilio'?

18 a Beth yw hanner oes ïodin-131 (gw. y graff)?
  b Beth yw'r gyfradd gyfrif ar ôl dau hanner oes?

19 Mae'r tabl ar y tudalen nesaf yn dangos canlyniadau arbrawf i fesur hanner oes defnydd ymbelydrol. Cofnodwyd y gyfradd gyfrif bob munud. Cyfradd gyfrif y cefndir oedd 5 cyfrif/s.
  a Cwblhewch y tabl.
  b Plotiwch graff o'r gyfradd gyfrif (echelin-y) yn erbyn amser (echelin-x).
  c Cyfrifwch hanner oes y ffynhonnell.

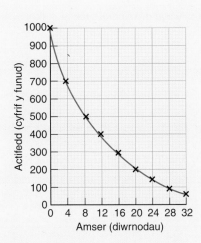

Cromlin dadfeiliad ymbelydrol ar gyfer ïodin-131

Cyfradd gyfrif (cyfrif /s)	Cyfradd gyfrif wedi'i chywiro (cyfrif /s)	Amser (munud)
105		0
64		1
39		2
25		3
17		4
12		5

20 a Rhaid storio tri sylwedd ymbelydrol yn ddiogel. Mae manylion y sylweddau isod.

Sylwedd	Hanner oes (blynyddoedd)	Math o belydriad sy'n cael ei ryddhau
A	5000	Alffa (α)
B	4	Beta (β)
C	156	Gama (γ), alffa (α)

Pa un o'r cynwysyddion canlynol y byddech chi'n ei ddefnyddio ar gyfer **pob** sylwedd:
i alwminiwm
ii plastig tenau
iii leinin plwm?
iv Rhowch reswm dros eich ateb i ran iii.
b Copïwch a chwblhewch y tabl isod ar gyfer sylwedd **B**.

Dyddiad	Màs o'r sylwedd gwreiddiol sydd ar ôl (kg)
1 Mawrth 1992	8
1 Mawrth 1996	
1 Mawrth 2004	

c Mae rhifydd Geiger yn cael ei ddefnyddio i fesur actifedd (mewn 'cyfrif bob munud') sampl ymbelydrol dros gyfnod o flynyddoedd. Dros y cyfnod hwn, cafodd y pelydriad cefndir ei fesur yn rheolaidd, sef 4 cyfrif/munud. Mae'r canlyniadau yn y tabl isod.

Amser (blynyddoedd)	0	1	2	3	4	5	6
Actifedd a gofnodwyd (cyfrif/mun.)	124	80	52	34	23	16	12
Actifedd oherwydd y sampl yn unig	120						8

i Copïwch a chwblhewch y tabl gan roi actifedd y sampl yn unig.
ii Eglurwch beth yw ystyr pelydriad cefndir.
iii Ar bapur graff, plotiwch y gwerthoedd actifedd ar gyfer y sampl yn unig yn erbyn amser, a rhowch gromlin lefn i uno'r pwyntiau.
iv Defnyddiwch eich graff i ganfod hanner oes y sylwedd.

Defnyddio ymbelydredd a'r peryglon

Defnyddio ymbelydredd

Mae sawl peth y gellir eu gwneud â defnyddiau ymbelydrol. Mae llawer o'r pethau a ddefnyddiwn naill ai'n cynnwys defnyddiau ymbelydrol neu wedi'u gwneud trwy brosesau sy'n eu cynnwys. Maen nhw wedi arbed llawer o fywydau trwy gael eu defnyddio mewn meddygaeth yn ogystal ag mewn dyfeisiau diogelwch hanfodol fel larymau mwg.

Cynhyrchu pŵer

Defnyddir defnyddiau ymbelydrol mewn gorsafoedd pŵer niwclear. Mae gorsafoedd pŵer niwclear yn cynhyrchu pŵer trwy **ymholltiad niwclear** atom ansefydlog (hynny yw, trwy hollti'r atom). Mae'r atom yn rhyddhau niwtronau sy'n achosi i atomau eraill ymhollti. Mae hyn yn cynhyrchu llawer o wres mewn **adwaith cadwynol**.

Mae'r gwres a gynhyrchir yn cael ei ddefnyddio i gynhyrchu ager sydd, yn ei dro, yn cynhyrchu trydan fel mewn gorsaf bŵer sy'n llosgi tanwydd ffosil.

Generaduron thermodrydanol radioisotop

Dyfais syml yw generadur thermodrydanol radioisotop (*RTG: Radioisotope Thermoelectric Generator*). Mae'n defnyddio gwres o ddadfeiliad ymbelydrol. Mae'r gwres sy'n cael ei ryddhau yn cael ei drosi'n drydan gan ddefnyddio thermopil. Mae'n ffordd hollol wahanol o gynhyrchu gwres o'i chymharu â'r broses sy'n digwydd mewn gorsafoedd pŵer niwclear.

Defnyddir dyfeisiau *RTG* mewn llongau gofod heb bobl ac mewn bwiau mordwyo ymhell yng nghanol y cefnfor. Ers talwm dyfeisiau *RTG* oedd yn rhoi pŵer i offer rheoli curiad y galon (rheoliadur). Yn anffodus, mae'n achosi problemau os yw'r person yn marw a'r corff yn cael ei losgi cyn tynnu'r rheoliadur. Bellach, batrïau hir oes sydd mewn rheoliadur, sy'n llawer mwy diogel.

Defnyddiau mewn meddygaeth

Eisoes rydych wedi gweld ei bod hi'n bosibl defnyddio pelydrau gama i ddinistrio celloedd canser.

Mae llawer o ddefnydd ar sylweddau ymbelydrol mewn meddygaeth. Gellir eu defnyddio i edrych a yw organau mewnol y corff yn gweithio'n iawn. Mae'r claf yn llyncu sylwedd ymbelydrol, neu'n cael chwistrelliad. Wrth i'r sylwedd ddadfeilio, gellir canfod y pelydriad y tu allan i'r corff. Gallwch chi weld (neu olrhain) lle mae'r sylwedd ymbelydrol yn ymgasglu – neu lle mae rhywbeth yn ei rwystro (Ffigur 13.21). Rhaid dewis **sylwedd olrhain ymbelydrol** sydd â hanner oes fer iawn. Rhaid i unrhyw ymbelydredd ddadfeilio'n gyflym rhag iddo niweidio celloedd iach.

Gellir defnyddio sylwedd olrhain ymbelydrol i:

- ganfod problemau gyda'r galon
- canfod canser mewn esgyrn
- canfod problemau gyda'r arennau
- adnabod chwarennau thyroid diffygiol mewn babanod
- ymchwilio i ddod o hyd i achosion ac atebion ar gyfer clefydau fel canser, AIDS a chlefyd Alzheimer.

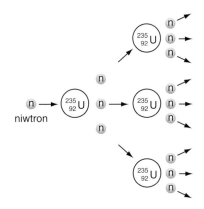

Ffigur 13.20 Adwaith cadwynol mewn wraniwm-235

Generaduron thermodrydanol radioisotop (ewch i *Nuclear facts* yna *Nuclear power in space*): www.nuc.umr.edu

Ffigur 13.21 Sgan rhywun a gafodd chwistrelliad ïodin-131; mae'r sgan yn dangos bod chwarren thyroid y claf yn fwy nag arfer.

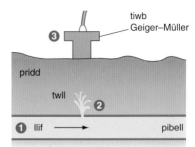

① Rhoddir ychydig o isotop ymbelydrol, (sylwedd olrhain) sy'n rhyddhau pelydrau gama treiddiol, yn y bibell. Rhaid defnyddio pelydrau gama gan eu bod yn treiddio trwy'r pridd.

② Isotop ymbelydrol yn gollwng i'r pridd.

③ Defnyddio tiwb Geiger–Müller i ganfod pelydriad a lleoliad y twll.

Ffigur 13.22 Defnyddio sylwedd olrhain ymbelydrol i ganfod twll mewn pibell danddaear

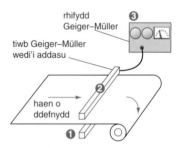

① Ffynhonnell ymbelydrol yn rhyddhau pelydriad beta llai treiddiol.

② Tiwb Geiger–Müller hir arbennig yn canfod pelydriad sy'n treiddio trwy'r haen o ddefnydd.

③ Rhifydd Geiger–Müller yn mesur lefel pelydriad (po fwyaf trwchus yw'r haen, lleiaf yw'r darlleniad). Gellir defnyddio'r wybodaeth i addasu trwch yr haen, os bydd angen.

Ffigur 13.23 Rheoli trwch â defnyddiau ymbelydrol

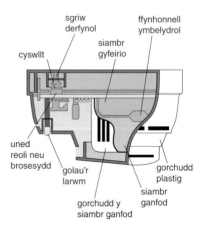

Ffigur 13.24 Larwm mwg

Ffyrdd eraill o ddefnyddio sylweddau olrhain ymbelydrol

Mae gwyddonwyr yn defnyddio sylweddau olrhain ymbelydrol er mwyn darganfod sut mae planhigion yn amsugno gwrtaith, yr amser gorau i'w roi ar y tir a faint yn union i'w roi. Mae'r ffermwr yn defnyddio'r pwysau cywir o wrtaith, yn arbed arian a lleihau llygredd. Gall ymchwil arall helpu gwyddonwyr i ddeall sut mae planhigion yn dal clefydau a sut i'w gwella.

Os bydd twll mewn pibell olew neu nwy danddaearol, gall achosi llawer o lygredd. I weld a oes twll, gellir rhoi sylwedd olrhain ymbelydrol yn y bibell a cherdded neu yrru ar hyd y bibell gyda thiwb Geiger-Müller (Ffigur 13.22).

Rheoli trwch

Mae haenau o ddefnyddiau fel ffoil alwminiwm, papur, polythen a defnyddiau plastig eraill yn cael eu gwneud ar gyflymder mawr. Mae'r rhifydd Geiger yn y peiriant yn mesur faint o belydriad sy'n pasio trwy'r haen (Ffigur 13.23). Po fwyaf trwchus yw'r haen, lleiaf o belydriad fydd yn cyrraedd y canfodydd. Gyda'r wybodaeth hon, gellir addasu'r peiriannau a chadw trwch yr haenau yn gywir drwy'r amser. Ffynonellau beta yw'r rhai mwyaf defnyddiol, oherwydd bod pelydriad beta yn treiddio cystal. Ni fyddai pelydrau gama yn cael eu hatal gan haenau tenau o'r defnyddiau hyn, a byddai gronynnau alffa wedi'u hatal gan yr haenau teneuaf.

Weldio

Mewn llawer o sefyllfaoedd, fel pontydd, boeleri, llongau tanfor, pibellau mawr a phurfeydd olew, mae angen weldio haenau o ddur trwchus at ei gilydd. Petai'r weldio yn ddiffygiol, gallai hynny achosi problemau difrifol. Gellir defnyddio ffynhonnell pelydrau gama a chanfodydd i gadw golwg ar ansawdd y weldio.

Diheintio er mwyn lladd bacteria niweidiol

Bydd cyfarpar meddygol yn cael eu rhoi mewn pecyn a'u diheintio â phelydriad gama. Bydd unrhyw facteria niweidiol ar y cyfarpar a thu mewn i'r pecyn yn cael eu lladd.

Mae pethau eraill yn cael eu diheintio fel hyn hefyd, fel powdr baban, colur a hylif lensys cyffwrdd. Does dim rhaid ychwanegu cemegau at y cynhyrchion. Gellir eu diheintio yn eu pecyn. Mae'n golygu eu bod yn ddiogel iawn i'w defnyddio. Nid ydynt yn troi'n ymbelydrol.

Bwyd

Mae arbelydriad yn ffordd arall o brosesu a diheintio rhai bwydydd. Gellir rhoi mefus, tatws a pherlysiau mewn pelydriad gama, a bydd unrhyw facteria niweidiol yn cael eu lladd. Does dim rhaid ychwanegu cemegion ac ni fydd gwerth maethol y bwyd yn newid. Nid yw'r bwyd yn troi'n ymbelydrol.

Larymau mwg

Dylai pob cartref fod ag o leiaf dau larwm mwg (Ffigur 13.24). Maen nhw wedi arbed bywydau llawer o bobl.

Mae larwm mwg yn cynnwys ychydig bach o americiwm-241. Mae'r ffynhonnell yn allyrru gronynnau alffa sy'n ïoneiddio'r aer yn y larwm. Mae hyn yn golygu bod cerrynt bach yn llifo. Os bydd mwg yn y larwm, bydd yn atal y cerrynt gan gynnau'r gylched lle mae'r darseinydd swnllyd.

Dyddio carbon

Mae wraniwm-238 i'w gael mewn creigiau. Mae'n dadfeilio yn blwm sydd â hanner oes o 4500 miliwn o flynyddoedd. Gall gwyddonwyr fesur faint o'r wraniwm sydd wedi newid yn blwm a thrwy hynny, faint yw oed y graig.

Gellir defnyddio **dyddio radiocarbon** ar ddefnyddiau sydd wedi bod yn fyw. Mae planhigion ac anifeiliaid byw yn amsugno carbon. Mae un o isotopau carbon, sef carbon-14 yn ymbelydrol. Mae hwn yn cael ei amsugno yn ogystal â'r isotop mwy cyffredin, carbon-12. Pan fydd pethau byw yn marw, ni fydd rhagor o garbon-14 yn cael ei amsugno ganddynt. Wrth i'r carbon-14 yn y sampl ddadfeilio, bydd llai a llai o garbon-14 ar ôl. Gall gwyddonwyr fesur faint o garbon-14 sydd ar ôl, o'i gymharu â faint o garbon-14 sydd mewn pethau byw heddiw. Hanner oes carbon-14 yw 5700 o flynyddoedd. Gellir defnyddio'r broses hon i ddyddio pren, papur, ffabrig a chyrff marw. Gellir amcangyfrif oedran pethau sydd rhwng 1000–50 000 o flynyddoedd oed.

Cwestiynau

21 Rhestrwch bum ffordd o ddefnyddio defnyddiau ymbelydrol.

22 Sut mae sylweddau olrhain ymbelydrol yn cael eu defnyddio mewn:
a meddygaeth
b ymchwil i blanhigion?

23 Eglurwch sut mae larwm mwg yn gweithio.

24 Pa dechneg sy'n cael ei defnyddio gan wyddonwyr i ganfod oed mymi o'r Aifft?

25 Mae tad Aled wedi sylweddoli bod americiwm-241 yn ei larwm mwg. Mae'n allyrru pelydriad allfa (α). A ddylai fod yn poeni am y pelydriad? Eglurwch pam nad oes angen iddo bryderu.

Cael gwared ar wastraff ymbelydrol

Ni allwch chi gael gwared ar ddefnyddiau ymbelydrol trwy eu llosgi na gwneud iddynt adweithio â chemegau eraill. Amser yn unig all leihau'r ymbelydredd. Mae hanner oes rhai defnyddiau yn filoedd neu'n filiynau o flynyddoedd. Mae cael gwared ar gynhyrchion gwastraff ymbelydrol yn broblem. O orsafoedd pŵer niwclear y daw'r rhan fwyaf o wastraff ymbelydrol, ond mae ysbytai a diwydiant yn defnyddio sylweddau ymbelydrol hefyd ac felly'n cynhyrchu gwastraff ymbelydrol lefel isel a lefel ganolig.

Mae'r Awdurdod Datgomisiynu Niwclear (*NDA*) yn gyfrifol am gael gwared ar wastraff ymbelydrol. Rhaid cadw'r gwastraff ymbelydrol oddi wrth bobl a'r amgylchedd am gyfnod hir iawn.

Pan fydd gwastraff ymbelydrol yn cael ei storio, mae yna berygl y bydd y sylwedd ymbelydrol yn gollwng a llygru'r ddaear a'r cyflenwadau dŵr. Yn naturiol, does neb eisiau byw wrth ymyl tomen wastraff niwclear. Ar hyn o bryd, mae'r rhan fwyaf o wastraff niwclear lefel isel yn cael ei waredu yn Drigg yn Swydd Cumbria. Fel arfer, mae gwastraff lefel uchel yn cael ei storio yn y man lle mae'n cael ei gynhyrchu neu lle mae'n cael ei drin. Mae cynlluniau i gladdu gwastraff canolig dan ddaear (Ffigur 13.25), ond hyd yma nid oes unrhyw gynlluniau i adeiladu'r storfa danddaearol yn Sellafield nac yn unman arall.

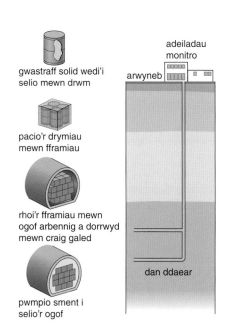

gwastraff solid wedi'i selio mewn drwm

pacio'r drymiau mewn fframiau

rhoi'r fframiau mewn ogof arbennig a dorrwyd mewn craig galed

pwmpio sment i selio'r ogof

adeiladau monitro

arwyneb

dan ddaear

Ffigur 13.25 Gellid storio gwastraff ymbelydrol dan ddaear fel hyn.

Safle gwaredu gwastraff yn Sellafield, Cumbria (ewch i *About* yna *Background information on radioactive waste*):
www.nirex.co.uk

Trin gwastraff (ewch i *Physics*, 14–16):
www.schoolscience.co.uk

Byd atomau (ewch i *Physics*, 14–16):
www.schoolscience.co.uk

Mae gwastraff lefel uchel yn cynnwys llawer o ddefnyddiau sydd â hanner oes hir a byr. Mae'n dod o systemau ailbrosesu hen danwydd niwclear o orsafoedd pŵer. Mae'n dal yn ymbelydrol iawn. Oherwydd y pelydriad, mae'n boeth iawn. Yn gyntaf, rhaid ei oeri mewn tanciau mawr. Yna caiff ei selio mewn math o wydr y tu mewn i gynhwysydd dur. Rhaid ei gadw mewn storfa sy'n cael ei chadw'n oer gan aer am 50 mlynedd neu fwy. Mae rhai pobl yn bryderus iawn ein bod yn gadael ein problemau er mwyn i genedlaethau'r dyfodol eu datrys.

Gweithgaredd

Mae si ar led y bydd safle gwaredu gwastraff ymbelydrol (ar gyfer gwastraff lefel isel yn unig) yn cael ei adeiladu yn eich ardal. Bydd cyfarfod nesaf y cyngor yn trafod y mater. Yn eich grŵp, cynhaliwch drafodaeth gan chwarae rôl y rhai sydd o blaid a'r rhai sydd yn erbyn.

Cwestiynau

26 Sut mae gwastraff lefel isel yn cael ei gadw?

27 Sut mae'n rhaid trin gwastraff lefel uchel cyn y gellir ei storio?

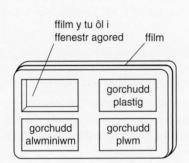

ffilm y tu ôl i ffenestr agored   ffilm

gorchudd plastig
gorchudd alwminiwm
gorchudd plwm

28 Mae gweithwyr mewn gorsafoedd pŵer niwclear yn gwisgo bathodynnau arbennig. Mae'r rhain yn mesur unrhyw belydriad niwclear y bydd y gweithiwr yn ei dderbyn. Yn y bathodyn, mae ffilm ffotograffig y tu ôl i ffenestri sydd â gwahanol orchuddion, fel y dangosir yn y ffigur (ar y chwith).
   a Nodwch pa fath o belydriad, alffa, beta neu gama, fydd yn cael ei atal gan y plastig.
   b Pa fath o belydriad fydd yn mynd trwy'r plastig ond yn cael ei atal gan yr alwminiwm?
   c Pa fath o belydriad allai fynd trwy'r tri defnydd?

29 Mae technetiwm-99 yn allyrru gama (γ) a'i hanner oes yw 6 awr. Mae'n cael ei ddefnyddio i astudio llif gwaed o amgylch corff claf. Rhoddir dos bach o dechnetiwm-99, sydd ag actifedd o 120 cyfrif/munud, trwy chwistrell i lif gwaed y claf.
   a Amcangyfrifwch actifedd y technetiwm-99 yng ngwaed y claf 12 awr ar ôl y chwistrelliad.
   b Mae'r claf yn dychwelyd am archwiliad arall wythnos yn ddiweddarach. Eglurwch pam mae'n rhaid rhoi dos arall o'r technetiwm-99.
   c Nodwch ddwy ffordd y mae pelydriad gama (γ) yn wahanol i allyriadau ymbelydrol eraill.

30 Mae sodiwm ymbelydrol yn allyrrydd beta (β) a'i hanner oes yw 15 awr.
   a Eglurwch beth yw ystyr allyrrydd beta.
   b Mae'r pelydriad cefndir mewn labordy yn 20 cyfrif/munud. Oherwydd i sodiwm ymbelydrol (hanner oes 15 awr) ollwng ar ddamwain, mae'r gyfradd gyfrif wedi codi i naw gwaith y lefel gefndir.
     i Cyfrifwch y gyfradd gyfrif yn y labordy ar ôl y ddamwain.
     ii Cyfrifwch y gyfradd gyfrif oherwydd y sodiwm a ollyngwyd yn unig.
     iii Ar bapur graff gwnewch lun mor gywir â phosibl o'r gromlin ddadfeiliad ar gyfer actifedd y sodiwm a ollyngwyd. (Defnyddiwch yr echelinau a ddangosir ar dudalen 271 a graddfa addas.)
   c Mae canfodydd cyfradd gyfrif yn y labordy ac mae'n mesur yr actifedd yno. Eglurwch pam mae'r canfodydd yn rhoi darlleniad sy'n 60 cyfrif y funud ar ôl 30 awr.
   ch Os yw'r lefel ddiogel yn 1.5 gwaith y darlleniad cefndir, dangoswch ar eich graff pryd y byddai'n ddiogel mynd i'r labordy.

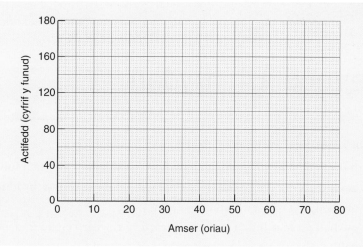

Crynodeb

1 Mae pelydriad cefndir o'n cwmpas drwy'r amser. Pelydriad naturiol yw'r rhan fwyaf; fel arfer daw'r gweddill o ffynonellau meddygol fel pelydrau X. Dim ond 1% sy'n dod o'r diwydiant niwclear.

2 Mae pelydriad yn dod o niwclysau ansefydlog.

3 Mae tri math o belydriad: pelydriad alffa (α), beta (β) a gama (γ). Mae pob un yn beryglus, rhai'n fwy nag eraill.

4 Radon yw ffynhonnell y rhan fwyaf o belydriad cefndir i ni. Nwy sy'n dod o'r ddaear yw radon.

5 Mae canfodyddion radon ar gael; mae'n bosibl dilyn camau syml i gael gwared ar y nwy o dai.

6 Niwclysau heliwm yw gronynnau alffa. Maen nhw'n cael eu hatal gan bapur neu ychydig gentimetrau o aer. Mae'n beryglus eu llyncu.

7 Electronau sy'n symud yn gyflym o'r niwclews yw gronynnau beta. Mae ychydig filimetrau o alwminiwm yn eu hatal.

8 Pelydriad electromagnetig ag egni uchel yw pelydrau gama. Maen nhw'n dreiddiol iawn. Gall rhai deithio trwy blwm hyd yn oed.

9 Mae'r holl belydriad o sylweddau ymbelydrol yn cymryd amser i ddadfeilio.

10 Hanner oes yw'r amser y mae'n ei gymryd i hanner yr atomau ddadfeilio.

11 Gall hanner oes defnyddiau ymbelydrol amrywio, o ran fechan o eiliad i filiynau o flynyddoedd.

12 Mae llawer o wahanol ffyrdd o ddefnyddio ymbelydredd oherwydd ei bwerau treiddio, ei effaith ar bethau byw, neu'r ffordd y mae ei actifedd yn lleihau gydag amser.

13 Mae cael gwared ar wastraff ymbelydrol yn broblem i ni a chenedlaethau'r dyfodol.

14 Bydd yn rhaid storio gwastraff lefel ganolig sy'n dod o ddefnyddiau â hanner oes hir am ddegau o flynyddoedd neu fwy.

15 Rhaid oeri gwastraff lefel uchel cyn ei droi'n sylwedd tebyg i wydr. Rhaid ei storio dan amodau diogel am gyfnod hir iawn.

Pennod 14 Trydan

Erbyn diwedd y bennod hon, dylech:

- fod yn gallu cyfrifo gwrthiant o wybod mesuriadau cerrynt a foltedd;
- gallu rheoli'r cerrynt mewn cylched gan ddefnyddio gwrthydd newidiol;
- gwybod sut i roi'r gwifrau mewn plwg;
- gwybod sut mae ffiws a gwifren ddaearu yn rhwystro tanau trydanol a diogelu pobl rhag sioc drydan;
- gallu dewis y ffiws cywir ar gyfer dyfais drydanol;
- deall y gwahaniaeth rhwng ffiws a thorrwr cylched ;
- trafod pam mae foltedd y cyflenwad trydan yn amrywio o wlad i wlad

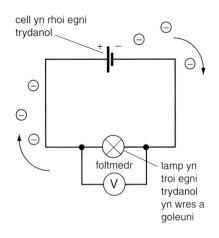

cell yn rhoi egni trydanol

foltmedr

lamp yn troi egni trydanol yn wres a goleuni

Ffigur 14.1 Foltmedr yn mesur foltedd

Ffigur 14.2 Foltmedr digidol (chwith) ac amedr digidol (de)

Cylchedau trydanol syml

Mesur foltedd

Yr enw ar lif o wefr drydan (electronau) yw **cerrynt** trydan. Mae angen egni i wneud i'r electronau lifo o amgylch y gylched. Mae egni cemegol gan y cemegion yn y gell. Mewn cylched gaeedig, mae'r egni hwn yn cael ei drosglwyddo i'r electronau.

Mae egni potensial trydanol yn cael ei fesur â **foltmedr** (Ffigurau 14.1 ac 14.2). Dywedwn fod **foltedd** ar draws y gell. Yr uned yw **folt**.

Po fwyaf yw foltedd cell neu fatri, mwyaf o egni y gall ei roi i'r lampau neu'r cydrannau eraill yn y gylched. Fel arfer, mae batrïau car yn rhoi 12V. Efallai mai 1V yn unig fyddai cell oriawr ar eich arddwrn.

Gallwch chi gael foltmedr digidol neu analog. Rhaid cysylltu'r foltmedr yn gywir: rhaid cysylltu ochr + y foltmedr a therfynell + y batri.

Mesur cerrynt trydan

Rydym ni'n defnyddio **amedr** i fesur cerrynt trydan (Ffigur 14.3). Rhaid cysylltu'r amedr mewn cyfres bob tro. Uned cerrynt trydan yw ampere (**amp** yn fyr).

Mae dau fath o amedr: digidol ac analog. Rhaid cysylltu ochr + yr amedr â therfynell + y gell neu'r batri bob tro.

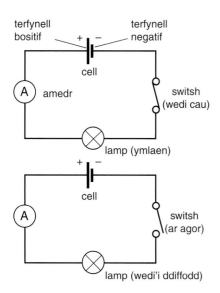

Ffigur 14.3 Amedr yn mesur cerrynt trydan

cell/batri	⊣⊢	amedr	–Ⓐ–
lamp dangosydd	⊗	foltmedr	–Ⓥ–
lamp ffilament	⊸⊗⊸	microffon	⊸◖
switsh	⊸⟋⊸	cloch	⌓
gwrthydd	▭	swnyn	◁
gwrthydd newidiol	⊟	darseinydd	◁
deuod	▷	modur	–Ⓜ–

Ffigur 14.4 Symbolau cylched

Disgrifio cerrynt

Rhaid cael ffordd o ddisgrifio cerrynt a foltedd mawr iawn neu fach iawn. Rydym ni'n defnyddio 'cilo-', 'mili-' a 'micro-'.

$$1 \, kV \, (\text{cilofolt}) = 1000 \, V$$

$$1 \, mV \, (\text{milifolt}) = \frac{1}{1000} \, V$$

$$1 \, \mu A \, (\text{microamp}) = \frac{1}{1\,000\,000} \, A$$

Gwaith ymarferol

Mesur cerrynt a foltedd mewn cylched

1 Gosodwch gylched sy'n cynnwys batri (cell) a lamp.
2 Defnyddiwch amedr i fesur y cerrynt yn y gylched.
3 Defnyddiwch foltmedr i fesur y foltedd yn y gylched.

Cwestiynau

1 Gwnewch ddiagram cylched lle mae batri 12 V wedi'i gysylltu mewn cyfres â lamp, ffiws ac amedr (gw. Ffigur 14.4).
2 Gwnewch ddiagram cylched lle mae batri 12 V wedi'i gysylltu mewn cyfres â modur, switsh a ffiws. Mae foltmedr wedi'i gysylltu ar draws y batri (cell).
3 Sawl miliamp sydd mewn 1 A?
4 Sawl folt sydd mewn 10 kV?
5 Beth yw microfolt?

Gwrthiant

Dychmygwch eich bod yn rhoi lamp mewn cyfres â chell ac yn nodi pa mor llachar yw'r lamp. Nawr rhowch lamp arall mewn cyfres â'r gell. Nid yw'r lampau mor llachar â phan oedd un lamp yn unig. Mae'r wifren denau iawn yn ffilament y lamp yn lleihau'r cerrynt. Rydym ni'n dweud bod **gwrthiant** gan y wifren denau. Mae rhoi dwy lamp mewn cyfres yn gwneud i'r gwrthiant gynyddu mwy eto.

Gwaith ymarferol

1 Cysylltwch lamp mewn cyfres â switsh ac amedr.
2 Cofnodwch y darlleniad ar yr amedr.
3 Ychwanegwch ail lamp ac yna trydedd lamp at y gylched.
4 Nodwch y darlleniad ar yr amedr bob tro.

Trwy uno'r lampau mewn cyfres, rydym ni wedi cynyddu hyd y wifren gwrthiant denau yn y gylched.

- Beth oedd y darlleniadau ar eich amedr?
- Beth sy'n digwydd i'r cerrynt mewn cylched pan fydd y gwrthiant yn cynyddu?

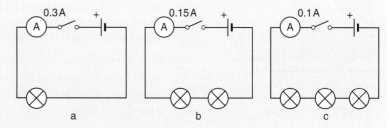

Ffigur 14.5 Mae cynyddu'r gwrthiant yn lleihau'r cerrynt

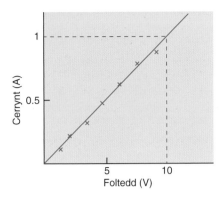

Ffigur 14.6 Graff cerrynt–foltedd ar gyfer gwrthydd sy'n ufuddhau i ddeddf Ohm

Trydan
www.bbc.co.uk/cymru/tgau/ffiseg

Deddf Ohm a gwrthiant

Yn y 1820au, bu ffisegydd yn yr Almaen o'r enw Georg Ohm yn ymchwilio i wrthiant gwahanol ddefnyddiau. Cafodd uned gwrthiant ei henwi er cof amdano, sef yr **ohm** (symbol Ω). Gwelodd Georg Ohm fod perthynas arbennig rhwng y cerrynt a'r foltedd mewn gwifren fetel: mae'r cerrynt mewn cyfrannedd â'r foltedd ar ei thraws (os yw'r tymheredd yn aros yn gyson). Dyma ddeddf Ohm.

Ystyr 'mewn cyfrannedd' yw fod dyblu'r foltedd yn achosi i'r cerrynt ddyblu hefyd. Mae'r graff yn Ffigur 14.6 yn llinell syth trwy'r tarddbwynt.

Mesur gwrthiant

Mae'r gylched yn Ffigur 14.7 yn dangos sut y gellir defnyddio amedr a foltmedr i fesur gwrthiant. I ddod o hyd i'r gwrthiant, defnyddiwch y fformiwla ganlynol.

$$\text{gwrthiant } (\Omega) = \frac{\text{foltedd } (V)}{\text{cerrynt } (A)}$$

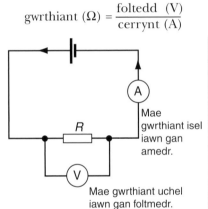

Mae gwrthiant isel iawn gan amedr.

Mae gwrthiant uchel iawn gan foltmedr.

Ffigur 14.7 Amedr a foltmedr yn mesur gwrthiant

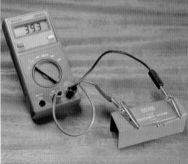

Ffigur 14.8 Gellir gosod amlfesurydd i ddarllen foltedd, cerrynt neu wrthiant

Defnyddio ohmedr (amlfesurydd)

Mae'n fwy cyfleus defnyddio amlfesurydd i fesur gwrthiant (Ffigur 14.8). Wrth fesur gwrthiant, mae'n defnyddio ei fatri mewnol ei hun. Ar y mesurydd, mae graddfa wedi'i marcio fesul ohm. Pan fydd gwrthiant isel wedi'i gysylltu, bydd cerrynt mawr o'r batri mewnol a bydd gwrthiant isel i'w weld ar raddfa'r mesurydd. Os cysylltir gwrthiant uchel, bydd y cerrynt o'r batri mewnol yn fach iawn a'r mesurydd yn rhoi darlleniad uchel ar y raddfa ohm.

Cyn defnyddio amlfesurydd fel hyn, rhaid cyffwrdd pennau'r gwifrau yn ei gilydd am gyfnod byr er mwyn sicrhau bod y mesurydd yn dangos gwrthiant ar ddim, gan brofi bod y batri mewnol yn gweithio'n iawn.

Gwrthyddion

Mae gwrthyddion yn gydrannau defnyddiol iawn. Gellir eu defnyddio i leihau'r cerrynt mewn cylched. Weithiau bydd gwifren nicrom yn cael ei defnyddio i wneud gwrthyddion gwifren. Aloi o'r metelau nicel a chromiwm yw nicrom.

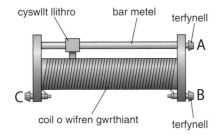

Ffigur 14.9 Gwrthydd newidiol

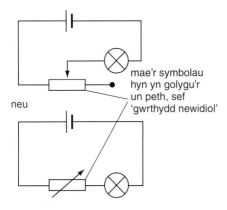

mae'r symbolau hyn yn golygu'r un peth, sef 'gwrthydd newidiol'

neu

Ffigur 14.10 Cylchedau sy'n dangos y symbolau ar gyfer gwrthydd newidiol.

Gwrthydd newidiol yw rheostat. Mae gwifren gwrthiant yn cael ei dirwyn o amgylch craidd ynysu. Mae pennau'r wifren wedi'u cysylltu â therfynellau C a B. Wrth gysylltu pethau â therfynellau B ac C bydd gwrthiant sefydlog. Mae terfynell A yn sownd wrth far metel trwchus sydd â gwrthiant isel. Mae'r cyswllt llithro yn cysylltu'r bar â'r wifren gwrthiant. Nawr, petai terfynellau A ac C yn cael eu cysylltu â'r gylched a'r cyswllt llithro hanner ffordd ar hyd y bar yna dim ond hanner y wifren gwrthiant sydd yn y gylched. Os yw'r llithrydd yn y safle a ddangosir yn Ffigur 14.9, dim ond tua chwarter o'r gwrthiant cyfan fydd yn y gylched.

Cyfrifo gwrthiant

Os gallwn fesur y foltedd a'r cerrynt, gallwn gyfrifo'r gwrthiant o'r fformiwla flaenorol:

$$\text{gwrthiant } (\Omega) = \frac{\text{foltedd } (V)}{\text{cerrynt } (A)}$$

Enghraifft
Mae batri car 12V wedi'i gysylltu â phriflamp car. Y cerrynt yw 6A. Beth yw gwrthiant y briflamp?

Yn gyntaf, y fformiwla:

$$\text{gwrthiant } (\Omega) = \frac{\text{foltedd } (V)}{\text{cerrynt } (A)}$$

Rhowch y rhifau:

$$\text{gwrthiant} = \frac{12}{6}\,\Omega$$

Y gwrthiant, $R = 2\,\Omega$

Cwestiynau
6 Mae batri car 12 V wedi'i gysylltu â lamp fach car. Mae cerrynt o 1 A yn llifo. Beth yw gwrthiant y lamp fach?

7 Mae sgwter trydan gan nain Gwyn. Mae gan y sgwter fodur 24 V ac mae'n tynnu cerrynt o 5 A. Beth yw gwrthiant y modur?

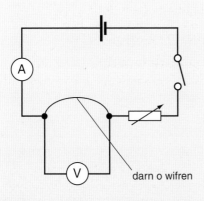

Figure 14.11 Offer i ddangos sut mae cerrynt yn newid yn ôl foltedd

Gwaith ymarferol
Ymchwilio i sut mae cerrynt yn newid yn ôl y foltedd ar draws gwrthydd sydd ar dymheredd cyson

1 Cysylltwch y gylched fel yr un yn Ffigur 14.11.
2 Addaswch y gwrthydd newidiol fel bod cerrynt bach iawn yn y gylched.
3 Cofnodwch y cerrynt a'r foltedd mewn tabl.
4 Newidiwch y gwrthydd newidiol fel bod y foltedd ar draws y wifren gwrthiant yn cynyddu ychydig.
5 Cofnodwch y cerrynt a'r foltedd.
6 Gwnewch hyn eto nifer o weithiau. Yn ofalus, gwnewch yn sicr nad yw'r wifren yn mynd yn boeth.
7 Lluniwch graff cerrynt–foltedd. Dylai edrych yn debyg i Ffigur 14.6.

Cwestiwn

8 Bu Rhys yn mesur y foltedd ar draws pennau dargludydd wrth i'r cerrynt drwyddo gael ei newid. Mae'r tabl yn dangos y mesuriadau ar ei amedr a'i foltmedr.

Foltedd (V)	1.0	2.0	3.0	4.0	5.0	6.0
Cerrynt (A)	0.5	1.0	2.0	1.9	2.5	3.1

Defnyddiwch ei ganlyniadau i blotio graff o'r foltedd (echelin-y) yn erbyn cerrynt (echelin-x). Tynnwch y llinell ffit orau.

a Pa ddeddf y gallwch chi ei ddiddwytho o'r graff?
b Defnyddiwch y graff i ganfod gwrthiant y dargludydd.

Mae gwrthyddion yn mynd yn boeth

Pan fydd cerrynt yn llifo trwy wifren, bydd y wifren yn poethi. Ar gyfer yr un cerrynt, po fwyaf yw'r gwrthiant, poethaf fydd y wifren. Mae gwrthiant y wifren denau mewn lamp yn uchel iawn. Mae'r gwres sy'n cael ei gynhyrchu gan y cerrynt yn ddigon i wneud iddo dywynnu yn wynias. Mae'n rhyddhau goleuni yn ogystal â llawer o wres.

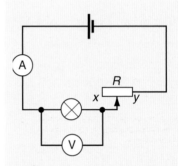

Ffigur 14.12 Cylched lamp ffilament

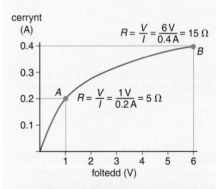

Ffigur 14.13 Graff cerrynt–foltedd ar gyfer bwlb goleuni

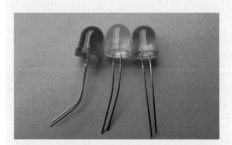

Ffigur 14.14 Erbyn hyn, mae deuodau allyrru golau (LEDs) coch, melyn a gwyrdd yn cael eu defnyddio mewn goleuadau traffig

Gwaith ymarferol

Llunio graff cerrynt–foltedd ar gyfer lamp ffilament

1 Cysylltwch gylched fel yr un yn Ffigur 14.12.
2 Addaswch y gwrthydd newidiol fel bod cerrynt bach iawn yn y gylched. Ni ddylai'r lamp oleuo.
3 Cofnodwch y cerrynt a'r foltedd.
4 Defnyddiwch y gwrthydd newidiol i gynyddu'r cerrynt.
5 Gwnewch hyn nes bod y lamp yn tywynnu'n llachar.
6 Bob tro, cofnodwch y cerrynt a'r foltedd mewn tabl.
7 Lluniwch graff cerrynt–foltedd. Dylai edrych yn debyg i Ffigur 14.13.

Efallai y byddwch chi'n meddwl y dylai'r graff fod yn llinell syth, gan fod y wifren yn y lamp wedi'i gwneud o fetel. Ond, cromlin yw hon. Y rheswm yw fod yn rhaid i'r tymheredd fod yn gyson er mwyn gallu defnyddio Deddf Ohm. Yn y lamp ffilament, mae'r wifren yn poethi wrth i'r cerrynt gynyddu. Felly mae gwrthiant y wifren yn cynyddu yn ôl y tymheredd. Nid yw lamp ffilament yn ufuddhau i Ddeddf Ohm. Mae'n ddargludydd anomig.

Llunio graff cerrynt–foltedd ar gyfer deuod

1 Gwnewch yr arbrawf eto gan ddefnyddio deuod (Ffigur 14.14).

Mae hyn yn rhoi graff hollol wahanol (Ffigur 14.15). Os yw'r foltedd yn cael ei anfon yn y cyfeiriad dirgroes, ychydig iawn o gerrynt sy'n llifo. Er mwyn i gerrynt lifo yn y cyfeiriad blaen, rhaid i'r foltedd fod yn fwy na 0.6 V.

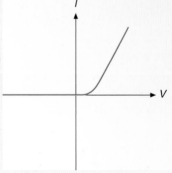

Ffigur 14.15 Graff cerrynt–foltedd ar gyfer deuod

Nodweddion diogelwch yng nghylchedau'r prif gyflenwad

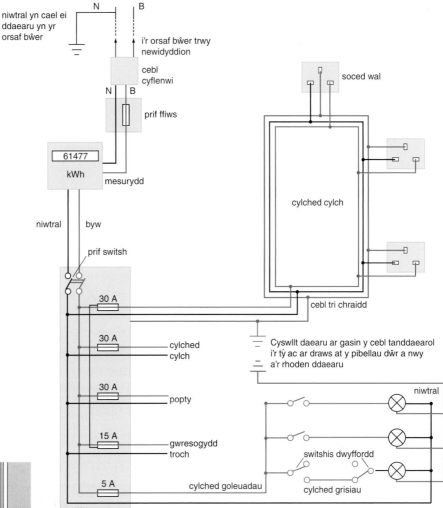

Ffigur 14.16 Cyflenwad trydan ar gyfer tŷ

Cwestiynau

9 Beth sy'n digwydd i wrthydd pan fydd cerrynt mawr yn llifo drwyddo?

10 Eglurwch ystyr 'gwrthydd anomig'.

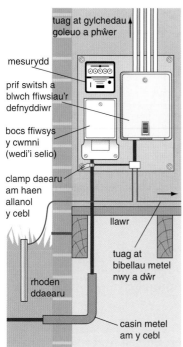

Ffigur 14.17 Er diogelwch, rhaid rhoi mwy nag un cyswllt daearu.

Y prif gyflenwad trydan i'n cartrefi

Mae'r prif gyflenwad trydan i'n cartrefi yn pasio trwy ffiwsiau'r cwmni, eu mesurydd ac uned defnyddiwr (Ffigur 14.16). Mae dau gebl cyflenwi. Mae un, y **niwtral** (symbol N), wedi'i gysylltu â'r ddaear yn yr is-orsaf leol. Mae'r llall, y cebl **byw** (symbol B), yn cario cerrynt eiledol. Mae'n newid o bositif i negatif 50 gwaith yr eiliad.

Er diogelwch, mae **gwifren ddaearu** ar gyfer eich tŷ hefyd. Mae'n cael ei daearu trwy ei chysylltu â chyswllt daearu ar y cebl cyflenwi a/neu â rhoden gopr arbennig sy'n cael ei gosod yn y ddaear. Bydd ganddi gysylltiad hefyd â phibell ddŵr fetel neu bibell nwy sy'n dod i'ch tŷ o dan ddaear (Ffigur 14.17).

Ar gyfartaledd, foltedd y cyflenwad trydan ym Mhrydain yw 230V. Mae hyn yn foltedd peryglus a gallai eich lladd. Felly rhaid gorchuddio'r gwifrau â phlastig neu ddefnydd ynysu arall. Mae gwrthiant uchel iawn gan **ynysydd**.

Ffigur 14.18 Symbol ynysu dwbl

Nid oes angen cyswllt daearu ar bob darn o offer. Ar rai, bydd dwy haen o ynsydd i'ch diogelu. Os bydd ynysu dwbl ar y ddyfais, fe welwch y symbol ar y chwith (Ffigur 14.18).

Y tu mewn i'ch tŷ mae gwahanol gylchedau yn dosbarthu'r trydan. Bydd dwy neu fwy o gylchedau prif gylch yn cyflenwi'r holl socedi ar y waliau. Bydd ffiws (30 A) neu dorrwr cylched ar wahân ar gyfer pob cylched. Er diogelwch, mae gwifren ddaearu yn rhan o'r cylchedau prif gylch. Mae'r cylchedau goleuo yn cario llai o lwyth, felly bydd y wifren yn deneuach a 5 A fydd y ffiws. Bydd gwifren ddaearu ar systemau newydd hefyd.

Wrth osod ffiws newydd:

- cofiwch ddiffodd y cyflenwad yn y prif switsh
- defnyddiwch wifren ffiws newydd o'r maint addas a'r gyfradd gywir
- os nad ydych chi'n sicr, cysylltwch â thrydanwr cymwys.

Gwifrau hyblyg

Mae lliwiau'r gwifrau yn wahanol. Mae'r wifren fyw wedi'i gorchuddio ag ynysydd plastig brown. Ynysydd glas sydd am y wifren niwtral. Ar y wifren ddaearu mae streipiau gwyrdd a melyn. Os bydd yr ynysydd allanol yn cael ei ddifrodi, rhaid torri'r gwifrau yn fyrrach neu roi gwifrau newydd. Peidiwch byth â defnyddio cebl lle mae'r gwifrau mewnol gwahanol liw yn y golwg. I roi gwifrau mewn plwg:

- gwnewch yn sicr fod y gwifrau yn y lle cywir; wrth edrych ar y plwg ar ôl tynnu'r caead, mae'r brown byw ar y dde a'r glas niwtral ar y chwith
- peidiwch â thynnu gormod o'r ynysydd
- caewch bob sgriw yn dynn i ddal pob gwifren yn gadarn yn ei thwll
- caewch y sgriwiau dros yr ynysydd allanol yn y man cywir i'w ddal yn gadarn
- dewiswch y ffiws cywir
- os nad ydych yn sicr, holwch drydanwr cymwys.

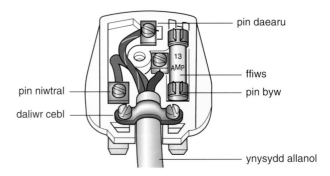

Ffigur 14.19 Plwg gyda'r gwifrau yn y mannau cywir

Gwifren denau iawn sydd mewn **ffiws**. Os bydd cerrynt rhy fawr yn llifo, bydd y wifren yn poethi ac ymdoddi neu 'ffiwsio'. Mae'r getrisen wydr allanol yn cadw'r wifren rhag unrhyw niwed mecanyddol.

Diogelwch a'r wifren ddaearu

Os oes casin metel am yr offer, mae perygl y gall fynd yn 'fyw' petai'r wifren fyw yn cyffwrdd â'r casin. Petai hyn yn digwydd, byddai rhywun yn cael sioc drydan wrth gyffwrdd â'r casin. Gallai hynny eu lladd. Er

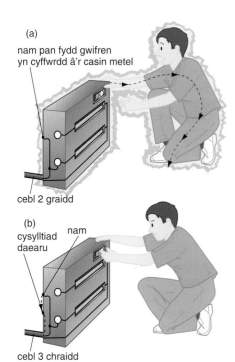

(a)

nam pan fydd gwifren
yn cyffwrdd â'r casin metel

cebl 2 graidd

(b)
cysylltiad
daearu

nam

cebl 3 chraidd

Ffigur 14.20 Daearu casin metel

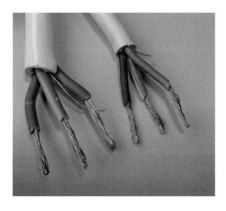

Ffigur 14.21 Gwifrau craidd gyda
gwahanol ddiamedrau a chyfraddau cerrynt

mwyn rhwystro hyn, mae cysylltiad rhwng y casin metel a'r wifren ddaearu yn y plwg (Ffigur 14.20). Nawr, os bydd y wifren fyw yn cyffwrdd â'r casin, bydd y cerrynt yn llifo'n syth i'r ddaear. Bydd y cerrynt mawr yn 'chwythu' y ffiws, gan dorri'r cyflenwad.

Ffiws i ddiogelu'r gwifrau

Fel arfer, bydd cebl hyblyg (gwifren) o'r diamedr (trwch) cywir gan ddarn o offer pan ddaw o'r siop. Petai rhywbeth yn mynd o'i le ar yr offeryn a bod cerrynt rhy uchel yn mynd trwy'r wifren, gallai fynd ar dân. Ond byddai ffiws o'r maint cywir yn chwythu a rhwystro hynny. Mae'r un peth yn wir am y ffiwsiau yn y prif focs dosbarthu. Dylech bob amser roi ffiws o'r maint cywir yn lle ffiws sydd wedi chwythu.

Cofiwch, mae'r ffiws yno i ddiogelu'r gwifrau rhag gorgynhesu. Ni fydd yn rhwystro nam ar yr offer ei hun. Ac *ni* fydd ffiws yn eich diogelu chi rhag cael sioc os byddwch chi'n cyffwrdd â'r wifren fyw.

Pa ffiws?

Fel arfer, un o'r gwerthoedd hyn sydd gan ffiwsiau ar offer yn y cartref: 3A, 5A neu 13A. Beth os 1kW yw cyfradd yr offer. Pa ffiws y dylech chi ei defnyddio?

Yn gyntaf, y fformiwla:

Cofiwch o bennod 10 fod

$$\text{pŵer} = \text{foltedd} \times \text{cerrynt}$$

Felly:

$$\text{cerrynt (A)} = \frac{\text{pŵer yr offeryn (W)}}{\text{foltedd yr offeryn (V)}}$$

Rhowch y rhifau:

$$\text{cerrynt(A)} = \frac{1000 \text{ W}}{230 \text{ V}}$$

Yr ateb yw

$$\text{cerrynt} = 4.35\text{A}$$

Dyma'r cerrynt sy'n cael ei gymryd gan yr offeryn pan fydd yn gweithio fel arfer. Felly dylid defnyddio ffiws 5A i ddiogelu'r wifren hyblyg i'r offeryn.

Nodyn diogelwch: Os bydd gwifren wedi'i difrodi, dylid bob amser roi gwifren o'r un math yn ei lle, neu wifren o radd uwch. Peidiwch byth â defnyddio gwifren deneuach, na thâp ynysu. Os nad ydych chi'n sicr, cysylltwch â thrydanwr cymwys. Gall camgymeriadau ladd.

Cwestiynau

11 Pam mae plastig yn gorchuddio gwifrau trydan?

12 Mae ffiws mewn plwg 13A. Beth yw gwaith y ffiws?

13 Pa liw yw'r gwifrau byw, daearu a niwtral?

14 Mae gwresogydd â chyfradd o 1500W. Ffiws o ba faint y dylech chi ei roi yn y plwg?

15 Beth yw cylched 'prif gylch'?

Ffigur 14.22 Rhaid dilyn y cyfarwyddiadau diogelwch ar geblau estyn bob tro.

Cebl estyn ar ddrwm

Mae'n gyfleus rhoi ceblau estyn hir ar ddrwm. Gan y gallwn ddefnyddio'r cebl estyn gydag unrhyw ddarn o offer, mae'n bwysig prynu cebl estyn sydd â ffiws 13 A. Bydd hynny'n ddiogel gydag offer hyd at uchafswm o 3 kW. Pan fyddwch chi'n defnyddio'r cebl estyn gyda modur mawr neu wresogydd cryf, dylech chi bob amser dynnu'r wifren gyfan oddi ar y drwm. Y rheswm yw fod y wifren yn poethi wrth i gerrynt lifo. Os yw'r wifren yn dynn am y drwm, ni all oeri. Bydd yn gorboethi, yn ymdoddi a mynd ar dân. Ar geblau estyn o ansawdd da, bydd label yn nodi uchafswm y pŵer sy'n addas, pan fydd y wifren yn goil tynn a phan fydd wedi'i thynnu oddi ar y drwm.

Torrwr cylched

Mewn unedau defnyddiwr modern, mae **torwyr cylched bach** (*MCB*) (Ffigur 14.23) yn cael eu defnyddio yn lle ffiwsiau. Mae electromagnet yn y torrwr cylched. Pan fydd y cerrynt yn uwch na'r gwerth sy'n cael ei nodi, bydd cryfder yr electromagnet yn ddigon i wahanu'r cysylltau. Bydd y gylched wedi'i diffodd. Mae torwyr cylched yn well na ffiwsiau oherwydd y gellir eu hailosod ac maen nhw'n gweithio'n gynt na ffiwsiau. Yn debyg i ffiws, ni fyddai torrwr cylched yn eich amddiffyn petaech chi'n cyffwrdd â chydran 'fyw'.

Ffigur 14.23 Uned defnyddiwr nodweddiadol gyda thorwyr cylched y gellir eu hailosod

Ffigur 14.24 Dyfais cerrynt gweddillol

Dyfeisiau cerrynt gweddillol (*RCDs*)

Pwrpas y dyfeisiau hyn yw helpu i'ch diogelu rhag sioc drydan (Ffigur 14.24). Math o dorrwr cylched yw hwn sy'n mesur y cerrynt yn y gwifrau byw a niwtral. Os yw popeth yn gweithio'n iawn, bydd y ddau werth yn gyfartal.

Ond beth petaech chi'n cyffwrdd â'r wifren fyw ar ddamwain? Bydd rhywfaint o'r cerrynt yn llifo trwy eich corff i'r ddaear. Bydd cerrynt llai yn y wifren niwtral o'i gymharu â'r wifren fyw. Bydd y ddyfais yn canfod y gwahaniaeth cerrynt hwn ac ar unwaith yn taflu'r switsh gan dorri'r gylched. Mae dyfais cerrynt gweddillol (*RCD*) yn sensitif iawn. Gall ganfod gwahaniaeth cerrynt o 30 mA ($\frac{30}{1000}$ A). Gall ddiffodd mewn ychydig mwy na milfed ran o eiliad.

Cwestiynau

16 Mae gan dad Aled lawnt a'i hyd yn 20 m, peiriant trydan i dorri glaswellt a chebl estyn 50 m. Enwch ddarn o offer trydanol y dylai ei brynu. Amlinellwch sut y dylai ddefnyddio'r holl offer yn ddiogel.

17 Enwch ddwy ddyfais sy'n cael eu defnyddio i ddiogelu gwifrau a cheblau rhag gorboethi.

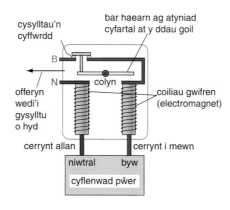

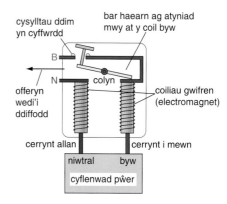

Ffigur 14.25 Dyfais cerrynt gweddillol heb gerrynt yn gollwng i'r ddaear

Ffigur 14.26 Pan fydd cerrynt yn gollwng i'r ddaear, bydd llai o gerrynt yn y wifren niwtral, felly bydd mwy o atyniad rhwng y bar haearn a'r coil byw; bydd symudiad y bar yn datgysylltu'r gylched.

Fe gewch chi sioc, ond bydd y ddyfais *RCD* yn diffodd yn gyflym; ni fydd y sioc yn eich lladd. Cofiwch ddefnyddio'r botwm arbennig i brofi bod y ddyfais yn gweithio'n iawn. Cofiwch ddefnyddio dyfais *RCD* bob tro wrth weithio gydag unrhyw offer trydanol. Dylech chi ddefnyddio dyfais *RCD* bob tro wrth weithio ag offer trydanol yn yr awyr iach.

Pam na allwn ni ddefnyddio foltedd is?

Yn syml iawn, mae'r DU ac Ewrop wedi defnyddio prif gyflenwad 230 V ers y dechrau. Byddai'n llawer rhy ddrud newid i foltedd is nawr, gyda miliynau o wahanol ddarnau o offer eisoes ar waith. Byddai angen llawer o newidyddion er mwyn i'r offer sydd gennym weithio ar foltedd is. Byddai angen gwifrau hyblyg mwy trwchus ar offer newydd – cofiwch fod foltedd is yn golygu cerrynt uwch i gael yr un pŵer.

Ar lawer o safleoedd adeiladu ym Mhrydain, maen nhw'n defnyddio offer pŵer ar 110 V. Mae hwn yn foltedd llawer mwy diogel pan fydd hi'n dywydd gwlyb. Defnyddir newidydd arbennig i drosi'r 230 V yn foltedd is. Gyda llai o foltedd, mae llai o berygl y bydd damweiniau yn lladd.

Nid yw trydan y cartref ym mhob gwlad yn 230 V. Mae UDA wedi dewis 120 V, sy'n is ac yn fwy diogel yn ôl rhai. Oherwydd hyn, mae rhai gwneuthurwyr offer trydanol yn cynnwys switsh newid foltedd, fel y gallwch chi ddefnyddio'r offer mewn gwahanol wledydd. Dau ddewis sydd ar y switsh fel arfer: 230 V neu 120 V. Petaech chi'n defnyddio'r offer gyda'r switsh ar 120 V yn y DU, byddai'n difetha'r offer.

Gweithgaredd

Os yw cyflenwad foltedd 230 V yn beryglus, a ddylem ni newid i gyflenwad mwy diogel 120 V fel rhai gwledydd eraill? Trafodwch oblygiadau newid o'r fath a'r dadleuon o blaid ac yn erbyn.

Torwyr cylched (ewch i *Electronics* yna *Circuit breakers*): www.howstuffworks.com

Trydan (ewch i *Site map* yna *Copper and electricity*): www.schoolscience.co.uk

Cwestiynau

18 Mae torwyr cylched wedi cael eu datblygu i ddiogelu pobl sy'n defnyddio offer trydanol.
   a Nodwch **ddwy** o fanteision torwyr cylched.
   b Mae torwyr cylched bach (*MCBs*) yn gwneud yr un gwaith â ffiws. Rhaid eu rhoi yn y wifren fyw. Eglurwch sut mae torwyr cylched bach yn diogelu cylchedau ac offer trydanol.

19 Dyma graff cerrynt–foltedd ar gyfer deuod.

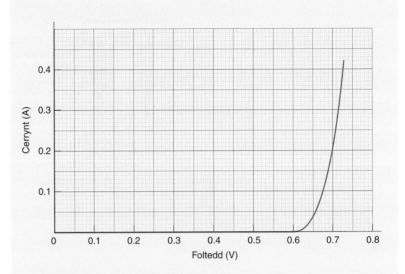

a   Beth yw'r cerrynt ar 0.3 V?
b   Beth yw'r foltedd pan fo'r cerrynt yn 0.2 A?
c   Ysgrifennwch yr hafaliad sy'n cysylltu **gwrthiant**, **foltedd** a **cherrynt**.
ch Cyfrifwch wrthiant y deuod pan fydd y cerrynt yn 0.2 A.

Crynodeb

1   Gwefr yn llifo yw cerrynt trydan.

2   Rydym ni'n mesur cerrynt trydan gan ddefnyddio amedr wedi'i osod mewn cyfres â'r gylched.

3   Uned cerrynt trydan yw'r amp.

4   Rydym ni'n mesur y foltedd ar draws cydran mewn foltiau gan ddefnyddio foltmedr. Rhaid cysylltu'r foltmedr mewn paralel â'r gydran.

5   Mae gwrthiant yn lleihau llif y cerrynt mewn cylched drydanol.

6   Uned gwrthiant yw'r ohm (symbol Ω).

7   Gellir cyfrifo gwrthiant gan ddefnyddio'r fformiwla ganlynol.

$$\text{gwrthiant } (\Omega) = \frac{\text{foltedd (V)}}{\text{cerrynt (A)}}$$

8   Po hiraf yw'r wifren, mwyaf yw ei gwrthiant

9   Po deneuaf yw'r wifren, mwyaf yw ei gwrthiant

10 Os yw graff cerrynt–foltedd unrhyw wrthydd yn llinell syth trwy'r tarddbwynt, yna mae'r gwrthydd yn ufuddhau i ddeddf Ohm.

11 Nid yw pob gwrthydd yn ufuddhau i ddeddf Ohm. Nid yw'r graff cerrynt–foltedd yn llinell syth.

12 Yn y ceblau sy'n cyflenwi trydan o amgylch ein cartrefi, mae tair gwifren: byw, niwtral a daearu.

13 Mae'r wifren ddaearu yn cael ei chysylltu â phwynt daearu ar y cebl cyflenwi a bydd cysylltiad arall â phibell ddŵr neu bibell nwy fetel, neu â pholyn metel.

14 Mae cod lliwiau arbennig ar gyfer y gwifrau hyblyg sy'n mynd at offer trydanol: brown = byw, glas = niwtral, gwyrdd a melyn = daearu.

15 Dylech chi brynu cebl estyn â gwifren 13 A bob amser.

16 Cofiwch dynnu'r cebl estyn cyfan oddi ar y drwm sy'n ei ddal.

17 Darn o wifren denau iawn yw ffiws; mae'r wifren yn ymdoddi pan fydd gormodedd o gerrynt yn llifo drwyddi. Mae ffiws yn cael ei ddefnyddio i ddiogelu ceblau a gwifrau rhag gorboethi. Pan gaiff ei ddefnyddio gyda gwifren ddaearu, bydd ffiws yn atal casin darn o offer metel rhag mynd yn fyw.

18 Gallwch chi gyfrifo'r gwerth cywir ar gyfer ffiws o'r fformiwla ganlynol.

$$\text{cerrynt (A)} = \frac{\text{pŵer (W)}}{\text{foltedd (V)}}$$

19 Mewn unedau defnyddwyr modern, mae torwyr cylched sy'n diffodd pan fydd gormodedd o gerrynt yn llifo. Maen nhw'n adweithio'n gynt na ffiwsiau. Gellir eu hailosod.

20 Math o dorrwr cylched sy'n gweithio'n gyflym yw dyfais gerrynt weddillol (*RCD*). Mae'n mesur y cerrynt yn y gwifrau byw a niwtral. Os yw'r ddau yn wahanol, am fod rhywun wedi cyffwrdd gwifren fyw o bosibl, mae'r cerrynt yn cael ei ddiffodd ar unwaith.

21 Dylech chi bob amser osod *RCD* wrth ddefnyddio offer yn yr awyr iach.

22 Mae trydan y prif gyflenwad ar 230 V yn beryglus. Mae rhai gwledydd wedi dewis defnyddio system is ar 120 V.

Ffiseg

Pennod 15 Grymoedd a mudiant

Erbyn diwedd y bennod hon, dylech:

- wybod sut rydym ni'n mesur a dangos mudiant;
- deall sut mae grymoedd yn effeithio ar fudiant gwrthrychau;
- deall pam mae gwrthrychau sy'n symud yn cyrraedd buanedd cyson;
- gwybod o ble y daw grymoedd;
- deall sut mae gwrthrychau'n ennill neu'n colli egni;
- gwybod sut rydym ni'n ein cadw ein hunain yn ddiogel mewn ceir ac o'u cwmpas.

Grymoedd a mudiant
www.bbc.co.uk/cymru/tgau/ffiseg

Pellter, buanedd a chyflymiad

Buanedd

Rydych chi'n hwyr i'r ysgol. Os byddwch chi'n teithio ar fuanedd cyflym, bydd y siwrnai'n cymryd llai o amser. Gallwn gyfrifo buanedd gan ddefnyddio'r fformiwla ganlynol.

$$\text{buanedd cyfartalog} = \frac{\text{pellter a deithiwyd}}{\text{amser a gymerwyd}}$$

Os yw'r pellter yn cael ei fesur mewn metrau (m) ac amser mewn eiliadau (s), yna mae'r buanedd yn cael ei fesur mewn metrau yr eiliad (m/s).

Enghraifft

Rydych chi'n teithio 400 m mewn 80 s ar eich beic. Beth yw eich buanedd mewn metrau yr eiliad?

Yn gyntaf, y fformiwla:

$$\text{buanedd cyfartalog (m/s)} = \frac{\text{pellter a deithiwyd (m)}}{\text{amser a gymerwyd (s)}}$$

Rhowch y rhifau:

$$\text{buanedd cyfartalog (m/s)} = \frac{400 \text{ (m)}}{80 \text{ (s)}}$$

$$= 5 \text{ m/s}$$

Os yw'r pellter yn cael ei fesur mewn km a'r amser mewn oriau, mae'r buanedd yn cael ei fesur mewn km/awr. Os yw car yn cymryd 1 awr i deithio 80 km, ei fuanedd yw 80 km/awr. Beth yw ei fuanedd mewn m/s?

$$\text{buanedd cyfartalog (m/s)} = \frac{\text{pellter a deithiwyd (m)}}{\text{amser a gymerwyd (s)}}$$

$$= \frac{80 \times 1000}{1 \times 3600}$$

$$= 22.2 \text{ m/s}$$

Ffigur 15.1 Car model

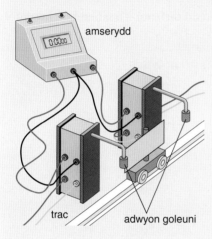

Ffigur 15.2 Amseru'r ceir yn electronig

Gwaith ymarferol

Dod o hyd i fuanedd car model

Dull 1

Bydd angen model car, pren mesur metr a stopwatsh.

1 Marciwch drac ar gyfer profi'r car, 2 m neu 5 m dywedwch. Trac hir sydd orau.

2 Defnyddiwch y stopwatsh i amseru'r car yn teithio ar hyd y trac.

3 Cyfrifwch ei fuanedd cyfartalog gan ddefnyddio'r fformiwla ganlynol.

$$\text{buanedd cyfartalog} = \frac{\text{pellter a deithiwyd}}{\text{amser a gymerwyd}}$$

4 Cofnodwch eich canlyniadau a chasgliadau.

Dull 2

Os oes amserydd ac adwyon amseru yn yr ysgol.

1 Gosodwch bâr o adwyon goleuni ar bellter penodol oddi wrth ei gilydd, a chysylltu amserydd electronig.

2 Bydd yr amserydd yn dechrau amseru pan fydd y cerdyn yn torri'r paladr isgoch yn yr adwy gyntaf. Pan fydd y cerdyn yn torri'r paladr yn yr ail adwy, bydd yr amserydd yn stopio a dangos faint o amser aeth heibio (y cyfwng amser).

3 Cyfrifwch fuanedd cyfartalog y car rhwng yr adwyon goleuni.

Cwestiwn

• Copïwch a chwblhewch y tabl hwn.

Pellter (m)	600	250		1
Amser (s)	20		150	100
Buanedd (m/s)		5	15	

Wyddoch chi?

Ers talwm roedd traeth Pentywyn, i'r gorllewin o aber Afon Tywi, yn cael ei ddefnyddio'n drac ar gyfer torri record byd am gyflymder ar y tir. Bellach mae ceir mor gyflym nes bod angen llain o dir hollol wastad sy'n hirach o lawer.

Cyflymiad

Wrth ddechrau reid ar gefn beic, mae eich buanedd yn sero. Wrth i chi bwyso'n galed ar y pedalau, bydd eich buanedd yn cynyddu. Byddwch chi'n mynd yn gynt a chynt. Yr enw ar newid mewn buanedd fel hyn yw **cyflymiad**. Yr hyn sy'n ei achosi yw'r grym anghytbwys o'ch coesau, trwy'r pedalau a'r gadwyn i'r olwynion.

Wrth ddefnyddio'r breciau, byddwch chi'n arafu. Y term am leihad mewn buanedd yw **arafiad**. Mae'n groes i gyflymiad. Weithiau fe'i gelwir yn gyflymiad negatif (−).

Cyfrifo cyflymiad

Gall car rasio gyflymu ar gyfradd sy'n uwch na char teulu. Gall gyrraedd unrhyw fuanedd mewn llai o amser na char teulu. Dyna pam mae gwneuthurwyr ceir yn cymharu'r amser y mae hi'n ei gymryd i gyrraedd 60 milltir yr awr. Gallwch chi ddod o hyd i'r cyflymiad trwy ddefnyddio'r fformiwla ganlynol.

$$\text{cyflymiad} = \frac{\text{newid mewn buanedd}}{\text{amser a gymerwyd i newid buanedd}}$$

Fel arfer byddwn ni'n mesur buanedd mewn m/s ac amser mewn s, felly uned cyflymiad yw'r uned ar gyfer newid mewn buanedd (metrau yr eiliad) wedi'i rhannu â'r uned ar gyfer yr amser y mae'n ei gymryd i'r buanedd newid (eiliadau). Felly, uned cyflymiad yw metrau yr eiliad sgwâr (symbol m/s^2).

Mae cyflymiad o $2\,m/s^2$ yn golygu bod cynnydd o $2\,m/s$ ym muanedd y car bob eiliad. Os yw'r car yn cychwyn o fod yn ddisymud ($0\,m/s$), ar ôl $1\,s$ ei fuanedd yw $2\,m/s$. Ar ôl eiliad arall mae'r buanedd yn $4\,m/s$, ac ar ôl y trydydd eiliad mae'n $6\,m/s$. Yna mae'n $8\,m/s$, $10\ m/s$, ac yn y blaen.

Enghraifft

Dychmygwch fod eich car yn cychwyn o $0\,m/s$. Ar ôl $2\,s$, mae'n teithio ar $6\ m/s$. Beth yw ei gyflymiad ?

Yn gyntaf, y fformiwla:

$$\text{cyflymiad } (m/s^2) = \frac{\text{newid mewn buanedd } (m/s)}{\text{amser a gymerwyd i newid buanedd } (s)}$$

newid mewn buanedd = buanedd terfynol − buanedd cychwynnol

Rhowch y rhifau:

newid mewn buanedd = $6\ m/s - 0\ m/s$
$$= 6\,m/s$$

amser y newid = $2\,s$

Yr ateb yw

$$\text{cyflymiad } (m/s^2) = \frac{6\,m/s}{2\,s}$$
$$= 3\,m/s^2$$

Cyfrifo arafiad

Mae car yn teithio ar $20\,m/s$. Mae'r gyrrwr yn defnyddio'r breciau ac mae'r car yn stopio'n stond o fewn $2\,s$. Beth oedd y cyflymiad?

Yn gyntaf, y fformiwla:

$$\text{cyflymiad } (m/s^2) = \frac{\text{newid mewn buanedd } (m/s)}{\text{amser a gymerwyd i newid buanedd } (s)}$$

newid mewn buanedd = buanedd terfynol − buanedd cychwynnol

Rhowch y rhifau:

newid mewn buanedd = $0\ m/s - 20\ m/s$

$$= -20\,m/s$$

amser y newid = $2\,s$

$$\text{cyflymiad } (m/s^2) = \frac{-20\,m/s}{2\,s}$$

$$= -10\,m/s^2$$

Mae'r arwydd minws (−) yn dangos mai arafiad yw hwn.

Cwestiynau

1 Beth sy'n digwydd i gar pan fydd yn cyflymu?

2 Beth sydd yn digwydd i feic pan fydd yn arafu?

3 Beth y mae'n rhaid ei wneud i bedalau'r beic er mwyn iddo gyflymu?

4 Beth yw unedau cyflymiad?

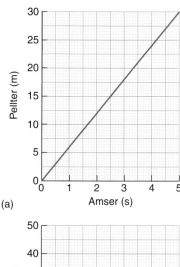

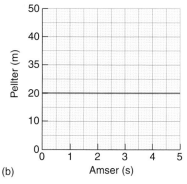

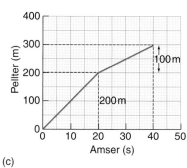

(a)

(b)

(c)

Ffigur 15.3 Graffiau pellter–amser ar gyfer (a) buanedd cyson , (b) dim buanedd ac (c) buanedd sy'n newid

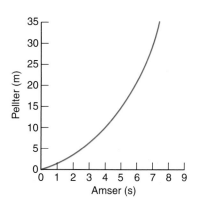

Ffigur 15.4 Graff pellter–amser ar gyfer buanedd sy'n cynyddu

5 Mae Bethan yn mwynhau reidio beic. Mae'n cyrraedd buanedd o 15 m/s mewn 15 s ar ei beic. Mae ei thad yn cael trafferth gyda'i bengliniau, ond mae'n dal i fwynhau reidio'i feic. Mae'n cymryd 15 s yn fwy o amser iddo gyrraedd buanedd o 15 m/s.
a Beth yw cyflymiad Bethan?
b Faint o amser mae'n ei gymryd i'w thad gyrraedd 15 m/s?
c Beth yw ei gyflymiad ?

6 Mae car yn teithio ar 15 m/s. Mae'n cyflymu 1.5 m/s². Beth yw ei fuanedd ar ôl 1 s, 2 s, 5 s a 10 s?

Graffiau pellter–amser

Edrychwch ar y graff yn Ffigur 15.3a. Mae'n dangos bod y gwrthrych yn cymryd 5 s i deithio pellter o 30 m.

$$\text{buanedd cyfartalog (m/s)} = \frac{30\,\text{m}}{5\,\text{s}}$$

$$= 6\,\text{m/s}$$

Dyma yw gwerth **graddiant**, neu oledd, y graff. Mae graddiant graff pellter–amser yn rhoi buanedd y corff.

Yn y graff yn Ffigur 15.3b, mae'r pellter sy'n cael ei deithio yr un fath drwy'r amser. Hynny yw, nid yw'r gwrthrych wedi symud, mae'n ddisymud. Pan fo graff pellter–amser yn llorweddol fel hyn, nid yw'r gwrthrych yn symud. Mae'r graddiant yn sero, felly mae'r buanedd yn sero.

Yn y graff yn Ffigur 15.3c, mae goledd y graff yn newid. Am yr 20 s cyntaf,

$$\text{buanedd cyfartalog} = \frac{200\,\text{m}}{20\,\text{s}}$$

$$= 10\,\text{m/s}$$

Yn yr 20 s nesaf, y pellter sy'n cael ei deithio yw o 200 m i 300 m, hynny yw, dim ond 100 m. Mae'r buanedd cyfartalog yn gostwng i

$$\text{buanedd cyfartalog} = \frac{100\,\text{m}}{20\,\text{s}}$$

$$= 5\,\text{m/s}$$

Ar graff pellter–amser, po fwyaf serth yw'r goledd, mwyaf yw'r buanedd.

Buanedd yn newid

Nid yw'r graff yn Ffigur 15.4 yn llinell syth. Mae'n gromlin sy'n mynd yn fwy serth gydag amser. Cofiwch: po fwyaf serth yw'r graddiant, mwyaf yw'r buanedd . Mae'r graff hwn yn dangos bod y buanedd yn cynyddu drwy'r amser. Felly mae'r gwrthrych yn cyflymu.

Cwestiynau

7 Mae Bethan ar y bws ar ei ffordd i'r ysgol. Dyma graff pellter–amser ar gyfer ei siwrnai.

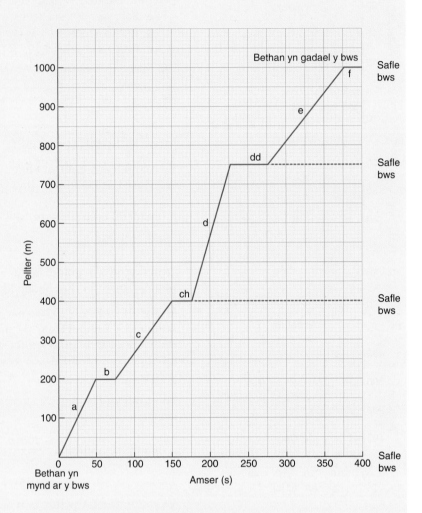

a Pa mor bell a deithiodd Bethan ar y bws?
b Ar ba ran o'r daith oedd y bws yn teithio ar ei fuanedd
   i   arafaf
   ii cyflymaf?
c Beth oedd buanedd y bws yn adran (a) ac adran (b)?
ch Awgrymwch beth allai fod wedi digwydd yn adran (b).
d Pa mor bell oedd hi i'r safle bws gyntaf?
dd Am faint o amser oedd y bws yn ddisymud yn adran (dd)?
e Beth oedd buanedd cyfartalog y bws dros y siwrnai gyfan?

8 a Mae'r tabl isod yn dangos pellter teithio beiciwr dros amser.
      Defnyddiwch yr wybodaeth yn y tabl isod i baratoi graff o'r pellter teithio, echelin-y, yn erbyn amser, echelin-x.
   b Defnyddiwch y graff i ddarganfod:
      i   am faint o amser yr oedd y beiciwr wedi stopio
      ii y pellter a deithiodd rhwng 80 s a 140 s.

Pellter (m)	0	100	200	300	400	400	400	500	600	700	800
Amser (s)	0.0	7.5	15.0	22.5	30.0	40.0	60.0	80.0	100.0	120.0	140.0

9 Mae beiciwr yn teithio ar hyd ffordd syth. Mae'r llythrennau ar y diagram yn dangos safle'r beiciwr bob 10 s ar hyd y ffordd. Mae'r rhifau'n dangos y pellter mewn metrau.

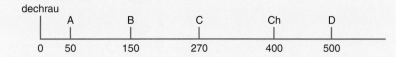

dechrau

	A	B	C	Ch	D
0	50	150	270	400	500

a Ysgrifennwch yr amser y mae'r beiciwr yn ei gymryd i deithio rhwng **C** a **D**.

b Ysgrifennwch, mewn geiriau, yr hafaliad sy'n cysylltu pellter, amser a buanedd .

c Defnyddiwch eich hafaliad i gyfrifo buanedd cyfartalog y beiciwr rhwng **C** a **D**.

Graffiau buanedd–amser

Wrth yrru cerbyd nwyddau trymion (*HGV*) mae diogelwch yn bwysig iawn. Rhaid i'r gyrrwr oedi i orffwys yn ddigon aml a rhaid iddo gadw at y cyflymder cywir. Y tu mewn i'r cab mae **tacomedr**. Mae buanedd y cerbyd a'r cyfnodau gorffwys yn cael eu cofnodi ar dacograff. Mae'r graff ar y tacograff yn Ffigur 15.5 yn enghraifft o graff buanedd–amser.

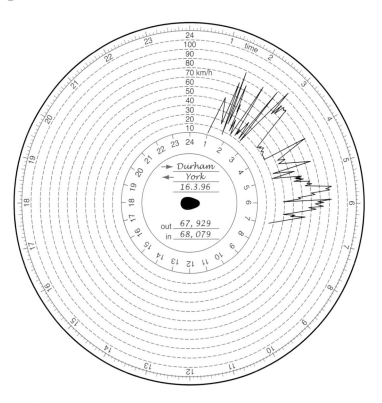

Ffigur 15.5 Mae tacomedr yn cofnodi buanedd y cerbyd ar unrhyw adeg ar y tacograff.

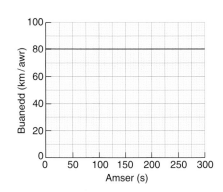

Ffigur 15.6 Mae'r cerbyd *HGV* yn teithio ar fuanedd cyson o 80 km/awr.

Mae'r graff yn Ffigur 15.6 yn llorweddol, felly mae'r *HGV* yn teithio ar fuanedd cyson. Os yw'r graff buanedd–amser yn llinell lorweddol ar hyd y tarddbwynt, yna mae'r *HGV* yn ddisymud.

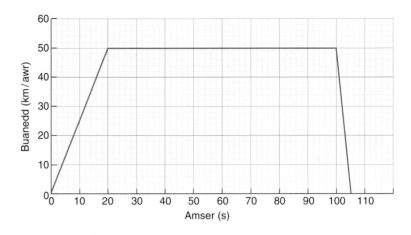

Ffigur 15.7 Po fwyaf serth yw graddiant (goledd) y graff buanedd–amser, mwyaf yw'r cyflymiad neu'r arafiad

Mae'r graff buanedd–amser yn Ffigur 15.7 yn dangos, ar y dechrau, bod y cerbyd *HGV* yn ddisymud. Yna mae'n cyflymu'n gyson nes cyrraedd 50 km/awr. Mae'n teithio ar y buanedd hwn am 80 s. Yna mae'r gyrrwr yn brecio. Mae'r cerbyd *HGV* wedi stopio ymhen 5 s.

Defnyddio graffiau buanedd–amser i ddarganfod cyflymiad

Mae'r graff yn Ffigur 15.8 yn llinell syth. Mae hyn yn dangos bod y cyflymiad yn unffurf. Goledd neu raddiant y llinell sy'n dweud wrthym beth yw'r cyflymiad.

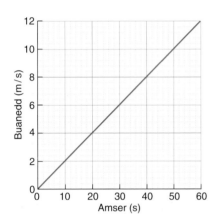

Ffigur 15.8 Graff buanedd–amser ar gyfer cyflymiad cyson

$$\text{cyflymiad } (\text{m/s}^2) = \frac{\text{newid mewn buanedd } (\text{m/s})}{\text{amser a gymerwyd } (\text{s})}$$

$$= \frac{12\,\text{m/s}}{60\,\text{s}}$$

$$= 0.2\,\text{m/s}^2$$

Defnyddio graffiau buanedd–amser i ddarganfod y pellter teithio

Mae'r graff buanedd–amser yn Ffigur 15.9 yn dangos sut mae buanedd rhedwr yn newid yn ystod ras. Yn gyntaf, mae hi'n cyflymu, yna mae'n teithio ar fuanedd cyson. Gallwn ddefnyddio'r arwynebedd o dan graff buanedd–amser i gyfrifo'r pellter teithio. Cofiwch fod y pellter a deithiwyd = buanedd cyfartalog × amser.

Ar gyfer rhan gyntaf y ras, mae'r buanedd cyfartalog yn cyfateb i hanner uchder y triongl melyn. Echelin amser yw sylfaen y triongl. Felly:

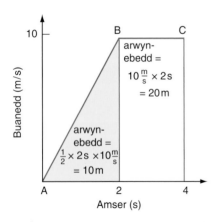

Ffigur 15.9 Graff buanedd–amser ar gyfer rhedwr

$$\text{pellter a deithiwyd} = \frac{1}{2} \times \text{uchder} \times \text{sylfaen}$$

$$= \frac{1}{2} \times 10\,\text{m/s} \times 2\,\text{s}$$

$$= 10\,\text{m}$$

Cwestiynau

10 Mae'r graff buanedd–amser isod yn dangos symudiad dau gar, **A** a **B**.

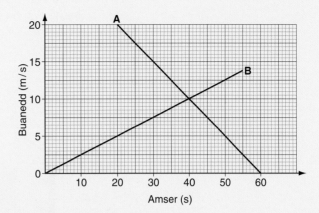

a Rhowch ddisgrifiad llawn o fudiant car **A**.

b Beth yw:

    i yr amser pan fydd y ddau gar yn teithio ar yr un buanedd

    ii y gwahaniaeth rhwng buanedd y ddau gar ar 20 s.

11 Mae car yn cyflymu'n gyson o 4 m/s i 19 m/s mewn 10 s. Yna mae'n teithio ar y buanedd hwn (19 m/s) am 15 s arall.

  a Ar bapur graff, gydag echelinau buanedd ac amser a graddfeydd addas, tynnwch linellau i ddangos y mudiant sy'n cael ei ddisgrifio uchod.

  b Ysgrifennwch, mewn geiriau, yr hafaliad sy'n cysylltu pellter, amser a buanedd .

  c Y buanedd cyfartalog ar gyfer y daith gyfan yw 16 m/s. Cyfrifwch y pellter a deithiwyd yn ystod 25 s y daith.

  ch Defnyddiwch y graff i ddarganfod am faint o amser y bu'r car yn teithio ar fuanedd sy'n fwy na 16 m/s.

  d Tynnwch linell ar y graff i ddangos y mudiant ar ôl 25 s, os yw'r car yn cael ei stopio mewn 5 s arall gan rym anunffurf.

Effeithiau grymoedd

Grymoedd cytbwys ac anghytbwys

Mae maint a chyfeiriad gan rymoedd. Rydym ni'n defnyddio saeth i ddangos cyfeiriad grym. Mae hyd y saeth yn cynrychioli maint y grym. Os oes mwy nag un grym yn gweithredu ar wrthrych, gall y grymoedd fod yn gytbwys (fel yn Ffigur 15.10) neu'n anghytbwys.

Nid yw grymoedd cytbwys yn newid mudiant y corff ar y pryd. Os yw'r corff yn ddisymud, ni fydd yn symud. Os bydd grymoedd cytbwys yn gweithredu ar gorff sy'n symud, bydd y corff yn parhau i symud. Ni fydd yn cyflymu nac arafu. Bydd grymoedd anghytbwys ar gorff yn achosi newid ym muanedd y corff neu gyfeiriad ei daith.

Ffigur 15.10 Mae'r grymoedd ar y gwrthrych hwn yn gytbwys.

Gwaith ymarferol

Ymchwilio i rymoedd cytbwys a buanedd cyson

Mae'n anodd astudio gwrthrych sy'n symud heb effeithiau ffrithiant. Mae gleider ar drac aer syth, gwastad yn symud ar glustog o aer. Mae grym ffrithiant yn fach iawn.

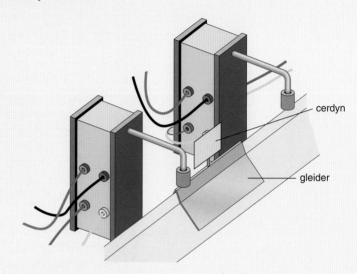

cerdyn

gleider

Ffigur 15.11 Mae grymoedd ffrithiant yn fach iawn gyda'r trac aer. Pan fydd y cerdyn ar ongl sgwâr i gyfeiriad symud y gleider, bydd y gwrthiant aer yn llawer mwy a'r gleider yn stopio yn llawer cynt.

1 Gwthiwch y gleider yn ysgafn er mwyn iddo ddechrau symud.
2 Bydd yn teithio'n ôl a blaen rhwng dau ben y trac. Gan nad oes grymoedd anghytbwys, bydd y gleider yn parhau i symud.
3 Rhowch gerdyn post ynghlwm wrth y gleider, gydag ymyl y cerdyn yn wynebu'r cyfeiriad teithio (fel yn y diagram uchod).
4 Mae'r adwyon goleuni, sydd wedi'u cysylltu wrth gofnodydd data, yn cofnodi'r amser y mae hi'n ei gymryd i'r cerdyn post deithio trwy'r adwyon goleuni. Mae hyn yn golygu y gallwch chi gyfrifo buanedd y gleider.
5 Dylai buanedd y gleider fod yn gyson dros gyfnod o amser. Nid yw'r cerdyn post, wedi'i osod fel hyn, yn effeithio fawr ddim ar y grym llusgiad.
6 Yn y pen draw, bydd y grym llusgiad bach yn achosi i'r gleider arafu nes stopio.
7 Yna, rhowch y cerdyn post ar ongl sgwâr i gyfeiriad y teithio.
8 Mae grym llusgiad yn fwy.
9 Mae'r grymoedd yn anghytbwys. Bydd y gleider yn stopio yn fuan iawn.

Wyddoch chi?

Mae hofrenfadau'n arnofio ar glustog o aer, yn debyg i'r hyn sy'n digwydd ar drac aer llinol. Gallant deithio dros dir neu ddŵr. Oherwydd hyn, maen nhw'n ddefnyddiol iawn i'r lluoedd arfog.

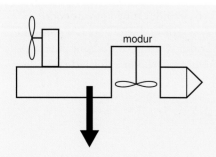

modur

Cwestiynau

12 Yn y diagram ar y chwith, mae hofrenfad.
   a Dangoswch yr holl rymoedd sy'n gweithredu ar yr hofrenfad wrth iddo symud yn ei flaen ar fuanedd cyson.
   b Dangoswch yr holl rymoedd sy'n gweithredu ar yr hofrenfad pan fydd yn dechrau arafu.

13 Rydych chi'n penderfynu gwneud naid bynji. Enwch y grymoedd sy'n gweithredu a dywedwch a ydyn nhw'n rymoedd cytbwys neu anghytbwys:
- **a** yn union wrth i chi neidio
- **b** wrth i'r bynji ddechrau tynhau
- **c** pan fydd y bynji wedi ymestyn yn llawn
- **ch** wrth i chi ddechrau symud i fyny eto.

Effaith grymoedd anghytbwys

Er mwyn darganfod beth sy'n digwydd i gorff pan fydd dau neu fwy o rymoedd yn gweithredu arno, rydym ni'n dychmygu tynnu'r holl rymoedd unigol a rhoi un grym yn eu lle sy'n cael yr un effaith. Enw'r un grym hwn yw'r **grym cydeffaith**. Maint a chyfeiriad y grym cydeffaith sy'n penderfynu sut mae'r corff yn symud, neu hyd yn oed a yw'n symud o gwbl. Os yw'r grymoedd yn gytbwys, mae'r grym cydeffaith yn sero.

Dychmygwch eich bod yn gwthio gwrthrych disymud. Mae'n bosibl y gwnewch iddo symud. Os na fydd yn symud, mae grym ffrithiant yn cydbwyso eich grym gwthio. Os gwthiwch yn ddigon caled, gallwch chi oresgyn grym ffrithiant a bydd y gwrthrych yn symud. Os byddwch chi'n parhau i wthio, bydd y grymoedd nawr yn anghytbwys a bydd y gwrthrych yn symud yn gyflymach a chyflymach. Bydd yn cyflymu.

Grym a chyflymiad (gyda màs cyson)

Rydym ni eisiau darganfod sut mae maint y grym cydeffaith yn effeithio ar gyflymiad gwrthrych. Er mwyn ymchwilio i hyn, byddwn ni'n cadw màs y gwrthrych yn gyson.

Gwaith ymarferol

Ymchwilio i rym a chyflymiad gyda màs cyson

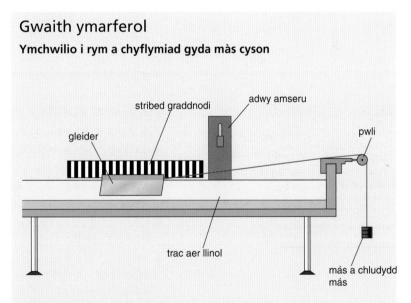

Ffigur 15.12 Wrth i'r pwysyn ddisgyn mae'n rhoi grym anghytbwys ar fàs y gleider.

1 Gosodwch drac aer gwastad a chysylltu'r adwyon goleuni wrth amserydd mudiant neu gofnodydd data.

2 Rhowch bwli sy'n rhedeg yn rhydd wrth un pen y trac.

3 Rhowch gortyn tenau ynghlwm wrth y gleider a màs 50 g ar y pen arall a'i basio dros y pwli. Wrth ddisgyn, mae'r pwysau yn rhoi grym anghytbwys i gyflymu'r gleider a'r pethau sy'n sownd ynddo.

4 Mae'r amserydd neu'r cofnodydd data yn dangos gwybodaeth y gellir ei defnyddio i arddangos neu gyfrifo'r cyflymiad.

5 Trwy ychwanegu masau eraill ar ben y cortyn, bydd y grym cyflymu yn cynyddu.

6 Mae'r canlyniadau'n dangos po fwyaf y grym anghytbwys, mwyaf y cyflymiad.

Defnyddio troli ac amserydd ticio

Pan fo'r pellter rhwng y dotiau ar y tâp ticio yn newid, mae'n golygu bod buanedd y gwrthrych sydd ynghlwm wrth y tâp ticio yn newid yn ystod y cyfnod hwnnw. Os oes llai o bellter rhwng y dotiau, roedd y gwrthrych yn symud yn arafach yn ystod y cyfnod hwnnw. Mae mwy o bellter rhwng y dotiau yn dangos bod y gwrthrych yn symud yn gyflymach yn ystod y cyfnod hwnnw.

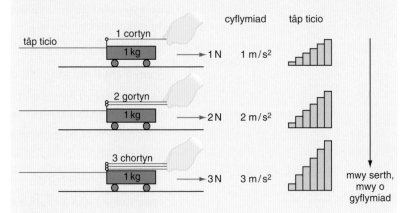

Ffigur 15.13 Y màs yn gyson a'r grym yn cael ei newid.

1 Rhowch y troli ar y fainc a'i gysylltu ag amserydd tâp ticio.

2 Rhowch ddarn o elastig ynghlwm wrth y troli.

3 Tynnwch y troli ar hyd y fainc, gan gadw hyd y cortyn elastig yr un fath drwy'r amser, er mwyn cadw'r grym yn gyson.

4 Wedi i chi dynnu'r tâp trwy'r amserydd, rhannwch y tâp yn hydoedd tic, fel bod gennych ddeg o fylchau dot i ddot.

5 Gludiwch y tapiau deg dot wrth ochr ei gilydd er mwyn gwneud graff buanedd–amser.

6 Gwnewch yr arbrawf eto gan ddefnyddio dau ac yna tri chortyn elastig. Mae'r graff yn mynd yn fwy serth (mwy o gyflymiad) wrth i nifer y cortynnau elastig (grym) gynyddu.

Mae'n syniad da gosod rhwystr rhag i'r troli syrthio oddi ar ben y fainc – er enghraifft pentwr o lyfrau.

Màs a chyflymiad (gyda grym cyson)

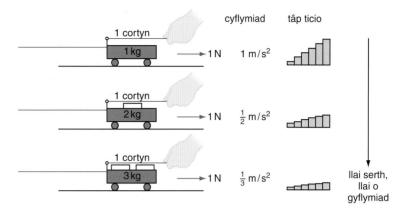

Ffigur 15.14 Y grym yn gyson a'r màs yn cael ei newid.

Gwaith ymarferol

Ymchwilio i fàs a chyflymiad gyda grym cyson

1 Gan ddefnyddio amserydd ticio, cadwch y grym ar y troli yn gyson trwy ddefnyddio un cortyn elastig bob tro.

2 Rhowch fwy o fàs ar y troli fesul 1 kg bob tro.

3 Mae'r graffiau cyflymiad yn mynd yn llai serth.

4 Mae hyn yn dangos bod y cyflymiad yn lleihau.

1 Neu, gyda'r trac aer llinol, cadwch y grym cyflymu yn gyson trwy gadw'r màs sy'n disgyn yn gyson.

2 Mesurwch y cyflymiad gydag un gleider.

3 Cysylltwch ddau gleider yr un fath er mwyn cynyddu'r màs.

4 Mae canlyniadau'r amserydd neu'r cofnodydd data yn dangos bod dyblu'r màs yn haneru'r cyflymiad.

Dadansoddi canlyniadau'r gwaith ymarferol

Yn yr arbrawf cyntaf, pan fo'r grym tynnu yn cael ei ddyblu, mae goledd y graff yn dyblu. Goledd unrhyw graff buanedd–amser yw'r cyflymiad. Felly po fwyaf y grym, mwyaf y cyflymiad; gallwn ddweud bod y cyflymiad mewn cyfrannedd â'r grym sydd arno:

cyflymiad $\propto$ grym

lle bo $\propto$ yn golygu 'mewn cyfrannedd â'.

Yn yr ail arbrawf, mae'r grym tynnu yn gyson. Pan fo màs y troli'n dyblu, mae'r cyflymiad yn haneru; po fwyaf y màs, isaf yw'r cyflymiad. Gyda'r grym tynnu yn gyson, dywedwn fod y cyflymiad 'mewn cyfrannedd wrthdro' â'r màs sy'n cael ei symud.

cyflymiad $\propto \dfrac{1}{\text{màs}}$

O gyfuno'r ddau hafaliad, gallwn ddweud bod y cyflymiad a gynhyrchir yn dibynnu ar y grym cydeffaith (y grym sy'n symud y gwrthrych) ac yn dibynnu (yn wrthdro) ar fàs y gwrthrych:

$$\text{cyflymiad} \propto \frac{\text{grym}}{\text{màs}}$$

Yn wir, gallwn ddweud hyn: os yw grym yn gwneud i fàs o $1\,\text{kg}$ gyflymu $1\,\text{m/s}^2$, yna mae'r grym hwnnw yn **1 newton** ($1\,\text{N}$),

neu:

$$\text{cyflymiad } (\text{m/s}^2) = \frac{\text{grym cydeffaith } (\text{N})}{\text{màs } (\text{kg})}$$

A gallwn aildrefnu hwn i roi:

$$\text{grym cydeffaith } (\text{N}) = \text{màs } (\text{kg}) \times \text{cyflymiad } (\text{m/s}^2)$$

Uned grym yw'r **newton** (N), ar ôl Isaac Newton, sef y gwyddonydd cyntaf i ddeall y berthynas rhwng grym, màs a chyflymiad.

Enghraifft
Beth yw maint y grym sydd ei angen i roi cyflymiad o $2\,\text{m/s}^2$ i gar sydd â màs $800\,\text{kg}$?

Yn gyntaf, y fformiwla:

$$\text{grym cydeffaith } (\text{N}) = \text{màs } (\text{kg}) \times \text{cyflymiad } (\text{m/s}^2)$$

Rhowch y rhifau:

$$\text{grym cydeffaith} = 800\,\text{Kg} \times 2\,\text{m/s}^2$$
$$= 1600\,\text{N}$$

Cwestiynau

14 Pam mae car llawn teithwyr yn cyflymu'n fwy araf na'r un car gyda'r gyrrwr yn unig?

15 Màs beic a'r reidiwr yw $100\,\text{kg}$. Pa rym sy'n cynhyrchu cyflymiad o $3\,\text{m/s}^2$?

16 Eglurwch pam na allai'r reidiwr yng nghwestiwn 15 gynnal y cyflymiad yn ddiddiwedd.

17 Beth sy'n digwydd i fuanedd gwrthrych sy'n teithio ar $5\,\text{m/s}$ pan fo grymoedd cytbwys yn gweithredu arno?

18 Mae gan Dilys gar newydd. Mae hi'n hapus gyda'r cyflymiad, sy'n $2.5\,\text{m/s}^2$. Cyfanswm màs y car a Dilys yw $750\,\text{kg}$. Pa rym sydd ei angen i roi'r cyflymiad hwn? Mae hi'n gwahodd tri o'i ffrindiau am dro. Cyfanswm màs ei ffrindiau yw $250\,\text{kg}$. Beth yw'r cyflymiad os yw ei ffrindiau yn y car hefyd?

Màs a phwysau

Màs unrhyw gorff yw faint o fater sydd yn y corff. Nid yw'r màs yn amrywio. Mae'n cael ei fesur mewn cilogramau.

Math o rym yw pwysau. Dyma'r grym sy'n ein hatynnu at y Ddaear. Mae popeth yn cael ei dynnu tuag at ganol y Ddaear. Po fwyaf yw màs gwrthrych, mwyaf yw'r grym atyniad at y Ddaear. Mae pwysau'n dibynnu ar fàs a chryfder disgyrchiant. Mae'n cael ei fesur mewn newtonau.

U

Ffigur 15.15 Mae disgyrchiant y Ddaear yn atynnu màs o 1 kg gyda grym o 10 N.

Y berthynas rhwng màs a phwysau

Fel y gwelsoch ar y tudalen blaenorol, mae diffiniad 'newton' yn dod o'r hafaliad, grym cydeffaith (N) = màs (kg) × cyflymiad (m/s^2). Er mwyn darganfod beth yw 1 N, rydym ni'n ysgrifennu:

$$màs = 1\,kg$$
$$cyflymiad = 1\,m/s^2$$

Yna

$$grym\ cydeffaith = 1\,kg \times 1\,m/s^2$$
$$= 1\,N$$

Felly grym o 1 N yw'r grym sy'n rhoi cyflymiad o 1 m/s^2 i fàs o 1 kg.

Mae'r Ddaear yn atynnu popeth at ei chanol. O gwmpas y Ddaear mae **maes disgyrchiant** sy'n rhoi grym ar bopeth o fewn y maes.

Mae arbrofion yn dangos bod grym o 9.8 N yn gweithredu ar 1 kg. Dywedwn fod cryfder y maes disgyrchiant yn 9.8 N/kg. Gan fod 9.8 bron yn 10, fel arfer dywedwn fod cryfder y maes disgyrchiant ar wyneb y Ddaear yn 10 N/kg (Ffigur 15.15). Felly, os yw eich màs yn 60 kg, bydd eich pwysau yn 600 N.

Effaith gwrthiant aer ar wrthrychau sy'n disgyn

Mae Megan yn mwynhau awyrblymio. Wrth iddi neidio o awyren, ar y dechrau mae gwrthiant aer yn isel iawn. Mae'r grymoedd yn anghytbwys. Mae pwysau Megan yn cyflymu ei thaith tuag at y ddaear. Wrth iddi gyflymu, bydd y gwrthiant aer yn cynyddu, felly bydd ei chyflymiad yn lleihau. Mae ei buanedd yn dal i gynyddu, ond nid mor gyflym. Mae'r gwrthiant aer yn dal i gynyddu nes ei fod yn hafal i'w phwysau. Bryd hynny mae'r grym cydeffaith ar Megan yn sero ac ni fydd yn cyflymu rhagor. Bydd yn dal i ddisgyn ond ar fuanedd cyson. Hwn yw ei **buanedd terfynol**.

Ar uchder diogel, bydd Megan yn tynnu'r cortyn i agor ei pharasiwt. Mae arwynebedd mawr iawn gan y parasiwt. Nawr, mae'r grym llusgiad tuag at i fyny yn llawer mwy na grym pwysau tuag i lawr. Mae'r grym anghytbwys hwn yn ei harafu. Mae hyn yn lleihau gwrthiant aer nes bod y ddau rym, pwysau a gwrthiant aer, yn dod yn hafal unwaith eto a hithau'n cyrraedd buanedd terfynol sy'n llawer is. Mae Megan yn glanio'n ddiogel. Mae'r graff buanedd–amser yn dangos ei mudiant trwy'r aer (Ffigur 15.17).

Ffigur 15.16 Awyrblymwyr yn plymio o awyren: weithiau byddan nhw'n estyn eu breichiau a'u coesau ar led a dal dwylo wrth ddisgyn ar fuanedd terfynol.

Wyddoch chi?

Mae buanedd terfynol awyrblymiwr yn dibynnu ar ei uchder a'i arwynebedd. Mae'r buanedd terfynol tua 50 m/s, neu 190 km/h. Weithiau bydd criw o bobl yn plymio a gwneud siapiau yn yr awyr (Ffigur 15.16). Bydd y rhai sy'n neidio gyntaf yn lledu eu breichiau a'u coesau i gynyddu'r gwrthiant aer. Fel hyn, gall y lleill eu dal.

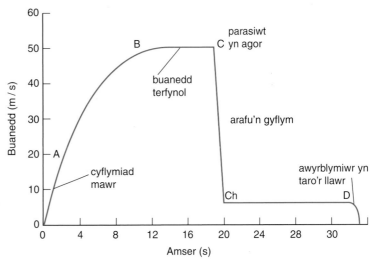

Ffigur 15.17 Graff buanedd–amser ar gyfer awyrblymiwr

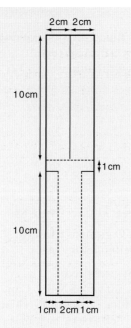

Figure 15.18 Siâp i'w dorri a'i blygu i wneud hofrennydd papur

Gwaith ymarferol

Ymchwilio i rymoedd ar wrthrychau sy'n disgyn

Mae dau rym yn gweithredu ar gorff sy'n disgyn. Mae grym pwysau yn gweithredu tuag i lawr. Mae grymoedd codiant a gwrthiant aer yn gweithio tuag i fyny. Er hwylustod, byddwn ni'n cyfuno'r ddau rym at i fyny a'u galw yn un grym, sef gwrthiant aer. Yn yr arbrawf hwn, rydym ni'n defnyddio hofrennydd papur i ymchwilio sut mae newid ei bwysau a'r gwrthiant aer yn effeithio ar ba mor gyflym y mae'n disgyn trwy'r aer.

1 Marciwch linellau'r hofrennydd papur ar gerdyn tenau (Ffigur 15.18).

2 Torrwch ar hyd y llinellau duon a phlygu ar hyd y llinellau toredig (Ffigur 15.19).

3 Rhowch glip papur ar y gynffon.

4 Yn ofalus, sefwch ar arwyneb sefydlog cryf.

5 Gafaelwch yn y model tua 2 m uwchben y llawr. Gadewch iddo syrthio a defnyddiwch stopwatsh i'w amseru wrth iddo ddisgyn.

6 Cofnodwch eich canlyniadau.

7 Ychwanegwch un clip papur arall, yna dau.

8 Gwnewch gam 5 bob tro.

9 Defnyddiwch siswrn i wneud yr adenydd yn fyrrach. Torrwch tua 3 cm i ffwrdd.

10 Gwnewch gam 5 eto.

Cwestiynau

- Sut gwnaethoch chi gynyddu'r grym tuag i lawr?

- Wrth i chi gynyddu'r grym tuag i lawr, beth ddigwyddodd i'r amser yr oedd hi'n ei gymryd i'r hofrennydd ddisgyn?

- Sut gwnaethoch chi newid effaith gwrthiant aer ar yr hofrennydd?

- Rhagfynegwch. Beth fyddai'n digwydd i'r gyfradd ddisgyn petaech chi'n dyblu lled yr hofrennydd? Os oes amser gennych, gwnewch hofrennydd newydd fel hyn a rhoi prawf ar eich rhagfynegiad.

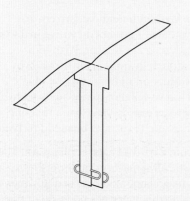

Figure 15.19 Yr hofrennydd wedi'i blygu, a'r papur yn ei le

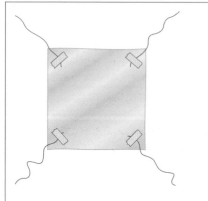

Ffigur 15.20 Darn o bolythen ag edau ynghlwm wrth bob cornel

Gweithgaredd

Mae sychder a newyn yn broblemau mewn sawl rhan o'r byd. Yn aml, rhaid gollwng cyflenwadau o'r awyr i ardaloedd gwledig. Rhaid i'ch cwmni gynllunio parasiwtiau a fydd yn gollwng y cynwysyddion yn ddiogel heb iddynt chwalu wrth lanio. Yn eich grwpiau, bydd angen i chi:

1 Ystyried beth sy'n effeithio ar gyfradd ddisgyn parasiwt.

2 Ystyried sut i wneud y parasiwt yn sefydlog fel na fydd yn siglo o un ochr i'r llall.

3 Meddwl am y mesuriadau pwysig i'w gwneud: sut i'w cofnodi a'u cyflwyno.

4 Defnyddio bag bin polythen, edau gotwm, tâp gludiog, clipiau papur neu bwysynnau bach ac unrhyw beth arall a allai fod yn angenrheidiol er mwyn gwneud a rhoi prawf ar eich parasiwt.

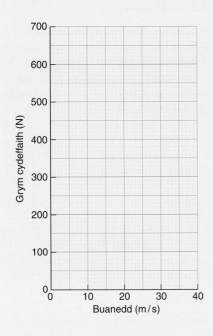

Cwestiynau

19 Eglurwch sut mae buanedd awyrblymiwr yn newid wrth ddisgyn. Defnyddiwch y termau 'grymoedd cytbwys' a 'grymoedd anghytbwys' yn eich ateb.

20 Mae awyrblymiwr yn disgyn yn fertigol. Dau rym yn unig sy'n gweithredu arni: disgyrchiant yn gweithio tuag i lawr, a gwrthiant aer yn gweithio tuag at fyny. Mae'r tabl isod yn rhoi rhywfaint o wybodaeth am y grymoedd ar yr awyrblymiwr wrth iddi ddisgyn.

Buanedd (m/s)	Pwysau (N)	Gwrthiant aer (N)	Grym cydeffaith (N)
0	700	0	700
10		280	420
20		490	210
30		630	70
40	700		0

a Copïwch a chwblhewch y tabl.

b Defnyddiwch yr wybodaeth yn y tabl i lunio graff o'r grym cydeffaith yn erbyn buanedd. Defnyddiwch yr echelinau ar y chwith a graddfa addas. Ar ryw bwynt wrth blymio, bydd yr awyrblymiwr yn disgyn ar fuanedd terfynol.

c Eglurwch ystyr buanedd terfynol.

ch Nodwch werth buanedd terfynol yr awyrblymiwr yn yr enghraifft hon.

Llilinio

Bydd cwmnïau gwneud ceir yn defnyddio twnelau gwynt i brofi pa mor llilin yw eu modelau newydd (Ffigur 15.21). Byddan nhw'n ceisio cael cyn lleied o lusgiad â phosibl. Mae llusgiad is yn golygu y bydd y ceir yn defnyddio tanwydd yn fwy effeithlon.

Ffigur 15.21 Bydd cwmnïau gwneud ceir yn defnyddio mwg mewn twnnel gwynt i weld sut mae aer yn llifo dros gorff y car.

Mae athletwyr eisiau cael y perfformiad gorau posibl. Byddan nhw'n gwisgo dillad lycra llyfn i leihau'r llusgiad. Bydd rhai beicwyr yn eillio eu coesau a'u gwallt hyd yn oed, er mwyn mynd yn gynt.

Cwestiynau

21 Pam dylai car fod â llusgiad isel?

Ceir Fformiwla 1 a thwnelau gwynt (ewch i *Insight* yna *Understanding the sport*): www.formula1.com/insight/

Gweithgaredd

Mesur o faint o wrthiant aer sydd gan gar yw'r cyfernod llusgiad. Defnyddiwch ddata gan gwmnïau gwneud ceir neu oddi ar y rhyngrwyd i ganfod cyfernod llusgiad ceir modern. Sut maen nhw'n cymharu â cherbydau i'w defnyddio oddi ar y ffordd?

Rhyngweithiadau rhwng gwrthrychau

Mae grymoedd bob tro mewn parau

Mae'n hawdd gwneud i droli symud wrth siopa mewn archfarchnad. Rydych chi'n gwthio'r troli ac mae'n symud yn ei flaen. Tynnu, ac mae'n symud yn ôl. Ond does dim ots ym mha gyfeiriad y byddwch chi'n rhoi grym, bydd y troli'n rhoi grym o'r un maint yn y cyfeiriad dirgroes arnoch chi. (Po galetaf y byddwch chi'n gwthio'r troli, mwyaf y byddwch chi'n teimlo grym yr handlen yn erbyn eich dwylo.) Un rheswm yw hyn: bob tro y mae dau gorff yn rhyngweithio, mae'r grymoedd y maen nhw'n eu gweithredu ar ei gilydd bob tro yn hafal o ran maint ac yn ddirgroes o ran cyfeiriad i'w gilydd. Ond mae'r ddau rym bob tro'n gweithredu ar wahanol gyrff; dyma pam nad ydyn nhw'n canslo'i gilydd.

Gwaith a throsglwyddo egni

Os oes angen gwthio car er mwyn iddo gychwyn, mae angen egni i wneud i'r car ddechrau symud. Rhaid i chi wneud **gwaith**. Rhaid trosglwyddo egni o'ch corff i'r car. Gwthiwch gyda mwy o rym a byddwch chi'n gwneud mwy o waith. Po fwyaf yw'r pellter y byddwch yn symud y car, mwyaf o waith y byddwch yn ei wneud.

Gallwn ddweud:

$$\text{gwaith a wneir} = \text{grym (N)} \times \text{pellter a symudir (yng nghyfeiriad y grym) (m)}$$

Os yw'r grym yn cael ei fesur mewn newtonau a phellter mewn metrau, yna mae'r gwaith a wneir yn cael ei fesur mewn **jouleau** (J). Felly gwneir 1 J o waith pan fydd grym o 1 N yn cael ei symud trwy bellter o 1 m (yng nghyfeiriad y grym). Yn yr achos hwn, y grym a gafodd ei oresgyn oedd grym ffrithiant. Yn aml iawn, y grym sy'n cael ei oresgyn yw grym disgyrchiant.

Enghraifft

Mae sach o datws yn pwyso 25 N. Faint o waith a wneir pan fydd y sach yn cael ei chodi oddi ar y llawr a'i roi ar silff sydd 2 m yn uwch?

Yn gyntaf, y fformiwla:

$$\text{gwaith a wneir (J)} = \text{grym (N)} \times \text{pellter a symudir (m)}$$

Rhowch y rhifau:

$$\text{gwaith a wneir (J)} = 25\,\text{N} \times 2\,\text{m}$$
$$= 50\,\text{J}$$

Weithiau gallai arholwr ofyn y cwestiwn mewn ffordd wahanol. Faint o egni sy'n cael ei drosglwyddo i sach o datws 25 N pan fydd yn cael ei chodi trwy uchder o 2 m? Mae'r gwaith cyfrifo yn union yr un fath. Mae 'gwaith a wneir' yr un fath ag 'egni a drosglwyddir'. Yn yr achos hwn, yr egni sy'n cael ei drosglwyddo yw 50 J.

Mae egni bob amser yn cael ei **gadw** wrth ei drosglwyddo. Wrth gael ei chodi, cafodd y sach datws egni. Beth bynnag neu pwy bynnag oedd yn codi'r sach – collodd hwnnw yr un faint o egni, sef 50 J.

Enghraifft

Mae angen 9 J o egni i godi pwysau 3 N oddi ar y llawr. Pa mor uchel mae'r gwrthrych yn cael ei godi?

Yn gyntaf, y fformiwla:

$$\text{gwaith a wneir} = \text{grym (N)} \times \text{pellter a symudir (m)}$$

Rhowch y rhifau:

$$9\,J = 3\,N \times \text{pellter a symudir (m)}$$

Aildrefnu:

$$\text{pellter a symudir} = \frac{9\,J}{3\,N}$$
$$= 3\,m$$

Enghraifft

Mae car yn symud yn gyflym gyda 200 000 J o egni. Pa rym mae'n rhaid ei roi ar y car er mwyn iddo stopio mewn pellter o 40 m?

Yn gyntaf, y fformiwla:

$$\text{gwaith a wneir (J)} = \text{grym (N)} \times \text{pellter a symudir (m)}$$

Rhowch y rhifau:

$$200\,000\,J = \text{grym (N)} \times 40\,m$$

Aildrefnu:

$$\text{grym (N)} = \frac{200\,000\,J}{40\,m}$$
$$= 5000\,N$$

Gwaith ac egni (ewch i *Multimedia physics studio* yna *Work and energy*):
www.physicsclassroom.com

Wyddoch chi?

Mae'r *Seawise Giant* yn llong enfawr. Mae'n 460 m o hyd, gyda màs o 560 000 tunnell fetrig. Unwaith y mae'n symud, mae ar y capten angen 10 km (dros 6 milltir) i stopio.

Cwestiynau

22 Nodwch yr uned ar gyfer gwaith.

23 Ysgrifennwch y fformiwla sy'n cysylltu gwaith a wneir, grym a'r pellter a symudir yng nghyfeiriad y grym. Nodwch unedau pob un o'r rhain.

24 Faint o waith a wneir pan fydd pwysau 15 N yn cael ei godi i uchder o 4 m?

25 Mae 250 J o egni gan wrthrych sy'n symud. Mae grym arafu o 5 N yn ei arafu nes ei fod yn ddisymud. Pa mor bell mae'n teithio cyn stopio?

26 Mae 500 000 J o egni gan gar sy'n symud. Pa rym fydd yn ei stopio mewn pellter o 50 m?

Egni cinetig ac egni potensial

Rydych chi'n gwneud gwaith wrth godi rhywbeth. Rydych chi wedi trosglwyddo egni er mwyn gwneud hynny. Mae ganddo egni oherwydd ei safle uwchben y Ddaear. Yr enw ar hyn yw **egni potensial disgyrchiant**.

Weithiau rydych chi'n gwneud gwaith wrth newid siâp rhywbeth, er enghraifft wrth dynnu'r elastig ar gatapwlt neu dynnu'r llinyn yn barod i saethu bwa saeth. Dywedwn fod yr elastig sydd wedi'i estyn yn storio **egni potensial elastig**.

Os gollyngwch y gwrthrych, bydd yn disgyn ar lawr. Bydd yr egni potensial sydd wedi'i storio'n cael ei drosglwyddo yn egni mudiant neu'n **egni cinetig**.

U

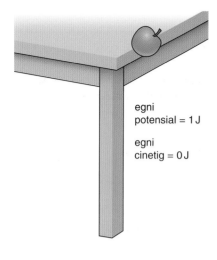

egni
potensial = 1 J

egni
cinetig = 0 J

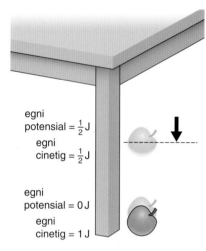

egni
potensial = $\frac{1}{2}$ J

egni
cinetig = $\frac{1}{2}$ J

egni
potensial = 0 J

egni
cinetig = 1 J

Ffigur 15.22 Egni potensial i egni cinetig

Egni potensial

Gallwn gyfrifo egni potensial o'r gwaith y mae'n rhaid ei wneud wrth godi rhywbeth (gw. Ffigur 15.22). Gadewch i ni ddarganfod y gwaith a wneir wrth godi'r afal 1 N oddi ar y llawr i ben bwrdd sydd 1 m uwchben y llawr.

Yn gyntaf, y fformiwla:

gwaith a wneir (J) = grym (N) × pellter a symudir (m)

Rhowch y rhifau:

gwaith a wneir (J) = 1 N × 1 m
= 1 J

Felly egni potensial yr afal yw 1 J. Petai'r afal yn cael ei ollwng o'r bwrdd i'r llawr, byddai'r egni potensial yn cael ei drosi yn egni cinetig. Yn union cyn iddo daro'r llawr, byddai ganddo 1 J o egni cinetig.

Edrychwch ar yr hafaliad hwn eto.

gwaith a wneir (J) = grym (N) × pellter a symudir (m)

Os ydych chi'n gollwng rhywbeth, mae grym disgyrchiant yn gwneud iddo gyflymu. Rydym ni'n galw hyn yn **gyflymiad oherwydd disgyrchiant** (symbol g). Yr enw arall arno yw **cryfder y maes disgyrchiant**.

Cofiwch fod:

grym = màs × cyflymiad

Felly gallwn ysgrifennu hyn:

grym (N) = màs (kg) × cryfder y maes disgyrchiant (N/kg)

Os byddwn ni'n codi'r gwrthrych, y pellter a symudir yw'r newid yn ei uchder.

Mae'r hafaliad:

gwaith a wneir (J) = grym (N) × pellter a symudir (m)

yn troi yn:

gwaith a wneir (J) = màs (kg) × cryfder y maes disgyrchiant (N/kg) × newid mewn uchder (m)

Ond, os ydym ni'n codi'r gwrthrych, mae'r gwaith a wneir wedi newid egni potensial y gwrthrych:

newid mewn egni potensial (J) = màs (kg) × cryfder y maes disgyrchiant (N/kg neu m/s²) × newid mewn uchder (m)

Egni cinetig

Mae egni cinetig neu egni mudiant yn dibynnu ar fuanedd y corff a'i fàs.

egni cinetig = $\frac{1}{2}$ màs × buanedd wedi'i sgwario

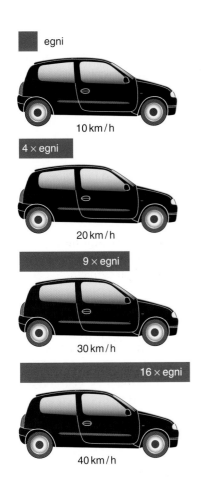

egni

10 km/h

4 × egni

20 km/h

9 × egni

30 km/h

16 × egni

40 km/h

Ffigur 15.23 Mae egni cinetig mewn cyfrannedd â'r buanedd wedi'i sgwario.

Reid gwibio gwyllt mewn ffair (ewch i *Site Map*, *Exhibits*, *Amusement park physics* yna *Roller coaster*):
www.learner.org

Gan ychwanegu'r unedau,

$$\text{egni cinetig (J)} = \frac{1}{2}\,\text{màs (kg)} \times \text{buanedd (m/s) wedi'i sgwario}$$

Mae cynyddu'r buanedd yn cael effaith fawr iawn ar yr egni. Trwy ddyblu'r buanedd o 2 m/s i 4 m/s mae'r egni bedair gwaith yn fwy. Mae hyn yn bwysig iawn o ran diogelwch ar y ffyrdd.

Enghraifft 1

Mae gan gar â màs o 1000 kg fuanedd o 20 m/s. Beth yw ei egni cinetig?

Yn gyntaf, y fformiwla:

$$\text{egni cinetig} = \frac{1}{2}\,\text{màs} \times \text{buanedd wedi'i sgwario}$$

Rhowch y rhifau:

$$\text{egni cinetig (J)} = \frac{1}{2} \times 1000 \times 20 \times 20$$

$$= 1000 \times 10 \times 20 \,\text{J}$$

$$= 200\,000 \,\text{J}$$

Enghraifft 2

Mae gan reid gwibio gwyllt (*roller coaster*) yn y ffair, gyda'r holl deithwyr, gyfanswm màs o 1000 kg. Mae'n disgyn o uchder o 120 m i 20 m. Beth yw'r newid yn yr egni potensial?

Yn gyntaf, y fformiwla:

$$\text{newid mewn egni potensial (J)} = \text{màs (kg)} \times \text{cryfder y maes disgyrchiant (N/kg)} \times \text{newid mewn uchder (m)}$$

Y newid mewn uchder yw:

$$\text{newid uchder} = 120\,\text{m} - 20\,\text{m} = 100\,\text{m}$$

Rhowch y rhifau:

$$\text{newid mewn egni potensial} = 1000\,\text{kg} \times 10\,\text{N/kg} \times 100\,\text{m}$$

$$= 1\,000\,000 \,\text{J}$$

Gan fod 1 MJ (megajoule) = 1 000 000 J, gallwn ysgrifennu:

$$\text{newid mewn egni potensial} = 1\,\text{MJ}$$

Cwestiynau

27 Dim ond 0.8 MJ oedd uchafswm egni cinetig y reid yn Enghraifft 2. Beth sydd wedi digwydd i'r egni 'coll'?

28 Mae reid ffair â màs o 1000 kg a buanedd o 30 m/s. Beth yw ei hegni cinetig?

29 Mae cerbyd gwibio gwyllt sydd â màs o 400 kg yn disgyn trwy uchder o 150 m. Os yw cryfder y maes disgyrchiant yn 10 N/kg, beth yw ei egni cinetig yn y gwaelod? Yn yr achos hwn, mae'r holl egni potensial yn cael ei newid yn egni cinetig.

30 Mae car â màs o 1000 kg yn teithio ar fuanedd cyson o 10 m/s. Cyfrifwch ei egni cinetig. Mae buanedd y car yn dyblu i 20 m/s. Beth yw ei egni cinetig? Beth sy'n digwydd i'r egni hwn pan fydd y car yn stopio?

Stopio'n ddiogel

Po gyflymaf y bydd car yn teithio, mwyaf o egni cinetig fydd ganddo. Er mwyn stopio'r car, rhaid i'r gyrrwr ddibynnu ar ffrithiant yn y breciau a'r ffrithiant rhwng y teiars ac arwyneb y ffordd i arafu'r car nes ei fod yn ddisymud.

Pa mor bell mae car yn teithio cyn stopio? Mae'n dibynnu ar y canlynol:

- Faint o amser mae'n ei gymryd i'r gyrrwr adnabod perygl a phwyso ar y brêc. Yn ystod yr amser hwn, bydd y car wedi symud ar hyd y ffordd tuag at y perygl. Yr enw ar y pellter hwn yw'r **pellter meddwl**.
- Bydd y car yn arafu ar ôl i'r breciau gael eu defnyddio. Wrth frecio, bydd y car yn dal i symud ar hyd y ffordd tuag at y perygl. Yr enw ar hyn yw'r **pellter brecio**.

Y **pellter stopio** cyfan yw'r pellter meddwl a'r pellter brecio gyda'i gilydd.

Dyma rai o'r ffactorau sy'n effeithio ar y pellter meddwl:

- Buanedd y car.
- **Amser adweithio** y gyrrwr. Fel arfer mae hyn tua 0.7 s. Gall fod yn llawer arafach os yw'r gyrrwr wedi bod yn yfed alcohol neu'n cymryd cyffuriau; gall rhai moddion 'dros y cownter' ar gyfer salwch cyffredin eich gwneud yn gysglyd. Efallai fod y gyrrwr wedi blino.
- Efallai fod rhywbeth yn mynd â sylw'r gyrrwr, fel chwilio am arwydd ar ochr y ffordd.
- Efallai fod y gyrrwr yn defnyddio ffôn symudol; mae hyd yn oed y setiau heb ddwylo yn cael effaith sylweddol ar bellter meddwl.

Dyma rai o'r ffactorau sy'n effeithio ar y pellter brecio:

- Buanedd y car. Mae egni cinetig y car yn dibynnu ar ei fuanedd wedi'i sgwario.
- Màs y car.
- Cyflwr y breciau. Os byddan nhw wedi treulio gormod, neu os bydd olew neu saim drostynt, bydd hyn yn cael effaith ddifrifol ar y brecio.
- Cyflwr y teiars. Rhaid i ddyfnder y rhychau fod o leiaf 1.6 mm dros 75% o led y teiar. Y rhychau sy'n cael gwared â'r dŵr ar ffordd wlyb. Os yw'r teiar yn llyfn a'r ffordd yn wlyb, bydd haen denau o ddŵr yn ymgasglu rhwng y ffordd a'r teiar. Mae hwn yn gyflwr peryglus a all achosi i'r car lithro ar yr haen ddŵr.
- Cyflwr arwyneb y ffordd. Mae rhai yn fwy llithrig nag eraill.
- Y tywydd: mae rhew ac eira yn beryglon amlwg. Gall cawod ysgafn ar ôl cyfnod hir sych wneud y ffordd yn llithrig iawn.

Mae Ffigur 15.24 yn dangos sut mae pellter meddwl a phellter stopio yn cynyddu yn ôl buanedd. Trwy leihau buanedd gellir atal damweiniau ac arbed bywydau, gan fod y pellter stopio yn llai.

Wyddoch chi?

Yn 2001 aeth gyrrwr i gysgu wrth yrru ei gerbyd gyriant pedair olwyn. Plymiodd y cerbyd oddi ar yr M62 ac ar gledrau rheilffordd. Llwyddodd y gyrrwr i ddod o'r cerbyd, ond cafodd y car ei daro gan drên cyflym GNER (*Great North Eastern Railway*) a thrên glo. Lladdwyd 10 o bobl ac anafwyd 70. Cafodd y gyrrwr ei anfon i'r carchar.

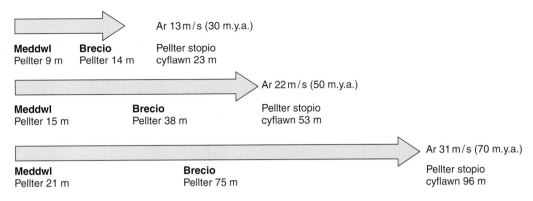

Ffigur 15.24 Pellteroedd meddwl, brecio a stopio

Gweithgaredd

Defnyddiwch bren mesur 50 cm i amseru eich adwaith. Daliwch eich bys a'ch bawd y naill ochr i ben isaf y pren mesur. Bydd eich partner yn gollwng y pren mesur a rhaid i chi ei ddal heb symud eich llaw. Po arafaf yw eich adwaith, mwyaf o'r pren mesur fydd yn pasio rhwng eich bysedd.

Cwestiynau

31 Eglurwch y termau:
  a egni cinetig
  b egni potensial.
  Enwch uned egni cinetig.

32 Eglurwch y termau hyn, ym maes diogelwch ar y ffordd:
  a pellter meddwl
  b pellter brecio.

33 Enwch y ffactorau sy'n gallu effeithio ar:
  a pellter meddwl
  b pellter brecio.

34 Cafodd car ar drac profi ei arafu nes stopio gan rym cyson. Yna, cafodd yr un grym brecio ei ddefnyddio ar gyfer ceir yn teithio ar wahanol fuaneddau. Mae'r graff ar y dde yn dangos sut mae'r pellter stopio cyflawn yn dibynnu ar fuanedd y car.
  a Defnyddiwch y graff i ddarganfod buanedd y car, os cafodd ei stopio o fewn 40 m.
  b Ysgrifennwch, mewn geiriau, yr hafaliad sy'n cysylltu *pellter*, *buanedd* ac *amser*.
  c Ar gyfer car sy'n teithio ar 30 m/s, cyfrifwch y pellter teithio yn ystod yr amser adweithio.
  ch Y pellter stopio cyflawn yw'r pellter brecio a'r pellter adweithio (meddwl). Defnyddiwch eich ateb i **ch** a'r graff i ddarganfod y pellter brecio ar gyfer car sy'n teithio ar 30 m/s.

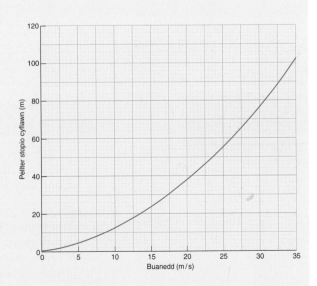

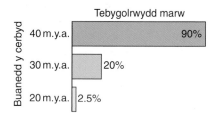

Ffigur 15.25 Tebygolrwydd marw wrth gael eich taro gan gar ar wahanol fuaneddau

Buanedd diogel

Mae traffyrdd yn ffyrdd diogel a gall traffig deithio'n gyflym arnynt. Mae canol y dref yn lle prysur; mae pobl yn croesi'r ffordd, ceir wedi parcio, ysgolion ac yn y blaen, a phob un yn ychwanegu at y perygl. Mewn ardaloedd adeiledig fel hyn, mae'r gyfraith yn mynnu bod cerbydau'n teithio ar uchafswm buanedd o 30 milltir/awr. Nid yw hyn yn golygu ei bod yn ddiogel teithio ar 30 milltir/awr. Dylai gyrwyr bob amser addasu eu cyflymder yn ôl yr amodau ar y ffordd.

Nid yw pawb yn cadw at y cyfyngiad cyflymder. Er mwyn gorfodi'r gyfraith, bydd yr awdurdodau lleol a'r heddlu yn defnyddio camerâu cyflymder. Mae'r camera'n tynnu dau ffotograff â fflach. Gall yr heddlu ddefnyddio'r marciau gwyn ar y ffordd i weld pa mor bell y mae car wedi teithio yn yr amser rhwng y ddwy fflach. Fel hyn, gallant gyfrifo buanedd y car.

Bydd rhai gyrwyr yn gyrru'n gyflymach ar ôl mynd heibio i gamera. Er mwyn rhwystro hyn rhag digwydd, mae'r camera wedi'i gysylltu wrth gyfrifiadur sy'n cofnodi rhif plât pob cerbyd. Ychydig filltiroedd i lawr y ffordd bydd ail gamera yn cofnodi'r rhifau ceir drachefn. Gall y cyfrifiadur ddefnyddio'r amser a'r pellter rhwng y ddau gamera i gyfrifo buanedd y cerbyd.

Dyma rai mesurau eraill ar gyfer sicrhau diogelwch ar y ffyrdd.

- Twmpathau ar draws y ffordd. Rhaid i fodurwyr arafu cyn gyrru drostynt, neu gallant achosi niwed i'w car.

- Gellir gosod cyfyngiadau dros dro ar ba mor llydan yw'r ffordd, gyda rhwystr yn atal cerbydau rhag defnyddio hanner y ffordd am bellter byr.

Gweithgaredd

1 Pam mae angen cyfyngiadau cyflymder?

2 Gwnewch restr o'r mesurau diogelwch ffordd sy'n cael eu defnyddio i leihau cyflymder yn eich ardal.

3 Ar gyfer rhai o'r mesurau sy'n cael eu defnyddio, trafodwch eu heffaith ar ddiogelwch ffyrdd yn eich ardal. A yw'r ffordd yn lle diogel ar gyfer yr holl ddefnyddwyr? Os gallwch, awgrymwch rai gwelliannau.

4 Mae rhai pobl yn dweud bod camerâu cyflymder yn hanfodol ar gyfer diogelwch ar y ffyrdd. Mae rhai'n dweud nad ydyn nhw'n gwahaniaethu rhwng gyrwyr sydd fymryn yn uwch na'r cyflymder cywir a'r bobl sy'n gyrru'n gyflym iawn. Yn ôl eraill, modurwyr yn bennaf, mae'r camerâu yn ffynhonnell incwm dda i'r heddlu a'r cyngor lleol. Yn eich grŵp, trafodwch y ddadl o blaid ac yn erbyn camerâu diogelwch.

Ceir mwy diogel

Mae gwneuthurwyr ceir yn gwella cerbydau drwy'r amser gan ychwanegu nodweddion diogelwch i leihau niwed pan fydd gwrthdrawiad. Pan fydd car mewn damwain, bydd yn arafu'n gyflym. Os ydych chi mewn car sy'n arafu'n gyflym, rydych chi'n dal i symud ymlaen nes bod grym yn gweithredu i newid eich buanedd. Gallai hwnnw fod yn rym rhwng eich pen a gwydr y ffenestr.

$$\text{grym (N)} = \text{màs (kg)} \times \text{arafiad (m/s}^2)$$

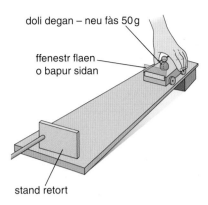

doli degan – neu fàs 50g

ffenestr flaen
o bapur sidan

stand retort

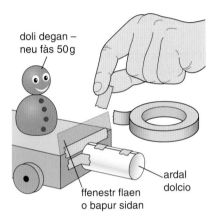

doli degan –
neu fàs 50g

ardal
dolcio

ffenestr flaen
o bapur sidan

Ffigur 15.26 Cyfarpar i ddangos effaith ardal dolcio car

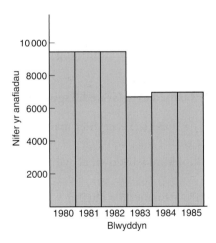

Ffigur 15.27 Bu gostyngiad mawr yn nifer yr anafiadau difrifol pan ddaeth hi'n orfodol gwisgo gwregys diogelwch ym Mhrydain ym 1983.

Os ydych chi'n arafu'n gyflym, mae grym mawr ar eich corff. Os yw'n bosibl lleihau'r arafiad hwnnw, byddwch chi'n llai tebygol o gael anaf. Neidiwch oddi ar ris fechan, tua 15 cm o uchder ond peidiwch â phlygu eich pengliniau: wrth i chi lanio bydd eich corff yn teimlo'r ergyd. Os plygwch eich pengliniau wrth lanio, byddwch chi'n lleihau'r arafiad a phrin y byddwch chi'n teimlo'r grym.

Wrth ddylunio car, mae'r gwneuthurwyr yn gwneud yn sicr y byddan nhw'n malu'n raddol mewn gwrthdrawiad. Mae hyn yn lleihau'r arafiad . Enw'r nodwedd hon yw **ardal dolcio**. Mae un ar flaen y car, ac un ar y cefn. Gall eich athro/athrawes arddangos hyn gyda throli a ramp.

Mae rhan ganol y car yn gryf iawn ac nid yw'n tolcio yn yr un ffordd. Bwriad **cawell diogelwch** fel hyn yw amddiffyn pawb yn y car petai damwain. Rhaid profi pob car newydd mewn damwain ffug i weld pa mor ddiogel ydynt. Mae'r ceir mwyaf diogel yn cael pum seren.

Gwaith ymarferol

Ymchwilio i effaith ardal dolcio car

1 Gollyngwch y troli a gadael iddo wrthdaro yn erbyn y stand retort.

2 Mae'r 'gyrrwr' yn dal i symud, gan daro yn erbyn y ffenestr flaen.

3 Gyda'r ardal dolcio, mae'r troli yn arafu'n llawer mwy araf. Mae'n bosibl y bydd y 'gyrrwr' yn taro'r ffenestr, ond gyda grym llawer llai.

4 Mae band elastig yn ffordd dda o wneud gwregys i ddal y gyrrwr yn y troli. Gwnewch yr arbrawf eto i weld a yw'n diogelu'r gyrrwr.

Gwregysau diogelwch

Oherwydd gwregysau diogelwch, mae gennym lawer mwy o siawns o oroesi damwain (Ffigur 15.27). Mae'r gwregys yn rhoi'r grym i'ch arafu mewn damwain. Gan eu bod yn ymestyn ychydig, rydych chi'n arafu dros fwy o amser, felly maen nhw'n lleihau grym y trawiad.

Mae gwregysau diogelwch yn rhwystro teithwyr yn y sedd flaen rhag taro'r ffenestr flaen a theithwyr yn y cefn rhag gwasgu'r rhai o'u blaenau. Mewn rhai ceir mae dyfeisiau sy'n rhoi tensiwn ymlaen llaw ar y gwregysau. Mewn gwrthdrawiad, bydd y ddyfais yn ymateb ar unwaith trwy dynhau ychydig ar y gwregys er mwyn lleihau effaith y gwrthdrawiad.

Cwestiynau

28 Beth yw pwrpas ardal dolcio mewn car?

29 Beth yw pwrpas cawell diogelwch mewn car?

30 Beth yw gwaith dyfais sy'n rhoi tensiwn ymlaen llaw ar wregys diogelwch?

Bagiau aer

Os ydych chi'n cwympo ar lawr, mae'n brifo. Mae grym arafiad mawr yn eich arafu'n gyflym. Os cwympwch ar fatres feddal, fe gewch eich arafu yn llawer mwy tyner. Mewn ceir newydd, mae **bagiau aer** arbennig. Maen nhw'n llenwi â nwy yn awtomatig os bydd gwrthdrawiad. Pan fydd pen y gyrrwr yn taro'r bag aer, bydd nwy yn gollwng o'r bag yn araf wrth i rym y gwrthdrawiad wthio rhywfaint o'r nwy o'r bag. Mae'r bag aer yn cynyddu faint o amser y mae'n ei gymryd i ben y gyrrwr arafu a stopio. Felly mae'r grymoedd ar y gyrrwr yn llai.

Crynodeb

1 Gellir cyfrifo buanedd cyfartalog gan ddefnyddio'r fformiwla ganlynol.

$$\text{buanedd cyfartalog (m/s)} = \frac{\text{pellter a deithiwyd (m)}}{\text{amser a gymerwyd (s)}}$$

2 Cyflymiad yw cyfradd newid buanedd.

$$\text{cyflymiad (m/s}^2\text{)} = \frac{\text{newid mewn buanedd (m/s)}}{\text{amser a gymerwyd i newid buanedd (s)}}$$

3 Mae buanedd yn cael ei ddangos gan oledd neu raddiant graff pellter–amser.

4 Mae cyflymiad yn cael ei ddangos gan oledd neu raddiant graff buanedd –amser.

5 Gall grymoedd newid buanedd gwrthrych, y cyfeiriad y mae'n symud, a siâp neu faint gwrthrych.

6 Nid yw grymoedd cytbwys yn effeithio ar symudiad gwrthrych.

7 Gall grymoedd anghytbwys wneud i wrthrych gyflymu, arafu neu newid cyfeiriad.

8 Mae grym yn cael ei fesur mewn newtonau (N).

9 Grym cydeffaith (N) = màs (kg) × cyflymiad (m/s^2).

10 Pan fydd gwrthrych yn symud trwy'r aer, mae'n teimlo grym llusgiad o'r enw gwrthiant aer.

11 Pan fydd corff yn disgyn o uchder digonol, i ddechrau bydd yn cyflymu gan fod grym y pwysau yn fwy na'r gwrthiant aer ar y cychwyn. Mae gwrthiant aer yn cynyddu gyda buanedd nes bod grymoedd pwysau a gwrthiant aer yn cydbwyso; yna bydd y corff yn disgyn ar fuanedd terfynol.

12 Mae ceir ac awyrennau yn llilin er mwyn lleihau gwrthiant aer.

13 Gwaith a wneir (J) = grym (N) × pellter a symudir (yng nghyfeiriad y grym).

14 Egni cinetig (J) = $\frac{1}{2}$ màs (kg) × buanedd (m/s) wedi'i sgwario.

15 Egni potensial disgyrchiant (J) = màs (kg) × cryfder maes disgyrchiant (N/kg) × uchder (m).

16 Po gyflymaf y bydd car yn teithio, hiraf y bydd yn ei gymryd i stopio.

17 Mae pellter stopio yn dibynnu ar y buanedd a chyflwr y gyrrwr (amser adweithio), y car (breciau a theiars) ac arwyneb y ffordd.

18 Mae gwneuthurwyr ceir yn gwneud ceir yn fwy diogel trwy osod ardaloedd tolcio, cewyll diogelwch, gwregysau a bagiau aer.

19 Mae awdurdodau lleol yn gosod cyfyngiadau cyflymder mewn ardaloedd lle gallai cyflymder achosi perygl.

20 Mae'r heddlu'n defnyddio camerâu cyflymder i orfodi'r gyfraith.

Y Tabl Cyfnodol

1	2												3	4	5	6	7	0
																		4 He heliwm 2
7 Li lithiwm 3	9 Be beryliwm 4												11 B boron 5	12 C carbon 6	14 N nitrogen 7	16 O ocsigen 8	19 F fflworin 9	20 Ne neon 10
23 Na sodiwm 11	24 Mg magnesiwm 12												27 Al alwminiwm 13	28 Si silicon 14	31 P ffosfforws 15	32 S sylffwr 16	35 Cl clorin 17	40 Ar argon 18
39 K potasiwm 19	40 Ca calsiwm 20	45 Sc scandiwm 21	48 Ti titaniwm 22	51 V fanadiwm 23	52 Cr cromiwm 24	55 Mn manganîs 25	56 Fe haearn 26	59 Co cobalt 27	59 Ni nicel 28	63 Cu copr 29	64 Zn sinc 30		70 Ga galiwm 31	73 Ge germaniwm 32	75 As arsenig 33	79 Se seleniwm 34	80 Br bromin 35	84 Kr crypton 36
85 Rb rwbidiwm 37	88 Sr strontiwm 38	89 Y ytriwm 39	91 Zr sirconiwm 40	93 Nb niobiwm 41	96 Mo molybdenwm 42	Tc technetiwm 43	101 Ru rutheniwm 44	103 Rh rhodiwm 45	106 Pd paladiwm 46	108 Ag arian 47	112 Cd cadmiwm 48		115 In indiwm 49	119 Sn tun 50	122 Sb antimoni 51	128 Te telwriwm 52	127 I îodin 53	131 Xe senon 54
133 Cs cesiwm 55	137 Ba bariwm 56	139 La lanthanwm 57	178 Hf haffniwm 72	181 Ta tantalwm 73	184 W twngsten 74	186 Re rheniwm 75	190 Os osmiwm 76	192 Ir iridiwm 77	195 Pt platinwm 78	197 Au aur 79	201 Hg mercwri 80		204 Tl thaliwm 81	207 Pb plwm 82	209 Bi bismwth 83	210 Po poloniwm 84	210 At astatin 85	222 Rn radon 86
Fr ffranciwm 87	226 Ra radiwm 88	227 Ac actiniwm 89																

1 H hydrogen 1

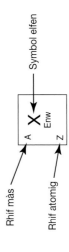

A X Enw Z

Symbol elfen

Rhif màs

Rhif atomig

Fformiwlâu ar gyfer rhai ïonau cyffredin

Ïonau positif		Ïonau negatif	
Enw	Fformiwla	Enw	Fformiwla
Alwminiwm	Al^{3+}	Bromid	Br^-
Amoniwm	NH_4^+	Carbonad	CO_3^{2-}
Bariwm	Ba^{2+}	Clorid	Cl^-
Calsiwm	Ca^{2+}	Fflworid	F^-
Copr(II)	Cu^{2+}	Hydrocsid	OH^-
Hydrogen	H^+	Ïodid	I^-
Haearn(II)	Fe^{2+}	Nitrad	NO_3^-
Haearn(III)	Fe^{3+}	Ocsid	O^{2-}
Lithiwm	Li^+	Sylffad	SO_4^{2-}
Magnesiwm	Mg^{2+}		
Nicel	Ni^{2+}		
Potasiwm	K^+		
Arian	Ag^+		
Sodiwm	Na^+		

Mynegai